DU MÊME AUTEUR

MARIE-ANDRÉE LAMONTAGNE

Prière, poèmes, les Éditions du Silence, 1996.
Vert, roman, Leméac, 1998.
Entre-mondes, nouvelles, Leméac, 2003.
La méridienne, récit-essai, Leméac, 2004.
Un nœud de plaisir, essai, Bayard/Novalis, 2005.

UNS

Illustration de la couverture : Edmund Alleyn, *Marine* (détail), 1971, Montréal.

Leméac Éditeur remercie le ministère du Patrimoine canadien, le Conseil des arts du Canada, la Société de développement des entreprises culturelles du Québec (SODEC) et le Programme de crédit d'impôt pour l'édition de livres du Québec (Gestion SODEC) du soutien accordé à son programme de publication.

ISBN 978-2-7609-3304-0

© Copyright Ottawa 2008 par Leméac Éditeur
4609, rue d'Iberville, 3ᵉ étage, Montréal (Québec) H2H 2L9
Dépôt légal – Bibliothèque et Archives nationales du Québec, 2008

Imprimé au Canada

PHILIPPE   MARIE-ANDRÉE
BORNE   LAMONTAGNE

Uns

roman

LEMÉAC

Prologue

Un matin étrange. Sur chaque brin d'herbe, même les gouttes de rosée ont l'air de vouloir s'agripper comme en attente d'un choc. Pourtant, c'est aussi un matin superbe avec Àan qui brille, les oiseaux et tout. Pàtu est grand. Il est fort. Il a dix ans. Il soulève la grande peau et entre dans le tipi. En face, dans la pénombre, une silhouette se dresse, se frotte les yeux, proteste. Non non il était réveillé, il l'attendait, c'était prévu, il est prêt. Pàtu sourit. Très bien alors sortons.

Les deux frères avancent côte à côte dans le sentier, après avoir renvoyé les chevaux au village. Leurs pas sont ajustés. Même souplesse, mêmes enjambées, bien que des deux Pàtu soit celui qui en impose. Normal, c'est l'aîné. Et puis le fusil lui appartient. Il lui a coûté trois chevaux, il en est fier. Sotahwa finit de s'éveiller en marchant. Il s'ébroue comme un poulain arrivé à la rivière et qui attend un signe pour se mettre à boire ou pour traverser. Il fera l'un ou l'autre geste, selon ce que son frère lui dira. Voilà ce qu'au village on attend de l'aîné. Et puis la chasse aux lapins, c'est son idée. Pàtu est habile. À son âge, il a déjà quatre années de chasse derrière lui, avec son père d'abord, puis avec ses oncles. Il ne compte plus les bêtes rapportées aux femmes qui les accueillent avec fierté, lui et ses dépouilles.

Le premier coup de fusil réussi, c'est très important. Il garde encore la balle qu'il avait cherchée après, dans l'herbe. Il avait mis du temps à la trouver, mais il le fallait. Elle était tiède, elle sentait encore la poudre. Un tendon avait suffi, il avait fait un nœud. Il s'en était fait un talisman, ou plutôt un porte-bonheur, car il n'était pas souvent revenu bredouille depuis. De gratitude, ce jour-là, il avait levé les yeux vers Àan, qui réchauffait le peuple des Nee-me-poo, tout en bas.

Il avait montré le pendentif à Hiumath, leur mère. Et elle s'était réjouie de cette première perdrix tuée. Il n'était plus un poupon depuis longtemps déjà, pourtant il aimait bien traîner en compagnie des femmes. Hiumath aussi aimait le voir là, boule tiède et noiraude, qui riait en levant les yeux sur elle. Un chasseur ne rit pas. Son père, il s'en souvient, ne riait pas. Le chasseur attend, il réfléchit, il vise, il tire, il ramasse, il ne rit pas. La chasse est chose grave. Il est bon, pensait Hiumath en ces jours où il apprenait à ne plus rire, qu'il devienne un chasseur, un grand chasseur, capable de nourrir toute la tribu, s'il le faut. De plus, il enseignerait les gestes à son frère. Ils partiraient tous deux à l'aube et ne reviendraient pas avant d'avoir tué une bête. Hiumath voyait clair et loin. Car voici maintenant qu'ils avancent sur l'un des sentiers de cerfs qui les éloigne du village. Tu vois les traces? demande Pàtu à son frère, en se penchant sur le sol. Et l'autre se penche à son tour. Il apprendra, c'est sûr.

Ce n'est pas vraiment la forêt qu'ils traversent, mais un bocage de feuillus. Des hêtres, des bouleaux plus chatoyants que la rosée, disparue depuis longtemps, mais Pàtu a eu le temps d'en observer l'étrangeté. Comme une lourdeur soudaine, un éclat perdu. Et que vaut une rosée qui n'est plus légère? Àan la dédaigne et le jour commence mal. Trop jeune, Sotahwa ne voit rien du manque de ce matin-là. Il est encore celui qui rit quand la perdrix s'élève au-dessus des buissons dans un vrombissement de bête effrayée.

Cela aussi, il l'apprendra. À rire moins, viser juste, être fort. On va où? interroge Sotahwa. Du menton, l'aîné désigne la prairie face à eux. Les mots sont souvent des pièges. Il faut savoir comment ne pas y tomber. D'abord par le silence. Pàtu a beau être un jeune garçon, il a vu plus d'un Nee-me-poo tomber dans le piège des mots. Et pas toujours avec les Blancs. Hiumath parle peu. Avant qu'il ne soit emporté par une fièvre, Pàtu voyait bien comment l'homme qui dormait près d'elle, celui qui était son père, savait répondre aux regards de la femme, et quand et pourquoi. Savoir peser les mots est une grande richesse. On les sort au bon moment et alors ils valent double. Hiumath lui a appris cela, en même temps que la douceur du lait dans ses seins. Et le père de Pàtu, en restant silencieux, montrait que c'était là sagesse.

Sous leurs pieds, l'herbe ploie et se redresse. Des racines sortent parfois du sol, ou des branches, comme des veines courant dans la terre. Eux ne courent pas. Ils sont à l'affût. Il leur faut sentir la présence du lapin avant d'être repérés par lui. C'est une pulsation entre les arbres, une oreille qui remue, une patte qui hésite. S'enfuir? En aurai-je le temps? Mieux vaut se rendre invisible. Parfois les lapins balancent trop sur la conduite à suivre, et la balle ou la flèche les surprend en pleine réflexion. Ils meurent sans avoir décidé quoi faire. Les lapins ne sont pas stupides, ils sont lents. Ils ne s'enfuient à toute vitesse que pour tromper tout le monde, chasseurs et proie.

Les voici à la rivière. Àan est haut dans le ciel et répand mille paillettes dans le cours d'eau. Les deux garçons s'assoient sur la grande pierre plate qui affleure des entrailles de la terre. Une ardoise bleutée sur quoi s'allonger et regarder l'horizon un moment avant de poursuivre son chemin. Ils sont bien. Ils s'attardent. Le temps est un grand sac où entre qui veut, le vent, le bruit de l'eau, et ce tap-tap, tu as entendu?

Sotahwa hoche la tête. Non, où ça? Pàtu tourne lentement la tête vers la gauche et pointe un doigt. Docile, son frère regarde. Il n'a le temps que de voir l'éclair brun qui rebondit plus loin, et Pàtu derrière, à sa poursuite. Sotahwa se lance aussi. Dans son dos, il sent battre son arc. Il faut faire vite, sinon il les perdra de vue tous les deux, et ça il ne le veut pas, même si rien ne doit paraître de sa peur à l'idée de se retrouver seul, les loges de Hiumath et celles du clan à plusieurs heures de marche. Surtout ne pas crier. Pàtu serait furieux. Mais le rejoindre. Courir. Se rapprocher. Devant, l'éclair brun reste visible de loin en loin. Sotahwa apprend. Pàtu est maintenant tout près. Ils courent ensemble. Après leurs pas, leurs souffles sont ajustés. Leurs bras, leurs pieds, leurs têtes ne forment plus qu'un seul chasseur lancé sur la piste de la proie.

La rivière les accompagne. Le lapin semble la suivre, elle surtout. Et tout cela court vers le sud, Pàtu, Sotahwa et l'éclair brun devenus une même entité qui se déplace, bordée par la rivière. Et il n'y a qu'elle pour chanter, insouciante. Combien de temps s'écoule ainsi? La rivière est éternelle, le lapin défend sa peau, les chasseurs, leur fierté. Et puis ils ont faim. Àan se penche sur eux et épouse leur mouvement.

Pàtu ne quitte pas l'herbe des yeux et l'éclair brun dont il guette les apparitions. Et Sotahwa ne quitte pas des yeux Pàtu. Aussi ni l'un ni l'autre n'ont-ils vu venir ceux qui les regardent maintenant, en se redressant lentement, au bord de la rivière. Ils portent des chapeaux à larges bords, pour se protéger de Àan. Leur peau le craint, ce n'est pas comme celle des Nee-me-poo, qui aime le vent et l'air. La peau des Blancs se dissimule sous des couches d'étoffes sombres, avec çà et là de petits ronds éclatants et durs qui semblent exister pour tenir ensemble les étoffes. C'est la première chose que voit Pàtu, les petits ronds éclatants, quand enfin il aperçoit les hommes dans la rivière. L'éclair brun s'évanouit tout à fait dans la nature. Sotahwa est dans son dos. Il l'entend haleter et ne s'entend pas, lui, faire de même. Son cœur court encore. Les Blancs les regardent. Les garçons regardent les Blancs. Ils ne sont pas nombreux.

Le grand, le plus maigre, est sans doute leur chef, car le premier il esquisse un pas en avant. Derrière ils sont deux. Ils ont avec eux des ustensiles, des pioches, une batée, des plats en fer-blanc, et portent en bandoulière des sacs et des fusils. Non, celui-là n'est pas leur chef, puisque son compagnon le retient par la manche. Il lâche quelques mots. Secs comme des brindilles pour le feu. Le maigre recule.

Pàtu a reconnu l'attirail des orpailleurs. Il sait ce qu'il doit faire dans de telles circonstances, quels mots prononcer. En même temps qu'il prononce leurs mots à eux, Pàtu sait qu'il doit revêtir l'identité qu'ils lui ont donnée. Cela vaut mieux. Ni chasseur, ni guerrier, ni grand frère, il est un enfant qui se faufile entre des peuples étrangers. Il est inoffensif. Il s'appelle Mountain. C'est son nom dans leur langue. Comme Nez-Percés est le nom des Nee-me-poo. Traduire rassure les Blancs. Quant au nom de Mountain, ils prendraient peur s'ils savaient son origine. Yoomtis, le père de son père, avait rêvé ce nom pour lui et Tah-Mah-Ne-Wes, le Grand Esprit, l'avait confirmé à Pàtu lors de sa veille sacrée. Une montagne, avait expliqué Yoomtis, ne recule pas, quoi qu'il arrive.

Je m'appelle Mountain, leur dit-il. Les visages de ces hommes étaient nouveaux, mieux valait se faire connaître. Et lui, c'est mon frère. Et là-bas c'est le lapin qui a disparu. Et toi?

Pàtu a senti de l'hostilité. Dès l'instant où celui qui était placé au bout, le plus court, a tiré sur sa mule, il a su que personne ici n'échangerait les mots pointus des Indiens contre les mots ronds des Blancs. Le petit gros s'accroupissait, il tendait la main vers le grand plat brillant et tenait fermement son sac comme si Pàtu avait voulu le lui enlever. Et le grand maigre avait brandi sa Springfield et il tirait en l'air. Sans viser les deux garçons, mais ça n'allait pas durer à en juger par sa mine. Le chef leur ordonnait de faire demi-tour et d'oublier le lapin.

Les frères aussi avaient un fusil. Mais c'était pour les bêtes. À leur tour, ils deviennent l'éclair brun dans la prairie. Ils entendent les rires des Blancs, les coups qui partent. Là-haut, Àan qui voit tout brille encore un peu et descend.

I

Le choix

1

À moins d'un quart de mile de la Salmon Siding, sur une hauteur, un petit bois de pins émergeait d'une mer de cèdres. Un cercle vert clair, au sol uni et jonché d'aiguilles, et qui embaumait la résine. Un homme gisait sur ce tapis. Le long de ses vêtements de peaux, les rigoles de sang séché avaient viré au brun. Ses cheveux étaient emmêlés et sales. L'homme était couché sur le ventre, le bras gauche replié sous le visage, l'autre tendu devant lui. Les mouches, attirées par le sang, tournoyaient sans relâche.

Sa respiration était faible et régulière. Mais peut-être aussi le blessé exhalait-il son dernier souffle, en y mettant le temps qu'il faut. Une première nuit avait passé sur cette incertitude. Les branches larges des pins le protégeaient de la pluie fine qui tombait. Brusquement, les branches furent tranchées net en petites sections qui s'abattirent autour du blessé, sans qu'il en eût conscience. Le lendemain, l'homme n'avait toujours pas remué. Il s'écoula encore une autre journée d'immobilité complète. La nuit suivante, cette torpeur fut rompue.

L'homme se tordit. Il avait ressenti une brûlure dans le dos, mais il était encore trop faible pour s'en inquiéter, ou même ouvrir les yeux. Déjà, la douleur avait diminué, et le corps replongea dans sa nuit.

L'étroit faisceau émis par la sonde avait opéré avec diligence et minutie. La cautérisation avait été effectuée et la lente hémorragie interne, jugulée.

La sonde, située un peu au-delà de l'orbite de la quatrième planète, n'avait eu qu'une fenêtre de deux minutes pour intervenir. À son premier passage, elle avait repéré la cible, évalué la nature des soins à apporter et découpé une ouverture dans la frondaison de la pinède. Après une exacte rotation terrestre, le faisceau avait retraversé l'espace et l'atmosphère pour atteindre le poumon droit de l'homme.

Un bref examen avait confirmé la réussite de l'opération et la sonde était retournée à d'autres tâches.

De temps à autre, l'homme ouvrait les yeux. Encore faible, il les refermait aussitôt, sans avoir eu le temps de comprendre où il était. Il avait retrouvé son nom, et le souvenir des récents événements lui était revenu confusément. D'instinct, il l'avait chassé, comme un obstacle à son rétablissement. Car il reprenait des forces, les progrès étaient peu perceptibles, mais indéniables. Désormais les traces de sang se confondaient avec les vêtements où des aiguilles de pin demeuraient accrochées. Les phases d'éveil se prolongeaient. Tout en restant allongé, il arrivait à l'homme de fixer pendant plusieurs minutes un pan de ciel à travers l'ouverture bien nette que la nature avait découpée dans les branches de pin.

Se redresser était encore au-delà de ses forces. Il avait très soif, il souffrait atrocement, et alors même la soif finissait par disparaître, ou peut-être en avait-il oublié la sensation, et il s'abandonnait à son état semi-comateux, sans autre souci que celui de respirer.

Au milieu de la troisième journée, le blessé put enfin s'asseoir un instant en s'adossant à un arbre. Il délirait. Il voyait une jeune fille se pencher sur lui et lui offrir à boire. Une branche ployait sous le poids d'un écureuil géant. C'est durant un de ces moments indécis d'avant le retour de la conscience qu'une pensée, venue de nulle part, fit son chemin jusqu'à lui. Elle ne lui appartenait pas et, malgré tout, elle s'immisça, insistante. Étrange pensée. Comme un son mouillé, qui envahit l'esprit de l'homme. Un battement de cils plus tard, elle ne lui inspirait plus aucun sentiment d'étrangeté, car il l'avait faite sienne.

«EAU. Les feuilles de menthe sont bonnes. Il y a un buisson de menthe sauvage tout près. Les feuilles de menthe sont bonnes. Mastiquer est bon comme de l'eau.»

L'homme tenta de se mettre debout. Il se réjouit d'y être parvenu, même sur des jambes flageolantes. Il souleva une branche, quitta la protection de la pinède pour se mettre à la recherche de la menthe. Bientôt il s'effondra.

Il avait froid. À demi inconscient, il aperçut non loin le buisson, s'y traîna et en mâcha quelques feuilles. Elles picotaient sous la langue et lui parurent sans effet sur sa soif. Il persista néanmoins, perdit conscience à nouveau. Il ne vit pas la nuit venir. Il rêva qu'il tombait, qu'il était traîné le long d'un tunnel, et il ouvrit un œil. Il se sentait glisser dans la pénombre. Instinctivement, il aspira de l'air, voulut protester, y renonça. Le boyau de terre et de roche le conduisait jusqu'à la demeure du Grand Esprit, tout s'éclairait maintenant.

La galerie déboucha sur une pièce circulaire, où il fut déposé, comme une feuille morte par le vent. Mais aucun vent n'entrait dans ce lieu à la clarté diffuse et désormais étanche, puisque l'accès s'était refermé sur son passage.

2

L'Observateur enregistrait scrupuleusement tous les détails. Jusqu'à présent, Xall s'était montré satisfait de son travail et se félicitait de la décision prise il y avait presque trois milliag d'installer à demeure un Observateur sur GVH-18327-Γ. Aucun doute possible. Une nouvelle forme d'intelligence émergeait, peut-être un futur peuple préantéUn. L'événement, rare dans la galaxie, était du plus grand intérêt. L'Unicité devait en être saisie.

Nohog de Ventorx avait rejoint la sonde qui opérait dans le système GVH-18327 formé d'un petit soleil jaune et de ses planètes. La troisième était GVH-18327-Γ. Pour y parvenir, Nohog avait franchi 20 000 eperis, en 1,8 milliag. Son espèce poussait si loin le principe de respect de la vie au cœur de l'Éthique Une qu'elle refusait la dématérialisation inhérente au voyage-éclair. Elle n'était pas la seule, qu'importe. Les Ventorxe, êtres particulièrement lents, pouvaient s'accommoder de l'antique voyage subluminique. Pendant le trajet, Nohog avait assimilé une masse de données monotones concernant la planète-objectif, dont les premières manifestations vitales étaient restées très longtemps au stade bactérien. C'était à se demander comment l'intelligence avait pu surgir d'autant d'ennui. Puis tout s'était brusquement accéléré. Nohog avait assisté à un foisonnement de vie, une multiplication des espèces si généralisée qu'il avait dû ralentir le résumé holoviv pour en comprendre toutes les filiations. Le spectacle était extraordinaire.

L'Observateur avait choisi de s'installer à deux estas de profondeur dans l'hémisphère nord du globe. Rien de GVH-18327-Γ n'échappait aux enregistrements de la sonde. De temps à autre, celle-ci sélectionnait une scène que Nohog tentait d'interpréter. Bien sûr, il était contraint d'utiliser un synchre pour ralentir le visionnement et en comprendre le sens. Au début, il avait cru pouvoir s'en passer et s'adapter au temps de la planète. Mais les images qu'elle lui renvoyait étaient celles de créatures s'agitant furieusement dans un défilé accéléré de jours et de nuits. L'appareil avait ajusté les rythmes.

Ce jour-là, l'observation se prolongea. Le groupe d'individus vivait près d'un lac, sur un continent massif, traversé par l'équateur. L'un des individus observés venait d'adopter un comportement inusité. Nohog le vit se pencher, ramasser l'éclat de silex abandonné sur le sol par son semblable et le considérer avec curiosité. Pendant un long moment, la créature le tourna et le retourna. L'Observateur la vit s'éloigner du groupe occupé à cueillir des baies, puis, peu de temps après, revenir vers le silex, munie d'un morceau de bois. L'Observateur cadra les membres de la créature, en grossit le détail, et reconnut des tendons d'animal avec quoi l'éclat de silex fut fixé au bout de bois. Bientôt l'individu se vit entouré de ses congénères qui reproduisirent les comportements maintes fois observés : sautillement, orifices fendus en deux montrant les dents et la langue, peau du visage plissée, cris. Le groupe semblait très satisfait de la trouvaille, et c'est sous ce vocable que l'Observateur fit état de l'innovation dans son rapport. L'efficacité des individus à la chasse s'était accrue et leur existence adoucie.

Puis le verdict de Xall tomba, et le Ventorxe consacra les soleils suivants à l'élaboration des programmes destinés à la sonde. L'apposition du losange restrictif et le déploiement du voile-pelta faisaient partie des procédures reconnaissant à ces êtres un caractère préantéUn. La mise au point du voile-pelta demanda des calculs d'une infinie précision. Quand enfin il fut actionné, les quelques êtres de ce qu'il convenait désormais d'appeler ◊-GVH-18327-Γ, et qui contemplaient alors la voûte céleste, virent une partie des étoiles disparaître. Ils frissonnèrent dans la nuit assombrie. Des animaux hurlèrent. La galaxie venait de masquer ses activités. Le filtre était en place. Nohog put reprendre ses observations.

Plusieurs générations s'écoulèrent du point de vue du groupe étudié. Il avait prospéré et s'était scindé en sous-groupes qui colonisaient maintenant le pourtour du lac. L'arme de jet que Nohog avait vu fabriquer était désormais d'un usage courant. L'Observateur agrandit la scène. Des individus émettaient des bruits stridents et montraient des dents menaçantes. Nohog redoubla d'attention. Un membre du groupe gisait au sol, il entrouvrait à peine son orifice supérieur pour en laisser sortir un son atténué. Nohog comprit qu'il était blessé, comme en témoignait la substance claire et colorée qui s'échappait de l'un de ses membres inférieurs et se répandait sur le sol en brunissant.

Le groupe s'éloigna et l'individu blessé s'enferma dans une immobilité où l'Observateur voyait déjà les premiers signes de la mort. Mais il se relevait! Il claudiquait, il gagnait une anfractuosité du rocher pour s'en faire un abri, manifestement. Combien de temps s'était-il écoulé? Le Ventorxe consulta le registre temporel du site et lut une faible mesure. Quelques jours, tout au plus, selon le rythme de la planète. Cette extrême rapidité ne troubla pas l'Observateur, désormais habitué à la frénésie des créatures bipèdes. Qu'allait faire maintenant cet être diminué, qui se déplaçait avec difficulté et jamais sur de longues distances? Il avait perdu l'agilité montrée par ses semblables lorsqu'ils couraient dans les hautes herbes. Et s'il avait survécu à ses blessures, ce n'était peut-être que pour mourir de faim. Comment, dans son état, aurait-il pu se nourrir? Il était devenu vulnérable. Les autres l'avaient compris et lui avaient tourné le dos. Nohog se mit à suivre les péripéties de l'être, qui capta bientôt toute son attention.

Quand la sous-commission des Biens culturels préantéUns prit connaissance de la requête de l'Observateur, il se trouva encore des membres pour s'opposer à l'initiative en invoquant le bon usage des ressources de Xall. Pourtant, Nohog avait été explicite. Ce qu'il voyait était inouï. Une empreinte moléculaire s'imposait pour mettre cette richesse à la disposition du Bureau des répliques.

— L'holoviv ne suffit pas? avait demandé l'Un-Soi Bisondhir, prompt à scruter chaque décision de la sous-commission.

Nohog régla le synchre.

— L'holoviv ne permet pas la reproduction, seulement le stockage et le visionnement. C'est trop peu pour une forêt de totems aux caractéristiques exceptionnelles.

— Nous sommes en présence d'une authentique forme d'art, avait renchéri l'Un-Soi Mmuss. Nohog de Ventorx confirme que la créature blessée a œuvré à l'écart et avec constance. De plus, elle a réussi à transmettre sa vision à l'un des petits du groupe qui lui a succédé dans ce rôle. Le résultat est extraordinaire. Admirez ces lignes, mes Uns.

Les Uns de la sous-commission purent mesurer la finesse des incisions dans les troncs d'arbres, ainsi que les heureuses variations qu'une succession de créatures, au fil de deux microag, avaient introduites dans les sculptures. Là, des yeux étaient suggérés, comme tournés vers l'intérieur. Ici, c'était la rondeur d'un ventre, les hanches larges d'une femelle.

Nohog, en exobiologiste scrupuleux, expliqua. Les créatures intelligentes de ◊-GVH-18327-Γ étaient semblables aux mammifères supérieurs de la planète. Elles se reproduisaient à l'intérieur de deux sous-groupes sexués, aux caractéristiques spécifiques. Ainsi, les créatures du sous-groupe reproducteur affichaient des masses rondes et courbes là où leurs vis-à-vis du sous-groupe chasseur se révélaient tout en angles et en masses dures. Les deux sous-groupes se fascinaient mutuellement, ajouta-t-il, et cette fascination, chez la créature imaginante, se traduisait souvent par la représentation plus ou moins fidèle des attributs anatomiques du sous-groupe opposé.

Ce n'est pas tout, poursuivit l'Observateur. L'arbre, en tant que support de représentation, joue un rôle spécifique, parfois neutralisant la vision de départ, souvent l'altérisant, induisant une autre lecture de l'œuvre. Au passage, la créature imaginante est devenue un artiste. Le résultat n'est donc plus un arbre, ayant rompu avec l'image fidèle de la réalité.

L'Un-Soi Mmuss a raison, conclut Nohog. L'ensemble est une œuvre d'art d'une qualité exceptionnelle, par son ampleur et sa primauté. Le registre temporel fait état d'une activité artistique dans cette forêt qui s'est échelonnée sur deux microag, avec transmission d'un savoir-faire et renouvellement des motifs. Une empreinte moléculaire s'impose. Il serait criminel d'abandonner cette forêt de totems aux aléas du temps.

L'Un-Soi Bisondhir, soufflé par tant d'érudition, se tut.

Le calque de la forêt fut effectué par le recenseur moléculaire. Plus tard, Nohog procéda à la copie d'une vénus en pierre et à celle d'une peinture rupestre, amorçant une longue série d'œuvres de l'espèce préantéUne en cause répertoriées dans le Catalogue galactique et reproductibles à jamais.

Plus tard encore, un violent incendie causé par la foudre balaya la région. Le feu se propagea rapidement et nul n'aurait pu affirmer, en examinant les souches calcinées qui affleuraient maintenant, qu'en ces lieux, jadis, une forêt de totems s'était déployée sur plusieurs estas. Les os de la première créature dessinante étaient devenus moins que poussières dans l'air. Ils se confondaient avec le vent qui soufflait dans la forêt détruite, semblable à celui ayant enveloppé la créature quand elle sculptait. Mais alors, occupée à traduire sa vision sur l'arbre, elle n'en sentait pas toujours la douceur. Et ne voyait pas davantage les baies et les carcasses que déposaient certains jours dans l'herbe, à son intention, des congénères moins rieurs que d'autres.

3

En 1877, le territoire du Montana était vaste, même à l'échelle du Nouveau Monde. Il s'étendait depuis celui de Washington et, vers l'est, se prolongeait bien au-delà du fleuve Missouri. Au sud, il était borné par les territoires de l'Idaho et du Wyoming, tout aussi étendus, le premier suivant un découpage capricieux, le second plus régulier. Avec le Canada qui le bornait au nord, le territoire du Montana rappelait la dernière pièce d'un puzzle géant qu'une main aurait posée là en criant victoire. La région n'était pas seulement laissée aux bisons et aux ours. Des chariots de pionniers la sillonnaient d'est en ouest. Mais l'activité blanche demeurait faible dans le Montana, où se succédaient montagnes et plaines, avec indifférence.

Parfois aussi le territoire était traversé du sud au nord. Ainsi, en ce moment, une horde d'Indiens Nez-Percés s'y était engagée. Chaque matin, les tipis étaient démontés, et il fallait se remettre en route. Une colonne de femmes, d'enfants, de vieillards, de guerriers, de mules et de chevaux tirant des travois chargés de ballots de matériel. Quelque sept cents

Indiens avec, à leurs trousses, la cavalerie américaine. Une fuite qui durait depuis presque quatre mois, au cours de laquelle ils avaient parcouru près de deux mille miles. On était à la fin de septembre. Plus tôt, le traité de 1863 avait tracé les limites définitives d'une réserve minuscule. Par deux fois, ces vingt dernières années, les Blancs avaient trouvé de l'or sur le territoire des Nez-Percés. Par deux fois, ils l'avaient réduit, forçant même la tribu à abandonner les ossements de ses ancêtres. S'entasser sur la réserve? Plutôt partir.

Sur son cheval avançant au pas, Mountain regardait avidement autour de lui. C'était encore un enfant, que comblait tel paysage ou situation nouvelle. Two Moon, le guerrier qui cheminait à ses côtés, restait impassible. Il avait l'habitude des longs déplacements, ayant souvent traversé les Rocheuses pour rejoindre la plaine des bisons. Two Moon suivait l'avant-garde, menée par Looking Glass et sa bande. Joseph se tenait au centre avec les siens, et Yellow Bird fermait la marche. Les autres avaient pris place dans la cohorte sans trop réfléchir à son ordre. Cinq chefs en tout, et leurs bandes. Les Nez-Percés fuyaient. Chacun connaissait le but du voyage, et tous se pliaient à sa nécessité. Le métis Poker Joe allait devant en raison de sa maîtrise des défilés et des cols.

— Il est grand comme nos chefs, le chef sioux? interrogea l'enfant.

L'aîné le regarda avec amusement. De tous les enfants de la tribu, celui qu'on appelait Mountain avait retenu son attention par son regard vif, où perçait une pointe de gravité.

— Tu verras, répondit Two Moon. Sitting Bull est devenu l'ami des Nez-Percés. Quand nous aurons atteint son campement, les soldats ne pourront plus rien contre nous.

— C'est loin?

— Pas très. Encore deux jours de marche.

Ils venaient d'atteindre les monts Bear Paw. Un endroit magnifique. Des plateaux entourés d'escarpements rocheux, des ravins, de l'herbe en abondance. Le fond de l'air était frais, il y flottait l'odeur mouillée de la première neige, encore à venir. La colonne s'immobilisa, comme obéissant à un ordre tacite. Déjà les femmes cherchaient du bois pour le feu. Des chiens reniflaient les ballots, d'autres débusquaient les mulots dans les buissons d'armoise. Les chefs se rassemblèrent.

— On s'arrête! Pourquoi? s'inquiéta Yellow Bird.

D'un geste large, Looking Glass montra la position avantageuse offerte par le site. La Snake Creek fournirait de l'eau aux hommes et aux bêtes, et tout autour les nombreux ravins assureraient au campement des fortifications naturelles. Les éclaireurs au sud leur assuraient trois jours d'avance sur les forces du général Howard. Les blessés, les vieillards, les chevaux, tout le monde avait besoin de repos. On pouvait bien s'arrêter pour une nuit. D'autres protestèrent. Ils étaient si près du Pays de la Vieille Femme! Les Nez-Percés comptaient demander asile à la reine anglaise, comme l'avait fait Sitting Bull au printemps dernier. Pourquoi courir le risque d'une halte à un jour de la frontière? Mieux valait continuer et maintenir l'avance. Le repos viendrait plus tard. Ils en avaient bien besoin, pourtant, répliquaient certains. Le troupeau était épuisé. Il réclamait des pâturages et de l'eau. Il fallait s'arrêter. Looking Glass renchérit. Devant les Sioux, les Nez-Percés voudraient paraître sous leur meilleur jour. Quelle gloire pour des guerriers dépenaillés sur des chevaux aux flancs amaigris? Ce dernier argument l'emporta.

On se mit au travail et le camp fut dressé promptement. La nuit engloutit le village. Et quand la lune se leva, le périmètre n'était plus qu'un amoncellement de corps. Des tipis s'échappaient la respiration des dormeurs, les soupirs des enfants. Dehors, autour des feux, quelques guerriers s'étaient répartis avec des couvertures. Les chiens gémissaient dans leurs rêves. Les chevaux avaient été rassemblés sur un plateau, de l'autre côté de la rivière. Les sentinelles veillaient. Demain, ils traverseraient la frontière.

À l'aube, un éclaireur signala des cavaliers à l'est. Un flottement parcourut le camp. N'avait-on pas distancé les soldats au sud? C'était peut-être des Assiniboins, puisque le territoire leur appartenait. La menace se précisa. Un second éclaireur effectua les gestes d'alerte : Ennemis droit sur nous. Attaque imminente.

Six compagnies des 2e et 7e de cavalerie, et six autres du 5e d'infanterie, précédées d'éclaireurs cheyennes, avec à leur tête le colonel Miles, étaient parties de Fort Keogh pour couper la route aux Nez-Percés. Le général Howard, tout comme le colonel Sturgis, avait cherché en vain à les surprendre plus au sud. Averti par un message télégraphique, Miles arrivait avec ses hommes, après plusieurs jours de marche forcée.

Tout le camp pouvait entendre le martèlement qui s'amplifiait. La charge était lancée.

Ce matin-là, Mountain avait été parmi les premiers debout. Il était pressé de retrouver son cheval. Il avait beau n'être encore qu'un enfant, il avait déjà une grande maîtrise de l'art des chevaux, de la façon de les dompter, de se les attacher, de s'en faire obéir. Il reconnut les éclaireurs cheyennes à leurs couvertures unies ; celles des Nez-Percés avaient des rayures. Les Cheyennes contournaient le plateau par le sud et atteindraient le troupeau dans quelques instants. Le visage de l'enfant se durcit. Soldats ! Soldats !

Sur le plateau alors, les événements se précipitèrent. Les Cheyennes se jetèrent sur les chevaux des Nez-Percés et provoquèrent un grand tumulte pour mettre le troupeau en branle. Deux camps se formèrent avec leurs meneurs, se défirent et se reformèrent, et le troupeau éclata. Vers le sud, les soldats, les Cheyennes et la plus grande partie des bêtes. Vers le nord, un groupe de Nez-Percés, pourchassé par le 2e de cavalerie. Toute l'affaire ne prit que quelques minutes. Deux garçons en croupe frôlèrent Mountain en poussant des cris de guerre.

— Plein nord, lança l'aîné, d'une voix hachée par la course. Two Moon est avec nous. Il montre le chemin.

4

Lent, Nohog de Ventorx n'était pas indécis pour autant. Depuis le début de sa mission, il avait travaillé avec constance, sans précipitation, en dépit d'une apparence qui, aux yeux des humains, rappelait celle d'un paquet de nerfs, littéralement. Il avait installé sa base dans l'hémisphère nord de la planète, sur un continent appelé depuis peu Amérique, de la surface duquel sa nature le tenait éloigné. À dix kilomètres de profondeur, il avait pu reconstituer sans trop de mal le milieu nécessaire à sa survie, un habitacle pressurisé maintenu à −60 °C, et aucun des humains qui s'agitaient au-dessus ne pouvait soupçonner l'existence de sa base. Depuis ce poste d'observation, ◊-GVH-18327-Γ était minutieusement balayée dans les moindres de ses singuliers recoins.

Pour les planètes au losange, habitées par des êtres préantéUns, la non-intervention était une règle laissant place, toutefois, à nombre d'initiatives et permettait de procéder à des analyses du plus grand intérêt. Au cours du dernier milliag, Nohog n'avait pas chômé. Et chaque jour qui s'écoulait confirmait la justesse de la décision Une d'envoyer un Observateur à destination.

L'extrémité du bâtonnet médian de Nohog se colora de rose, signe d'une grande agitation. L'amas nerveux de sa personne ne cessait de triturer les données s'affichant sur le moniteur principal du poste d'observation. Tous ces gestes étant accomplis au rythme ventorxe, plus de deux semaines terrestres s'étaient écoulées à la surface et, sous le portique de leur grande demeure à colonnade, Elizabeth Miles accueillait son colonel de mari en permission bien méritée.

L'Observateur avait à sa disposition une panoplie d'instruments sophistiqués pour l'assister dans sa tâche de surveillance et d'enregistrement. Mais entre relayeurs, recenseurs moléculaires et coopteurs, sa préférence allait au synchre, complément indispensable à sa nature ventorxe. L'ingénieuse machine lui facilitait le visionnement de l'espèce effrénée à l'étude et élaborait des synthèses projectives dont les plus poussées allaient jusqu'à un demi-microag, l'équivalent de cent vingt-cinq années locales. C'est le synchre qui alerta Nohog de Ventorx.

Au fil du temps, il avait pris la mesure de la richesse de la planète, dont la biosphère tenait à un équilibre délicat entre des composantes complexes. Cette fragilité était source de beauté. L'air certains jours irisé, filtré par une fine couche nuageuse, d'autres jours coupant comme le diamant; la mer couleur de vin à cet endroit et là d'un bleu abyssal; l'herbe tendre des alpages en mai et l'herbe drue de la prairie : cette variété infiniment renouvelée offerte à la connaissance de son bâtonnet médian était pour lui source d'émerveillement. Mais aussi grand que soit l'enchantement suscité par le monde naturel, la préférence de l'Observateur allait à son objet d'étude. Sur ◊-GVH-18327-Γ, la forme de vie intelligente n'avait cessé de se multiplier et de croître, mais elle s'y employait avec une telle vigueur inventive qu'elle l'obligeait parfois à sortir de sa réserve d'exobiologiste et le poussait à s'abandonner au bonheur de la contemplation pure. Le langage de ces êtres y aurait vu de l'amour, et peut-être en effet Nohog de Ventorx s'humanisait-il quelque peu en montrant un si vif attachement.

Ainsi leurs récentes visées encyclopédiques l'attendrissaient. Il y voyait autant de manifestations d'une curiosité insatisfaite qui jetait sans cesse les humains en avant, tout en les incitant à thésauriser les savoirs acquis. En quelques centaines d'années terrestres, les compilations avaient été nombreuses. Nohog en avait commandé certaines auprès du Bureau des répliques : le *De universo*, de Raban Maur; le *Polyhistor*, de Daniel Georg Morhof; l'*Histoire naturelle*, de Pline l'Ancien; le *Systema Naturæ*, de Carl von Linné; l'*Encyclopédie* de Chen Menghei et celle de Christophe de Savigny; l'*Almageste*, de Claude Ptolémée; les *Étymologies*, d'Isidore de Séville. Les ouvrages étaient soigneusement alignés dans une section consacrée aux arts cognitifs à l'intérieur de son dôme, sur Ventorx. Nohog les contemplait à distance et en tirait une grande fierté. Le peuple de cette planète repoussait peu à peu les limites de la connaissance et lui, ravi, observait et s'interrogeait. Depuis peu, cependant, les choses se précipitaient. Une nouvelle ère s'ouvrait, industrielle. Quelles seraient les prochaines découvertes humaines?

C'est ainsi qu'un jour, emporté par sa curiosité, Nohog avait poussé le synchre en l'alimentant de nombreux paramètres, certains inédits, élargissant le spectre spéculatif de la machine jusqu'à un microag. Quelle ne fut pas sa surprise lorsque le résultat s'afficha : l'écran était vide. Les êtres humains avaient disparu.

Impossible. La synthèse projective était une tâche de routine. La machine n'avait pas intégré les derniers paramètres, tout simplement. Il n'y avait qu'à la réalimenter et à relancer l'opération. Nohog s'exécuta et, pour la première fois de son existence de Ventorxe, il regretta sa lenteur qui l'empêchait d'avoir sur-le-champ la confirmation d'une erreur d'alimentation.

Il n'y avait pas d'erreur. L'écran resta vide. Nohog de Ventorx en chercha aussitôt la cause. Il rétrograda le synchre jusqu'à ce que réapparaissent les données attestant une vie intelligente. Il isola ce moment et le découpa en séquences d'une année terrestre, puis commanda un affichage détaillé pour chacune des séquences. L'explication vint au sixième plan : Alerte. Températures externes trop élevées. La datation était imprécise. Le phénomène aurait lieu dans moins de deux cents années terrestres.

L'Observateur étudia les nouveaux paramètres dont il avait nourri la machine. Certains avaient trait aux progrès scientifiques accomplis dans des domaines aussi divers que la physique, la chimie, la médecine, l'industrie et la mécanisation. D'autres, plus inquiétants, faisaient état du système économique qui se dessinait. Nohog se mit à jouer avec ces paramètres, en proposant au synchre de plus courtes simulations. Bientôt le verdict tomba. L'être humain serait le vecteur de sa propre perte. Ses activités futures scelleraient son destin. La projection montrait des êtres de plus en plus nombreux, brûlant de plus en plus de carbone. Un effet de serre serait déclenché qui élèverait les températures de surface jusqu'au moment fatidique. Le carbone, fixé sous la forme d'hydrate de méthane, depuis plusieurs millions d'années terrestres, dans le pergélisol arctique et sur les plateaux continentaux des océans, s'ajouterait alors au cycle. L'effet de serre s'accroîtrait de manière exponentielle et mortelle. C'était inévitable.

Dès ce moment, Nohog décida d'en appeler à l'Unicité. Il ne pouvait se résoudre à cette éradication, et ne trouvait aucune consolation dans la perspective plus ou moins probable de l'apparition d'une autre forme de vie intelligente, succédant à la première, dans une année galactique ou deux.

Tout un milliag d'analyse et d'attention constante en pure perte. Et pourquoi? Parce que la fragilité de la biosphère terrestre se conjuguait à une anomalie de comportement. Sur le plan individuel, la créature humaine montrait un instinct de survie surdéveloppé, qui pouvait s'étendre aux membres du clan. Il en allait autrement à l'échelle collective. Nohog se souvint de fourmilières observées sur ◊-GVH-18327-Γ. La fourmilière était prévoyante. Depuis le choix du site jusqu'à sa protection, tout était conçu pour assurer le prolongement de l'espèce. Les êtres humains, eux, semblaient vivre dans un instant éternel. Or ces êtres, il le savait pour avoir suivi leur évolution, étaient déroutants. Cela lui donna une idée. Il intégra des paramètres tenant davantage compte de l'impondérabilité du vivant, laquelle, en dernier recours, pouvait s'avérer déterminante.

Cela s'était vu ailleurs. Sur Dio-3, le peuple des Plicteurs avait renoncé à toute action prédatrice après le choc causé par la destruction d'une grande partie de la planète. En cet instant, les Plicteurs avaient eu peur d'eux-mêmes. Le choc avait été salutaire, et il s'était accompagné d'une prise de conscience si aiguë de leur fragilité que les Plicteurs avaient voulu léguer un message non équivoque aux générations futures, en laissant visible à jamais une cicatrice-témoignage à la surface de Dio-3. Depuis, les Plicteurs prospéraient, assagis, et Xall avait décidé le Contact. Leur nouveau statut antéUn avait confirmé le bien-fondé du virage politique.

De nature optimiste, Nohog de Ventorx n'arrivait pas à concevoir que tout fût joué sur cette planète. Pourtant, la nouvelle simulation pour laquelle il avait accentué l'imprévisibilité des êtres se concluait comme les précédentes : Températures trop élevées. Extinction de tous les mammifères.

Au passage, il nota que, dans cette projection, l'être humain développait l'énergie atomique avant l'énergie solaire. Il mit cette aberration sur le compte de l'exubérance des paramètres et choisit de ne pas s'en préoccuper. La situation était déjà assez complexe comme cela. Nohog sentit ses filaments se nouer à la périphérie de son être, signe d'intense réflexion. Le réchauffement prévisible de ◊-GVH-18327-Γ n'était pas le problème. Les architectes stellaires de Xall pouvaient traiter cette peccadille en quelques tsis. Mais pour cela, il fallait que le Contact ait lieu. Que Xall ordonne la levée du losange et du voile-pelta entourant ce système.

Cette perspective n'était pas envisageable. Les êtres humains aimaient encore trop faire couler le sang. S'il était admiratif de leurs nombreuses réalisations humaines dans les arts, les techniques et le savoir, l'Observateur, lucidement, avait aussi noté chacun des conflits qui s'étaient succédé depuis l'émergence de l'être humain sur ◊-GVH-18327-Γ. Sous tous les cieux. Avec leurs sanglantes statistiques. La guerre et l'être humain allaient manifestement de pair. Nohog n'avait observé aucun répit en la matière. Il n'oubliait pas les guerres du néolithique, ni les cent millions de morts des guerres de l'empire assyrien, ni les vingt-cinq millions de morts des conquêtes mongoles. Ni les Croisades. Ni la traite négrière. Ni la conquête du Nouveau Monde.

La liste se poursuivait, et sous la sécheresse apparente des nombres, les corps se tordaient de douleur, les têtes roulaient dans les paniers, les vers, repus, grouillaient encore dans les cadavres laissés sur les champs de bataille. Par souci d'exactitude, Nohog avait aussi répertorié les conflits considérés comme de moyenne importance, sans négliger les escarmouches ni les échauffourées ayant dégénéré en guerres ouvertes. Et il y avait les violences entre individus. Là aussi, les occurrences abondaient.

Perplexe, le Ventorxe laissait passer de longs intervalles sans visionner les actes de barbarie humaine. Il se contentait de transmettre. À Xall d'interpréter tout cela.

Il préférait se tourner vers les réalisations heureuses des mêmes êtres. Leur versant lumineux, en somme, où l'Éthique Une pouvait se refléter dans toute sa force. Et à en juger par le fil de beauté avec lequel certains humains tissaient des sons, des couleurs, des mots et des formes, souvent de manière somptueuse et singulière, l'accès à l'Unicité aurait pu être assuré à quelques-uns.

Ainsi, leurs philosophes n'avaient cessé d'interroger la nature humaine et ses limites. Très tôt, ceux-ci avaient élaboré les concepts de bien et de mal, et chaque action d'importance était pondérée à la lumière de ces notions, même si c'était souvent avec retard. Nohog avait aimé le doute fécond et la science riante d'un Michel de Montaigne. Comme il avait aimé Confucius. Sénèque. Averroès. Et autant que les philosophes, il avait aimé les lieux où était concentré leur savoir : les bibliothèques de Ninive et d'Alexandrie, la Maison de la science du calife al-Mamoun, à Bagdad, l'Académie de Florence, les universités d'Oxford et de Hanovre…

Et quand toute cette intelligence était menacée d'enchantement, il se trouvait des peintres pour rappeler la décrépitude des corps, leur beauté, tel le dénommé Georges de La Tour avec ses hères, la lumière sur leurs membres noués, leurs grimaces de gueux.

Tels aussi les artistes du Fayoum. À l'époque romaine de leur réalisation, Nohog, emballé, avait procédé sans tarder à l'empreinte moléculaire de ces portraits funéraires qui semblaient poser sur les vivants un regard tourné vers l'intérieur. Le hasard géologique, qui avait permis au sable sec du désert de préserver sur le bois la vivacité des couleurs et la singularité des visages, n'expliquait pas leur beauté hors du temps. À travers ces visages, l'être humain était renvoyé à une énigme : qui es-tu? Nohog de Ventorx en avait été troublé. Les humains étaient uniques. Ils avaient parcouru un long chemin. Leurs religions les accompagnaient le long de ce chemin, chacune leur enjoignait de ne pas tuer, et pourtant en leurs noms ils se faisaient la guerre. Des jeunes gens en pourpoint brodé, élevés dans la crainte de Dieu, se répandaient dans les rues des villes, pour défoncer à la hache les portes des maisons d'hommes vêtus de noir et embrocher leurs bébés. Nohog voyait les têtes sur les piques. Quelle vigueur nouvelle les hommes trouvaient-ils dans ce sang répandu? Et comment pouvaient-ils agir ainsi, en dépit de leurs prières et de leurs poèmes célébrant la vie? L'exobiologiste s'entêtait dans son attachement, même si la dimension esthétique du *Poème des mille fleurs* ne pouvait faire oublier que l'espèce, collectivement, demeurait dangereuse, comme le montrait une fois de plus son autodestruction annoncée.

Le synchre avait beau faire, Nohog ne comprenait rien aux alliances qui se nouaient, étaient renversées et reformées autrement, à une vitesse affolante. Pourquoi le corps du ministre Mei Po avait-il été haché et plongé dans la saumure? Et celui de Kouei, salé et séché, alors que, la veille, tous deux étaient assis sur les coussins de l'empereur et partageaient son repas? Un fait avait dû se produire dans l'intervalle, lié à la nature humaine, et qui lui avait échappé.

La perplexité de Nohog avait duré jusqu'au jour où il avait compris qu'il lui fallait déplacer son regard. Dans l'horreur, les motivations des êtres humains n'étaient jamais extérieures, même quand elles semblaient se cristalliser sur la possession d'un objet ou du pouvoir. Si l'instinct de cette espèce était violent et incontrôlable, son ressort était intérieur. Tout au plus l'Observateur pouvait-il en intercepter les signes furtifs, battements de paupière, moiteur des mains, trouble du regard. Mais il avait vu des signes semblables annoncer la concentration de l'artiste ou le mûrissement d'une pensée. Celle-là même qui avait poussé ledit Bartolomé de Las Casas à s'élever contre ses semblables qui mêlaient le fer, l'or et le sang à leurs conquêtes. La même qui avait incité le dénommé Ibn Tufayl à concevoir le premier un système astronomique cohérent.

Toutes ces réalisations et tous ces dépassements étaient à porter au crédit des humains, mais Nohog ne pouvait se résoudre à le voir diminué par l'instinct qui avait jusqu'alors assuré leur survie. Ce temps était révolu, les humains l'ignoraient. Ne fallait-il pas les prévenir?

Trois mois terrestres s'étaient écoulés en réflexions. Alarmé, l'Observateur n'attendit plus et entreprit de rédiger son rapport à l'Unicité. Il traça un premier signe. Pour convaincre, son rapport devrait combiner la rigueur de la démonstration et l'élégance de l'expression. La langue ventorxe était d'une souplesse et d'une finesse telles qu'il n'est de réalité qui lui échappait. Sa syntaxe complexe et son lexique de quatre millions de mots faisaient de la rédaction d'un rapport une tâche exigeant de la patience. Heureusement, sa lecture n'en était jamais ardue. L'agence Exotrad y veillait.

Nohog ignorait les répercussions qu'aurait son rapport auprès de l'Unicité. Confiant, il s'attela à la rédaction d'un vibrant plaidoyer que les lettrés de Xall, puis la jurisprudence galactique, retiendraient sous le titre : l'Exception de Nohog.

5

Nespelem. Douceur du jour. Mountain mit son cheval au pas et laissa traîner son regard sur cette vallée qu'il croyait bien connaître, depuis son retour sur la réserve après un long séjour dans le Pays de la Vieille Femme. La bataille de Bear Paw était loin, ainsi que toutes celles qui l'avaient précédée. Et il revenait parmi les siens. Que vouloir de plus? Des roches affleuraient le sol, déchirant la couche verte de l'herbe. Dans la prairie, autour des pierres, poussait la fleur-de-lune que Lone Bird l'envoyait souvent chercher.

Mountain mit pied à terre et cueillit quelques fleurs qu'il glissa dans sa sacoche. De l'autre côté de la butte, la prairie se poursuivait jusqu'à la rivière aux Saumons. Il voulut y faire un tour, remonta sur son cheval. Mais à peine s'était-il engagé sur la pente que son instinct le fit s'arrêter, aux aguets. Il fouilla l'horizon. De l'autre côté de la rivière, il aperçut des taches de couleurs vives qui se déplaçaient le long du cours d'eau. Il n'eut aucun mal à identifier des chercheurs d'or. La région en était infestée. Ils venaient de l'est avec leur fourbi et achetaient les mules sur place. Leurs sacs n'étaient pas assez grands pour contenir tous les rêves échafaudés en cours de route, et le cheval de fer battait toujours plus à l'ouest le chemin d'acier emprunté pour chercher fortune.

Plus d'une fois, il les avait vus à l'œuvre. Les cailloux, la poussière, la terre, les pépites, ils prenaient tout ce qui brillait. Ils venaient de l'est, surtout, mais il en venait aussi du nord, quand le Pays de la Vieille Femme déversait sur les environs son trop-plein d'hommes méfiants, bagarreurs, décidés. Ou, pire, désespérés, sans rien, ni rêves ni mule.

Si Mountain avait compris tout ce que l'or procurait aux Blancs, il ne comprenait pas pourquoi seul le métal jaune leur semblait pourvu de toute-puissance. Il connaissait les lois du commerce pour le pratiquer avec succès, par exemple avec les Shoshones du centre et les peuples de l'océan. Les chevaux, les peaux, le poisson séché étaient utiles à ces échanges, tout comme les perles et la vannerie. Pourquoi y glisser des cailloux jaunes qu'on ne pouvait manger ni porter?

À quelques reprises, Mountain, curieux, s'était aventuré dans les villes des Blancs qui poussaient à toute vitesse dans la rosée de l'or. Il avait vu leurs maisons en bois, leurs chevaux dans les corrals et, dans leurs comptoirs d'échanges, de longues étagères garnies d'objets et de nourriture. Il avait vu les fusils, les barils de poudre et les tonneaux de lard, les balles dans les boîtes. Il avait vu entrer des hommes bruyants et s'était vu, lui, chassé, n'ayant aucune pièce de métal, ni blanc ni jaune, à jeter sur le comptoir.

Mountain n'aimait pas les Blancs. Two Moon avait raison. Les paroles ne les engageaient pas. Rien que pour ça, il fallait se méfier. Son sang bouillonna à la vue des barbes, des chapeaux et de braies aux longs poils de mouflon, dont le confort disait bien que leurs propriétaires entendaient rester pendant la saison froide. Que faire?

— Tu connais la langue sioux, disait Two Moon, et les langages des Salishs, des Shoshones et des Kootenais. Partout où nous avons trouvé refuge, tu as appris la langue des peuples et leurs gestes. Et moi, j'étais content de cela. Et même la langue des Blancs, tu sais la parler aussi. Mais il te reste à apprendre une chose. Le chasseur attend. Tu es un chasseur. Tu dois apprendre à attendre même quand tu ne chasses pas.

La rivière aux Saumons, ce matin-là, brillait de tous ses feux qui n'étaient pas de l'or, mais un débordement de soleil, au-dessus. Le soleil qui voyait tout avait-il vu sa sœur Lone Bird? Il avait vu du moins la prairie et s'était attardé parmi ses herbes et ses roches luisantes de rosée. Dans la réserve, il avait dansé sur les mâts des tipis, et la chaleur sur les peaux avait fait se remuer les corps, à l'intérieur. Plus loin, il avait suivi l'ivresse de deux papillons blancs dans l'air. Au sol, il avait protégé la fuite d'un renard en dardant ses rayons sur son poursuivant. Et l'homme avait dû rentrer bredouille au camp, avec sa mauvaise humeur pour seule prise. Conciliant, le soleil l'avait aidé à ranimer les braises de son feu, et l'homme put bientôt y poser une casserole en fer-blanc. L'odeur du café réveilla les autres dormeurs. Un à un, ils sortirent de sous la toile grise, le masque du sommeil encore posé sur le visage.

Ils étaient quatre. Leur chef pouvait être l'homme au café, mais comment en être sûr? Rien ne les distinguait les uns des autres, ni les vêtements, ni l'apparence, si ce n'est le pas paisible du plus jeune du groupe, qui s'était éloigné pour se soulager. Le café délia les langues. Le programme de la journée s'ébauchait.

La rivière leur appartenait, bien entendu. Il avait suffi de quelques coups de feu lâchés en l'air, dans les premiers jours suivant leur arrivée, pour éloigner les autres Blancs qui s'étaient aventurés dans les parages. La loi des coups de feu était une loi efficace. Elle leur plaisait par sa simplicité et ses effets immédiats. Non loin, il y avait bien une réserve et quelques Sauvages enfermés dedans, mais moyennant quelques précautions, on pouvait les tenir éloignés.

— Regardez, dit soudain le plus jeune.

Déjà, Thompson et l'homme au café étaient debout, le fusil à la main. Ils ne l'abaissèrent qu'à moitié, en voyant l'Indienne surgir des buissons. Sûr qu'elle n'était pas seule. Il fallait se méfier. Dans son tablier de daim, la jeune fille tentait de retenir des herbes. Des herbes? Pour quoi faire?

Son regard allait de l'un à l'autre. Il leur parut fourbe.

— Approche, cria l'homme au café.

Aussi puissant que fût le soleil, il n'avait pas réussi à attendrir l'humeur de Mountain qui, toute la matinée, était resté morose. La disparition de Lone Bird n'arrangeait rien. Il faisait boire son cheval quand Red Hawk lui fit de grands signes au loin. Mountain alla à sa rencontre, mais déjà le couteau de la douleur se retournait dans sa chair. Il en sentit la brûlure, avant d'en connaître la raison, et son instinct lui soufflait le pire. Alors il maudit sa mauvaise humeur et se maudit d'y avoir cédé. Il maudit le soleil qui aveugle. Il maudit l'herbe foulée par les chevaux des guerriers qu'ils croisèrent bientôt, portant le corps de la jeune fille sur un travois. À sa vue, Mountain ne trouva plus rien à maudire, et tout le groupe se dirigea vers la réserve.

Dans un tipi, à l'écart, les femmes lavèrent le corps de Lone Bird et le frottèrent avec la graisse jaune et odorante du bison invincible. Elles huilèrent ses cheveux. Elles choisirent la plus belle tenue et l'en revêtirent avec des précautions de femmes. Lors de la toilette funèbre, seule la plus vieille put examiner ses blessures, mais elle les dissimulait à mesure. Et toutes les femmes pleurèrent sur l'injustice de cette mort.

Mountain, fou de douleur, avait pris la fuite.

6

Le rapport de Nohog de Ventorx n'était pas passé inaperçu, à en juger par les préparatifs entourant l'assemblée des Un-Soi de l'Unicité. Le document n'était pas encore traduit dans chacune des 32 715 langues et autres systèmes de communication de la galaxie que déjà son contenu, plus ou moins déformé, semblait connu de tous. À quelques soleils de l'ouverture des débats, les discussions allaient bon train. Fallait-il risquer le Contact avec un peuple préantéUn sous prétexte qu'il faisait preuve d'inconscience? La séance serait houleuse.

— La fréquence empathique n'a pas été initialisée, s'impatienta Eliod, technicien-chef de l'agence Exotrad, alors en effervescence.

Eliod était de l'espèce des Banzii. D'énervement, il avait déjà rempli au quart son sac épidermique protecteur. Le régulateur hydraulique maintenait encore la bruine qui l'entourait dans des limites tolérables, mais le métabolisme des Banzii invitait à la prudence.

L'adjoint d'Eliod intervint avec calme, et Eliod fut relié au Noyau Central de l'agence.

L'instant d'après, il s'engouffrait dans un puits de descente et retrouvait les avenues de Xall. Le troisième soleil de la journée amorçait sa course. Ses reflets étaient vert d'eau, la couleur préférée du Banzii, qui renonça à emprunter la passerelle rapide afin d'en jouir un peu. L'Aire de l'Unicité n'était pas très éloignée des bureaux de l'agence, dont elle était le lieu de travail principal. Il s'y rendrait en faisant rouler son sac.

L'arrivée d'Eliod sur Xall remontait à deux microag, mais il ne se lassait pas d'admirer le disque parfait de l'Aire enchâssé dans la sphère de la planète et poursuivant son lent mouvement rotatif. Quatorze mille cinq cent vingt-trois espèces Unes et antéUnes étaient représentées à Xall. Trente milliards de techniciens œuvrant dans les différentes officines disséminées aux tréfonds du centre galactique, sur les plates-formes et tout autour de l'Aire protégée de l'Unicité. Sur l'Aire, les milliers de loges des Un-Soi, réparties selon les caractéristiques et les besoins physiologiques de chacun. L'effet était saisissant.

Au détour de la Place du Lien, Eliod s'immobilisa un instant et attendit que la rotation de l'Aire amène une des portes monumentales à son niveau. Les débats ne devaient commencer qu'à la tombée du cinquième soleil et se poursuivre jusqu'à la prise de décision, mais le Banzii avait tenu à être en avance, afin d'assister à l'entrée des Un-Soi. Le spectacle ne manquait pas de panache, même si, à la grande pompe des premiers temps de Xall, avait succédé une certaine sobriété. Tous ces peuples désormais pacifiques avaient-ils encore besoin de montrer leurs forces? La guerre des doubles était loin, mais elle avait frappé les esprits. Qu'un des Peuples Unis, comme on disait encore à l'époque, ait pu vouloir détourner à des fins hégémoniques la technologie du fil de lumière alors toute récente, voilà qui avait effrayé, peut-être plus que la vision insoutenable de légions de Vodr démultipliées prenant d'assaut les fils et se recopiant par millions. Aussi la fin de l'affrontement avait-elle entraîné l'établissement de nouvelles règles. Les peuples non contactés demeuraient au rang préantéUn, masses imprévisibles, belliqueuses, prédatrices, contenues derrière un voile-pelta qui les empêchait de nuire, sinon à elles-mêmes. Leur évolution permettrait à certains de ces peuples de figurer de plain-pied dans la galaxie Une, mais seulement avec le statut antéUn, zone tampon où les nouveaux Contactés demeuraient sous surveillance jusqu'à leur complète pacification. Enfin, les Uns exerçaient désormais un contrôle strict sur la technologie du voyage-éclair, l'anéantissement du modèle initial étant devenu obligatoire avant sa duplication à l'autre bout du fil de lumière. La guerre des doubles n'aurait plus lieu.

Une fois à l'intérieur, le technicien-chef Eliod balaya l'Aire de son magnifieur, avec une joie non dissimulée. Il aperçut le représentant pan-shee, en train d'expulser à intervalles ses œufs encombrants. Ce dernier fut rejoint par le Boroc qui, curieux, déploya ses deux appendices dorsaux. Eliod gagna l'espace de traduction et ajusta son lingal.

Un mouvement se produisit du côté de la grande porte, et l'on vit entrer Shoka-Ub, le représentant des Structasensi, dont la délégation s'était mobilisée dès les premières rumeurs suscitées par le rapport de Nohog de Ventorx. Le peuple structasensi habitait Micasen, planète excentrée, située sur le bras Lemuni de la galaxie, et cultivait une solide réputation de conservateur par son refus des voyages-éclairs au profit de l'antique voyage subluminique, car, estimait-il, la destruction de l'être, préalable à son acheminement par le fil de lumière, violait le principe du respect de la vie. Le peuple des Structasensi n'était pas toujours d'un commerce agréable, mais il fallait lui reconnaître une probité, un sens aigu de l'archive et du devoir qui en faisait l'un des plus influents de Xall.

Les doigts tambourinant d'impatience, Shoka-Ub prit place dans sa cuve.

Le cinquième soleil de Xall avait amorcé sa descente. Peu à peu, les Un-Soi s'extirpaient des différentes plates-formes arrimées à l'Aire. Eliod reconnut les uns et les autres, tandis que les tribunes des dignitaires antéUns se remplissaient.

Les Jebase firent une entrée remarquée, avec leurs tuniques chamarrées d'où pointaient des chaussures à boucles et à talons vertigineux. L'espèce se déplaçait volontiers en groupe, ayant porté à des sommets l'art de la conversation incessante et raffinée. Mais une fois à l'intérieur de l'Aire, il fallut bien se séparer, et le représentant jebase, éteint, prit place, tandis que le reste de la délégation se dirigeait en bruissant vers sa section.

L'espace alloué au représentant tvv scintilla, signe de sa présence. Les Tvv étaient des éclairs d'énergie, pourvus d'une vive intelligence, qui donnait parfois du fil à retordre aux techniciens-traducteurs, tant elle procédait par bonds et raccourcis.

Enfin, l'Ordrun s'afficha sur tous les relayeurs. Chacun put y lire qu'un seul sujet serait débattu. Le délégué qhennehq, Grand Clerc de l'Ordrun du présent cycle, gagna la loge arbitrale. Chacun le reconnut dans sa fonction à la forme spiralée tournoyant au-dessus de lui. Il salua. La séance s'ouvrit.

7

Le long de la rivière, Mountain retrouva les traces encore fraîches du campement. Les pierres noircies étaient tièdes, et l'herbe écrasée indiquait l'emplacement des tentes. Il descendit de cheval, se pencha sur le sol. Une rage froide avait succédé au grand remous d'avant.

Ils avaient suivi un moment le chemin de la rivière et s'en étaient écartés dans la forêt. Mountain suivit leurs traces vers l'est. La colère avait aiguisé ses sens. Il n'était plus qu'odorat, toucher, vue. Ses yeux perçaient le rideau des arbres à la recherche de la proie qu'il ne comptait pas lâcher. Ils étaient comme les serres de l'aigle qui empêchent la fuite, les griffes du couguar qui lacèrent les chairs, la patte de l'ours qui vise le cœur et l'arrache sans trembler.

Les traces le conduisirent jusqu'à la vieille piste, le long du fleuve Columbia. Impossible de traverser. Chacun de ses pas faisait lever une perdrix, détaler un lièvre, fuir le chevreuil, il sentait monter l'odeur acide du sang et, tout de suite après, une joie secrète.

Nord ou sud? Ces derniers temps, il aurait donné gros pour ne plus voir un seul Blanc sur aucune terre indienne. Et voilà que revoir les fuyards était tout ce qui comptait. Car alors il se produirait une chose inouïe. Ceux-là disparus, tous disparaîtraient. Il en était sûr maintenant.

La piste filait plein nord, vers le Pays de la Vieille Femme. Cette nuit-là, Mountain ne dormit pas et passa des heures à guetter la première lueur du jour. Aussitôt, il se remit en chasse. Au milieu de la journée, il trouva le premier bivouac. Les chercheurs d'or avaient tout au plus six heures d'avance. Les mules devaient les ralentir. Mountain relança son cheval.

Au crépuscule, il atteignit Fort Sheppard, situé au confluent de la rivière Pend d'Oreille et du fleuve Columbia, à la frontière du Canada. Le comptoir avait connu des jours meilleurs, comme pouvait en témoigner le métis umatilla Sam Bergeron, qui confirma la piste. Quatre prospecteurs lui avaient acheté des munitions et un peu de nourriture, trois heures plus tôt. Ils étaient pressés, avaient traversé vers l'est et continué le long de la Pend d'Oreille. Mountain repartit sans avoir mis pied à terre. Il traversa la Columbia à son tour et chevaucha encore une heure, avant de s'arrêter pour la nuit, dont il vit s'égrener chaque heure et chaque minute.

Il trouva le second bivouac, le lendemain matin : les cendres étaient tièdes. Mountain y plongea les mains. Des larmes se mêlèrent à la suie et ses doigts tracèrent les signes de la guerre. Sur son front, sur ses joues. Des geais, effrayés, s'enfuirent quand il se mit à chanter. Les hommes avaient pris l'ancien sentier le long de la Pend d'Oreille et, depuis qu'ils étaient au Canada, n'essayaient même plus de cacher leurs traces. La piste reprenait vers le nord en suivant une étroite rivière bordée de grands cèdres – la Salmon Siding. Ses proies n'étaient pas loin. Il pouvait les sentir. Il laissa paître son cheval et se mit à courir.

Il entendit des voix. Tous ses muscles se bandèrent, tandis qu'il approchait, aussi silencieux qu'un lynx. Il rampa jusqu'à la clairière. Le moindre détail était visible. Il vit les mules. Il les vit, eux, assis sur des pierres, et le fusil que nettoyait le plus jeune. Il reconnut au loin un village de planches et de tentes : Quartz Creek Camp. Du regard il évalua rapidement la situation, et il n'est pas un carré de son épiderme qui ne frémît, ressort bandé, bientôt détendu, bientôt.

Les chercheurs d'or eurent à peine le temps de voir le fauve qui se jetait sur eux, avec un hurlement qui les paralysa. Celui qui s'appelait Chrighton se vit couvert de sang mais incapable de comprendre d'où venaient les coups. Mountain avait laissé dans l'herbe sa Winchester. Les tuer d'une balle, alors qu'ils flânaient au soleil, c'était trop facile, trop propre. Mais broyer les os, sentir les chairs se déchirer, entendre les cous se rompre, voir le sang bouillonner : ils seraient frappés dans leurs corps, là où ils avaient fait souffrir. Le couteau de l'Indien s'enfonça à répétition dans les flancs de Chrighton et semblait ne rencontrer aucun obstacle, ni os, ni organes, juste les râlements de la peur.

Passé le premier moment de stupeur, les autres réagirent. Le plus jeune voulut recharger l'arme qu'il nettoyait et courut vers l'une des mules pour chercher des munitions. Celui qui s'appelait Thompson sortit son pistolet et visa l'Indien dans l'amas de corps luttant au sol.

Le pistolet claqua. Juste avant, Chrighton poussa un dernier râle. Mountain fut atteint à l'épaule. Il ne sentit pas la brûlure, mais la détonation le fit se redresser et secouer l'homme au café agrippé à son dos, qui fut projeté au sol. Libéré, Mountain se rua sur Thompson qui n'avait jamais vu autant de force dans un seul homme et qui tira, tira. Sous les peaux, le sang se mêlait à la sueur, en exhalant une odeur âcre. Mountain se jeta dans les jambes de Thompson et le fit tomber. Le pistolet tomba aussi. L'Indien vida le barillet sur la carcasse, secouée, tordue, gémissante, silencieuse.

L'homme au café s'était redressé. Son couteau s'enfonça dans la nuque de Mountain qui hurla de douleur. Un corps à corps s'engagea.

Haletant, le Nez-Percé, le frère, se remit debout. Un voile tomba devant ses yeux. Son cœur, sa respiration reprirent peu à peu un rythme normal.

Restait le plus jeune, celui qui nettoyait le fusil. L'homme s'avançait à sa rencontre, en le tenant en joue. Mountain surprit de la peur dans son regard. L'autre tira, mais était-ce la peur? il rata la cible. Déjà, Mountain s'était jeté sur lui et, rassemblant ses dernières forces, il lui plongea son couteau dans le cœur. Un cœur jeune. Ils avaient le même âge. D'un geste leste, il décolla la chevelure du dernier chercheur d'or. Après quoi, il sortit du cercle en rampant. La forêt le reprit.

8

Le premier à intervenir devant l'Unicité fut le représentant des Misomicodemalcine, peuple habitant la minuscule planète du même nom. Lui-même était si petit qu'il fallait toute la puissance du magnifieur pour apercevoir la tache bleue de sa houppe remuant de gauche à droite, comme pour prendre l'Aire à témoin de ses dires.

— Vos-Soi de la galaxie, Nohog de Ventorx a rédigé un rapport détaillé, mais qui ne convainc pas. Il ne nous appartient pas d'intervenir dans le cours des choses concernant ◊-GVH-18327-Γ. Une telle action serait contraire à toutes nos règles, comme vous le savez. Cependant, notre objection porte sur un avenir beaucoup plus éloigné que l'échéance d'à peine un microag fixée à l'existence de ce peuple préantéUn. Nous croyons que la vie doit y suivre son cours inexorable, aussi fatal qu'il puisse paraître à l'Observateur. Car la vie l'emportera toujours. Au motif de préserver l'espèce actuelle, nous empêcherons sans doute l'émergence d'une nouvelle forme de vie plus intelligente que celle-ci et, partant, plus intéressante. J'ai dit.

Au fond des loges, plusieurs voyants de parole s'illuminèrent. Dans l'ordre, Arnisar, le représentant jebase, intervint. Avec emphase, il releva les manchettes de sa tunique.

— Vos-Soi de la galaxie, en premier lieu, je ne vous parlerai pas de l'espèce actuelle, commença-t-il en se tournant vers l'orateur précédent, mais d'êtres humains, tels qu'ils se dénomment. Je ne vais pas énumérer tout ce qui nous enchante dans l'art humain, l'un des plus créatifs de la galaxie. La vie intelligente est là-bas d'une très grande valeur. Et nous voudrions nous en priver, après avoir profité de leurs accomplissements? Nohog de Ventorx l'a écrit dans son rapport : admirez leurs peintures, écoutez leurs musiques, lisez leurs livres, voyez leur architecture. Mais surtout, voyez-les, eux!

Et d'un geste dramatique, le Jebase actionna l'holoviv, au centre de l'Aire. Aussitôt, l'assemblée fut mise en présence d'un échantillon d'humanité impressionnant. Des voyageurs attendaient l'Orient-Express qui entrait en gare de Vienne. Là, des enfants se baignaient nus dans les eaux limoneuses du Nil. Là, des vieillards en redingotes noires faisaient cercle et dansaient, légers. Solitaire, une élégante balayait de ses jupes le pavé cristallin de l'Aire. Là, enfin, une foule de misérables recevait sa ration de pain. Ces gens avaient froid. Les visages se creusaient, les mains se tendaient vers les représentants Uns. Arnisar coupa l'holoviv.

— Bien sûr, nous avons gardé des empreintes moléculaires du meilleur de ce qui a eu lieu. Mais comment jouir du meilleur de ce qui sera? Ces êtres sont des artistes. Ils doivent vivre. Nous devons les aider. Levons le losange. J'ai dit.

Le Structasensi Shoka-Ub demanda la parole.

— Vos-Soi de la galaxie, les Jebase sont aveuglés par l'art, qu'ils vénèrent. L'art est un repos, sans plus. Et nos règles sont garantes d'une galaxie en paix. N'y dérogeons pas. Faudra-t-il une armée de Vodr pour vous le rappeler, ou bien un essaim de ces artistes à l'instinct meurtrier envahissant notre galaxie? Nos esthètes viendront-ils alors nous défendre? Voudront-ils salir leurs beaux habits? Nos règles conviennent parfaitement. Il faut les respecter. J'ai dit.

Pour toute réponse, Arnisar fit le geste caractéristique des hauteurs.

Le voyant de parole de l'Un-Soi nimura s'alluma. Tous les Nimuras étaient gris comme la pierre, des cils jusqu'à l'extrémité de la queue. Quiconque regardait un Nimura le perdait bientôt de vue, tant l'uniformité de sa pigmentation le desservait. Cette caractéristique ne gênait personne sur la planète Mantna, où étaient concentrés tous les Nimuras de la galaxie. Conscients des limites de la perception visuelle prévalant hors de leur milieu, les Nimuras ne sortaient jamais sans un colorant. Un mauve ostentatoire irrigua le goître du représentant nimura : il serait bref et voulait être compris.

— Vos-Soi de la galaxie, soyons justes. Il n'y a pas que l'art qui nous intéresse chez les êtres de $\lozenge$-GVH-18327-Γ. Nous autres, Nimuras, avons étudié leurs tribunaux et leurs lois, qui présentent de remarquables accomplissements. De plus, nous avons observé que le rudimentaire mode d'interaction entre les individus et les peuples que leur a dicté l'instinct jusqu'à présent contient en germe le modèle de Xall. C'est de bon augure. Enfin, leur langue à caractère juridique nous plaît beaucoup. Nous aimons l'esprit de finesse qui règne dans leurs prétoires, la subtilité de leurs maîtres. Et nous perdrions cette richesse? J'ai dit.

Le représentant banzii tint un discours semblable sur la diversité des sports humains, et l'envoyé de Sissia évoqua leurs jeux de séduction, d'une grande richesse.

Le représentant des lointains Chinkaas eut enfin la parole. Il piaffait. Allait-on pérorer encore pendant des dizaines de soleils? Chacun des présents avait lu le rapport de l'Observateur. Les compétences scientifiques de Nohog de Ventorx ne pouvaient être remises en question, mais ses soudains accès humanistes n'aidaient pas sa cause. Qui sait ? la durée de son séjour ne lui permettait peut-être plus de maintenir une juste distance entre Observateur et observés.

La moitié de l'assemblée se colora de protestation.

Aussitôt formulée, chaque intervention était soumise au cribleur de réactions, qui affichait les résultats suivant une gamme chromatique dont chaque technicien-traducteur apprenait la signification en même temps qu'il balbutiait sa première langue Une. Jaune était une couleur favorable. Vermeil évoquait le doute. L'irritation était verte. L'indifférence, rose pâle. On protestait avec le violet. L'orangé approuvait sans réserve. Bleu était la couleur du consensus. Environné d'un vert criard, le Chinkaas, imperturbable, conclut.

— Il est sûrement d'autres endroits de la galaxie où l'expérience de Nohog de Ventorx pourrait être employée avec profit. J'ai dit.

Trop lent, le représentant des Ventorxe ne réagit pas à cette perfidie. Par souci d'efficacité, il avait enregistré au préalable son intervention, et le voyant de parole de sa loge brillait déjà depuis un moment. Mais avant de pouvoir intervenir, l'envoyé de Ventorx dut entendre les interventions des représentants lanabek, marique et spahl, qui furent suivies d'une harangue vine sur le modèle Xall. Eliod reprit son magnifieur qu'il dirigea vers les confins de l'espace Exotrad. Des traducteurs s'affairaient autour du synchre.

— Vos-Soi de la galaxie. Je connais la rigueur de Nohog de Ventorx. Chaque mot de son rapport est à considérer. J'ai dit.

Le violet et l'orangé ponctuèrent cette dernière réplique. Les techniciens-traducteurs d'Exotrad avaient fort à faire. Les interventions, les apartés se multipliaient. Le Structasensi allait d'un groupe à l'autre, triomphant. Le *statu quo* l'emporterait. Dans l'Aire, la rumeur s'enflait, devenait brouhaha. Malgré tout, un certain décorum subsistait, et la règle interdisant les redites était respectée, à en juger par les nombreux voyants de parole qui s'éteignaient brusquement quand les orateurs étaient devancés dans leurs dires par d'autres Un-Soi.

Un frisson parcourut l'Aire. Le voyant du représentant des Anaxore venait de s'allumer. La dernière intervention de ce peuple remontait à l'époque des Gzoï-sans-planète, qui avaient décidé de se sédentariser sur les merveilles de Shambash. Tout ce qui restait des Anaxore tenait dans un cylindre de cristal où flottaient quelques volutes d'un gaz blanchâtre. Là étaient conservées leurs mémoires interactives, échos d'une espèce désormais éteinte, anéantie par les Vodr.

Par déférence, tous les voyants s'éteignirent. La voix des Anaxore se fit entendre, brève, solennelle.

— Vos-Soi de la galaxie, la relégation des peuples préantéUns a été, hier, garante de notre sécurité et de notre stabilité. Aujourd'hui, je fais appel à votre conscience pour qu'il ne nous soit pas reproché demain : Vous saviez et vous n'avez rien fait. J'ai dit.

L'Aire balança entre le jaune et le vermeil. Shoka-Ub intervint, sarcastique.

— Vos-Soi de la galaxie. Allez-vous prêter foi aux propos d'un peuple éteint?

Stupeur. S'en prendre aux Anaxore?

— Il semble que la mémoire des Anaxore manque un peu de stimuli. Et chacun sait que l'extinction des Anaxore a été précédée d'un long déclin.

La réaction fut immédiate.

— Les espèces en déclin ne devraient-elles pas être solidaires?

La pique avait fusé, au mépris de tout protocole oratoire. Les techniciens-traducteurs d'Exotrad se consultèrent du regard. Le terme «déclin» et, surtout, le ton sur lequel il avait été proféré étaient tout à fait inusités dans cette assemblée, rompue à d'autres conceptions du temps et du progrès. D'un geste, le technicien-chef Eliod ordonna la traduction. Ce fut comme un signal. Le tumulte s'installa. Les couleurs dominantes oscillaient entre la colère et la franche hilarité.

Perdu, le représentant des Minam regardait autour de lui en ne sachant trop quoi penser de tous les cris, bruits, éclairs, ondes qui s'entrechoquaient. Ses longues et soyeuses oreilles remuaient avec inquiétude, il tremblait de toute sa masse poilue, car il avait lu le rapport de Nohog de Ventorx, en particulier les passages concernant l'instinct de l'espèce en cause. Il avait ensuite consulté l'holoviv de la planète. Ce qu'il avait vu l'avait épouvanté.

◊-GVH-18327-Γ abritait une espèce animale dont l'apparence pouvait rappeler celle des Minam. Et les humains les chassaient! Ils les tuaient! Le représentant minam alluma le voyant de parole de sa loge et retourna longuement en esprit les arguments qu'il ferait valoir pour abandonner à son sort l'espèce funeste. Mais quand son tour vint, il ne put émettre qu'un cri plaintif, que la traduction d'Exotrad, modèle de sobriété, rendit en deux mots : Moi peur.

Une vague orangée compatit.

Gravement, le représentant des Villonimang alluma son voyant. Jusqu'alors Osul était resté silencieux. Quand le ton avait monté et qu'on avait négligé les formules d'usage, il avait manifesté sa réprobation par un puissant raclement. Son tour était maintenant venu.

— Vos-Soi de la galaxie, je m'adresse aux plus fermes légalistes d'entre vous et demande à l'Un-Soi Lucelnabr de venir nous rejoindre. Nous allons l'interroger.

Lucelnabr? Si la perplexité avait eu une couleur, elle aurait balayé l'Aire.

— Le Tsumaton Lucelnabr, je le rappelle au bénéfice des nouveaux représentants, est l'un des grands de Xall. À l'époque où il occupait la lourde fonction de Soi au sein de l'Unicité, il montrait déjà une curiosité insatiable pour la vie des peuples de la galaxie dont il a étudié l'histoire dans chacune de ses manifestations. Lucelnabr est un monument d'érudition et de sagesse, qui fait honneur à son espèce.

Maigre, droit, vif, le vieillard s'était approché.

— Un-Soi Lucelnabr, acceptez mon salut respectueux.

Un signe de tête lui répondit.

— Un-Soi Lucelnabr, remontez, je vous prie, à un quart d'année galactique. Que faisiez-vous alors?

— Je poursuivais mes recherches sur le rapport entre les sens et l'intelligence chez les peuples de la galaxie pourvus d'une tradition artistique.

— Quelle était le nom de la commission de l'Unicité à laquelle vous apparteniez?

— Les Archives. Et aussi le Protectoire. J'appartenais à ces deux instances. À la première, par tempérament. Au second, par conviction.

— Lourde tâche?

— Cela dépendait. La commission des Archives avait une action permanente. Le Protectoire agissait ponctuellement. C'est toujours vrai.

— Vous étiez souvent dérangé?

— Je n'ai jamais protesté.

— On faisait donc appel à vous souvent. Vous avez des exemples?

— Les Archives étaient régulièrement engorgées. Les données acheminées par les sondes étaient de toute provenance, de toute nature, de tout volume. C'est encore vrai. À l'arrivée, il fallait trier, prévoir un classement temporaire, mais accessible, en attendant le traitement définitif des données. Pour cela, j'ai conçu le système Liet.

— Encore utilisé aujourd'hui. Et du côté de la défense?

— De la sécurité, disons plutôt. La guerre des Vodr était déjà loin. Nos institutions avaient évolué. Notre vocabulaire aussi. A priori, l'autre n'était pas une menace, dès lors que les frontières entre les peuples de la galaxie étaient bien établies et respectées.

— On vous signalait tout écart?

— Tout écart important.

Le Villonimang sourit.

— Nous allons remonter au sept cent soixante-troisième milliag de l'an trente-huit de notre galaxie. Nous sommes au jour neutre du huitième décanon du calendrier de Xall, au lever du quatrième soleil. C'est très précis. Vous y êtes?

— Je suis en train d'intégrer cette mémoire… Voilà. J'y suis.

— Que faites-vous?

— J'assimile au doigt détecteur des documents de l'époque Ninade. Mon savoir augmente. Ma satisfaction est grande.

— Et vous êtes dérangé.

— Oui.

— Par le technicien-collecteur de grade 10 de service ce jour-là.

— Oui.

— Que se passe-t-il?

— Une projection effectuée par une sonde prévoit un impact majeur sur le bras Devuni. La course d'un météorite à haute vitesse va croiser celle d'une planète.

— Une collision de plus. Il n'y a pas de quoi déranger un Soi.

— C'est vrai, mais la vaporisation annoncée de l'astre entraînera, croit-on, un début de réaction en chaîne. Le technicien-opérateur doit alors en référer à l'un des Soi du Protectoire, comme il est prévu. Ce jour-là, c'est moi.

— Que faites-vous?

— Je consulte les données et refais les calculs, comme il se doit. Puis je convoque une réunion restreinte du Protectoire.

— Qui assiste à cette réunion?

— Nous sommes trois. L'Un-Soi Elphr, le Thijj; l'Un-Soi Ogi-Ub, le Structasensi; et moi-même.

— Quelle est votre décision?

— Nous allons freiner le météorite au moment de l'impact.

— Intervention étonnante. Pourquoi?

— La planète est sous l'observation d'une sonde depuis plus de soixante milliag. Les données transmises par la sonde témoignent de la prodigieuse vitalité qui y règne. Exubérante. Réjouissante. Inattendue. Nous ne voulons pas compromettre l'étendue de nos connaissances futures en nous privant de l'observation de ces nouvelles formes de vie. Nous sommes fascinés, c'est vrai. Mais nous ne perdons pas de vue notre intérêt scientifique. Nous intervenons légèrement.

— Vous intervenez bel et bien?

Lucelnabr eut un moment d'hésitation. Toutes ses convictions de Tsumaton étaient mises à mal par l'aveu.

— Nous intervenons.

L'étonnement envahit toutes les loges. Shoka-Ub était tétanisé. Ailleurs, on s'agitait. La gamme chromatique du cribleur de réactions tirait vers un vermeil incertain, strié d'un jaune timide. Un revirement de l'opinion était-il en train de se produire? Le représentant des Villonimang interrogea doucement.

— Quel était le nom de cette planète?

Silence. Seule la bruine du Banzii, non loin, faisait entendre son chuintement familier. Dans l'espace Exotrad, la tension était palpable.

— GVH-18327-Γ.

Vermeil, puis jaune : toute l'Aire explosa.

Le Villonimang savoura son effet.

— Un-Soi Lucelnabr, je vous remercie de ces précisions.

Le vieillard s'éloigna. Soulagé, il regagna les profondeurs du continent C, là où le passé s'immisçait dans la cacophonie du présent pour éclairer l'avenir. Il restait à conclure.

— Vos-Soi, cette intervention, qui a eu lieu il y a soixante-cinq millions de leurs années, a éradiqué l'espèce reptile alors dominante sur GVH-18327-Γ et permis l'émergence d'une forme de vie intelligente. Celle-là même qui nous occupe aujourd'hui. Nous avons beaucoup entendu parler de non-intervention, au cours de ces débats, mais nous avons oublié un fait – et le Villonimang martela : nous sommes déjà intervenus. Bien qu'elle soit indirecte, nous avons une responsabilité évidente à assumer. Vous en avez maintenant conscience. J'ai dit.

Les débats prirent fin après que deux représentants Uns se furent succédé dans la fonction de Grand Clerc. Au coucher du quatrième soleil de la deuxième journée commença la ronde des propositions. La plus consensuelle s'imposa. L'Aire se teinta de bleu.

9

L'Indien resta étendu pendant un long moment. Il était mort, voilà la vérité. Et cet au-delà mêlait le familier et l'étrange. Il rouvrit les yeux. Au-dessus de sa tête, une voûte rocheuse, lisse. Où était-il ?

Où était la Grande Prairie des Nez-Percés ? L'herbe verte du repos ? Le paradis giboyeux des chasseurs ? L'antichambre était déroutante. Mais il obtiendrait bientôt réponse à ses interrogations. Comment en douter ?

En attendant, il apprécia la tiédeur des lieux que rien ne laissait deviner. Les questions surgissaient de partout. Où était le feu de cette chaleur ? D'où venait la lumière ? Il se leva péniblement et tâta la paroi, à la recherche d'un début d'explication. Aucune aspérité. La surface était polie comme de la corne. Une seule saillie était visible dans le mur. Droite, horizontale, étroite. Mountain, encore faible, s'y laissa tomber. La couche était confortable. Comment la pierre pouvait-elle être aussi moelleuse ? Le Grand Esprit était bon. Il sombra dans le sommeil.

Il ne vit pas s'agiter la sondine au-dessus de lui, ni ne sentit les instruments fouailler ses chairs à la recherche des projectiles, puis appliquer les tissus cicatriciels sur son cou. Mais il soupira d'aise quand s'amorça la réhydratation.

Au réveil, il avait perdu toute notion du temps. Ni le jour, ni la nuit, ni le soleil, ni le chant des oiseaux ne pénétraient dans la caverne. Privé de ses repères naturels, Mountain était renvoyé à un cadre lisse sur lequel son esprit n'avait aucune prise. Même son corps, qui, un peu plus tôt dans la pinède, avait connu les sensations de froid, de soif ou de brûlure, semblait plongé dans un état indifférent. Il se pinça rudement. La douleur revint. Elle ne le rassurait qu'à moitié.

Était-ce ça, la mort? se dit-il. Ne rien attendre au milieu du néant? Instinctivement, une minuscule partie de son être, la plus vivante, restait à l'affût d'un événement. Mais lequel? Sa frustration monta d'un cran. Où était le Grand Esprit?

À deux estas de profondeur, Nohog de Ventorx se surpassait. Sa vitesse de réaction était toujours aussi lente, mais, d'une quinzaine de lignes de pensée, sa capacité d'appréhension s'était hissée jusqu'à vingt-trois lignes de pensée parallèles – un record. Au temps de l'observation avait succédé celui de l'action. Et tout en accomplissant les gestes dictés par les circonstances, Nohog voyait s'éloigner avec regret les séances de visionnement illimitées qui avaient rendu son séjour sur ◊-GVH-18327-Γ si instructif. Dernièrement, il avait découvert une nouvelle variété humaine. Elle se donnait à elle-même le nom de Tchouktche. Ces êtres humains vivaient oubliés de tous, sur la grande steppe qui s'étendait de l'autre côté de l'hémisphère où Nohog avait installé sa base d'opération. Les Tchouktches construisaient des cabanes rondes, tendues de peaux, qu'ils chauffaient avec des bouses de rennes séchées. Les plus rêveurs combinaient des mots étranges. Ces poèmes, comme de la neige mise en musique, avaient plu à Nohog, qui aurait bien voulu en revoir l'holoviv. Il avait dû y renoncer. La décision de l'Unicité ne lui en laissait plus le loisir. Quand il en avait pris connaissance, ses filaments s'étaient noués d'incompréhension. Ce qu'on lui demandait de faire était une tâche impossible. Comment procéder? Par où commencer? Oubliait-on qu'il était formé pour observer et non pour intervenir?

Il s'était repassé le message de Xall, qui se débarrassait du problème à bon compte. On ne lui laissait pas d'autre possibilité. Rejeter cette mission signerait la disparition de l'espèce humaine, et il ne pouvait s'y résoudre.

L'aménagement sommaire de la caverne avait été achevé à temps. L'Observateur venait de mettre au point les cycles de luminosité, et le régulateur thermique fonctionnait. Il restait à installer le cabinet de toilette dont il avait commandé la programmation.

Tout se mettait en place comme il le voulait, pourtant Nohog demeurait inquiet. Le caractère belliqueux des humains était encore trop présent pour envisager leur passage au rang antéUn. Néanmoins, et telle était la décision de l'Unicité : procéder à un Contact exceptionnel, réduit à un seul individu. L'Observateur, qui connaissait les humains mieux que quiconque, était bien placé pour choisir le candidat et lui fournir assistance. Il reviendrait ensuite au Contacté, fort de l'aide de Nohog de Ventorx, d'agir sur ses semblables pour les entraîner sur la voie de la paix. L'espèce humaine devait muer. Se débarrasser de ses oripeaux barbares et embrasser l'Éthique Une dans toute sa simplicité ; ne pas tuer. Alors seulement la planète serait intégrée au giron galactique et pourrait bénéficier de toute l'assistance requise. La mutation devrait s'opérer en moins de deux cents années terrestres. Six ou sept générations d'humains tout au plus. Nohog avait toutes les raisons d'être inquiet.

Les travaux avaient été menés aussi rondement qu'il était possible à un Ventorxe assisté d'une sonde. Celle-ci, pour accélérer les choses, avait enfanté une batterie de sondines, répliques miniatures d'elle-même, qu'elle avait dépêchées dans la base de Nohog. Le Ventorxe avait aussitôt programmé l'une d'entre elles, qui s'était frayé un chemin vers le haut, jusqu'au centre de la montagne, où elle avait creusé une cavité. Enfin l'heure du choix avait sonné. Qui choisir? À la verticale de l'antre, les instruments de Nohog avaient détecté du mouvement. Il avait compté cinq spécimens de vie intelligente à proximité, mais l'instant d'après il n'en restait plus qu'un. Voilà qui facilitait les choses. Le relayeur avait affiché de nouvelles données. L'humain était blessé, mourant peut-être. Nohog avait alors compris qu'il serait trop lent pour le sauver et avait composé un programme destiné à la sonde. Il avait transmis à cette dernière les coordonnées du corps et avait ensuite tenté de se mettre en phase avec le cerveau de l'être.

L'exobiologiste avait depuis longtemps percé les arcanes de la physiologie humaine. Mais, son statut d'Observateur le lui interdisant, il n'avait jamais mis en pratique les théories issues de ses études. C'était l'occasion. Nohog avait composé le message : «EAU. Les feuilles de menthe sont bonnes…» Le synchre l'avait accéléré suivant le rythme humain. Puis il avait consulté son relayeur où s'affichait la fréquence électrique de l'encéphale-cible. Le message avait été traduit en impulsions électriques sur cette même fréquence et transmis vers l'airc de la mémoire du cerveau. Les membranes des neurones récepteurs avaient été parcourues d'un mouvement de molécules chargées électriquement. Les ions de potassium, de sodium et de chlore avaient démarré la conduction électro-chimique. Une nouvelle structure neuronale se constituait : le message était arrivé. Serait-il intelligible? Voilà qui était excitant.

Nohog n'avait pas attendu la réponse. Aussitôt après, il avait envoyé un nouveau programme à la sondine pour assurer le transport de l'être humain jusqu'à la cavité, où il reposait maintenant. Le Contact avait eu lieu.

Mountain dormait. Soudain, un léger déclic se fit entendre dans la paroi, non loin de sa tête. Il se réveilla en sursaut, étonné, regarda autour de lui, se souvint et se dressa sur sa couche. Une alvéole s'était formée avec, dans son milieu, un pain gélatineux, strié de filaments verdâtres.

Stupéfait, il contempla l'objet un long moment avant de s'approcher de l'ouverture et de tendre la main. Il renifla la masse gélatineuse; elle était dépourvue d'odeur. Il n'en reconnut ni la couleur ni l'apparence, et l'ignora. Bien éveillé, il entreprit l'examen de la caverne.

L'Indien travaillait méthodiquement, souvent à quatre pattes, pour mieux scruter les parois à la base. Mais sa curiosité n'avait prise sur rien. Sa faiblesse l'obligeait souvent à interrompre son inspection. Plus tard, sans raison, la lumière baissa. Il n'en fut pas trop effrayé et résolut de regagner sa couche pour y trouver le sommeil. Au réveil, il se passa la langue sur les lèvres. Il avait soif et, pour la première fois depuis longtemps, connut la faim. Il considéra l'alvéole avec un intérêt renouvelé. Était-ce de la nourriture? Tout était si différent dans la demeure des morts! Il plongea un doigt dans la matière inconnue, le lécha et grimaça de dégoût.

Le lendemain matin, il nota un changement dans la caverne. À l'opposé de sa couche, une nouvelle structure était apparue. À côté de ce qu'il prit d'abord pour un siège s'élevaient deux murs parallèles. Quand il pénétra dans l'espace ainsi délimité, un déluge se déclencha qui le fit se cabrer. Aussitôt la pluie cessa. Il tendit le bras en avant et, à nouveau, l'eau dégringola. Il s'aperçut qu'elle surgissait aussi de chaque côté des murs et qu'elle était chaude. La cabane de pluie l'amusa beaucoup. Il y passa un long moment, tout en chantant à tue-tête. Le Grand Esprit était bon.

Il trouva ensuite un usage au siège attenant.

Peu à peu, Mountain régla ses gestes sur l'alternance de pénombre et de clarté régnant en ces lieux. Ce n'était pas le jour et la nuit qu'il avait connus auparavant, mais il y retrouvait au moins un peu de la profondeur du temps.

La caverne était circulaire. L'Indien sillonna la surface de sentiers imaginaires qu'il empruntait sans relâche, à la lumière étrange de ces jours. Quand il se sentait trop faible, il avalait un fragment de l'étrange nourriture, que l'habitude avait rendue moins repoussante. Il continuait de tourner en rond, attendant un signe. Son impatience grandissait.

Où suis-je? hurla-t-il un jour à la voûte rocheuse. Même l'écho ignora son désarroi. Pourtant, plus tard, il fut bien obligé d'appeler réponse la pensée qui traversa soudain son esprit, en rendant un son mouillé. «ABRI. Tu es vivant. La caverne est ton abri. Ton abri est dans la terre.»

Il n'était pas seul. On lui parlait. On veillait à satisfaire ses besoins. On répondait à ses interrogations. On l'observait. On viendrait jusqu'à lui. On le sortirait de là. Au début, cette réaction le rassura. Mais à mesure que le temps s'écoulait à guetter l'apparition de la nourriture ou à suivre des lignes imaginaires sur le sol, son enfermement lui apparut sans remède.

Prostré sur sa couche en pierre, il était prisonnier. Derrière ses paupières, il voyait clignoter des taches jaunes et vertes. Les rayons du soleil dans la rivière. La prairie qui ondoyait. La pointe chantante des mélèzes. Le piétinement des chevaux quand il les poussait à travers les cols. Et lui, vivant, libre.

Il bondit, ne put réprimer un cri de rage. Les mots claquèrent.

— Je veux revoir la forêt.

Le hurlement avait dû résonner jusqu'aux oreilles du Grand Esprit, où qu'il fût. Mountain se calma et reprit ses rondes en sautant d'une paroi à l'autre. Il prenait son élan et bondissait sur l'enceinte rocheuse, le plus haut possible.

Soudain, avant de s'écraser lourdement sur le mur, il aperçut un mouvement du coin de l'œil. Il se massa l'épaule et n'en crut pas ses yeux : une porte s'était ouverte dans la paroi.

10

Curieux, il s'approcha, et ce qu'il vit lui coupa le souffle. Sa forêt. Il franchit le seuil et y entra. Nespelem n'était pas encore en vue, mais il en reconnut la lumière sous les frondaisons et la sente du lièvre entre les sapins. Il revit les traces laissées par les bois du grand cerf sur l'écorce des chênes. Il sentit l'odeur musquée des cèdres. Il entendit couler la rivière aux Saumons, tout près, et reconnut son scintillement derrière les premières rangées d'arbres. Mountain hurla de joie. Il reconnaissait tout. Il était revenu à Nespelem. Ce soir, il reverrait Two Moon. Il était vivant!

Il jeta un coup d'œil en arrière et fut aussitôt détrompé par la présence de la porte en transparence, qui le ramenait à la caverne. Résolument, il lui tourna le dos et s'enfonça dans la forêt. Elle paraissait si vaste qu'il n'en verrait jamais le bout, pensait-il, soulagé. Les sapins, les mélèzes, les bouleaux défilaient, chaque fois différents. Mountain retrouvait les réflexes du chasseur. Il avançait en tapinois, soucieux de ne pas signaler sa présence par des craquements d'aiguilles ou par des mouvements entre les branches. Il se fondait dans les arbres et le feuillage, il était la forêt. Il accéléra le pas, puis tourna à angle droit et fonça dans une autre direction. Il voulait tout voir. Se rassurer. C'était toujours la même forêt, familière, accueillante. Il était chez lui.

Soudain, il se figea. Devant, à moitié dissimulé derrière les arbres, immobile, un grand cerf au poitrail blanc cherchait à se rendre invisible, mais Mountain en connaissait les ruses. Il s'approcha. Le cerf ne bougeait pas, obéissant à son instinct. Il fixait la forêt, là où, exactement, se trouvait le chasseur. Tous deux s'épièrent un moment.

Mountain comprit soudain que le cerf ne l'avait pas vu, qu'il ne le voyait pas. Il s'approcha en faisant des moulinets avec les bras. L'animal demeurait indifférent. Quel était ce prodige? Le vrombissement d'une perdrix s'éleva sur sa droite, et le grand mammifère fit un pas de côté, sans plus, comme si Mountain n'avait jamais été présent et que la forêt eût appartenu de tout temps aux seuls animaux qui l'habitaient.

Un geai frôla la joue de l'Indien, qui s'en inquiéta. Quelle étrange forêt c'était devenu. Que s'était-il passé? Il était arrivé à la rivière. Il abandonna sa proie à ses étranges stratégies et voulut boire à la cascade. Il mit ses mains en coupe et les plongea dans l'eau. Rien. De l'air. Pire. Le vide. Il revint alors vers le cerf. Impassible, l'animal mâchait de la verdure et fixait un point devant lui. Mountain voulut le toucher. Une fois de plus, sa main ne rencontra que du vide. Interdit, il regardait sa main, qui demeurait sa main, alors qu'elle avait traversé l'animal, comme elle avait traversé l'eau. Il essaya de toucher un arbre, avec le même résultat. Il se retourna. La porte l'attendait. Avec un gémissement de rage, il en refranchit le seuil. La caverne, tiède, lisse, jetait une lumière incertaine. Il n'y avait rien à faire. Là était sa maison.

La maison d'un esprit. Il était mort, aucun doute possible. Et le Grand Esprit s'amusait à l'éprouver avant de l'accueillir sur ses terres. Dégoûté, Mountain se laissa tomber sur sa couche. La course en forêt l'avait épuisé, et cette fatigue ajoutait à son inquiétude. Jusqu'alors, il pouvait parcourir d'énormes distances à pied ou à cheval, sans ressentir le besoin d'une autre étape que celle du soir. Et comme le sommeil était bon et profond. Rien à voir avec le repos misérable qu'il s'apprêtait à prendre maintenant, alourdi de questions. Pourquoi? Comment? Où? Et d'abord, es-tu vraiment le Grand Esprit?

D'exaspération, il avait formulé la dernière interrogation à voix haute. Après quoi il avait fermé les yeux, même si l'heure n'était pas encore au sommeil. Il se réveilla peu de temps après. Ce n'était pas le jour monotone de la caverne qui l'avait tiré de son immobilité, mais un son mouillé qui avait éclaté doucement dans sa tête, une pensée qui flottait. «ESPRIT. Tu penses. Je pense aussi. C'est peut-être l'esprit. Il est peut-être grand.»

L'instant d'après, il retrouvait de la nourriture dans l'alvéole, et l'énigmatique pensée disparut d'elle-même. Avait-elle jamais été formulée, et par qui?

Une fois de plus, l'Aliment lui avait redonné des forces. Il réfléchit. S'il avait pu revoir la forêt autour de Nespelem, il pouvait peut-être revoir le camp des Nez-Percés, tout à la fois semblable et différent, comme le grand cerf, un peu plus tôt. Mais tout aussi vrai, ailleurs, autre : Mountain ne connaissait pas le mot pour désigner ce qu'il avait vu en traversant l'espace qui jouxtait la caverne, mais il n'avait pas oublié sa joie quand il courait dans les bois. Il émit le souhait à voix haute. Autour de lui, rien ne changea. Des yeux, il chercha la porte. Il ne vit rien, ni tracé, ni cadre, ni seuil. Il fut déçu.

L'alternance de lumière faible et forte établie depuis peu lui fournissait un maigre repère temporel. Pourtant, il eut l'impression qu'il s'était écoulé pas mal de temps entre le moment où il avait songé à revoir les siens, à Nespelem, et l'instant présent. La porte réapparut. D'un bond, il en franchit le seuil.

Le camp des Nez-Percés connaissait l'animation habituelle du matin. Des pierres chauffaient sur de grands feux. Des femmes épluchaient les racines amères. Mountain aperçut Open Mouth qui, rentrant de relever ses pièges, brandissait deux lièvres. Les enfants l'entourèrent, et le jeune guerrier se fraya un chemin à travers leurs cris jusqu'au tipi de son clan. À la porte, il suspendit les dépouilles, souleva la peau de l'entrée et disparut. Mountain le suivit, mais quand à son tour il voulut pénétrer à l'intérieur, tout était gris, comme si on lui avait jeté une couverture sur les yeux. Il fit un pas en arrière.

Dans un angle du camp, sous le sapin bleu, Mountain aperçut un groupe d'hommes qui discutaient. Il les rejoignit, s'assit au milieu d'eux, qui l'ignorèrent.

— Chef Joseph, regarde-moi, cria-t-il. Je suis de retour!

Mais le vieil homme ne lui jeta pas un regard. Les chefs, ce matin-là, avaient fort à faire avec un cheval malade qu'il fallait abattre si on ne voulait pas voir tout le troupeau atteint du même mal. Nul ne vit Mountain. Pourquoi les chefs ne le voyaient-ils pas? L'avaient-ils oublié? Mountain refusa de les hanter davantage et s'éloigna.

Non loin du camp, ému, il retrouva le troupeau. Avec légèreté, il sauta sur la première croupe à sa portée… et passa à travers. Le cheval s'ébroua comme si de rien n'était. Mountain lui donna une tape sur les flancs. Sans effet. Il jaugea les bêtes. Le troupeau avait légèrement augmenté depuis son départ. Des pouliches avaient mis bas, et leurs rejetons, qui tombaient puis se relevaient sur leurs pattes frêles, l'attendrirent comme la première fois.

La première fois? Quand était-ce, au juste? Était-il mort ou vivant? Était-il un esprit? Soudain, il n'était plus sûr de rien. Dérouté, il chercha à se doter d'autres repères que ceux fournis par le camp et les chevaux, mais, se retournant, il n'aperçut que la porte donnant sur la caverne.

Plus tard, de retour sur sa couche, l'évidence s'imposa. Il pouvait faire venir à lui les visions. Mountain voulait revoir la forêt? Il en faisait la demande, et la forêt s'étendait de l'autre côté de la porte. Il voulait revoir le camp des Nez-Percés? La réserve apparaissait elle aussi. Il suffisait d'être patient. Pouvait-il choisir toutes les visions qui lui plaisaient? S'il était un esprit, pouvait-il s'entretenir avec d'autres esprits? Avec Lone Bird, par exemple? Quelque temps après, la porte s'ouvrait à nouveau sur le camp et le coin des femmes, où il distingua la minuscule silhouette, penchée sur son ouvrage. Était-ce bien elle?

Quand il s'approcha de la jeune fille et qu'elle leva les yeux, Mountain crut un instant qu'elle allait vraiment le reconnaître. Mais il dut se contenter de croiser son regard profond, abîmé dans la rêverie d'où la nécessité de piquer les perles sur les peaux la tirait par intermittence. Il regarda l'objet de ses soins. Un somptueux pectoral d'apparat prenait forme sur ses genoux. Posées sur un entrelacs de fils, des milliers de perles de couleurs dessinaient le motif d'un cheval, à en juger par le poitrail et les pattes de devant qui apparaissaient peu à peu. Soudain, Lone Bird leva les yeux et cacha précipitamment son ouvrage. Son frère, c'est-à-dire lui, Mountain, venait d'arriver. Il mit quelques secondes à comprendre qu'il s'agissait bien de lui-même. Peu à peu, la scène lui revint en mémoire, tandis qu'elle se rejouait sous ses yeux. Il en fut stupéfait.

Tu es là? interrogea Lone Bird, avec un grand sourire. Le jeune guerrier se souvenait de tous les détails. Ce jour-là, Two Moon et lui avaient chassé toute la matinée sans rien prendre. Au retour Mountain avait trouvé de la saxifrage et de la valériane, et il avait rapporté les herbes à sa sœur. Sous le regard approbateur des femmes, Lone Bird le remercia avec chaleur quand il s'éloigna, puis elle retourna à sa tâche. Elle est toujours vivante, se dit le Mountain de la caverne, et elle vit dans un lieu où n'entre pas la souffrance. Le pectoral, il le comprit, lui était destiné. L'Indien ne sentit la brûlure des larmes que lorsqu'elles jaillirent. Comme il était pénible à un esprit de revoir ainsi ce qui avait eu lieu. Mais comme c'était tentant.

Pour lutter contre la tristesse, Mountain eut de nouveau recours au passé. Il appela son frère Sotahwa. Le lendemain, il partait longuement en sa compagnie à la chasse au porc-épic. Les deux frères couraient dans la forêt, sous le regard joyeux de l'Indien qui se revoyait, vif et impatient. Libre. Sa main manquait encore d'assurance au moment de bander l'arc, mais l'œil se plissait, comme l'œil de son père s'était plissé jadis, en regardant détaler tous les porcs-épics de la forêt.

Mountain s'approcha de l'enfant qu'il avait été et scruta avec attention les détails de son anatomie, comme pour y trouver la préfiguration de l'adulte. Sotahwa obéissait à son frère sans discuter, parce qu'il était son aîné de quelques années, mais aussi parce qu'il en imposait. Mountain se regarda enfant, et cet enfant lui plut par son autorité juvénile. Ce jour-là, le retour dans la caverne fut rendu plus léger. Il avait le sentiment d'assembler les pièces d'une identité fragmentée. De redonner corps à l'esprit qu'il était devenu.

Et cet esprit possédait bel et bien un corps. Un corps qui prenait du repos, mangeait, se fortifiait, affichait des cicatrices qui allaient en diminuant. Comment était-ce possible? Jusqu'alors, Mountain ne s'était jamais vraiment interrogé sur l'esprit des guerriers après leur mort. Il avait accepté les récits des anciens, puis avait repris ses occupations de vivant, sans leur accorder plus d'importance. Mais le séjour dans la caverne, tout comme les énigmatiques rencontres avec lui-même et les siens, l'obligeait à réfléchir. Le présent appartenait-il à l'au-delà? Le passé était-il déjà le présent? Et lui-même était-il encore Mountain, s'il était devenu un esprit?

Dans les jours qui suivirent, il ressentit un grand vide. Il n'existait plus. Pour combler ce vide, il plongea dans son passé avec entêtement. Il ne se lassait pas de se revoir. Là, à cheval, rassemblant les bêtes pour Black Tail. Là, se bagarrant avec Open Mouth pour un poisson volé, au retour de la pêche. Là, dansant ou dormant. Tuant son premier cerf. Écorchant l'ours au Pays de la Vieille Femme. Réprimant des sursauts de peur à Bear Paw. Courant sous les tirs. S'emparant du fusil des soldats morts à la nuit tombée. Pleurant, oui, pleurant de rage, à Big Hole, sur les corps de sa mère et de son frère. Sotahwa avait l'air de dormir, ainsi blotti contre leur mère. Mais les blessures de Hiumath étaient plus visibles. L'une des balles lui avait emporté le bas du visage. Mountain, un esprit? Plutôt un guerrier qui criait vengeance et cherchait des yeux les meurtriers. Et il dut plusieurs fois repasser ses poings crispés dans le corps des assaillants pour calmer le sentiment violent qui bouillonnait en lui.

Le lendemain, il retournait dans la forêt. Il était encore un enfant, et cette fois le premier il trouvait à la lisière du bois les baies les plus savoureuses, les plus mûres, les plus abondantes. Mais le lendemain, il tuait le chercheur d'or, celui qui s'appelait Chrighton. C'était chaque fois lui-même qu'il voyait. Ce n'était plus lui. Il s'était rassasié de lui-même, jusqu'à en être écœuré, et sans pouvoir être fixé sur son état. Qui suis-je? se dit-il, à voix haute. Et qui es-tu, toi qui me montres tout cela?

Ténue, discrète, tangible, pourtant, la présence familière se manifesta de nouveau en rendant un son mouillé sous son crâne. «ESSENCE. Tu es Mountain. Tu es vivant. Et moi je t'aiderai sur ton chemin.»

Un chemin? Où menait-il? La question avait dû embêter son interlocuteur, car plusieurs jours s'écoulèrent sans que Mountain entendît ou fît quoi que ce soit. Il avait perdu tout intérêt pour sa personne et son passé, et les visites, de l'autre côté de la porte, s'estompèrent. Conduis-moi chez Wowoka, le prophète païute, exigea-t-il un jour qu'il se remémorait la danse des esprits chez les Shoshones. Un refus sans équivoque éclata dans sa tête, quelque temps après, accompagné d'une explication. Ici on ne s'approchait pas du cercle de la naissance des dieux. Mountain se soumit à cet interdit – avait-il le choix? –, sans être trop sûr d'en comprendre la portée.

Son immobilité bientôt lui pesa. Si le monde des Indiens suivait son cours, à quoi ressemblait le monde des Blancs? s'interrogea-t-il. Jusqu'alors les contacts de Mountain avec les Blancs avaient eu lieu dans des espaces intermédiaires, des bandes de terre qui faisaient tampon entre les deux mondes. Qu'y avait-il au-delà? Son chemin le menait peut-être plus à l'est.

11

Quand la porte s'ouvrit à nouveau dans la paroi, Mountain ne cacha pas son excitation. Sa vigueur retrouvée, son intelligence, sa curiosité : tout le poussait en avant. Il franchit le seuil d'une seule et ferme enjambée, et se retrouva aussitôt devant un kiosque à musique, dans un parc à la nature parfaitement domestiquée.

Il s'approcha des sons qui s'échappaient du kiosque et aperçut un groupe d'hommes blancs tous habillés de la même façon et qui manipulaient des objets différents. Mountain reconnut un clairon censé sonner la charge. À la place, il entendit une musique inconnue, un peu traînante, qui n'était pas désagréable. Quand elle prit fin, les Blancs restés sur le gazon avec lui frappèrent leurs mains l'une contre l'autre, comme s'ils avaient voulu rappeler l'esprit de cette musique. C'était fascinant.

Il était invisible, comprit-il. Autant en profiter. Il grimpa sur la plate-forme du kiosque et erra au milieu des musiciens qui suivaient des yeux des lignes remplies de cercles noirs et blancs. Le vent léger soulevait les feuilles retenues par des pinces. Intrigué, malicieux, Mountain se pencha sur l'épaule des musiciens et écouta le son de chaque instrument avant de retrouver la petite foule des auditeurs.

Il ne s'attarda pas sur les vêtements portés par les Blancs, et qui ne ressemblaient guère à ceux qu'il les avait vus porter jusqu'alors : habits bleus des soldats et vestes grises ou rouges des chercheurs d'or. Ici les vêtements s'avéraient d'une plus grande variété. Il s'amusa plutôt à établir des comparaisons. Les hauts couvre-chefs des hommes lui donnaient presque le vertige. De tels chapeaux les auraient sûrement gênés dans la bataille. Encore que ceux-là, autour de lui, n'avaient pas l'air de vouloir se battre, ni même d'en être capables. Les femmes s'appuyaient sur leur bras et les frappaient parfois en riant avec l'objet délicat qu'elles plaçaient entre elles et le soleil. La blancheur de ces femmes l'éblouit et réveilla des sens que la longue convalescence et les découvertes des derniers mois avaient quelque peu engourdis. L'une de ces femmes, en particulier, retint son attention. Ses cheveux étaient relevés dans une savante torsade qui allait se perdre sous un amas de fleurs et de fruits. Avec gourmandise, il huma son corsage, suivit la ligne de son cou, de ses joues et se perdit dans le bleu de ses yeux. Si la vue, l'ouïe et l'odorat chez lui étaient excités, son sens du toucher restait sans objet. Cependant, sa frustration ne dura pas. Il y avait tant à faire. L'inconnue s'éloigna, et il partit d'un autre côté.

Le lendemain, Mountain, voulant voir ce qu'il y avait au-delà du parc de verdure, tomba sur une fourmilière d'individus. Cette fois, les vêtements étaient sombres et les fronts soucieux. De petites grappes de gens étaient accrochées le long de chemins durs et bruyants. Certains portaient des sacs ou des paquets. D'autres dépliaient de grandes feuilles de papier couvertes de ces minuscules bâtons qu'il avait déjà vus sans pouvoir les déchiffrer. Les grands papiers étaient parcourus attentivement, puis repliés, ou encore chiffonnés avec exaspération. Les maisons s'élevaient sur plusieurs étages, et il s'en fallait de peu que les toits n'aillent frôler les nuages, légers, de cette belle journée. Mountain vit des chevaux en grand nombre. Mais, outre qu'ils avaient une robe différente, aucun de ceux qu'il aperçut n'était en liberté. Il s'en étonna. Les bêtes étaient affublées de parements de toutes sortes : sur les flancs, de chaque côté de la tête, au bas des pattes, et même les sabots rendaient un son différent. Sur un claquement de lanière, et sans hésitation, les chevaux obéissaient à leurs maîtres, et les charges tirées par des charrettes de toutes tailles étaient impressionnantes.

De retour dans la caverne, Mountain médita sur ces merveilles en apparence inépuisables. S'il ne savait pas comment les désigner avec précision, il savait au moins comment y accéder. Il n'avait qu'à interroger à voix haute : Qu'y a-t-il encore au-delà ? Peu de temps après, il découvrait la réponse, en variant les points de vue, comme il le comprit aussi. L'esprit qu'il était, se dit-il, pouvait grimper aux arbres encore plus facilement qu'un Indien vivant. Il pouvait flotter dans les airs comme un nuage et voir le monde en surplomb. Il pouvait traverser un lieu à la vitesse de l'éclair ou, au contraire, prendre tout son temps pour en examiner chaque parcelle. Toute cette activité d'explorateur l'occupa avec profit, et le plus agréable était sans contredit de regarder les allées et venues des femmes des villes. Il était jeune et plein de sève. Il avait déjà connu le corps des femmes shoshones et spokanes, leur moiteur, leurs creux odorants, leurs voies étroites où il aimait perdre conscience un bref moment. La vue des étrangères à la peau blanche raviva ses sens. Il désira ces femmes, mais son désir, inassouvi, ne lui faisait pas perdre de vue le vaste monde des Blancs que le Grand Esprit offrait à sa curiosité. Pour un peu, les limites toujours repoussées de ses connaissances lui auraient fait oublier sa condition de prisonnier.

Car son esprit avait beau franchir la porte aussi souvent qu'il en manifestait le désir, à la fin, il lui fallait quand même regagner la caverne.

Un jour que la vue d'hommes et de femmes s'éloignant l'avait renvoyé trop crûment à sa solitude, il cria : Je veux sortir d'ici! Aucune pensée ne lui répondit. Aucune porte ne s'ouvrit. Alors son impuissance se transforma en une rage qui finit par retomber. Pouvait-il en être autrement?

Il ne manquait pas de l'essentiel. L'Aliment le rassasiait, sa couche était moelleuse, il trouvait des vêtements neufs à sa disposition quand les peaux qu'il portait étaient devenues trop usées. Et le cabinet de toilette, dont il maîtrisait désormais le fonctionnement, lavait, soulageait et procurait à son corps tout le bien-être dont il avait besoin.

Il avait changé. L'impatience de l'enfant était loin. Les emportements du guerrier aussi. En quelques saisons dans la caverne, il avait acquis beaucoup de connaissances. Et plus il apprenait de choses, plus il découvrait son ignorance. À partir d'un certain moment, il ne songea plus à s'enfuir, et les visites reprirent de l'autre côté de la porte. Il voulait tout voir.

Un jour, il comprit qu'il devait résoudre le mystère des bâtons minuscules. Ils étaient partout, sur le bois, sur le papier, et même sur le sable, après le passage des enfants. Chaque fois, le sens lui échappait, c'était frustrant. Ce jour-là, dans la caverne, il demanda : Apprends-moi l'usage des bâtons. La réponse, lorsqu'il en saisit la portée, le transporta une fois de plus.

Le lendemain, de retour en ville, il passa devant une enseigne : *Grocery Store*. Un voile tomba. *Grocery Store*. Il relut la pancarte plusieurs fois. L'opacité des signes avait fait place au sens. Dans sa tête flottait une infinité de mots nouveaux, chacun doté d'une signification. Émerveillé, il voulut sur-le-champ faire l'inventaire de la langue nouvelle. Il fut entraîné dans un tourbillon de noms, d'adjectifs, de verbes, qui s'intensifia jusqu'à lui donner le tournis. *Chàw!* cria-t-il dans la langue nez-percé. Aussitôt, la tempête lexicale se calma et l'anglais, sa nouvelle langue, alla se ranger docilement dans les plis de sa mémoire. Par la suite, il se pencha sur l'épaule d'un passant qui lisait dans la rue ce que Mountain pouvait désormais appeler un journal. Et les mots, les phrases lui parlèrent. Le journal était le *Chicago Tribune*. L'année, 1888. L'architecte William Le Baron Jenney venait de concevoir une toute nouvelle structure d'acier qui lui avait permis d'achever le premier Leiter Building. La construction du second édifice commençait. Admiratif, le journal parlait de «gratte-ciel».

Aussitôt, Mountain voulut voir cet édifice qui grattait le ciel. Sa curiosité fut satisfaite. De la terrasse du bâtiment, ébloui, il vit flamboyer les toits des maisons sous les rayons du soleil. En bas, des fourmis humaines remontaient le trottoir, mais la vue en plongée était trop familière pour lui donner le vertige. En revanche, sa capacité de déchiffrement par la lecture ne cessait de l'étonner. Mountain lisait avidement tout ce qui passait à sa portée – les enseignes, les journaux, les caisses de beurre frais que le livreur empilait sur le trottoir avant de les ranger dans l'arrière-boutique, les papiers gras, les prospectus, en somme toute trace écrite ou imprimée. Sauf celles, dut-il reconnaître un jour qu'il était assis sur un banc, laissées sur des feuillets par la main de sa voisine, avant qu'elle ne les glisse dans une enveloppe. S'il pouvait lire l'adresse du destinataire, l'accès au contenu de la lettre lui était refusé. Comme si, une fois de plus, après celle entourant la naissance des dieux, une barrière infranchissable avait surgi. Comme le jour où Mountain s'était heurté à un voile gris en voulant suivre Open Mouth jusque dans son tipi. Et, plus récemment, chaque fois qu'il s'était attaché aux pas d'une jolie femme jusqu'à la suivre dans sa maison – grise, nécessairement grise. Cet espace-là, comprenait-il maintenant, était aussi inviolable que toutes les demeures découvertes depuis ses premières incursions d'esprit dans le monde des hommes. De même les pensées des gens lui étaient-elles interdites. La frontière était là, palpable. Mais pourquoi aurait-il voulu l'outrepasser quand tout l'espace du dehors restait à connaître?

Malgré ces restrictions, il put entrer dans certains édifices, à la suite d'autres gens. Dans les villes, il découvrit ainsi l'existence de maisons aux murs tapissés de livres. Et d'autres qui abritaient des manuels, des cahiers, des bancs et une estrade, avec un maître juché dessus et discourant. Il assista à plusieurs leçons. Au début, il en avait choisi les sujets un peu au hasard, mais il comprit rapidement les limites de sa méthode, et il fut heureux de pouvoir compter sur le classement établi par les bibliothèques. Les sciences, l'histoire, la littérature, la musique, la géographie : tous les domaines du savoir s'offraient à lui, et il s'enfonça dans ces nouveaux sentiers avec la détermination d'un chasseur.

12

Ce jour-là, l'affranchi Secundus s'était levé maussade. Pourquoi au juste? Pour connaître la réponse, il aurait fallu interroger le vol des aigles. Mais il n'allait pas mêler les augures à ses affaires. C'étaient des ennuis assurés. En ce quatrième jour avant les calendes de mai, autant faire comme s'il n'avait eu aucun mouvement d'humeur ni prémonition, comme si tout allait bien. Secundus se contenta d'une lampe, malgré la pénombre. Il avait entrebâillé la porte donnant sur la ruelle et, tout en rangeant, tout en balayant, il regardait danser la lumière du jour dans l'entrée, selon un dessin capricieux. Plus que n'importe quelle certitude extirpée d'entrailles animales par un aruspice prompt à faire cliqueter sa bourse, cette vue l'apaisa.

Il repoussa contre le mur les volumina en tas au milieu de la pièce. Dans un coin, il empila les tablettes de cire et rangea les styles sur une étagère. C'était quand même l'idéal, ces tablettes. Petites, se transportant facilement, réutilisables. Secundus faisait ensuite grand commerce de cire à leurs utilisateurs ; il n'allait pas s'en plaindre.

Comme il se penchait vers le sol, il aperçut une paire de sandales d'où émergeaient des orteils très vivants, quoique poussiéreux. Il leva les yeux et vit une silhouette qu'il aurait bien été incapable de reconnaître. Le fait n'avait rien d'étonnant. Chaque jour, des gens entraient dans son échoppe pour en repartir lestés de lectures et du nécessaire pour écrire. L'inconnu semblait médusé. Il dévisageait Secundus avec attention, scrutant chacun de ses traits. Le marchand prit l'initiative.

— Je te donne mon salut, Romain. Que puis-je faire pour toi?

— Je te salue aussi. Tu es bien l'affranchi Secundus? On m'a dit que je te trouverais dans ton échoppe, derrière le marché de Pallas.

— Tu y es très exactement.

Et Secundus avait souri, flatté que la réputation de son commerce s'étendît dans Rome jusqu'à guider des inconnus vers lui. Après les traits de l'affranchi-libraire, l'homme examinait maintenant sa boutique.

— Ma parole, c'est aussi encombré chez toi que dans les rues de Rome la nuit!

Secundus haussa les épaules et tendit la main vers les rouleaux en attente d'être rangés.

— J'allume une autre lampe, on sera mieux.

Sur les tablettes courant le long des murs étaient posées des lampes de toutes dimensions. Au fond, contre la paroi, une jarre d'huile trônait. L'échoppe du stationarius était située dans la ruelle aux potiers, et le soleil n'y pénétrait que quelques heures par jour – piètre lumière pour les écritures sur papyrus. L'inconnu se présenta.

— Je m'appelle Namimus, et j'appartiens à la maison de l'empereur.

Il savoura son effet.

— Je suis maître de scène et Domitianus m'a chargé de régler le pairage des gladiateurs lors des jeux qui marqueront l'achèvement de l'amphithéâtre flavien. L'empereur voit grand. Il veut rivaliser avec les jeux donnés par Titus lors de l'inauguration, il y a trois ans. Les siens, crois-moi, seront plus magnifiques encore. As-tu vu l'amphithéâtre terminé?

— Sans intérêt, grogna Secundus, qui assistait au retour de sa mauvaise humeur sans pouvoir faire quoi que ce soit pour la chasser.

— Le nouveau cirque nuirait-il à ton commerce? Allons donc! Songe aux foules qui passent devant ta porte!

— Tu parles. Une plèbe qui hurle de plaisir à l'odeur du sang et des fauves. Comment aurait-elle envie de dérouler un volumen, dis-moi?

— Tu fais bien le fier pour un affranchi, Secundus. Aurais-tu oublié les circonstances entourant ta naissance? Ton ancien maître, le docte Lucensis, m'a tout raconté, tu sais, le tas de fumier, les bêtes qui tournent autour...

— Tu connais donc Lucensis? Et pourquoi t'aurait-il raconté cela?

— Pas seulement cela. Il m'a dit aussi pour ton frère.

Le visiteur se rapprocha.

— Des jumeaux exposés, ça ne s'oublie pas. Tu saurais le reconnaître? à supposer, bien sûr, que ton frère ait survécu à l'abandon...

Namimus, de son propre chef, prit place sur un tabouret.

— Pourquoi es-tu venu au juste? le coupa Secundus.

— J'hésite : vaut-il mieux tout te raconter maintenant, ou attendre que tu découvres l'affaire au cirque?

Namimus souriait. Ce sourire inquiéta Secundus.

— Je te l'ai dit, je n'ai aucun goût pour les jeux. Je pense comme Lucius Annaeus Seneca. Ces plaisirs-là attisent le mauvais chez l'homme. Que veux-tu, plus personne ne lit le philosophe de nos jours. Ses os ont blanchi, ses écrits sont oubliés. Même Nero, son auguste élève, s'est débarrassé de lui, en son temps.

Namimus se redressa.

— Domitianus n'est peut-être pas frotté de philosophie comme toi, mais il est bien obligé de régner sur Rome, et il ne peut régner sur le peuple romain sans lui offrir des jeux.

Secundus haussa les épaules. Namimus reprit.

— Ton indifférence ne te servira pas à grand-chose, j'en ai peur. Je vais donc te dire ce qui s'en vient. Tu n'auras qu'à feindre la surprise, le moment venu. Après tout, tu seras appelé à jouer un rôle important dans le prochain grand divertissement de l'empereur. Les amusements ne manqueront pas, tu peux m'en croire. Depuis des mois, des milliers de bêtes, venues des confins de l'empire, font le voyage jusqu'à Rome. Titus en a tué cinq mille. Domitianus en tuera dix mille. Des ours, des lions, des hyènes, des guépards, des éléphants. Et des hommes, bien sûr. Il coulera des fleuves de sang. Le tien coulera aussi.

Secundus se figea. Que voulait-il dire? N'était-il pas affranchi? Libre de disposer de sa vie comme il l'entendait?

— Ton ancien maître, Lucensis, a contracté des dettes, beaucoup de dettes. Il en est écrasé. Sa femme et ses enfants sont tombés depuis peu en servitude et il s'apprête à les suivre dans cet état. Tu imagines son désespoir. Alors il a cherché l'appui de l'empereur et de sa toute-puissance divine. C'était un bon jour. Titus Flavius Domitianus l'a reçu et, en échange de sa bienveillance, il a réclamé une histoire. Ton maître n'a rien d'un conteur de fables. Il a cherché ce que sa vie pouvait avoir d'intéressant et il s'est souvenu de l'épisode de ta naissance. Il vous avait découvert sur un tas de fumier, ton frère et toi, exposés au destin. L'idée de recueillir l'un des deux braillards lui avait paru bonne. Il l'instruirait, lui apprendrait le grec, il en ferait son secrétaire. Et ton maître est bon, tu dois le savoir. Il s'est peut-être laissé émouvoir par vos cris, contre tout bon sens. Où irait-on s'il fallait recueillir le premier nourrisson exposé? Toutes les bonnes maisons de Rome ne suffiraient pas à la tâche. Il t'a pris, toi, et a laissé l'autre à son destin.

Secundus se prit la tête entre les mains.

— Tu parles trop, tu m'assommes. Je connais cette histoire.

— Mais tu ne connais pas la fin. Lucensis a raconté l'épisode à l'empereur, qui s'est montré intéressé. Les deux jumeaux lui ont rappelé Remus et Romulus, en moins fameux, bien sûr. Sa curiosité en a été piquée. Il a envoyé ses espions, et devine quoi? Ils ont retrouvé ton frère. C'est toi tout craché.

— Mon frère, vivant?

— Pour le moment, oui. Mais la mort, il connaît bien, puisqu'il appartient au cirque. Tu sais ce qu'il fait, maintenant, ton frère? Pendant trois années, dans l'arène, il a empilé les victoires. Il est maintenant doctor thracicum. Tu as dû entendre parler de lui : le grand Carpophorus!

— Thracicum, thracicum, je ne comprends rien à ces finasseries.

— Tu es bien le seul. Rome a conquis plusieurs peuples. L'arène s'en souvient et travestit ses gladiateurs pour amuser le peuple romain. À l'époque où il combattait, ton frère portait l'armure thrace. Aujourd'hui, il entraîne les gladiateurs de cette discipline. Il sait se battre, il aime le sang, les foules l'adorent. Toi, tu vis entouré de volumina. Amusant, non? Vous êtes issus du même ventre, vous êtes identiques, pourtant vous êtes à l'opposé. Le contraste a donné une idée à l'empereur. Un histrion va raconter votre histoire au public. Des frères jumeaux séparés à la naissance se retrouvent devant une foule de quatre-vingt mille personnes, ils se reconnaissent, ils s'embrassent, ils luttent à mort. L'effet sera saisissant, qu'en dis-tu?

— Beau spectacle, en effet! Je ne sais pas me battre!

— Justement! Toi, tu pourras compter sur l'équipement de ton frère, et lui brandira un style. La justice divine de l'empereur corrigera l'injustice du destin. Vous combattrez tête nue, pour que tous puissent voir les jumeaux s'affronter. J'ai déjà parlé à Carpophorus. Je n'ai eu aucun mal à le convaincre. Toi, c'est autre chose. J'ai comme l'impression qu'il va falloir te stimuler un peu pour aller au combat. Mais il y a mieux que les fers rouges pour les raffinés de ton espèce. Pense à la noblesse de la cause. Ton divertissement vaudra à ton ancien maître d'être libéré de ses dettes et à sa famille d'être rétablie. L'empereur a donné sa parole. Bon, je m'en vais maintenant.

L'envoyé de Domitianus prit congé. Secundus aurait dû être atterré par ce qu'il venait d'entendre, mais à bien y songer la mort, même violente, ne l'effrayait pas. Il avait pratiqué avec trop de soin les écrits de Seneca le philosophe pour ne pas prendre dès maintenant la mesure de l'apaisement donné par la soumission au Destin.

Au fond, le vrai maître était le Temps. L'empereur lui-même devait s'y soumettre. Mais voilà que la connaissance du jour, de l'heure et des circonstances de sa mort lui était donnée en plus. C'était un privilège.

Tout en méditant les révélations de Namimus, l'affranchi-libraire tourna et retourna entre ses mains une planchette de bois qu'il venait de ramasser par terre. Il rassembla quelques parchemins. Ils étaient de mêmes dimensions que la planchette. Instinctivement, il les posa dessus. Il ne manquait qu'une seconde planchette. Il en trouva une, l'ajusta. Il admira la chose, la souleva, la reposa, l'ouvrit, remit en ordre les parchemins glissés à l'intérieur. Il referma le tout. Bel objet, vraiment. Et pratique. On pouvait l'ouvrir n'importe où, contrairement aux volumina qu'il fallait dérouler. Pourquoi ne pas y avoir pensé plus tôt? Le volumen était encombrant, pas cela. On pouvait l'emporter avec soi en tous lieux. Même un cavalier y trouvait son compte. Secundus imagina des petits formats, à glisser dans une besace. De plus, comme il soulevait la première tablette et tournait les feuillets, il fut frappé par l'évidence : on pouvait écrire sur les deux faces du parchemin. On gagnait ainsi non seulement en légèreté mais en espace.

Il faudrait bien trouver un nom au nouvel objet. En aurait-il le temps? Secundus sourit. Il restait encore des questions sans réponse.

13

Comme le Grand Esprit était déroutant. La porte s'ouvrait sur des mondes singuliers, des mondes du passé, d'où Mountain ressortait avec l'impression étrange d'avoir compris le sens de la scène visitée sans en connaître les mots. À d'autres moments, il pouvait franchir la porte vers des horizons connus, mais qui le déroutaient tout autant. Un jour qu'il avait demandé à revoir la mer, une femme fit son apparition. Tout chez elle – l'exubérance de la tenue, les touches de couleurs sur le visage, les cheveux flottant librement – lui faisait signe. Mountain était à New Bedford, non loin du port, où il s'était longuement délecté des noms étrangers qui s'étalaient sur les flancs des navires. Il s'était éloigné du port et déambulait maintenant au hasard, en scrutant les façades en bois bleues et vertes d'une ville devenue le centre du monde baleinier.

L'apparition colorée avait pris une rue qui redescendait en pente vers le port. Il la suivit, les yeux rivés sur sa croupe ondulante. La nuit était tombée quand la créature s'arrêta devant la porte d'une maison que rien ne distinguait a priori de ses voisines, sauf une enseigne de marin fumant la pipe et, sur la porte, un heurtoir à tête de bouc, surmonté d'un œilleton. Le heurtoir claqua, l'œilleton s'ouvrit et la femme entra, sans qu'il cesse de la suivre. Cette maison devait avoir un caractère public, puisque l'intérieur s'offrait maintenant à sa vue, avec ses nombreux ornements – tapis, candélabres, sofas, papier peint, coussins, lampes. Mais les ornements les plus éblouissants demeuraient sans contredit la dizaine de femmes à moitié dénudées qui bavardaient entre elles tout naturellement. Dans un angle du mur, un pianiste officiait, indifférent, tandis que des hommes empruntaient par intervalles le grand escalier conduisant à l'étage. Certains montaient, d'autres descendaient en sifflotant.

Mountain s'embrasa comme une torche à la vue des femmes offertes. Il n'était pas un esprit, pour ça non. Et de retour dans la caverne, il trouva bien encombrant ce corps qui exigeait d'être apaisé. Et impérieusement.

Nohog, qui n'ignorait plus rien de la sexualité humaine, depuis le temps qu'il était sur ◊-GVH-18327-Γ, s'inquiéta malgré tout de voir Mountain à ce point troublé. Dans les semaines qui suivirent, plusieurs bordels de la côte Est furent visités, sans que le jeune guerrier pût y trouver la paix des sens. Bien au contraire. Le Grand Esprit lui-même n'aurait pas suffi à assouvir cette faim. De type scissipare, le système reproducteur des Ventorxe ignorait la sexualité et l'extrême longévité de l'espèce avait réduit la division cellulaire à l'état d'atavisme. Chez les rares sujets concernés, les cellules veillaient à se diviser le moment venu, et tout était dit. Nohog se réjouit de cette particularité de son espèce, qui simplifiait les choses, tout en privant les Ventorxe, il devait le reconnaître, de l'infinie variété des jeux amoureux humains.

Ayant pris la mesure de ce que cette obsession pouvait faire perdre à Mountain, Nohog dut se résoudre à intervenir. Il règlerait le problème sexuel, comme il avait réglé plus tôt le problème de la nourriture. Pour cela le Ventorxe devait surmonter certaines réticences. L'Éthique Une était trop respectueuse de la vie pour concevoir de la remodeler selon les circonstances. Mais l'enjeu était de taille. Que valaient les pulsions débridées d'un jeune humain quand il y allait de l'avenir de l'espèce? L'exobiologiste modifia la composition de l'Aliment et la libido de Mountain chuta. Plus tard, son protégé aurait tout le temps de se rattraper.

L'apaisement gagna Mountain et il put reprendre son exploration du monde de manière plus équilibrée. Mais l'épisode avait semé un doute : avec ses exigences, ce corps lui rappelait peut-être qu'il était vivant, après tout. Peu de temps après, satisfait, Nohog put constater les bonnes dispositions de Mountain, qui avait encore de nombreux savoirs à maîtriser. Il n'y avait pas de temps à perdre, même si, chez son protégé, le chemin des connaissances suivait un cours capricieux.

Avec le temps, Mountain apprit à apprécier la caverne et le Grand Esprit dispensateur de bienfaits. Cependant, des questions le tourmentaient. Était-il vivant dans la caverne et esprit dès qu'il passait la porte? Et où se cachait le Grand Esprit? Montre-toi, ordonna-t-il un jour.

Quand la porte s'ouvrit, ce qu'il vit le révulsa. Une boule de filaments, semblable aux nerfs des écorchés entrevus dans les encyclopédies des Blancs. Et cette boule n'était pas confinée à l'immobilité d'une planche, mais parcourue en permanence d'un frémissement. Mountain eut le temps d'apercevoir une espèce de bâtonnet au centre de la boule, et qui s'agitait, lui aussi. Il ne put réprimer un mouvement de retrait vers la sortie.

Il s'assit et se passa les mains sur le visage à plusieurs reprises. Il avait rêvé. S'il était esprit, les esprits faisaient aussi des cauchemars, voilà ce qu'il venait d'apprendre. Mais s'il était vivant, il était à la merci de la créature. Son cœur s'affola. Une peur encore jamais éprouvée lui sciait les jambes, et ses boyaux faisaient entendre des gargouillis inquiétants. Il n'avait plus rien du guerrier, assurément, et était enfermé dans la tanière d'un monstre.

Il dut laisser passer un cycle de lumière forte et faible avant de retrouver peu à peu la maîtrise de lui-même. Il songea aux soins que lui avait dispensés le monstre. Mountain revit le sang qui coulait de ses blessures, et il se vit débouler à demi inconscient dans le boyau sombre de la caverne. Il contemplait presque avec sympathie l'Aliment élaboré chaque jour à son intention, et dont il ne pouvait ignorer les effets réparateurs sur son organisme. Amusé, il songeait à ses obsessions récentes, et avec quelle patience l'être monstrueux avait répondu à ses demandes répétées visant à l'introduire dans des lieux peu fréquentables. La caverne lui apparut soudain comme le havre qu'elle était aussi, et même l'extraordinaire cabinet de toilette devint la délicate attention d'un hôte cherchant à satisfaire des usages étrangers. Des vagues d'attendrissement le submergèrent.

Mountain ne tremblait plus. D'une voix ferme, il s'adressa à l'être. Qui es-tu? Je veux en savoir davantage.

Un peu de temps s'écoula. À la deuxième apparition, le monstre était déjà moins repoussant. Mountain avait vu tellement de choses inouïes ces derniers temps qu'il pouvait bien faire un pas de plus vers l'inconnu. L'être se tenait au milieu d'une pièce dont les parois rappelaient la matière de la caverne. Ses filaments étaient reliés à divers appareils aux formes intrigantes. Mountain découvrit à ce moment l'existence des écrans, du relayeur et des senseurs qui constituaient la base d'opérations de Nohog. Et il se mit à explorer cet environnement avec autant d'attention et de libre curiosité qu'il en avait mis à explorer l'univers des Blancs.

Peu à peu, s'étant familiarisé avec le comportement de la créature, Mountain comprit que les mouvements nerveux n'avaient rien de désordonné. Il s'approcha et vit ce qui apparaissait sur l'un des moniteurs. Sa caverne. Tout y était, tel qu'il l'avait laissé avant de franchir la porte dans la paroi. Il était donc observé, surveillé peut-être, comme un gardien surveille son prisonnier, mais Mountain chassa l'impression importune. La suspicion et la curiosité ne font pas bon ménage, se dit-il.

Le plus étonnant restait à venir. Sur un autre moniteur, il se vit, ayant franchi la porte menant à la base d'opérations de la créature en train de l'observer, lui, Mountain, qui découvrait l'existence des écrans et des senseurs en même temps qu'il se voyait observé par la créature. C'en était trop.

Mountain fut pris de vertige et voulut retrouver au plus tôt l'univers stable et rassurant de la caverne.

Encore ébranlé, il s'allongea sur sa couche. Il réitéra sa question.

— Qui es-tu? Quel est ton nom?

Le temps, interminable, s'écoula.

— IDENTITÉ. Je m'appelle Nohog de Ventorx. J'appartiens à l'espèce des Ventorxe, qui habite la planète Ventorx.

Mountain, perplexe, rumina quelques instants la réponse, puis demanda :

— Pourquoi mets-tu autant de temps à me répondre?

— MODE. La pensée des Ventorxe est complexe et avance simultanément sur plusieurs plans. Notre lenteur est extrême. Tu devras t'y faire.

Pour la première fois, une sorte de dialogue, bien que très espacé, put s'engager entre les deux êtres.

— Où sommes-nous?

— LOCALISATION. Tu es sous une montagne proche d'un village que vous autres humains appelez Quartz Creek Camp. J'y ai fait creuser la caverne que tu habites. Et moi, je suis installé au-dessous, dans les profondeurs, depuis trois cent mille de vos années.

Mountain ne comprenait pas.

— Comment peux-tu vivre aussi longtemps?

L'explication lui parvint dans les délais de rigueur.

— LONGÉVITÉ. Notre vie est très longue en comparaison de la brièveté de la vôtre, mais très courte à l'échelle de l'univers.

Mountain était sous le choc. Chaque idée nouvelle que la pensée étrangère imprimait dans sa mémoire était accompagnée d'un contexte qui en facilitait la compréhension. Ainsi, il eut le soupçon de ce que pouvait être l'échelle de l'univers. Des milliards de galaxies. C'était vertigineux.

— Et où se trouve notre galaxie?

La lumière baissa, mais Mountain demeura éveillé, en attente de la réponse.

— GALAXIE. Tout autour. Nous en faisons partie. Toi, depuis la planète ◊-GVH-18327-Γ où tu es né. Moi, depuis Ventorx, d'où je suis venu pour étudier les êtres qui habitent ici. La galaxie compte elle-même des milliards de planètes et des milliards de soleils. Xall en est le centre.

— Qu'est-ce que Xall? demanda-t-il, avant de s'endormir.

Au réveil, la réponse l'attendait.

— GOUVERNEMENT. C'est le centre politique de la galaxie. Tous les peuples Uns ont délégué un représentant sur Xall, et l'ensemble forme l'Unicité des Un-Soi, qui gouverne la galaxie. Xall est aussi peuplée de techniciens en provenance de milliers de planètes.

Ces propos lui renvoyaient l'écho lointain de terres et de peuples inconnus. Instinctivement, Mountain voulut retrouver un terrain plus familier. Il hésita.

— Alors… Tu n'es pas le Grand Esprit?

Nohog mit fin à l'échange en répondant par la négative. Sagement, il estima que son élève avait besoin de temps supplémentaire pour assimiler ces derniers éléments avec toutes leurs conséquences. Il ne voulait pas le brusquer, ni l'effrayer. Depuis le début de son intervention sur l'ordre de l'Unicité, Nohog avait accompagné chacun de ses gestes d'extrêmes précautions. Il savait les êtres humains fragiles, et celui-là était le seul à sa disposition. Ainsi placé devant la nécessité d'interagir avec Mountain, Nohog ne savait trop quelle attitude adopter, conscient de leurs différences qui compliquaient les échanges. Le Ventorxe avançait donc à pas comptés, en essayant de ne pas penser à l'échéance qui attendait son protégé après ses années de formation dans la caverne. La tâche de Mountain serait lourde.

De plus, il devait se conformer aux directives de Xall : laisser toute l'initiative au sujet ; attendre ses questions, y répondre, et ainsi, de réaction en réaction, de progrès en progrès, favoriser le plein épanouissement de ses connaissances.

Mountain s'inquiéta.

— D'où viennent les images aperçues depuis mon arrivée ? Sont-elles vraies ? Pourquoi alors ma main touche-t-elle le vide ?

Le moment était propice. Nohog expliqua. L'holoviv était un enregistrement de la réalité. Il rendait à la perfection les formes, les couleurs, les odeurs et les sons, mais ce n'était pas la réalité. Seulement sa représentation. La sonde, qui était arrivée dans ce système longtemps avant Nohog, avait constaté la présence de la vie sur la troisième planète et commencé aussitôt son enregistrement global. Ce que Mountain avait visionné était des détails, passés ou présents, de cet enregistrement en continu, faible aperçu des archives transmises à Xall. Depuis son émergence et son classement, chaque planète abritant la vie était enregistrée de la sorte. Et quand une vie intelligente y était détectée, l'éthique Une imposait que l'on respectât les propres tabous des intelligences observées. La commission d'Observation y veillait. Ainsi, sur ◊-GVH-18327-Γ, les tabous en cours occultaient de larges pans de l'enregistrement en rapport avec la vie dite privée des individus et l'origine de leurs religions.

Mountain comprenait le principe de l'holoviv, mais il se demanda où était le vaste espace pouvant contenir une ville ou une forêt entière. Nohog expliqua que la salle de visionnement était en fait très réduite. Son plancher était en phase à la fois avec l'holoviv et avec la vitesse de Mountain à l'intérieur. Il pouvait courir toute une journée dans la même direction, le plancher compensait ses mouvements par des mouvements contraires et il restait à tout moment au centre de la salle.

Impressionné, Mountain voulut expérimenter l'holoviv à la lumière de ses nouvelles connaissances.

— Montre-moi ton monde, réclama-t-il.

Nohog obtempéra. En tant que mandataire de la commission d'Observation, il bénéficiait d'une liaison holoviv avec son dôme sur Ventorx. Il procéda à quelques réglages, afin que le simulateur de sensations n'incommode pas trop l'humain, et lui ouvrit la porte.

Des geysers montaient en sifflant des profondeurs du sol et lâchaient leurs vapeurs sur un ciel rouge, strié de bandes brunes. Mountain vit un gros soleil jaune et un plus petit, orangé. De l'eau turquoise, mais était-ce bien de l'eau? dévalait des reliefs montagneux qui se déployaient au loin, et la surface du sol était couverte de dômes à perte de vue. Mountain admira le jeu étudié des couleurs. À l'horizon, les montagnes violettes ajoutaient à l'harmonie des nuances. Ici et là, des petits monticules bondissaient sans règle ni ordre : sur le côté, droit devant, tantôt un, ou alors par lots de deux ou trois. Et ce ballet mêlait lenteur et agilité, surprise et rythme. L'humain en était figé d'émerveillement.

L'air était vivifiant. À quelques pas, une grande coupole mauve affleurait du sol. Mountain s'engagea dans une galerie souterraine. Les parois étaient percées d'ouvertures et des prismes reflétaient les paysages en surface. Comme il s'enfonçait à l'intérieur du dôme, il remarqua que les matériaux devenaient translucides. Bientôt, il put contempler l'architecture de la voûte. Les arceaux torsadés à l'infini délimitaient un espace colossal. À la périphérie, un portique abritait des formes hétéroclites. Curieux, Mountain s'approcha de ces objets sans nom. Certains dégageaient un charme insolite, d'autres suscitaient l'interrogation, ici, un malaise, là, un sourire. Un peu plus loin, son regard se reposa sur des formes familières : des chevaux. Un tourbillon de bêtes et de cavaliers fous. Une bataille sanglante. Mountain s'attarda longuement devant la scène, estomaqué par tant de sauvagerie, même dans les détails. L'immense panneau était posé contre la paroi. Mountain en déduisit que tous ces objets étaient des œuvres d'art dérobées au temps, en provenance de la galaxie. Par la suite, Nohog apprit à Mountain que la plupart des œuvres qu'il avait admirées dans son dôme n'étaient que des holoviv. Quelques-unes seulement avaient la consistance de copies moléculaires, tel ce carton d'un certain peintre de la Renaissance, qui avait écorné son crédit auprès du Bureau des répliques. Mountain voulut en savoir plus.

14

La Fondamenta del Fiume était-elle propice au commerce? Ceux qui ne faisaient qu'y passer auraient sans doute répondu par la négative. Trop étroite, trop humide – l'Arno coulait juste à côté. À première vue, la Via Vecchia offrait plus d'avantages. C'était par là qu'il fallait accrocher son enseigne, si on avait un peu d'ambition. Pourtant, le tavernier Stefano n'aurait jamais voulu quitter sa ruelle, même pour le pas-de-porte le mieux placé. Car avec le temps, il était devenu lui aussi une bonne adresse. Sa taverne n'était jamais vide, même au plus creux de l'après-midi, quand la torpeur s'abattait sur la ville et forçait chacun à se réfugier dans la pièce la plus fraîche de la maison. Sous la pergola, dans la cour, une chope de clairet renouvelée devant soi : c'était l'endroit où vieillir, clients et patron mêlés. Et il ne se passait pas un jour sans que Stefano rende grâce au ciel et à son père, et à son père avant lui, de lui avoir laissé un aussi beau patrimoine.

Adossés à la cascade de campanules couvrant le mur du fond, deux compères goûtaient leur bonheur. Sur un signe, le tavernier leur apporta un autre pichet, puis il s'éloigna, ayant compris qu'il serait de trop.

S'ils appréciaient l'écrin vert de la cour, les deux hommes n'en étaient pas moins plongés dans une vive discussion qui en éclipsait quelque peu le cadre. Le plus âgé, en particulier, était très excité. De temps à autre, il s'inclinait vers son voisin, petit, maigre, qui disparaissait alors derrière l'abondante chevelure grise de son interlocuteur. L'aîné lui touchait le bras, comme pour l'associer à sa joie, et le plus jeune, en effet, riait, en faisant mine d'apprendre la nouvelle.

— C'est une très belle commande, bravo! Et qui te vaudra plus grande considération encore! Je m'en réjouis pour toi.

— Tu te rends compte? J'aurai le plâtre, la colle, le papier nécessaire à l'établissement de mon carton. J'aurai tout ce qu'il me faut. J'aurai les florins. J'aurai la paix. Et j'aurai l'espace qui convient à mon art.

— En es-tu si sûr? Le gonfalonier Solderini n'entend pas à rire, je suis bien placé pour le savoir. Et la Seigneurie surveille étroitement ses artistes. On aura des exigences, c'est certain. La salle des Cinq-Cents! Penses-y un peu!

— Un mur seulement, objecta l'homme, soudain modeste.

— Mais ce mur appartient au Palazzio della Signoria! C'est la République de Florence elle-même que tu sers, Leonardo, ne l'oublie pas! Que feras-tu de ce mur?

— Je ne sais pas encore. Ils ont parlé de grandeur et de puissance. Ils veulent une bataille. J'ai l'impression que les idées du moine fou ne se sont pas refroidies avec ses cendres.

— Un bien beau bûcher, en effet.

Le peintre lui jeta un regard en biais. Que voulait-il dire par là? Leonardo avait appris à reconnaître la froide ironie que Niccolò Machiavelli mettait en plusieurs choses, et en particulier dans l'observation des puissants. Mais il pouvait aussi parler sérieusement. Fort d'une perspicacité peu commune, son ami s'intéressait à toutes les formes de pouvoir. Moins pour en recueillir les miettes, Leonardo avait-il très tôt compris en le regardant évoluer dans l'entourage du Borgia, que pour en démonter le mécanisme. Il n'empêche qu'on ne pouvait jamais savoir avec Nicco. Le dominicain Savonarole avait fini sur l'un des nombreux bûchers auxquels il avait lui-même mis le feu dans le passé. Malgré tout, cette forme de justice ne plaisait pas au peintre, parce qu'elle méprisait les corps et la vie telle qu'elle s'y montrait, même sous un jour exécrable. Machiavelli surprit le regard perplexe de son ami.

— Mais si! Savonarole doit être content : le voilà immortel!

— Pour ma part, je ne voudrais pas de cette immortalité-là pour tout l'or du monde. Tant d'impatience, tant de fureur, tant de mauvais pour y arriver! La vie est mille fois plus aimable que cette gloire-là.

— En attendant, la fièvre religieuse du moine entre dans d'autres tableaux que les tiens, et ces tableaux sont appréciés des grands. Elle devra donc se déposer aussi sur ton mur, si tu veux plaire.

— Tu oublies que je n'en fais souvent qu'à ma tête.

— Tu oublies la nécessité. Elle nous a souvent rattrapés, pas vrai?

Tout récemment, la nécessité avait pris la forme d'ouvrages compliqués et coûteux afin de détourner l'Arno de son cours et d'assécher ces arrogants Pisans, qui croyaient pouvoir en imposer à la Seigneurie. Pendant tout l'été, les deux complices y avaient employé leur énergie avec, hélas, de maigres résultats. Et l'automne promettait d'être tout aussi accaparant. Pris d'une inspiration soudaine, Leonardo se pencha sous le nez de son ami.

— Une grande bataille? Pourquoi pas. J'y pense depuis plusieurs années, sais-tu. Jusqu'à présent, je n'ai jamais trouvé de peinture de ce genre pour m'émouvoir. Tu as vu comment Di Dono fait tomber les chevaux à San Romano? Avec quelle élégance? Et les cuirasses? Les lances bien droites, comme pour un tournoi? Ses pilleurs montent à l'assaut comme à la parade! Ses blessés agonisent en souriant. A-t-on jamais vu une bataille de la sorte? Des traits nobles, des corps blancs et parfumés, des plis gracieux. La guerre est une promenade pour des peintres comme lui, et Estense ne vaut guère mieux. Elle est souvent une occasion de briller pour le commanditaire. Ma guerre à moi est plus féroce. Je veux la montrer comme elle est…

Le cadet versa du vin à l'aîné, et se resservit. Le cerveau du peintre était en ébullition, et c'était chose plaisante à voir. Machiavelli, qui n'avait pas souvent l'occasion d'admirer les hommes, admirait son ami, et plus d'une fois il s'était étonné de la présence de Leonardo parmi les familiers du Valentinois, dont l'esprit politique le fascinait. Cesare Borgia tuait utile. Il n'était pas qu'un vulgaire assassin dévoré d'ambition. Avec lui, chaque décision, chaque couperet, chaque coutelas tombait au bon moment, sur les bonnes têtes, et tranchait les gorges appropriées. Machiavelli observait le prince. Il l'avait suivi en Romagne, le mandat de la République florentine dans une poche, son nécessaire à écrire dans l'autre. C'est là-bas qu'en prime il avait fait la connaissance d'un certain Leonardo, ingénieur militaire du Borgia, doublé d'un grand peintre. Le même homme était capable d'inventer des machines de guerre, de construire des remparts et de peindre des Vierges. Et il était devenu son ami. Que vouloir de plus, sinon, peut-être, détourner ensemble un fleuve?

Au printemps, quand Leonardo avait décidé de rentrer à Florence, Machiavelli, rappelé en janvier, l'avait retrouvé avec joie. En août, la mort du pape Alexandre VI avait laissé son fils Cesare sans protection. Le vent finissait toujours par tourner, même pour un Borgia. Leonardo avait-il pressenti la fin du tyran? Son intérêt était-il ailleurs? Une fois de plus, le besoin qu'a l'homme d'être protégé par plus puissant que lui s'était imposé. Cette fois, il se manifestait chez un peintre, sous une forme tempérée par une vision du beau et du vrai. Mais c'était encore une forme d'allégeance. Leonardo da Vinci n'y échappait pas.

— Une bataille, murmura Machiavelli. L'idée plaira aux Cinq Cents. Mais laquelle choisir?

— Qu'importe, répliqua le peintre. Ma bataille a déjà eu lieu. Je veux de la poussière et du sang. Je veux voir rougeoyer les visages des cavaliers dans les deux camps. Je veux voir se confondre les chevaux dans une mêlée furieuse. Pas une seule parcelle de la scène ne doit rester immobile. Les corps seront piétinés. Les blessés souffriront mille morts, mais la vraie mort se fera attendre, et ils souffriront atrocement en l'attendant. Alors le désir d'en finir leur fera empoigner l'adversaire une dernière fois. Et l'autre résistera. À la fin, tous mourront. Je veux voir voler les flèches. Je veux entendre siffler les blessures. La terre doit montrer le piétinement des chevaux. Je soignerai chaque détail. Quiconque regardera ma fresque craindra pour sa vie, tant elle aura l'air vrai. À cause d'elle, on maudira la guerre, on n'en voudra plus. On ne verra plus que les entrailles des chevaux, leurs naseaux fumants et la grimace de la mort. Ma bataille éloignera de la guerre. Ce sera sa force.

— Et son paradoxe, ajouta l'ami, logicien.

— Et alors? Ma fresque n'en sera que plus convaincante. Morts, blessés, hommes, bêtes, vainqueurs, vaincus, chacun s'y reconnaîtra.

— La Seigneurie s'y reconnaîtra-t-elle?

De l'autre côté de la cour, dans les rues entourant le Duomo, la vie reprenait. Le cri d'une marchande de fruits s'éleva, nasillard.

— J'y verrai, poursuivit Leonardo. Avec un peu d'habileté, je saurai satisfaire les Cinq Cents qui trouveront sur mon mur peint de quoi nourrir leur fierté. Je mettrai au centre un étendard, tiens! Les chevaux et les soldats se le disputeront. Je vois un grand remous de bêtes, comme l'Arno en colère, au printemps, quand il envahit la ville. J'ai vu ça. Je le mettrai sur mon mur. Et puis je t'y mettrai, toi aussi. Attends!

Le peintre sortit un carnet de sa manche. En quelques traits, il croqua une tête grimaçante, qui rappelait son ami, avec un peu d'imagination. Le nez était tordu, la bouche, édentée, s'ouvrait sur un cri. Le regard, qui avait vu la mort, trahissait de l'effroi.

Machiavelli esquissa un sourire contraint.

— C'est moi, ça? Je te remercie, fit-il, en se renversant sur sa chaise. Tu m'as fait très ressemblant.

Leonardo ne pouvait plus s'arrêter. Trois coups de crayon, et il posa un casque sur la tête de son ami. Il dessina un tourbillon de croupes, sans oublier les traces de sabots sur le sol. L'autre se pencha sur le résultat de cette fièvre. Il s'étonna.

— Tu m'as fait Milanais?

— Pourquoi pas?

— Tu me donnes une idée. Tu connais Vespucci, mon secrétaire?

Tout à ses croquis, Leonardo grommela une réponse.

— Eh bien, l'autre jour, Agostino m'a préparé la chronique d'Anghiari pour un certain mémoire que je dois écrire. Tu as entendu parler d'Anghiari? En 40?

— Mon maître Verrochio a évoqué le fait devant moi, sans plus. Pourquoi Anghiari?

— C'est la bataille qu'il te faut! Elle est ancienne, sans remonter jusqu'à César. Les Florentins l'ont gagnée. Et ce détail va te plaire : il n'y a eu qu'un seul mort.

— Un seul! Comment est-ce possible?

Macchiavelli haussa les épaules.

— Un idiot, tombé de cheval. Pas très glorieux, n'est-ce pas? Mais rassure-toi, mon secrétaire a beaucoup d'imagination. Il en a fait un carnage. Tu y trouveras tout ce qu'il te faut pour impressionner les gens et les détourner de la guerre. Et les Cinq Cents seront enchantés de voir rappeler ce fait d'armes qu'on était en train d'oublier. Je mets à ta disposition les notes de Vespucci, si tu veux. Tu n'auras qu'à les recopier.

Tenté, le peintre avait interrompu ses croquis et réfléchissait. On ne lui avait jamais passé une commande aussi importante. Le résultat devait être à la hauteur de la puissance du commanditaire, de la réputation de l'artiste et de son grand dessein. Sa fresque devrait frapper les esprits pendant des siècles. La composition, le mouvement, les couleurs, l'expression, le réalisme, le sujet, chacun des aspects de son travail devrait être servi par une technique à l'épreuve du temps. Il peindrait à fresque comme plusieurs peintres de sa connaissance, mais il mélangerait les couleurs d'une manière toute spéciale. Il utiliserait l'huile de noix, selon un procédé qu'il devait bien être le seul à connaître, maintenant. Quels peintres lisaient encore des vieilles barbes comme Pline? Il était le seul de son temps à vouloir tout savoir. L'âge aidant, il n'était pas loin d'y arriver. Sa fresque serait un chef-d'œuvre, rien de moins. Et le nom de Leonardo da Vinci serait à jamais associé à l'une des plus grandes conquêtes de l'humanité : la paix.

Il crut bon de garder pour lui-même ces dernières phrases. Leur apparente vanité pourrait faire sourire l'ami le mieux disposé. Leonardo posa son gobelet de vin.

— Fais-moi lire, cher Nicco, le récit de ton secrétaire. Ton idée est excellente. Je verrai ensuite comment la mettre à exécution. Je soignerai les détails. Il faut que tout soit parfait. Crois-moi, ma *Bataille d'Anghiari* sera éternelle.

15

Ayant dû écarter l'hypothèse du Grand Esprit, ayant compris qu'il était vivant, mais ne comprenant toujours pas la nature des images offertes dans la pièce à côté, Mountain se maintint sur une sorte de palier où toute curiosité semblait absente. Nohog ne chercha pas à la raviver, car le goût de son protégé pour revoir certaines scènes plutôt que pour en découvrir de nouvelles, ainsi que le montraient ses récentes requêtes, était peut-être encore une façon d'assimiler des univers radicalement étrangers à sa vie antérieure. Mountain retournait dans la forêt de Nespelem. Il traînait du côté du kiosque à musique. Il remontait les rues de Manhattan cent fois arpentées. Il ne recherchait pas la nouveauté. Mais un jour qu'il avait regardé longuement le défilé des immigrants débarquant à New York, il s'interrogea : d'où provenaient ces gens?

Mountain se rendit à Washington. Au musée national du Smithsonian Institute, il admira les bisons qu'un taxidermiste avait figés dans le temps et s'abîma dans la contemplation d'un globe terrestre. Il releva des noms de villes : Lisbonne,

Shangai, Rome, Dublin, Paris, Bagdad, Londres, Athènes, Valparaiso, Beyrouth, Venise, Le Caire, Constantinople, Prague, Saïgon, Dakar, et se prit à rêver. Il repensa à la Rome de Secundus, à la Florence de Leonardo. Comment vivait-on ailleurs? La curiosité de Mountain était revenue en force. Nohog s'en réjouit et de nouveau lui ouvrit la porte.

Mountain erra, ombre minuscule, entre les mastodontes de fer et d'acier qui attendaient le long des quais. Chacun des voyageurs semblait avoir une destination, même ceux qui arrivaient maintenant en gare de Londres. Les porteurs, les mendiants, les marchands de thé, le grand tableau d'affichage, la lumière opale de la verrière : chaque détail le ravissait, jusqu'à le retenir dans le ventre de la gare, au détriment de la ville à découvrir.

De retour dans la caverne, il mit du temps à trouver le sommeil. Le brouhaha de Victoria Station l'avait rendu fébrile. S'il ne saisissait pas encore la nature de ces déplacements, il allait au moins en profiter. Il se récita la liste des villes comme un refrain. Par où commencer? Il n'avait pas épuisé toutes les curiosités de Londres qu'il rêvait déjà de la lumière blanche de Lisbonne ou d'une cour ruinée dans la rue Hamra. Il se perdait dans le dédale des rues. Il remontait de larges avenues. Il flânait dans les marchés. Il scrutait les visages des habitants. Il tapait sur le ballon, en vain mais peu importe, des garçons réunis sur la placette, près de la *Domus aurea*. Il riait des ânes bâtés qui refusaient d'avancer, mais surtout il riait de leurs maîtres. Et il dansait avec les femmes, dans la pièce la plus sombre du palais d'Alger. Mais tout en parcourant ainsi le monde, Mountain ne cessait de penser à la créature de la caverne et aux étranges propos qu'elle lui avait tenus.

Leurs rapports avaient évolué. Ils étaient marqués par la reconnaissance chez Mountain et une secrète inquiétude chez Nohog. De part et d'autre, la confiance s'était installée, mais jusqu'à présent une question était restée sans réponse : pourquoi était-il ici? Il est vrai que Mountain ne l'avait jamais formulée aussi directement.

Nohog avait enseigné à Mountain une manière de communiquer qui rendait les mots inutiles. Mountain voulait-il poser une question? Il se concentrait sur le nom de Nohog, puis l'associait à la question. C'était suffisant. Il n'y avait plus qu'à attendre la réponse, qui éclatait comme une bulle dans son esprit.

— Nohog, pourquoi suis-je ici?

Mountain rentrait d'Athènes. Au fronton ouest du Parthénon, il avait vu Athéna disputer à Poséidon la possession de l'Attique et obtenir gain de cause en offrant aux habitants un olivier. L'examen du haut-relief l'avait laissé songeur. Son séjour dans la caverne était-il en vue d'un combat à mener? Et contre qui?

— PAIX. Les Peuples Uns ne font pas la guerre, répondit Nohog. Ils vivent en paix.

— Mais alors qui est le plus fort? Et comment ce peuple fait-il pour montrer sa force?

Le temps passa.

— PEUPLES. Des milliers de peuples vivent dans la galaxie, tous très différents. Ils sont intelligents, habiles, artistes, primitifs, avancés, nombreux, rares, progressistes, conservateurs, lointains ou voisins. Et parfois certains de ces traits cohabitent à des degrés divers chez un même peuple. Mais aucun peuple Un ne cherche à en dominer un autre. Le rapport de force est un problème que nous avons dépassé.

Aussitôt reçue, l'explication suscita une question.

— Et vos frontières sont respectées?

La réponse de Nohog lui parvint après une attente qui mit sa patience à l'épreuve.

— TERRITOIRES. Leur tracé obéit aux lois naturelles de l'univers. Nous savons parfaitement où commence et où finit une planète. L'espace entre les planètes est dit galactique, et il est commun. Sur les planètes, le partage du territoire se fait par consensus. Ce consensus prévient toute dispute, comme il se doit chez les Peuples Uns. Il en va autrement ailleurs.

— Ailleurs?

Mountain absorba un peu de l'Aliment, pour tromper son impatience. Nohog expliqua.

— ANTÉUNS. Parmi tous les peuples de la galaxie, certains, sans être aussi avancés que les Peuples Uns, sont suffisamment évolués pour accéder au rang antéUn. Nous faisons du commerce ensemble, nous leur permettons d'assister aux débats de l'Unicité, nous leur transmettons une grande partie de notre savoir, mais ils demeurent sous notre surveillance. Quand toute prédation aura disparu chez eux, alors seulement seront-ils admis parmi les Uns.

Les extrémités nerveuses de Nohog se nouèrent.

— AUTRES. Il y a les autres…

— Quels autres?

Le Ventorxe le rendait fou.

La réponse le plongea dans la stupeur.

— PRÉANTÉUNS. Tous les autres. Ce sont les peuples préantéUns : vindicatifs, guerriers, destructeurs, avides. Nous nous en méfions au plus haut point. Nous les abandonnons à leurs conflits et les voiles-pelta nous protègent de toute action intempestive de leur part. Nous les observons, tandis qu'ils ignorent notre existence. Le système fonctionne parfaitement. La plupart se croient les seuls êtres intelligents de l'univers.

Nohog marqua une pause.

— HUMAINS. Ton peuple en fait partie.

Mountain bondit.

— Les Nez-Percés!

— HUMAINS. Je te parle de l'espèce humaine, répliqua Nohog avec patience.

Et plus malicieusement :

— LIMITES. À quoi te sert d'avoir parcouru le monde si c'est pour te croire encore sur la réserve?

Mountain était vexé. La perspective planétaire est bien commode, quand personne n'occupe vos terres. Un long silence succéda à la remarque de Nohog.

Dans la caverne, ce soir-là, Mountain repoussa le sommeil. Qu'attendait-on de lui? Il avait posé la question, mais la réponse lui était parvenue en morceaux épars qu'il n'arrivait pas à assembler. Quelles pièces manquaient? Peut-être les trouverait-il dans la galaxie, parmi tous ces mondes étrangers.

Le lendemain, au moment de franchir la porte, Mountain hésita. Ce qu'il contemplait lui donnait le vertige. Dans les ténèbres se déployait une majestueuse spirale formée d'une infinité de points lumineux. Il avança, subjugué… et perdit pied. Pendant quelques instants de pure panique, il se recroquevilla en position fœtale. La sensation de chute s'estompa peu à peu et il eut bientôt l'impression de flotter. La terreur qui l'avait envahi diminua quand, du coin de l'œil, il vit la porte se dessiner en surimpression. En toute hâte, Mountain choisit de retourner dans la caverne. Il continuerait son exploration de la galaxie, mais de manière graduelle, un soleil à la fois.

16

Qui croit connaître le silence serait bien effrayé de celui qu'il trouverait sur le bras Zeruni de la galaxie Une, dans le segment GLC. Là comme ailleurs, l'espace continuait de se déployer dans le temps, sans un son pour en attester le mouvement. Dans le spectre électro-magnétique, par contre, la vie cosmique hurlait, écho lointain du vagissement de soleils nouveau-nés et du dernier souffle d'astres agonisants. Mais c'était peut-être une illusion, un aspect du cosmos parmi l'extraordinaire masse de données recueillies par les sondes de Xall.

Extraordinaire était un mot étranger à la sonde envoyée par Xall et conçue pour exécuter sobrement, méthodiquement et avec efficacité, toutes sortes de tâches, routinières et imprévisibles. La sonde qui atteignit le segment GLC du bras Zeruni au 23ᵉ milliag de l'an 39 de la galaxie ne différait en rien des 400 millions de sondes déjà opérationnelles. Elle avançait lentement, poussée par la pression lumineuse, à une fraction de la vitesse de la lumière. Son apparence était la même que les autres, ses performances aussi, bien qu'elle fût déjà de la vingt-septième génération issue de la sonde-ancêtre évoluant le long du tout premier fil de lumière tissé par Xall. Quel peuple, le premier, avait réussi à dépasser la vitesse de la lumière à l'intérieur même de la lumière? Xall en avait oublié jusqu'au souvenir. Cependant, la maîtrise de la bipolarité du photon n'avait cessé d'élargir les perspectives et, au bout du fil lumineux, c'est par milliards que les photonytes étaient balayés et recomposés par la sonde réceptrice.

Dès qu'elle fut parvenue au système qui lui avait été assigné, la sonde procéda à son inventaire et commença à transmettre des données à Xall. Elle interrogea le programme de nomenclature qui en désigna le soleil sous l'appellation GLC-3514 et elle-même sous le nom de Sonde 27ᵉ GLC-3514. Puis elle mit en marche son coopteur. Aussitôt, il se mit à vibrer et la récolte commença. Patiemment, l'engin captait dans le système environnant les atomes nécessaires. Tout se déroulait dans l'ordre prévu : élaborer une batterie d'émetteurs photoniques, puis construire deux lentilles et engendrer deux sondes-filles qui évolueraient le long des nouveaux fils de lumière tissés vers les deux systèmes voisins encore à découvrir. De deux en deux, l'opération se répétait et les sondes déployaient dans l'espace une toile d'où naissait l'instantanéité. Quand toute la galaxie serait couverte, alors seulement, peut-être, la curiosité de Xall se trouverait-elle satisfaite.

Mais alors qu'elle relayait déjà les données des sondes-filles depuis une centaine de microag, la sonde vingt-septième nota la magnitude croissante de GLC-3514. Elle fit une lecture de la quantité d'hydrogène qui brûlait encore dans le soleil. L'étoile avait commencé à se contracter. En surface, les températures s'élevaient. Elles avaient déjà atteint cent millions de degrés. Tout indiquait que le soleil était entré dans une phase d'extinction marquée par une apothéose inévitable. La sonde estima toutefois qu'elle subirait tout au plus une onde de choc atténuée, même si les sondes-filles reçurent l'ordre de tisser des liens avec de lointaines cousines. La toile n'aimait pas l'incertitude.

Si le silence de l'univers était source d'effroi et d'admiration, que dire de ses couleurs absolues? Maintenant, GLC-3514 s'embrasait. Elle semblait parcourue de stries rouge vif qui ondulaient comme des écharpes de reines. Les bandes disparurent et l'étoile devint une masse purpurine, travaillée d'éruptions et de giclures en fusion. Méthodiquement, la sonde traduisait en photonytes chaque nouvelle variation, accompagnée de ses causes probables.

Elle compara également les données sur l'évolution de GLC-3514 avec celles recueillies dans le passé sur des phénomènes semblables, et vit que les modèles concordaient. Sans surprise, les températures avaient atteint le milliard de degrés. Une somptueuse cuisine de métaux lourds s'élaborait à l'intérieur de l'étoile. Des noyaux d'atomes. Chatoyants, incandescents, ils allaient se nicher au hasard dans les replis de l'astre. Nulle enclume n'était frappée dans cette forge, nulle masse ferreuse prise en tenaille n'était plongée dans des charbons ardents. Le soleil-forgeron s'éteignait dans une splendeur jamais atteinte au cours de sa vie d'étoile, et cette agonie était industrieuse. Dans l'un de ses replis, il fabriquait du cuivre. Dans un autre, du zinc. Plus profondément, de l'argent. Puis du platine. Et, tout près du cœur, de l'or. Des jaillissements d'or. Le soleil, mourant, laissait un héritage.

Quand apparut l'uranium, la sonde se prépara à la déflagration et conçut les plans d'un cône de déflexion qui fut achevé juste à temps. Un dernier message fut envoyé vers Xall et la sonde rompit ses liens avec la toile galactique. La déflagration eut lieu.

Un milliard de soleils embrasèrent l'étoile, et tous ses éléments se répandirent dans l'espace, à des distances infinies. À deux eperis de là, fouettée par le vent solaire, repliée derrière son cône, la sonde tenait bon.

La lumière de la supernova était en marche. Il lui fallut vingt-six microag pour atteindre, comme en passant, $\lozenge$-GVH-18327-Γ. Mais alors, l'astre originel ne brillait plus. À sa place s'était déployé dans l'espace un gigantesque nuage de particules que, le moment venu, les habitants de la planète choisirent d'appeler la nébuleuse du Crabe.

Au cinquième mois du jour chi-ch'ou, sous le règne de l'empereur Chi-Ho, la lumière frappa la prunelle du premier astronome impérial, Yang Wei-Te, qui s'étonna de la présence de l'étoile invitée. Elle était apparue soudain, au sud-est de l'étoile Tien-Kuan. Pendant vingt-trois jours et six cent cinquante-trois nuits consécutives, l'astronome chinois observa sa masse rougeâtre, son halo jaune, et il tremblait en notant ses observations. Qu'allait-il raconter à l'empereur?

Au même moment, par-delà les montagnes et les plaines, passé les fleuves, une caravane avait quitté Bagdad et faisait route vers Constantinople. Elle fit étape en Syrie. Le grand Ibn Butlan se trouvait parmi les voyageurs. Et le médecin aperçut lui aussi, au matin, l'étrange étoile. Il s'inquiéta. À travers elle, il lut l'épidémie de fièvres qui s'abattait sur Fustat. Il l'écrivit. C'était en 446 après l'hégire, soit en 1054 de l'ère chrétienne.

À Chaco Canyon, dans ce qui deviendrait le Nouveau-Mexique, treize jours après le solstice d'été, des Anasasis, un matin, levèrent les yeux vers les sept sœurs et ils s'excitèrent. Là-bas! Une étoile! Énorme, aussi brillante que la lune! Et qui la frôlait, comme en dansant!

La danse des astres dura longtemps. Quand elle fut terminée, deux Indiens martelèrent le roc pour en laisser la trace. Là, ils gravèrent les cornes de la lune, inversées. Et sur la gauche, l'étoile, hérissée de pointes, presque aussi grosse que sa voisine. L'effet était mystérieux et saisissant.

Mais les artistes n'étaient pas satisfaits. L'un des Indiens se remit à la tâche et ajouta ce qui manquait au tableau. Une main d'homme, paume ouverte, tournée vers le ciel.

17

Dans les mois qui suivirent, encore ébloui par les derniers feux de l'étoile, Mountain se lança avec moins de crainte dans l'exploration des nombreux mondes de la galaxie. Il visita des planètes Unes, antéUnes et préantéUnes, et fut frappé par les nombreux chemins que l'intelligence y avait empruntés. Il assista aux levers de soleils sur des planètes entièrement végétales, comme les merveilles doubles de Shambash. Il découvrit le premier holoviv de DMC-539984, dont une sonde nouvellement installée dévoilait les mystères à Xall. Le monde minéral avait expulsé des déjections que le froid de l'espace avait pétrifiées en une hallucinante dentelle de roche. La galaxie était un gigantesque bouillon d'étoiles parsemé d'éclats de vie. La curiosité de Mountain était sans fond et les découvertes à faire sans fin. Ayant alors parcouru des myriades de mondes, Mountain voulut un jour revoir le sien.

Hormis l'épisode de la guerre des Nez-Percés, dont il avait été un figurant actif, et quelques incursions holoviv à caractère historique, Mountain ignorait encore de nombreux faits de l'histoire humaine. Il réclama d'autres holoviv du passé. Dans l'ordre chronologique, d'abord, mais les constantes de l'histoire bientôt le lassèrent. Un cours d'eau, une ville, des fortifications. Des richesses, des guerres. Des puissants, des faibles. Des naissances, des morts. Des maux, des remèdes. Suivis d'autres maux… Il choisit donc de procéder par bonds, piochant, découvrant, assimilant, au hasard d'associations fécondes. Le moine Brandan, dans son coracle, le conduisit jusqu'aux Vikings dans leurs drakkars. Du scriptorium de l'abbaye de Landévennec, il fit un saut à la grotte du mont Tombe, qui deviendrait un jour le Mont-Saint-Michel. Le code guerrier bushidô du Japon féodal le fascina autant que les Bashingantahe des sages du lac Tanganyka. Et l'or qui s'évanouissait et réapparaissait dans les coffres d'Isabelle de Castille le propulsa à Cuzco, dans la forteresse de Sacsahuamán. Réflexion faite, les trajets n'étaient pas aussi fantaisistes qu'il l'avait cru : les mêmes causes produisaient toujours les mêmes effets ; seule l'apparence changeait au gré des circonstances. Fort heureusement, le caractère prévisible de l'histoire humaine était tempéré par l'originalité de quelques-uns, qui consolait un peu de la mort omniprésente.

Car toujours la mort rôdait. Dans la citadelle de Massada, les chefs zélotes demandaient à une dizaine des leurs de les faire tous périr par le glaive, hommes, femmes et enfants, pour leur éviter de se rendre à l'armée romaine. À Béziers, la forteresse cédait et tous les habitants, cathares ou non, étaient massacrés. Dieu reconnaîtrait les siens. Dans les royaumes dahoméens, les Amazones asservissaient les vaincus et décapitaient les chefs avec une joie féroce. Sur le Campo dei Fiori, à Rome, un jour, il avait assisté à l'exécution du moine-philosophe Giordano Bruno, mort pour avoir affirmé la pluralité des mondes et refusé de se rétracter. Sur la petite place bordée de façades martiales, une foule de curieux se pressaient. Sous le capuchon gris et rabattu du philosophe, il avait aperçu le rictus de la souffrance. Ils lui avaient arraché la langue. Ils s'apprêtaient à le faire brûler. Et d'autres regardaient le spectacle.

L'histoire humaine était affligeante. Quel besoin y avait-il de la connaître en détail? Mais un jour que Mountain méditait sur des calligraphies en or de la dynastie omeyade, un début de réponse se fraya un chemin. Oui, un combat l'attendait, dont l'enjeu était cette planète. Mais lequel au juste?

Alors seulement Nohog précisa la mission. Si rien n'était fait pour renverser le cours des événements, dans moins de deux cents ans l'espèce humaine aurait disparu de la surface de ◊-GVH-18327-Γ, victime de sa propre histoire. Il revenait à Mountain la tâche d'infléchir cette destinée. À lui, et à personne d'autre. Par quels moyens? À lui aussi de trouver la voie. Son séjour dans la caverne l'y préparait.

Mountain voulut prendre connaissance du rapport de l'Unicité. Il déchiffra la traduction préparée à son intention et fut accablé par l'ampleur de sa mission. Deux siècles pour agir? Une telle intervention n'était tout simplement pas à l'échelle humaine. Nohog avait prévu l'objection. L'Aliment, dont il avait sans cesse raffiné la composition au cours des dernières années, ne faisait pas que nourrir son protégé. Il retardait aussi le processus de dégénérescence des cellules. Même s'il en ignorait les effets à long terme, Nohog était confiant de maintenir ainsi l'organisme de Mountain dans un état juvénile pendant un certain temps. Suffisamment longtemps, peut-être, pour lui permettre de mener à bien sa mission.

Mountain demeura prostré pendant plusieurs jours, au cours desquels les souvenirs de sa vie d'avant la caverne devinrent insignifiants. Nespelem ou la rivière aux Saumons, le camp sioux ou Bear Paw : tous ces lieux jusque-là chargés de significations relevaient désormais des déplacements d'une fourmi incapable de voir au-delà d'une brindille. Pouvait-il se dérober à sa mission? Retourner à une existence paisible sur la réserve, au milieu des chevaux? Il n'était pas sûr de pouvoir jouir d'une paix de cette sorte après avoir accumulé tant de connaissances, entrevu tant d'univers et pris la mesure de son ignorance. Mountain se plongea dans l'étude de la philosophie.

Nohog lui donna accès à l'ensemble du corpus : Lucrèce, Marsile Ficin, Démocrite, Pic de la Mirandole, Lao-Tseu, Rousseau, Spinoza, jusqu'à Marx, le dernier-né sur $\lozenge$-GVH-18327-Γ. Mountain les étudia tous, grands et petits, en essayant de comprendre les filiations, les influences, les oppositions, les cloisonnements. Il fut bien obligé de constater le peu d'impact de ces penseurs sur leur société respective, qui les rejetait presque toujours avec virulence. Dans les temps plus reculés, elle leur faisait boire la ciguë. Puis elle les brûla. Puis elle brûla leurs livres. Par la suite, elle les exila. Plus récemment, elle se contentait de les oublier. Plus simple encore : de les ignorer. Quel crédit accorder à la philosophie dans la mission qui allait l'occuper?

Il étudia ensuite l'Éthique Une, avec des vulgarisateurs tels que Linactu et Banadir. Elle établissait un principe suprême : ne pas tuer. Et une hiérarchie du vivant, dont un des axiomes affirmait la suprématie de la vie douée de conscience et la responsabilité inhérente à ce niveau de conscience : le respect de toute autre forme de vie. En pratique, ce principe s'adaptait aux divers degrés d'intelligence à l'œuvre dans les règnes animal, végétal ou minéral de la galaxie et était réexaminé à la lumière des explorations nouvelles et de leurs découvertes. Sur ◊-GVH-18327-Γ, par exemple, des êtres raisonnables devraient s'interdire, en vertu de l'Éthique Une, de tuer toute espèce appartenant au règne animal, et a fortiori de s'entretuer. Comment faire passer ce message à ses frères humains, alors que lui-même avait transgressé ce principe ? L'Observateur ne lui avait rien caché du hasard qui avait présidé à son choix, de l'aléa auquel il devait d'être vivant. Peu à peu, il fut gagné à l'idée. Il poussa un soupir : il ferait de son mieux.

Au cours des deux années qui suivirent, Mountain mit au point une stratégie. Une conviction s'était fait jour dans son esprit. Plus que le gouvernement des hommes, plus que l'amour, plus que les religions, plus que les systèmes politiques, le commerce, pour tout dire l'économie, était le moteur premier de l'histoire humaine. Son action devrait donc se concentrer sur ce terrain, pour peser de manière significative sur le destin de l'humanité. Il avait un plan. Il était jeune. Il était fort. Il était prêt. Nohog le comprit et dégagea le boyau qui menait à la surface. Sept années avaient passé.

II

Un seul homme

1

L'hôtel Dubois, rue des Blancs-Manteaux, était bien tenu. Mais on y acceptait aussi le voyageur sans équipage, pourvu qu'il eût bonne mine. Attentive, madame Dubois faisait un tri sans pitié, à la réception. On affichait complet certains jours ; d'autres non.

Ce jour-là, précisément, l'homme qui se présenta avait bonne mine. Sur la fiche, une écriture régulière avait tracé un nom : Alexandros Constantinopoulos, suivi d'une adresse au diable vauvert. Annette vous montera la valise, si vous voulez. L'homme refusa. Annette, qui frottait l'escalier, n'en fut pas mécontente. Mes malles, ajouta le client, arriveront plus tard. Pourra-t-on faire le nécessaire à ce moment-là ? Madame Dubois inclina la tête. L'homme avait réglé son mois à l'avance. Il n'y avait rien à redire.

Mais voilà qu'il ressortait le lendemain matin, la valise à la main !

— Vous avez bien dormi, monsieur Constantinopoulos ?

— Excellemment, madame Dubois, je vous remercie. La chambre est très confortable.

L'homme avait un léger accent. À l'office, Annette confirma : elle avait monté le plateau à huit heures, et voyez, madame, il ne reste qu'un petit pain. Sa curiosité à moitié satisfaite, madame Dubois retourna à la réception. La clef de la chambre 14 alla rejoindre les autres clefs du tableau, peu nombreuses en ce début de matinée.

Les marronniers du square, en face, étaient en fleur. Leur parfum se mêlait à l'odeur des pas-de-porte lavés de frais et à celle du crottin. L'heure était animée. Les voix, les sabots martelant le pavé, la silhouette bringuebalante des fiacres, le balai qui grattait avec méthode le trottoir de la fleuriste, l'air frais d'avril : toute cette activité urbaine mit de bonne humeur Alexandros Constantinopoulos, qui prit à droite, dans la rue Vieille-du-Temple.

Il s'orienta d'après le soleil, par habitude. Rue Saint-Antoine, des mains, délicatement, disposaient un sautoir en argent dans la vitrine. Il regarda les mains voleter au-dessus du bijou et son regard remonta jusqu'au visage. Fin, absorbé dans sa tâche, le visage l'ignorait. L'homme poursuivit son chemin. Il arrêta un marchand de journaux à la hauteur de la rue Saint-Paul. D'un geste, il réclama *Le Petit Parisien*, et le garçon était sur le point de tirer un exemplaire de sa liasse, quand un grand fracas retentit, suivi de hennissements furieux.

Constantinopoulos se retourna et évalua la situation d'un coup d'œil. Au milieu de la rue, le vitrier se désolait sur sa marchandise en morceaux. Deux gamins traversèrent en courant le carrefour et s'engouffrèrent dans la première rue. Mais il y avait plus grave. L'incident avait fait s'emballer les chevaux d'une luxueuse voiture tout droit sortie d'un autre siècle. Celui de gauche se cabrait, tandis que l'autre tirait à hue et à dia. Le timon allait dans tous les sens, et le cocher, lâchant les rênes, avait renoncé à maîtriser les bêtes. Il se cramponnait à son banc, dans l'espoir d'éviter la chute. La voiture tanguait furieusement et menaçait de verser. De tous côtés, on poussait des cris. Des équipages s'arrêtaient. Une bonne lâcha son panier et cacha dans ses jupes la fillette qu'elle tenait par la main. Les passants observaient la scène, impuissants.

Stupéfaits, les badauds aperçurent une silhouette qui bondit au milieu de la pagaïe. L'homme était en tenue bourgeoise et coiffé d'un haut-de-forme. Avec souplesse, il se jeta sur la croupe du cheval cabré. Une habileté proprement diabolique lui faisait tenir d'une main la crinière, sans lâcher sa valise de l'autre.

L'animal rua une fois et s'apaisa. Pour la première fois, on put voir, derrière la vitre, les traits livides de l'occupant du carrosse. Le calme gagna l'autre cheval, à l'échine frissonnante. Les sabots heurtaient le sol avec moins de dureté, les chevaux s'ébrouaient. L'homme caressa l'encolure de la bête, puis se redressa, l'air radieux. Quelques secondes lui avaient suffi pour maîtriser la situation.

Des applaudissements éclatèrent parmi le public partagé entre l'admiration et le soulagement. L'homme sauta à terre, au milieu de l'attelage. Il allait d'une bête à l'autre, prodiguant caresses et paroles apaisantes. Le cocher n'avait jamais vu pareille prouesse. Il le dit haut et fort.

Quand l'inconnu s'extirpa de l'attelage, il était devenu un héros. On l'entourait, on lui faisait fête. La fillette échappa à sa bonne et battit des mains en sautillant. La bonne riait. Alors la portière du carrosse s'ouvrit, l'éminent personnage en sortit et se tint prudemment à l'écart de la voiture infernale. Le cocher, redescendu de sa plate-forme, triturait sa casquette. À aucun moment l'inconnu n'avait lâché sa valise, mais au milieu de toute cette agitation, le fait passa inaperçu. Il allait s'éclipser, mais le rescapé fut plus rapide. Et l'homme dut poser la valise à ses pieds, pour recevoir les hommages reconnaissants du passager, qui mit chapeau bas.

— Comte Hélie de Talleyrand-Périgord, pour vous servir, monsieur!

Il le toisa avec sympathie, avant d'ajouter.

— ... qui que vous soyez!

L'inconnu tendit une main énergique.

— Alexandros Constantinopoulos. Import-Export.

Une fine moustache blonde ornait la lèvre supérieure du comte, qui sourit.

— Qu'à cela ne tienne! J'adore le commerce. Partons, monsieur. Je sens que nous avons beaucoup de choses à nous dire.

Ayant renvoyé son carrosse d'un geste de la main, le comte entraîna son sauveur au café Saint-Paul, avant qu'il n'ait pu émettre la moindre protestation.

— Monsieur, je suis votre obligé. Que diriez-vous de quelques bulles de champagne?

L'autre semblait hésiter.

— Trop tôt? Allons donc. Rien de tel pour finir une nuit mouvementée.

Il se trouve que le Grec aimait le champagne. Ils trinquèrent. Le comte avait posé gants et chapeau sur la table et affichait un négligé dans les manières censé mettre à l'aise son interlocuteur. Le procédé réussit on ne peut mieux. Quand le garçon vint préparer les tables pour le déjeuner, les deux hommes se regardèrent, étonnés, et puis remarquèrent les pavés luisants. Il pleuvinait. Le comte ramassa ses gants, eut un petit rire.

— Nous n'avons pas vu le temps passer, mon cher. Me ferez-vous l'honneur de vous revoir?

Madame Dubois, qui ignorait tout de ces relations nouvelles, salua en toute simplicité le client de la chambre 14, quand il revint, et lui tendit sa clef. Plus tard, elle comprit qu'il ne ressortirait pas pour dîner. N'avait-il pas faim? Bah! ça lui était bien égal, au fond.

Le lion posa sur le visiteur un regard morne. Toutes sortes de débris flottaient dans l'eau du bassin – herbes, feuilles, vieux papiers, ces derniers vraisemblablement jetés à travers les barreaux, depuis l'allée. Non loin, une carcasse attendait le bon plaisir du fauve. Alexandros Constantinopoulos crut discerner un quartier de bœuf. Il sortit une montre de son gousset. Trois heures. Il était à l'heure. Il n'y avait plus qu'à attendre.

Quelques jours avaient suffi pour que l'étranger soit mis en confiance et laisse sa valise à l'hôtel, dans l'armoire de sa chambre fermant à clé. Du coup, il déambulait léger dans Paris, où du boulot l'attendait. Il reconnut dans son dos la voix haut perchée.

— Jolies canines, mais le poil aurait besoin d'être lustré, vous ne trouvez pas?

Il se retourna. Les couvre-chefs échangèrent un salut.

— Vous êtes venu, constata le Grec.

Le comte s'anima.

— Qu'alliez-vous croire? Bon, on ne va pas traîner ici, il y a mieux à voir plus loin. Vous connaissiez le Jardin des plantes? Et le lion, il vous plaît?

— Un peu éteint, répondit l'étranger.

Ils remontèrent en devisant l'allée qui serpentait entre les grands arbres. Alexandros Constantinopoulos voulut déchiffrer à voix haute quelques panonceaux, mais dut y renoncer. Le comte s'étonna.

— Vous ne savez pas le latin?

Chez Hélie de Talleyrand-Périgord, la gratitude avait vite fait place à la curiosité, et il jeta un regard en biais au nouveau venu. Qui était ce Grec à l'allure distinguée, avec une pointe de rusticité surgissant aux moments les plus inattendus? Les manières peuple, le comte savait les reconnaître, au Bois comme à Ménilmontant. Mais ce qu'il avait pu entrevoir chez son intrigant ami, après deux rencontres seulement, le renvoyait au mystère des origines mêlées. Et les réponses apportées à ses questions, formulées avec tout le tact de mise, dans la quiétude d'un café, éclairaient autant qu'elles jetaient un voile. Dès le premier jour, le Grec n'avait fait aucune difficulté pour dérouler le fil d'une jeunesse cosmopolite. Père diplomate, nurse anglaise, précepteur allemand. La famille avait vécu à Khartoum, Addis-Abeba, Londres, Santiago. Il avait peu d'amis, forcément.

— Et votre mère? avait interrogé le Français, quand le garçon se fut retiré, après avoir versé le champagne d'un air entendu.

La fausse connivence du serveur n'avait pas échappé au comte, qui avait haussé les épaules. Ce n'était pas ce qu'on croyait. L'inconnu le fascinait pour d'autres raisons. Le Grec portait les cheveux droits et lustrés, avec une raie au milieu. Les ongles bien taillés et polis. Des chaussures cousues main. Malgré ce raffinement européen, les traits gardaient quelque chose d'oriental, qui lui donnait la prestance d'un cavalier tatar sur la steppe. Et beaucoup de charme, même si, aux yeux du comte, les femmes l'emportaient toujours pour la bagatelle.

— Ma mère est née à Lima, avait expliqué l'étranger. Elle a connu mon père au Pérou, alors qu'il faisait ses débuts dans la diplomatie.

Sous leurs yeux, imperceptiblement, le grand érable argenté faisait éclater ses bourgeons, et les feuilles, minuscules et froissées, suffisaient à jeter une ombre agréable en ce début de saison. Tout de même, ne pas savoir le latin. Un fils de diplomate. Le comte était intrigué.

Ils s'éloignèrent à pas lents de la petite plaque dressée devant l'*Acer saccharinum*, et le comte entraîna son nouvel ami du côté des reptiles. Ce jour-là, la cage du grand python offrait un spectacle tout à fait intéressant. Une chevrette y était donnée en pâture. L'événement avait attiré une petite foule. D'autant que la ménagerie, centenaire cette année-là, multipliait les attractions spéciales. Ils assistèrent à une lutte brève, et les bêlements de la chèvre furent étouffés par les anneaux du serpent. Alexandros Constantinopoulos observa la scène sans mot dire, et le masque posé sur son visage frustra son compagnon, qui ne savait s'il fallait y lire indifférence ou dégoût. Il n'empêche : impénétrable, le Grec n'en était que plus intéressant.

Dès lors, leurs rendez-vous se multiplièrent. Ils allèrent entendre *Thaïs* à l'Opéra, et dans la loge des Talleyrand-Périgord, les manières d'Alexandros Constantinopoulos, tantôt gauches, tantôt élégantes, firent sensation. Ses lèvres hésitaient avant d'effleurer avec délicatesse les doigts tendus. Les gorges palpitaient sous ses yeux courtois. Chaque soir, le champagne pétillait. Aux Halles, vers quatre heures du matin, à l'heure où l'on dressait les étals, ils observèrent les manœuvres maraîchères depuis le bistro d'en face, attablés devant un bouillon au gratin. Des deux hommes, le Parisien noceur, pâle, les yeux cernés, semblait en avoir le plus besoin, mais le Grec savait aussi y faire honneur. Soudain, une certaine façon d'empoigner la cuillère, chez son ami, donna une idée au comte. Était-il libre dimanche?

Le surlendemain, dans l'après-midi, le carrosse des Talleyrand traversa les faubourgs vers le sud et déposa les deux amis au bord de l'Yvette, devant Chez Lulu. À leur arrivée, l'animation était à son comble. Les couples virevoltaient sous la tonnelle, et le chablis coulait à flots. Ils prirent place près de l'orchestre, où le comte avait ses habitudes. Avec un large sourire, l'un des accordéonistes lui adressa un salut en soulevant son instrument. Hanches rondes, tablier blanc, Lulu s'avançait.

— Et pour ces beaux messieurs, ce sera?

— Surtout, expliquait le comte après avoir passé commande, éviter Robinson, à côté. Tout le monde y va. C'est d'un commun.

— Ce n'est pas spécialement désert par ici, objecta son ami.

— Au moins la gibelotte y est sûre. Vous verrez, ajouta-t-il, d'un air mystérieux.

Une demi-heure plus tard, le plat de lapin fut apporté, la tête-signature de l'animal bien en vue sur le rebord de l'assiette. Pourtant, le Grec hésitait.

— Vous voyez bien que ce n'est pas du chat, le rassura son compagnon, qui attaquait sa part avec gourmandise. Qu'est-ce qu'il vous faut de plus? Du pivois peut-être?

Alexandros Constantinopoulos regarda son compagnon. Du menton, le comte désigna le vin. L'étonnement du Grec redoubla. N'avaient-ils pas commandé du chablis? Le comte sourit.

— Vous apprendrez l'arguche comme le reste, cher ami, ne vous faites pas de souci.

Le Grec accepta le vin, mais s'excusa pour la viande. Il y avait renoncé depuis plusieurs années. Ah! fit seulement le comte, rendu distrait par l'agitation qui se dessinait du côté de l'orchestre. Quelques gaillards s'étaient frayé un chemin jusqu'aux deux accordéonistes.

Cornuti! répliquèrent les Italiens. *Porci!* Les accordéons furent mis à l'abri dans un coin. Oubliant le repas, Hélie de Talleyrand-Périgord se jeta dans la bagarre avec toute la fougue qu'autorise la possession d'une canne plombée. Des renforts affluèrent. Ce fut la mêlée. Le comte s'amusait énormément.

Soudain, un hurlement féroce figea tout le monde. C'était un cri encore jamais entendu sous le ciel français. Effrayant, il tenait à la fois du ralliement et de l'assaut. Stupéfait, Hélie de Talleyrand-Périgord se tourna vers son compagnon, qui l'avait suivi dans la bagarre. Le Grec, tout en envoyant ses adversaires au tapis avec méthode, échangea avec lui un regard complice. Une bonne bagarre. Après tout ce temps. Nul n'est parfait.

— Eh bien, siffla le comte, tandis que la canne faisait pleuvoir les coups.

Le tumulte prit fin aussi soudainement qu'il avait commencé. Les débuts de ces rixes demeuraient presque toujours nébuleux, mais ces derniers temps les musiciens auvergnats étaient souvent en cause, dès lors que leurs cabrettes n'entendaient pas céder la place aux accordéons italiens. Les deux compagnons regagnèrent leur table. Le comte remit de l'ordre dans sa tenue, tandis que le Grec reprenait contenance, non sans une pointe de remords. Il porta son verre à ses lèvres. L'instant d'après, un bruyant personnage s'invitait à leur table, ayant répondu à un salut adressé de loin. Il se présenta.

— Hubert Vignol. Jadis scrofuleux, goutteux et impotent; aujourd'hui broquilleur, robignoleur et roulottier. Pour vous servir, messieurs!

Et il n'était que neuf heures du soir. Hélie de Talleyrand-Périgord cultivait ses mauvaises fréquentations avec un plaisir manifeste. Petit, chafouin, le canotier glissé sur la nuque, le nouveau venu se pencha vers le Grec aux hautes pommettes, tout en prenant le comte à témoin.

— Belle bagarre, pas vrai? Sans les argousins sur le dos en plus! Mille putains! Quel cri! J'aimerais bien qu'on m'apprenne à crier comme ça, moi. Ça me changerait des élixirs.

L'homme se présenta comme un artiste de l'arnaque. Du moins, il en avait la vanité. Il sortit un papier de sa poche et le mit d'autorité dans la main de son interlocuteur : une petite annonce, découpée dans un journal.

— Lisez, ordonna-t-il fièrement au nouveau venu.

« Un monsieur offre gratuitement de faire connaître à tous ceux qui sont atteints d'une maladie de peau, dartres, eczémas, boutons, démangeaisons, bronchites chroniques, maladies de la poitrine, de l'estomac et de la vessie, de rhumatismes, un moyen infaillible de se guérir promptement ainsi qu'il l'a été radicalement lui-même après avoir souffert et essayé en vain tous les remèdes préconisés. Cette offre, dont on appréciera le but humanitaire, est la conséquence d'un vœu. Écrire par lettre ou carte postale à M. Vignol, 41, avenue de Clichy à Paris, qui répondra gratis et franco par courrier et enverra les indications demandées. »

Constantinopoulos lui rendit le papier en riant. Mais Vignol, mis en verve par son nouveau public, était lancé. Toute une humanité souffreteuse lisait ses réclames, lui écrivait le cœur rempli d'espoir. Car les beausses souffrent beaucoup, on l'oublie. Des ventres bombant sous le gilet demandaient le rétablissement des fonctions intestinales. Dans les prétoires, les hémorroïdes enflaient sous les toges. Les dartres mangeaient des joues duveteuses. Les blanchisseurs, les chanoines, les pétrousquins, les zigs, je fais mon possible pour aider tout le monde, conclut-il, l'œil humide, que voulez-vous, je suis comme ça, moi!

Alexandros Constantinopoulos n'était pas sûr de tout comprendre, mais il appréciait la compagnie. Le comte le déposa devant son hôtel à trois heures du matin. Les deux hommes échangèrent des salutations. Ils convinrent de se revoir le surlendemain, vers une heure, devant le Carrousel des Tuileries. Sans bruit, bénissant le portier ensommeillé qui lui avait ouvert, le Grec monta à sa chambre en s'efforçant de paraître digne, et l'escalier fut le seul témoin de son pas titubant. Il avait trop bu. Il avait sommeil. Il avait faim. Dans sa chambre, il ouvrit l'armoire et en tira sa valise d'une main ferme. Elle vibrait sourdement. L'Aliment, il n'en doutait pas, le remettrait d'aplomb.

2

Le cheval avançait au pas, et le martèlement des sabots sur le sentier accompagnait les rêveries de Mountain. Pour autant, il n'oubliait pas de vérifier de temps à autre les courroies de la valise, arrimée sur l'arrière-train de l'animal. Elle était bien en place. Voilà cinq jours qu'il s'était mis en route. Il venait de traverser Vernon. Dans peu de temps, il serait arrivé à destination.

Les premiers instants hors de la caverne avaient été d'excitation pure. À nouveau, il pouvait sentir la vraie caresse du vent sur son visage, du soleil dans son cou. Vivant! Il était vivant! Il s'était penché, avait arraché une poignée d'herbe, en avait longuement respiré l'odeur. Un cri de joie avait franchi ses lèvres. Les explications de Nohog avaient beau avoir clarifié la question il y a longtemps, une incertitude, minuscule, indéracinable, subsistait. Était-il mort ou vivant? L'air vif de la forêt avait balayé ses derniers doutes.

Passé ce premier instant d'exaltation, Mountain ne s'était pas attardé, il savait où aller et avait préparé son itinéraire de longue date. Aidé de Nohog et du coopteur atomique, il s'était muni d'un sac de pépites pour la route. À Quartz Creek Camp, il n'avait eu aucun mal à convaincre un quidam de lui céder son cheval contre une poignée de cailloux jaunes. Ce dernier l'avait regardé, flairant l'astuce, puis s'était décidé.

— Tu es fou, l'Indien, mais mon cheval est à toi.

L'homme avait refermé la main sur les pépites. Mountain, impassible, avait saisi les rênes. Selle, sacoche, fusil, rien ne manquait. Il jeta le fusil dans les fourrés et s'éloigna sous le regard perplexe du Blanc. Une longue route l'attendait, une chevauchée d'au moins une semaine. Depuis Quartz Creek, il avait pris vers l'ouest et rejoint la piste Dewdney. Il avait franchi un premier col sans difficulté. Un second, après Rock Creek, l'avait conduit sur un immense plateau. À l'autre bout, la vue sur la vallée était à couper le souffle. Le grand lac Okanagan brillait au loin; il était précédé d'un semis de lacs plus petits, tous bleus, tous scintillants. Les terres grasses de la vallée se déployaient entre des coteaux arides, comme une invite à laquelle les fermiers répondaient, encore peu nombreux, il est vrai.

L'Indien avait alors chevauché plein nord. Il bivouaqua aux abords de Pentincton. À Kelowna, il avait vu des rues, des maisons, des voitures à cheval, mais il n'était pas resté et avait poursuivi sa route. À Vernon, il se savait tout près. Il s'était alors écarté de la piste pour s'engager dans le sentier qui longeait Coldstream Ranch. Peu de temps après, il reconnut les toits en pente aperçus dans la caverne, avec les silhouettes familières des trois tipis, non loin : le clan de Two Moon. Tout était donc vrai.

À nouveau, il tâta la valise derrière lui. Elle était bien réelle, tout comme le coopteur atomique qu'elle renfermait. Il leva les yeux vers le ciel. Xall, invisible, l'était tout autant. Les holoviv ne mentaient pas.

Ses sept années dans la caverne l'avaient mûri et fortifié. Il prêta l'oreille. Un glissement furtif dans le sable. Mountain ralentit le pas et fouilla les buissons du regard. L'air était chaud et sec. À plusieurs reprises, son cheval s'était raidi au son de crécelle d'un serpent à sonnette.

Il s'approcha des tipis. La terre sablonneuse étouffait ses pas. L'été tirant à sa fin, Mountain savait pouvoir trouver Two Moon ici, au Pays de la Vieille Femme, dans la vallée du lac Okanagan, où nombre d'Indiens louaient leurs bras pour la récolte du houblon.

Il le trouva assis sous un arbre, non loin des tipis. À la vue du jeune homme, l'Indien fouilla dans sa mémoire à la recherche d'un mort. Enfin, lentement, il prononça son nom.

— C'est moi, confirma Mountain.

Les deux hommes éclatèrent d'un rire bref, comme s'ils s'étaient quittés la veille. Attiré par le bruit, le reste du clan accourut aussitôt. La nouvelle au sujet des quatre chercheurs d'or s'était répandue rapidement, et personne, sur la réserve, n'avait alors douté du rôle joué par Mountain dans l'histoire.

— Tu étais où?

— Là-bas.

Un geste vague vers l'est.

— J'y retourne.

Ils avaient fait quelques pas en direction du troupeau. Mountain jaugea les bêtes, à la recherche du troupeau d'autrefois. Il reconnut une jument palouse, avec son rejeton du printemps qui la suivait.

Ce soir-là, les Nez-Percés se réunirent autour du feu, comme à l'accoutumée. Alors Two Moon commença le long récit des années à Lapwai, suivies de la fuite de la tribu vers les plaines. Il prononça les noms de chacune des batailles qui avaient marqué la guerre contre les Blancs. Il rappela leur décision de rallier le camp de Sitting Bull, leur départ dans la nuit, les deux années du séjour là-bas, leurs nombreux déplacements parmi les tribus des plaines et du plateau. Il déroula le fil du récit pour le tirer hors du temps, et chacun le reçut comme la première fois.

Two Moon se leva. Il fit tomber le manteau jeté sur ses épaules, et retira le grand pectoral au cheval qu'il passa au cou de Mountain.

Au matin, ce dernier ouvrit un œil, près du feu éteint. À quelques pas, Two Moon était en conciliabule avec un Blanc qui tenait à la main un grand fouet de vacher. Lord Aberdeen. Le nouveau propriétaire des lieux. Écossais. Le contremaître s'approcha également. L'Indien dominait le vacher d'une bonne tête. Mountain vit la moustache fournie du Blanc, le pistolet dans son étui, à la ceinture. Dans l'intervalle, les ouvriers indiens avaient rejoint Two Moon, et l'homme de confiance du patron ouvrit la marche vers l'enclos. Une nouvelle journée commençait. Un garçon du clan caressa son cheval, lorsqu'il dit au revoir. Devant le ranch, les enfants Aberdeen, juchés sur leurs vélos, avançaient avec peine dans le sable. La demoiselle portait une robe blanche; le garçon, un costume en tweed, avec le pantalon aux genoux. Les deux enfants poursuivirent leurs jeux sans s'occuper davantage de l'Indien qui s'éloignait.

3

La peste des ombrelles. D'un geste impatient, Jennifer McAuley avait replié l'objet encombrant. De toute façon, on allait entrer. Et la jeune femme soupira après le jour où les femmes de sa condition seraient libres d'aller le nez au vent, le visage offert à la caresse du soleil. En attendant, aussi bien admirer les lieux, puisqu'elle était venue pour cela. Dès l'ouverture de l'Exposition universelle de Chicago, quatre mois plus tôt, le Palais des femmes avait attiré une foule sceptique. Une femme architecte avait dessiné les plans. Une femme ingénieur en avait surveillé l'exécution par des femmes maçons, charpentiers, ébénistes, briqueteurs. Par la suite, des femmes peintres avaient accroché leurs toiles sur les murs. Des femmes de lettres y présentaient leurs ouvrages, y donnaient des conférences, y discutaient. Jennifer McAuley était curieuse des réussites de son sexe et l'une de ses premières visites, à son arrivée sur le site, avait donc été pour l'élégant bâtiment à colonnade.

Quelque temps plus tard, la jeune femme en ressortait, songeuse. Ne manquait-il pas quelque chose, malgré tout? Machinalement, ses pas l'avaient menée devant la lagune, où elle observa les manœuvres des gondoliers. Des Javanais la frôlèrent en bavardant. La langue était inconnue, les corps, à moitié dénudés sous le costume. Elle ne s'en formalisa pas. Elle avait fait le voyage avec sa tante Amy, depuis Philadelphie, et dès leur arrivée dans la Cité blanche, trois jours plus tôt, les deux femmes avaient su que l'Exposition les mènerait de découverte en découverte. Mais en cet instant, la jeune femme restait plongée dans ses réflexions, sans voir les passants. Soudain, son visage s'éclaira. Elle venait de comprendre la raison de ses réserves sur le Palais des femmes : l'absence d'hommes. Pourquoi les femmes devraient-elles faire bande à part, au motif qu'elles avaient du retard à rattraper? L'inverse, songeait-elle, en se dirigeant vers la lagune, était tout aussi regrettable. La présence des femmes devait se faire sentir dans toute la société, non pas uniquement au foyer, où elles régnaient déjà. Ainsi raisonnait Jennifer McAuley, tout en se gardant de l'esprit de sérieux, et en suivant les figures dessinées sur l'eau par les embarcations. Comme sa tante, la jeune femme appartenait à la Société des Amis, qui considérait comme vertus l'intelligence et la liberté de conscience. Jennifer McAuley ne faisait donc qu'appliquer cet esprit à ce que sa visite du matin lui avait mis sous les yeux.

Un peu plus tôt, en quakeresse avisée, la tante Amy ne s'était guère préoccupée de faire le chaperon auprès de l'orpheline. Une légère indisposition l'avait retenue à l'hôtel.

Pars la première, avait-elle décidé, on se retrouvera plus tard, devant le Pavillon de l'électricité. Avec un peu de chance, toutes deux auraient peut-être en plus le temps de visiter la réplique du couvent de la Rabida, où le navigateur Christophe Colomb avait reçu, de la reine Isabelle, l'ordre de mission qui devait lui faire découvrir l'Amérique quatre cents ans plus tôt. Les organisateurs avaient mis un soin particulier à l'exécution de ce bâtiment, dont le sujet recoupait le thème de l'Exposition, même si cette dernière survenait avec un an de retard, en raison de la lenteur des travaux. Qu'importe. L'heure était aux réjouissances, pouvait-on lire dans tous les prospectus. L'Amérique était jeune et débordante de vitalité. L'Exposition universelle de 1893 serait la vitrine du savoir-faire sur le nouveau continent.

La tante Amy ne voyait pas d'objection à ce ton triomphal, à condition de ne pas perdre de vue certaines réalités. L'esclavage, par exemple, qui avait si bien servi le Sud. Les lois abolitionnistes avaient-elles changé quelque chose aux conditions d'existence des nègres? Et où étaient passées les tribus indiennes que les Blancs avaient trouvées en débarquant sur le continent? On les avait chassées vers l'Ouest. Mais là aussi les Blancs s'installaient. Quelle serait la nouvelle frontière des Indiens? Le Pacifique? Jennifer McAuley adorait discuter avec sa tante. Ses remarques incisives, ses questions dérangeantes stimulaient son intelligence. De plus la tante guidait audacieusement ses lectures. Sur les rayons de la bibliothèque, à Philadelphie, le roman de Harriet Beecher Stowe, *La case de l'oncle Tom*, côtoyait les réflexions de Thoreau sur la désobéissance civile, sans que l'oncle Jim, quaker lui aussi, s'oppose à de telles lectures, bien au contraire.

Comme convenu, Jennifer McAuley retrouva sa tante à l'heure dite. Celle-ci paraissait très ennuyée, au point d'en oublier d'admirer le grand tableau lumineux qui ornait le bâtiment.

— Il faut m'aider, ma chérie. À Philadelphie, j'avais promis de donner un coup de main au Parlement international des religions. Mais Mr. Hodson est passé à l'hôtel ce matin, et il m'attend dès cet après-midi, pour la séance préliminaire. Notre programme de visites est fichu.

De ses doigts fins, la tante Amy triturait les rubans de son chapeau. Sa nièce se fit rassurante.

— Nous les ferons plus tard, ces visites. Et bien sûr je vous accompagne, ma tante.

Moins d'un quart d'heure plus tard, un Mr. Hodson reconnaissant installait les deux femmes derrière une table couverte de brochures. Les quakers ne perdaient pas de temps en zèle missionnaire quand il y avait tant de torts à redresser. De manière pratique, leurs brochures traitaient d'éducation accessible à tous, de l'égalité des droits au-delà des sexes et des races, du respect de la nature, d'un idéal de paix et de tolérance à défendre en tout temps. Le Parlement international des religions réunissait une bonne douzaine de confessions et le programme des conférences des trois prochains jours était chargé. Déjà le public, curieux, affluait, malgré les sollicitations venant de toutes parts. Les deux attractions vedettes de l'Exposition étaient le chapiteau qui accueillait les «quarante-cinq plus belles femmes du monde», comme le clamait l'affiche, et celui, juste à l'entrée, où Buffalo Bill présentait des extraits de sa célèbre revue, *The Great Wild West*, pimentée de quelques numéros exotiques pour la circonstance. Mais de nombreux visiteurs défilaient aussi dans le Pavillon des religions, et les deux femmes ne virent pas l'après-midi passer.

Vers cinq heures, Jennifer McAuley vit approcher un homme dont l'allure et les vêtements ne laissaient planer aucun doute sur ses origines. Et cet Indien-là savait lire. Il avait jeté son dévolu sur une publication pacifiste. On y reprenait un extrait de *No Cross, No Crown*, publié par Mr. William Penn, à Londres, en 1669, ainsi que le préambule d'inspiration humaniste ayant mené à la création de l'État de la Pennsylvanie. L'Indien était absorbé par sa lecture, et Jennifer McAuley ne pouvait s'empêcher de regarder les mains qui tenaient la brochure. Des mains robustes, aux veines saillantes, avec une certaine finesse, cependant.

Son trouble n'échappa guère à l'œil expérimenté de sa tante, et il redoubla quand l'homme reposa la brochure sur la table, d'un air songeur. Encadrés par deux nattes sombres, les traits du visage étaient mâles et résolus. Une petite cicatrice émergeait de l'arcade sourcilière droite. On aurait envie d'y promener un doigt, pensa la jeune fille, en s'étonnant de son audace.

— Nos brochures vous intéressent, monsieur? interrogea la tante, et la nièce, intimidée, esquissa un sourire.

— Qui est ce Mr. Penn? leur fut-il répondu, dans un anglais à peine accentué.

— C'est l'un de nos penseurs les plus originaux. Ses idées étaient trop généreuses et nobles pour ne pas lui valoir des ennuis dans sa mère patrie, où il fut emprisonné à la Tour de Londres. Le Parlement anglais lui accorda ensuite une concession en Amérique. Ce fut sa chance.

— La mère patrie? prononça l'Indien avec lenteur. Qu'est-ce que la mère patrie?

Les deux femmes se regardèrent. La plus âgée fit mine de ranger les documents sur la table, mais elle réfléchissait. Sans plus attendre, et au mépris des convenances, elle se décida : la curiosité n'était-elle pas le moteur du monde?

— Nous allions partir, monsieur. Cependant, je vous propose une promenade sur la grande avenue, où nous pourrons poursuivre cette conversation en regardant tourner Ferris Wheel. Qu'en dites-vous?

L'Indien accepta, et si les nombreux passants sur Midway Plaisance avaient été moins fascinés par les révolutions grinçantes de la Grande Roue et la musique qui s'échappait du café-concert-comme-à-Vienne, ils auraient vu déambuler un trio singulier : deux Blanches et un Indien distingués, en grande conversation. En d'autres lieux, la vue de ces trois personnages aurait sans doute suscité des commentaires étonnés ou réprobateurs. Mais dans le grand théâtre de l'Exposition, les silhouettes se détachaient sur un décor qui juxtaposait avec le plus grand sérieux des monuments en carton-pâte, des fausses façades Renaissance, une rue cairote et d'impressionnantes divinités à vapeur. Dans ce décor, les figurants étaient des Tatars débonnaires et des sages à kimonos. Le trio en paraissait presque banal.

On fit connaissance. L'Indien était métis. Son père était un commerçant prospère de Vancouver et sa mère, nez-percée, avait quitté le territoire de l'Oregon pour suivre son mari au Canada. Lui-même s'appelait Long-John Williamson. Les femmes esquissèrent une révérence et déclinèrent noms et prénoms, après quoi le petit groupe se dirigea vers le Palais des transports. Le vent qui soufflait du lac Michigan faisait se retourner les ombrelles et le trio choisit de se replier vers un endroit plus abrité. Dès le début, la conversation fut animée, et Long-John Williamson semblait montrer un intérêt aussi vif pour l'idéal progressiste de William Penn que pour la jeune demoiselle qui s'efforçait de lui en transmettre l'esprit.

— Qui dirige les hommes dans le gouvernement de Mr. Penn? interrogea-t-il, alors qu'ils prenaient place à une buvette.

Les deux femmes prirent du thé. Il fit de même. Doctement, Jennifer McAuley afficha son savoir.

— Mr. Penn appartenait à la noblesse anglaise, ce qui ne l'empêcha pas d'opter pour la démocratie. Le système est connu. La communauté choisit des représentants pour une période déterminée, et ceux-ci se réunissent au sein d'une Assemblée législative. En Pennsylvanie, toutefois, l'esprit est différent. On y vote des lois que l'on espère justes, respectueuses du bien commun et des aspirations humaines, n'est-ce pas, ma tante?

L'aînée approuva. La vision était à peine idéalisée. Dommage que les héritiers de Penn l'aient perdue de vue. Tout allait si vite dans ce pays. On venait de partout pour s'établir dans ce qui avait été jadis l'État de William Penn, et parmi les nouveaux arrivants, les quakers étaient peu nombreux. Cela changeait tout.

Une question tracassait le métis.

— Comment votre penseur s'y est-il pris avec les Delaware qui vivaient sur le territoire? Jusqu'où allait le pacifisme de Mr. Penn?

La jeune femme resta muette. La tante vola à son secours.

— Votre question est légitime, monsieur. Sachez que Mr. William Penn s'est comporté en véritable quaker. Quand il a appris que sa concession en Amérique était la propriété de tribus indiennes, il a d'abord voulu savoir lesquelles. Car ses nombreux séjours en Amérique lui avaient donné, contrairement à la plupart des Européens, une compréhension fine de la diversité de ces tribus. Puis Mr. Penn a entrepris de négocier des traités de paix avec les Delaware et de leur racheter une à une les terres, de plein gré et à juste prix.

Long-John Williamson leva un sourcil étonné.

— Il a vraiment payé? Sans leur faire la guerre?

La tante hocha la tête.

— Et il a respecté les traités?

Celle-ci répondit par l'affirmative, avant d'ajouter :

— En 1681, Mr. William Penn avait fait le rêve d'une société tolérante et juste. Les Indiens y trouvaient leur compte et ils l'auraient trouvé par la suite si l'idéal quaker l'avait emporté dans l'histoire de ce pays. Malheureusement, Mr. Penn a dû rentrer en Angleterre pour ses affaires, et ses successeurs n'ont pas eu le même souci. Le résultat, vous le voyez autour de vous, un siècle et demi plus tard.

La tante reposa brusquement la tasse, en faisant tinter la cuillère sur le rebord de la soucoupe.

— Je m'emporte, pardonnez-moi. Mais ce sujet me tient à cœur et il m'est difficile d'en parler avec détachement. Vous avez vu les mascarades du Village indien et du spectacle de Mr. Buffalo Bill? Vous savez que sa revue fait appel à plus de cent Indiens sioux? Tout ce qu'il y a de plus authentiques, paraît-il. Même le fameux Sitting Bull en a fait partie à un moment donné. Comment expliquez-vous leur présence, Mr. Williamson? À quoi pensent les figurants du Village indien en élevant leurs tipis de pacotille?

Jennifer McAuley vit battre une veine bleue à la tempe du métis.

— Avons-nous vraiment le choix? interrogea-t-il durement, après un moment de réflexion.

La tante Amy s'adossa à sa chaise.

— Voilà pourquoi chacun est renvoyé à sa conscience. Des idéaux naissent. La réalité ne cesse de vouloir s'en éloigner. Les peuples s'entrechoquent. Toute l'histoire humaine peut être ramenée à une série de rencontres plus ou moins sanglantes. Mais nous autres quakers, nous croyons à la force de l'individu fait à l'image de Dieu. Un seul homme peut changer le cours de l'histoire, pourvu qu'il y applique sa raison et son intelligence, en toute humilité.

Le métis resta songeur.

— Vous ne dites rien? interrogea Jennifer McAuley, qui avait suivi l'échange avec attention.

Elle replaça une mèche brune sous son bandeau. Long-John Williamson ignora la jeune fille. Il fixait la tante Amy, qui soutint son regard, où elle lut de l'espoir, avec une étincelle de résolution. Elle ne peut pas être au courant, pensait le métis de son côté, mais ce Mr. Penn aurait été un formidable allié s'il avait vécu maintenant.

— Ma tante, que s'est-il passé au juste? demanda la cadette, le soir venu, en brossant ses cheveux dans la quiétude de leur chambre.

La tante lui jeta un regard malicieux.

— L'histoire de la Pennsylvanie est un sujet inépuisable. Je crois que nous reverrons sous peu Mr. Williamson.

Elle ne croyait pas si bien dire. Vers midi, le lendemain, Mr. Hodson passa à leur hôtel, alors que les deux femmes étaient sorties. Il y déposa une enveloppe adressée à Mrs. Amy Dickinson ainsi qu'à sa nièce, Miss Jennifer McAuley. Mr. Hodson avait ajouté quelques mots d'explication. Un grand gaillard d'Indien était passé le voir au Pavillon des religions et avait déposé cette lettre à leur intention. Mr. Hodson faisait suivre, il les remerciait encore pour l'aide apportée hier, il était leur dévoué, etc.

La lettre de Long-John Williamson fut lue vers quatre heures, quand les deux femmes rentrèrent de promenade. Le métis proposait de les retrouver à leur hôtel le lendemain, pour aller admirer, tenez-vous bien, ma nièce, s'exclama la tante, les toiles de ceux qu'on appelle Impressionnistes et qui font scandale en Europe!

— Mr. Williamson dit que c'est la première fois que les œuvres de ces peintres sont exposées en Amérique, poursuivit-elle, ravie. L'exposition a lieu au Pavillon des beaux-arts. Cet homme est fascinant, ne trouvez-vous pas?

À partir de ce moment, le trio fut inséparable, et Mr. Williamson se montra fort prévenant à l'égard de Miss McAuley. Leurs discussions sur une société juste reprirent de plus belle, mais elles n'éclipsaient pas l'essentiel : le visage rayonnant de Jennifer McAuley quand elle se sentait couvée par le regard de Long-John Williamson. Les yeux de la jeune femme brillaient d'un éclat doré. Sa bouche s'ouvrait sur une rangée de dents minuscules. Ses joues rosissaient de plaisir, ce qui allait très bien à son teint de brune. En quelques jours, le métis confirma son excellente éducation et révéla des manières de gentleman qui auraient pu en remontrer à plusieurs. Leurs rapports évoluèrent sensiblement, et de même l'apparence du chevalier servant. Un jour, les tresses furent remplacées par une natte. Un costume de meilleure confection fit son apparition, ainsi qu'un chapeau. Mais cette élégance se déployait en toute simplicité, sans ostentation. Il émanait de Mr. Williamson un charme ambigu fait d'un mélange de culture et de liberté, qui faisait bondir le cœur de Jennifer McAuley comme une chèvre de montagne. De surcroît, l'homme semblait disposer d'excellents revenus, ce qui n'était pas à négliger, songeait la tante, qui ne perdait pas la tête dans cette histoire.

L'aînée suivait les manœuvres avec sympathie et s'arrangea même pour souffrir de quelques migraines opportunes. Le couple sut profiter de ces occasions, et les jours suivants se passèrent dans l'euphorie. L'Exposition universelle de Chicago se poursuivait jusqu'à la fin d'octobre. Le 15 septembre, la tante Amy écrivit à son mari pour le prévenir. Leur séjour se prolongeait. L'Exposition se révélait plus intéressante que prévu, et elles avaient besoin de temps pour la visiter comme il faut. Ses affaires lui permettaient-elles de les retrouver à Chicago à la mi-octobre? Elle signait, son épouse aimante...

À la fin du mois suivant, l'Exposition de Chicago fermait ses portes et il fallut bien se séparer. Entre-temps, l'oncle Jim avait retrouvé les deux femmes. Discrètement, Mr. et Mrs. Dickinson laissèrent leur nièce en tête-à-tête avec Mr. Williamson. Philadelphie n'était pas si éloignée, et il était leur invité. Viendrait-il leur rendre visite? Le soupirant soupira, fit néanmoins ses adieux après avoir glissé une adresse dans sa poche et promis d'écrire.

— Où vous répondrai-je? s'inquiéta la jeune femme.

Le métis réfléchit. Il ne pouvait rien dire de ses projets, tout au plus avait-il parlé de New York et d'affaires à y mener. Poste restante, répondit-il, Manhattan. Jennifer McAuley comprit qu'elle ne le reverrait plus, et cela lui fit l'effet d'un coup de poignard. La tante Amy, qui s'efforça d'atténuer son chagrin dans les semaines qui suivirent, se refusait à rendre un verdict définitif. Un homme aussi charmant? disparaître de la sorte? Pourtant l'hiver se passa sans recevoir de nouvelles, et peu à peu l'idée fit son chemin chez la tante Amy que ce Mr. Williamson était un homme mystérieux avant d'être charmant. Jennifer McAuley, quant à elle, attendait, que faire d'autre?

Plus de quatre mois après la fermeture de l'Exposition universelle de Chicago, le 12 mars 1894, à dix heures du matin, le *Maria-Helena* fit entendre deux coups de sirène et amorça les manœuvres d'appareillage. Lentement, le navire quitta le quai n° 4. Sur le pont arrière, Long-John Williamson vit s'éloigner New York et, au-delà de la métropole, il vit aussi s'éloigner Chicago, Vancouver, l'Okanagan, Quartz Creek Camp, Nespelem, Bear Paw, ainsi que tous les souvenirs attachés à ces lieux. Une nouvelle étape l'attendait.

L'hiver avait été fructueux. Williamson l'avait passé dans une garçonnière du côté de Brooklyn. Le coopteur avait bourdonné régulièrement pour le nourrir, mais à plusieurs reprises aussi pour l'enrichir. La valise, quand il l'ouvrait, ne différait en rien d'une valise ordinaire et une odeur de vieux cuir s'en échappait. Dans le coin supérieur gauche, seul un petit compartiment, recouvert de tissu, divisait l'espace. Un bol s'y trouvait. Jour après jour, le réceptacle se remplissait de la précieuse pâtée verdâtre. Le reste de la valise était programmé pour recevoir un contenu non moins précieux : l'or. La première fois, à Vancouver, Long-John Williamson, qui étrennait alors sa nouvelle identité, avait d'abord fermé les yeux. Il avait concentré ses pensées sur Nohog de Ventorx, puis formulé sa requête. Quelques heures plus tard, tandis qu'il regardait tomber la pluie sur la ville depuis la chambre de son hôtel, la valise s'était mise à vibrer et à s'alourdir. Telluriques et océaniques, les atomes d'or recueillis s'étaient agglomérés en structures homogènes. Le lendemain, quand le métis avait ouvert la valise, les barres de métal jaune luisaient doucement, pâle reflet de l'excitation qui le gagnait. L'or, source de ses maux passés, se mettait au service de sa mission future.

Quand il avait franchi les portes de la banque, ce jour-là, son excitation n'était pas retombée, bien au contraire. Mais la réaction du cambiste l'avait refroidi.

— De l'or pur! Où avez-vous trouvé ça?

Aussi avait-il rectifié le tir avec l'aide de l'Observateur. Le métal arrivait désormais mâtiné d'un demi pour cent d'impureté, cuivre et argent, semblable au minerai des placers. À New York, la valise s'était remplie à plusieurs reprises. L'or rassemblé par le coopteur était frappé à l'Hôtel des monnaies, puis converti par la Broadway Bank of Brooklyn au taux d'un gramme et demi d'or pour un dollar. Dans un coffre de la banque, des titres attendaient en sûreté : Eastern Oregon Gold Mining Company, The Carisa Gold Mines. Mr. Long-John Williamson convertissait son or en titres liés à l'exploration et à l'exploitation aurifères. Quoi de plus conséquent? avait pensé son courtier de New York, qui avait reçu toutes les instructions pour agir.

Le voyageur regagna sa cabine. Le *Maria-Helena* était un navire marchand, à voiles et à vapeur, jaugeant huit cents tonneaux. Son capitaine, tout en n'étant pas trop regardant sur la marchandise dans les soutes, était un homme de parole. Le Crétois n'avait pas caché les difficultés du voyage et ses réticences à accepter un passager susceptible de se doubler d'un curieux. Il ne s'y résignait qu'en dernier recours, pour arrondir les comptes. L'inconnu avait compris la situation et sorti les billets verts pendant la discussion qui s'était déroulée dans l'anglais rudimentaire du capitaine. Cargaison en cale : whisky, blé, orge, bois. Destination connue : Le Pirée, Constantinople, puis Odessa. Une avarie de moteur avait retardé le départ. La saison n'était guère avancée. La traversée serait rude. Avait-il le pied marin? Long-John Williamson avait donné toutes les assurances qu'on voulait.

— Alors c'est O.K.! avait répondu le Crétois, dont le large sourire dévoila une incisive en or. Je m'appelle Syros Tamaniou. Et toi, monsieur, quel est ton nom?

4

Des poissons impudents grignotaient les flancs du navire amarré à l'un des grands quais du Pirée. Le *Maria-Helena* avait cargué les voiles. L'équipage s'affairait sur le pont, et les dockers avaient commencé à décharger la cargaison. Long-John Williamson serra la main du capitaine Syros, qui semblait satisfait des vingt-deux jours d'une traversée sans encombre. Mais les renseignements qu'il avait tenté de soutirer à son mystérieux passager se révélaient fort maigres, en définitive. Le plus étonnant avait été de découvrir sa maîtrise du grec dès le deuxième jour.

— Alors tu es Grec? avait-il demandé à celui qui avait entre-temps coupé ses cheveux et revêtu une tenue bourgeoise.

Pour toute réponse, le capitaine n'avait obtenu qu'un grognement amusé. Le lendemain soir, il avait invité l'étranger à partager son repas dans sa cabine, où il avait cru pouvoir satisfaire sa curiosité.

— Et où tu vas, comme ça?

Son interlocuteur éluda la question.

— Là où tu vas, capitaine : en Turquie.

Il considéra le contenu de son assiette.

— Cette plie est sûrement excellente, mais voilà plusieurs années que j'ai renoncé à me nourrir de chair animale. Tu m'excuseras, capitaine.

Fidèle à lui-même, Syros affichait une barbe de deux jours. À table, pour faire honneur à son invité, il avait enfilé une veste qui, bien qu'usée, arborait deux galons à l'épaulette. D'étonnement, il se renversa sur sa chaise, se reprit et lui tendit une assiette d'olives et de fromage de brebis.

— Prends au moins ça, monsieur. Mais alors dis-moi tout. On t'attend à Constantinople?

L'invité prit une olive et recracha le noyau en prenant son temps.

— Cela se pourrait bien.

— Et tu comptes rester longtemps là-bas?

L'étranger faisait honneur au fromage.

— Ça dépend.

Au train où allaient les choses, le capitaine comprit qu'il en serait quitte pour le seul plaisir de faire la conversation dans sa langue natale. Syros, fervent militant du rattachement de la Crète à la Grèce, se demanda un instant si ce Williamson n'était pas un espion à la solde de la Turquie. Quand l'Américain le questionna à demi-mot sur la possibilité d'acheter une fausse identité à Athènes, le Crétois fut rassuré. Un fugitif, il aimait mieux ça. On pouvait s'en faire un ami. Un arrangement fut trouvé.

— Ça va, j'ai compris. Je te pose plus de questions, mais toi t'oublies pas ce qu'il y a dans les flancs du *Maria-Helena*. Du bois, du whisky, des céréales, rien d'autre.

Les deux hommes échangèrent un sourire. Un peu plus tôt, le passager était allé faire un tour dans les cales, ce qui n'avait pas échappé au capitaine. Cette règle d'ignorance réciproque établie, la traversée avait pu se dérouler sans autre interrogatoire. Et le passage par le tout nouveau canal de Corinthe, qui évitait de faire le tour du Péloponnèse, avait achevé de mettre le capitaine de bonne humeur. T'as vu, mister John, taillées au couteau qu'elles sont, les falaises.

Sur la passerelle, le Crétois était intarissable, prolongeant des adieux qui n'en étaient pas vraiment, puisqu'il devait conduire le voyageur jusqu'à Constantinople. Cependant, qu'il n'oublie pas : l'escale à Athènes durerait quarante-huit heures, pas une de plus.

— Des passagers comme toi, mister John, on en reprendrait. Et fais comme je t'ai dit : café Hania, en haut de Plaka, sous l'Acropole. Tu demandes Kostas, tu dis que je t'envoie.

— Je n'y manquerai pas.

— Je repars samedi.

— Entendu. Je serai là. À huit heures.

Long-John Williamson était monté à bord de la calèche faisant la navette entre Le Pirée et la ville. En ce début d'avril, l'air était tout en douceur, depuis les rayons du soleil jusqu'au vert de l'herbe dans les collines. La route faisait une quinzaine de kilomètres. L'étranger savoura chaque instant du trajet.

Sur place, il trouva l'auberge sans difficulté. Le patron était lui aussi un ami du capitaine, moyennant quoi Williamson se vit attribuer la plus belle des quatre chambres disponibles. Une heure plus tard, sa valise en sûreté, il s'enfonçait dans les petites rues de Plaka, puis grimpait jusqu'à Anaphiotika. Le café Hania tenait dans une seule pièce, sombre, avec l'arrière-boutique au fond. Mais pour y entrer, il fallait d'abord franchir le barrage de la poignée d'hommes assis devant la porte, qui fumaient le narguilé avec des airs de chat à l'affût.

Un bref conciliabule s'engagea. Hormis quelques expressions locales, la langue ne posait pas de problème, même si l'étranger gardait des manières raffinées qui donnaient envie de le renvoyer à son hôtel. Et d'abord que voulait-il au juste?

— Voir Kostas.

Le plus âgé du groupe fit mine d'ajuster l'embout de son narguilé.

— Nous on connaît pas.

Long-John Williamson, resté debout, insista.

— Le capitaine Syros, lui, le connaît bien. Syros Tamaniou, le capitaine du *Maria-Helena*. C'est lui qui m'envoie.

Les fumeurs se regardèrent. Le plus jeune se leva sur un clignement d'yeux du plus vieux et entraîna l'étranger à l'intérieur.

Avec sa lampe sur la table allumée en plein jour, l'arrière-boutique se révéla encore plus sombre que le café. Deux hommes étaient assis et fumaient. Le guide se posta dans l'embrasure, tout en gardant un œil sur la salle déserte.

— Je suis Kostas, dit l'un des hommes assis.

Pour autant que Williamson puisse en juger, les moustaches de son interlocuteur étaient les plus fournies de toute la Grèce. Kostas l'invita à prendre place et à s'expliquer.

— Alors comme ça, tu as besoin de papiers, toi aussi? Le vieux n'en fait jamais d'autres, sur son rafiot! Qu'est-ce qu'il croit? Que les papiers tombent du ciel? Et tu paies comment?

Le métis glissa la main dans la poche intérieure de sa redingote. Celui qui montait la garde fit un mouvement vers lui. Il se ravisa quand il vit rouler les pépites d'or sur la table. La plus petite avait la taille d'une olive. Kostas sourit. On allait s'entendre.

Deux jours plus tard, le *Maria-Helena* repartait pour Constantinople, et le passager venu de New York retrouva sa cabine avec ses malles intactes. Le capitaine lui adressa un regard complice. Une soute avait été délestée de sa cargaison. Le capitaine paraissait soulagé. Et il s'en trouvait d'autres pour respirer mieux. Par exemple, les Crétois surgis la nuit dernière, à bord de barques silencieuses. Williamson n'était pas dupe. Les armes, il s'en fichait, pourvu qu'elles n'interfèrent pas avec le cours des affaires. Pour les papiers, Kostas avait poussé la délicatesse jusqu'à donner le choix du prénom à l'étranger qui parlait le grec avec autant d'aisance. Pour le patronyme, on ne pouvait rien faire : ce serait Constantinopoulos. Mais le mort avait une nombreuse descendance. On pouvait bien lui donner un fils de plus.

Long-John Williamson n'avait pas eu une seconde d'hésitation sur le prénom. Les Assyriens, avait-il appris, avaient pillé l'Égypte de son or, qui était ensuite passé entre les mains des Babyloniens, avant de tomber dans celles des Perses. Après la bataille d'Issos et l'effondrement de l'empire perse, tout l'or connu du monde s'était retrouvé dans les mains d'un seul homme : Alexandre de Macédoine. Le lendemain, comme convenu, Alexandros Constantinopoulos prit possession de ses nouveaux papiers.

Le *Maria-Helena* mit deux jours pour atteindre les côtes turques, et le capitaine pesta contre les récifs qui contraignaient au cabotage un navire conçu pour traverser l'Atlantique. Sur le pont, le passager savourait la lenteur du navire. Il respirait l'air chargé d'iode, observait les figures des goélands dans le ciel et entendait leurs cris lorsqu'ils plongeaient en piqué. Enfin, la coupole dorée de Sainte-Sophie fut en vue. À Athènes, Alexandros Constantinopoulos avait pris soin d'ouvrir un compte à la Banque de Thessalie. À Constantinople, Long-John Williamson en fit autant à la Selanik Bankasi. L'ultime question d'intendance fut réglée le lendemain, quand le Grec de fraîche date prit un billet pour Paris, à bord de l'Orient-Express. À la gare Sirkedji, il acheta les journaux anglais, sans quitter des yeux le porteur. Quant à la valise, bien sûr, il s'en chargeait.

Il avait choisi un compartiment double, en espérant que la seconde place resterait libre. Le train s'ébranla à sept heures du matin, avec une demi-heure de retard sur l'horaire; normal, expliqua le contrôleur. Le convoi atteignit la frontière bulgare à l'heure du déjeuner. Le soir, il trouva son lit fait. Il se glissa entre les draps, après avoir vérifié la présence de sa valise, que l'exiguïté des lieux lui avait fait caler à la verticale, dans l'étroite penderie fermant à clé. Au matin, il prit son petit-déjeuner en regardant défiler les Carpates, après quoi il regagna son compartiment pour se plonger dans la lecture d'un roman anglais, *The prisoner of Zenda*, de Mr. Anthony Hope. À la hauteur de Budapest, il étouffa un bâillement et souhaita un peu de compagnie. À Vienne, une présence masculine vint rompre sa solitude.

De taille moyenne, les cheveux bruns, les extrémités de la moustache cirées avec soin, l'homme inspirait confiance. Il s'installa en face d'Alexandros Constantinopoulos qu'il salua d'un bref signe de tête, avant de se plonger dans la lecture du *Figaro*. Français, pensa le Grec, qui ne voulut rien brusquer. Ils se revirent à l'heure du dîner, et l'inclinaison fut plus prononcée. À partir de ce moment, il ne fut pas difficile d'engager la conversation.

— Enchanté, monsieur. Je suis maître Sébastien Dumontier, notaire à Paris.

Bercés par le roulement du train, abrités dans un écrin d'acajou et de velours, leurs propos les menèrent des peuples d'Asie à l'histoire de la Grèce, et de Troie à Paris, capitale du monde. Ils arrivaient à Strasbourg.

— Vous connaissez Paris?

— Je découvrirai la ville dans une dizaine d'heures, dit Constantinopoulos, en sortant sa montre.

Une montre en or. Avec son collègue, maître Fournel, maître Dumontier dirigeait l'étude d'une main prudente, habile à saisir les occasions. La réponse ouvrait des perspectives.

— Je peux vous donner quelques adresses, fit-il, obligeant.

Le train entra en gare de l'Est en fin d'après-midi. Après quatre-vingt-trois heures de trajet, Alexandros Constantino-poulos se sentait aussi frais qu'au saut du lit. Il fit signe à un porteur et récupéra ses malles. Sur la place, il héla un fiacre, sa valise à la main.

Le cocher toucha son chapeau et grimpa lourdement sur son banc.

— Hôtel Dubois, rue des Blancs-Manteaux, ordonna le Grec.

Il faisait bon. Paris défila sous ses yeux. Alexandros Constantinopoulos, qui avait déjà arpenté la ville dans l'holoviv, la découvrait en réalité. C'était là un plaisir subtil, qu'il sut apprécier.

Le fiacre allait s'engager dans la rue des Blancs-Manteaux, quand il fut arrêté par la charrette renversée d'une marchande de quatre-saisons. Bordel, grommela le cocher. Il se retourna et prit le passager à témoin.

— Et comment on fait, nous, pour passer, avec ces vingt dieux de cageots au milieu de la chaussée?

Le voyageur leva un bras conciliant.

— Déposez-moi ici. Je continuerai à pied.

Il régla la course et s'éloigna en sifflotant.

5

Le mot anarchie, Alexandros Constantinopoulos l'avait découvert sous la plume éloquente d'un certain Élisée Reclus. Il avait lu avec intérêt des fascicules de sa *Nouvelle géographie universelle*, où le géographe ne s'intéressait pas uniquement aux phénomènes physiques, mais aussi à l'homme, qui, écrivait-il, devait apprendre à vivre en harmonie avec la Terre pour mieux vivre en paix avec ses semblables et avec lui-même. Élisée Reclus parlait d'un couvert mis pour chacun au grand banquet de l'humanité. Le patriotisme, faisait-il remarquer, renvoyait à une bande de terre étroite, généralement entourée d'ennemis. Les idées de ce Reclus avaient peut-être rassemblé quelques sympathisants, qui tentaient de les diffuser dans des revues ou par des actions diverses. Or le Grec disposait de capitaux qui ne demandaient qu'à être investis, même à fonds perdus, dans des activités susceptibles de servir sa propre cause.

Les anarchistes, pendant ce temps, faisaient parler d'eux par des attentats. Alexandros Constantinopoulos, qui laissait traîner une oreille indiscrète aux comptoirs des cafés, n'arrivait pas à faire coïncider les idées de Reclus avec les engins meurtriers semés un peu partout dans Paris. Une bombe, apprit-il, avait explosé dans un restaurant, rue de Tournon, dans les jours précédant son arrivée. Une autre, à la Madeleine, à la mi-mars. En février, un engin avait explosé à la gare Saint-Lazare. L'anarchiste Auguste Vaillant avait été exécuté au cours du même mois, après un attentat à la Chambre des députés commis l'année précédente. L'anarchiste Lauthier, qui avait attenté aux jours de l'ambassadeur de Serbie, était en route pour le bagne. Le gouvernement Carnot, en réaction, multipliait les lois liberticides. Pour rien au monde, le Grec n'aurait voulu mettre son argent au service de gens qui tuaient, au hasard ou non, pour leurs idées. Les anarchistes n'étaient pas tous pacifistes. Comment s'y reconnaître? Reclus approuvait-il les attentats? De *La Nation* à *La Libre Parole*, Alexandros Constantinopoulos dévorait les journaux dans l'espoir de trouver réponse à ses questions.

Un jour, il lut un entrefilet annonçant une conférence d'Élisée Reclus pour le lendemain, à Lausanne. Il apprit que l'homme ne vivait plus en France, et pas davantage en Suisse ni en Amérique où il avait déjà séjourné. Depuis peu, le géographe s'était établi à Bruxelles pour y enseigner la géographie, non pas à l'Université libre, comme l'invitation qui lui avait été faite il y a deux ans aurait pu le laisser supposer, mais à l'Université nouvelle. L'entrefilet n'en disait pas plus. Alexandros Constantinopoulos se renseigna et trouva la réponse dans un ancien numéro du *Révolté*. Élisée Reclus avait bel et bien été invité à se joindre au corps professoral de l'Université libre de Bruxelles, mais la multiplication des attentats anarchistes avait fait se raviser l'institution, pourtant réputée progressiste. Cette volte-face ayant soulevé des remous, des professeurs mécontents, groupés autour de Reclus, avaient mis sur pied l'Université nouvelle de Bruxelles. Celle-ci avait ouvert ses portes avec des moyens de fortune, dans des locaux prêtés par une loge maçonnique.

Le Grec résolut d'aller rendre visite à Reclus sur ses terres.

Dans l'immédiat, il n'oubliait pas le rendez-vous avec le comte, fixé dans le carrosse qui les avait ramenés de Chez Lulu. Au jour dit, il se posta devant le Carrousel des Tuileries, mais Hélie de Talleyrand-Périgord ne vint pas. Alexandros Constantinopoulos l'attendit pendant plusieurs heures, en observant les enfants qui couraient derrière leurs cerceaux. Le peu qu'il connaissait de son ami lui faisait penser que cette dérobade n'était pas dans ses manières. Que s'était-il passé? Avait-il pris quelque mauvais coup? Comment le retrouver maintenant? Contrairement aux usages, le comte ne lui avait laissé aucun bristol, pas la moindre adresse griffonnée sur un bout de papier. Négligence? s'interrogeait le Grec, en se reprochant son insouciance. Le type de l'autre jour, ce Vignol, pourrait peut-être lui venir en aide. Mais comment le retrouver? Une visite à Lulu s'imposait.

L'hôtel modeste où il était descendu ne semblait pas avoir été un obstacle à leur relation. Mais trois petites semaines avaient suffi à en informer madame Dubois qui multipliait les attentions à l'égard de son distingué client. Le coursier de Monsieur le Comte est passé, lui susurrait-elle, en lui remettant sa clé. Monsieur le Comte vous attend ce soir, demain, après-demain, quelle chance pour la maison. Ces derniers mots, bien sûr, la patronne les gardait pour elle, bien qu'ils fussent aussi transparents que l'eau de roche. Mais distingué client ou non, le comte lui avait bel et bien posé un lapin, et il ne pouvait rien faire.

Vers cinq heures, Polichinelle entra en scène, pour la dernière séance. Les enfants trépignaient, agglutinés devant le rideau rouge, et Alexandros Constantinopoulos renonça à attendre davantage. Il se dirigea vers les quais, en se disant que le cours paisible de la Seine calmerait son inquiétude. En route, il acheta *L'Événement* et fut sidéré par les gros titres de cette édition du 22 avril 1894. Les détails, dévorés en toute hâte, n'en étaient pas moins surprenants.

Le comte Hélie de Talleyrand-Périgord, fils de Charles-Guillaume-Frédéric Boson, prince de Sagan, et de la princesse de Sagan, née Seillière, venait d'être arrêté pour faux et usage de faux. Avec le sieur Woestine, son complice, il avait signé sous le nom de Max Lebaudy des fausses traites pour une valeur de six cent mille francs.

Suivait la liste des affaires où le comte était mis en cause pour abus de confiance. Parmi les victimes, une joaillière très connue, ainsi qu'une grande maison de nouveautés, boulevard des Capucines. Constantinopoulos leva les yeux pour mieux assimiler la nouvelle. Machinalement, il tourna les pages et allait replier le journal quand il tomba sur une certaine petite annonce qu'il ne put s'empêcher de relire jusqu'au bout. Il y était question de vessies et de rhumatismes. Le Grec sourit. Mais il était dit qu'il retournerait chez Lulu pour d'autres raisons que pour y revoir Vignol, puisqu'il savait maintenant où trouver son ami.

Trois jours plus tard, Alexandros Constantinopoulos se présenta au dépôt du Palais de justice. Un homme en sortait. Avec dédain, le prince de Sagan fit voleter sa cape et s'éloigna, tête haute et front soucieux. Après avoir décliné son identité et présenté des papiers en règle, le Grec fut introduit au parloir des visiteurs où un gardien en uniforme, avec ses gendarmes-matons, incarnait l'ordre républicain. Comme les autres visiteurs, Alexandros Constantinopoulos prit place sur un banc. Peu de temps après, le jeune aristocrate fit son entrée sous bonne escorte. L'arrestation remontait à plusieurs jours. On était venu le cueillir à son hôtel particulier, au petit matin. Assis là, devant son ami, les joues couvertes d'une mousse blonde, les yeux cernés, il avait l'air d'un pigeon égaré au grand large. Par contraste, Alexandros Constantinopoulos affichait la solidité du cap Sounion. Le comte ne parut pas étonné de sa présence. Somme toute, il prenait sa mésaventure avec philosophie. À ceux de son monde, la vie réservait parfois de ces tribulations, révolutions et autres têtes coupées. Le présent épisode était une variation de l'histoire sur le mode comique. Le comte glissa une main dans ses cheveux. Cet orage-là aussi passerait, à quoi bon s'inquiéter?

— Qu'allez-vous faire?

L'autre haussa les épaules.

— Vous aurez croisé monsieur mon père, sans doute. Pour la première fois, on l'a autorisé à me voir. Il est très en colère. Quand sa fureur sera retombée, il voudra agir. On peut lui faire confiance sur ce point. Tout est-il dans les journaux comme il me l'a dit?

Le Grec opina. C'était le feuilleton du jour.

— Ce matin encore, on a remis ça. Avec le nom du juge d'instruction. Monsieur Dopffer, si je me souviens bien.

Le comte grimaça.

— Ma pauvre mère! Comme elle doit être mortifiée!

Depuis sa tribune, d'un geste, le gardien signifia la fin des visites et les uniformes se resserrèrent autour de leurs détenus respectifs. Alexandros Constantinopoulos eut le temps de promettre à son ami qu'il reviendrait demain. Chaque jour, s'il le fallait.

Dès lors, le prince de Sagan vit quotidiennement son fils dans le cabinet du juge Dopffer, dont la discrétion permettait d'atténuer le caractère pénible des rencontres. Il en allait autrement pour Alexandros Constantinopoulos, dans le parloir bruyant et sinistre. Malgré tout, les deux amis, à demi-mot, purent y cultiver une connivence qui, à la mi-mai, s'épanouit à la terrasse des cafés les plus chics.

Le prince de Sagan s'engagea à honorer les malheureuses traites. Les plaintes furent retirées, y compris celle de l'ancien comparse, Woestine, que l'appât du gain et la tutelle sourcilleuse d'une mère avaient affamé au point de provoquer l'affaire. Le comte Hélie de Talleyrand-Périgord se retrouvait donc sans associé. Ce jour-là, au Cardinal, le Grec saisit la balle au bond. Il avait besoin d'être conseillé pour certains placements. L'import-export avait ses hauts et ses bas. Il avait besoin de liquidités. Un banquier fiable et surtout discret. Avait-il quelqu'un à lui recommander?

L'œil du comte s'alluma.

— Titres? Diamants?

— Or, lâcha le Grec.

— Combien?

Il eut un sourire.

— Beaucoup.

La Banque Nugen, rue de la Paix, faisait asseoir ses visiteurs de marque dans des fauteuils profonds. Les deux hommes s'y enfoncèrent, tout en acceptant les fines offertes. La valise d'Alexandros Constantinopoulos pesait lourd, ce jour-là, et il ne fut pas mécontent de pouvoir la déposer à ses pieds, en lieu sûr. Son ami avait répondu par un air narquois au refus du Grec, un peu plus tôt, d'être aidé de quiconque pour la transporter. Rue de la Paix, quelques instants d'attente suffirent. Monsieur le comte! Quelle histoire! s'exclama le directeur, qui avait poussé la porte et lui ouvrait maintenant les bras.

6

Maître Sébastien Dumontier, patiemment, répéta les instructions tout en paraphant les documents. Debout devant lui, le garçon attendait. Brun, la tignasse fournie, rétive sous le peigne. Docilement, il répétait «Oui monsieur, bien monsieur», mais le notaire eut soudain l'impression qu'il n'avait rien compris à la tâche qu'il venait de lui confier. Un brave garçon, pourtant, que son père lui avait recommandé deux mois plus tôt et qu'il n'avait pas voulu décevoir. Un courrier paternellement reconnaissant avait suivi. Saute-ruisseau dans un cabinet de notaire de la capitale : y a-t-il meilleure situation pour un garçon sans fortune? Depuis peu, le jeune Lalancette portait donc les missives de l'étude des maîtres Dumontier et Fournel dans tout Paris. Il n'avait pas seize ans. Il s'exécutait avec zèle, non sans s'accorder quelques récréations qui prenaient souvent les traits de jolis minois aperçus sous les portes cochères. Maître Sébastien lui jeta un regard sévère par-dessus ses lunettes.

— Vous m'avez bien compris? Vous remettez ce pli à madame Mercier, rue des Minimes, près de la place Royale. Pas de flânerie. Je veux vous revoir dans une heure. C'est plus qu'il ne vous en faut. Filez maintenant.

Le commissionnaire dévala l'escalier où il croisa un bourgeois bien mis qui montait. Le coursier ralentit l'allure. Le gamin bredouilla un «Bonjour m'sieur», que le visiteur intercepta d'un signe de tête.

Arrivé sur le palier, l'homme s'immobilisa devant la plaque dorée de l'étude. Il hésita. Puis sonna. Un secrétaire, silhouette mince, larges favoris, sourire poli, vint lui ouvrir et confirma que maître Dumontier était à sa disposition s'il voulait se donner la peine d'entrer.

— Cher ami, quel plaisir de vous revoir! s'exclama le notaire. Lucien, débarrassez monsieur Constantinopoulos de ses gants et de son chapeau.

Le notaire introduisit le nouveau client dans son bureau, et la porte capitonnée se referma sur les deux hommes.

Alexandros Constantinopoulos sacrifia aux amabilités d'usage. Oui, il avait visité quelques monuments, rencontré des gens intéressants, il se plaisait beaucoup à Paris. Et comment vont les affaires, Maître Dumontier?

— Elles vont on ne peut mieux. Un troisième avoué se joindra peut-être à l'étude dans les prochains mois. Les discussions sont bien engagées. Nous verrons si elles aboutissent.

— J'en suis ravi, cher Maître. Et comment va notre petite affaire?

Le notaire sourit.

— Tout à fait bien. Je vous ai préparé quelques documents.

D'un geste sûr, il fit glisser une liasse sous les yeux du Grec qui se reportèrent aussitôt au total de la colonne de droite. Le reste fut parcouru rapidement.

— Douze pour cent, pas mal, murmura-t-il.

Le notaire approuva. Il avait bien travaillé, il le savait, tout comme il avait flairé dès le début une bonne affaire chez le Grec affable et laconique. L'enjeu était gros, sûrement. Maître Dumontier connaissait ce genre de situations et savait faire bonne impression. Lors de leur première rencontre à l'étude, Alexandros Constantinopoulos lui avait confié cent vingt mille dollars et un bon de cinquante mille francs payables au porteur. Pouvait-il en tirer rapidement quelque chose?

Le notaire avait proposé l'immobilier. Mieux encore, la Ville de Paris, qui venait d'émettre une nouvelle série d'actions pour financer d'ambitieux travaux de voirie. Une affaire sûre.

— D'accord. Mais voyez aussi la Compagnie du Canal maritime de Corinthe. Et je veux des mines. Pour commencer, au Transvaal. Vous m'obtiendrez du Lancaster West Gold Mining Company et, au Venezuela, de la Compania Minera Nacional El Callao.

Dumontier ne voyait pas mais s'était renseigné. Des placements risqués, réservés aux connaisseurs, et qui pouvaient être juteux. Il avait pris une option, que son client s'apprêtait à approuver. Le Grec leva les yeux.

— Je crois que nous pourrons nous entendre, cher Maître. Apprenez que je dispose de capitaux importants. L'import-export a ses hauts et ses bas, vous savez. Dieu merci, ces derniers temps, les hauts ont été plus nombreux. Je veux investir dans l'or. Exploitation et prospection. J'ai quelques noms de société en tête, mais je compte sur vous pour me dénicher les petits malins que personne ne connaît encore.

Le notaire esquissa un sourire entendu.

— Je dois pouvoir aussi poursuivre mes activités dans le commerce sans être sollicité par des poissons sans intérêt. Le négoce est une chose; la spéculation en est une autre. Il faudra bien distinguer les deux domaines, vous me comprenez? Et puis…

PROSPECTION. Un message de Nohog de Ventorx venait de faire irruption dans son esprit. L'Observateur répondait à sa requête acheminée quelques heures plus tôt.

Dans l'Oural, le gisement du Katchkar n'était pas encore découvert, confirmait-il, mais il existait bel et bien. Suivaient les coordonnées précises du placer.

— Quelque chose ne va pas, cher ami? s'inquiéta Dumontier.

L'homme d'affaires se ressaisit.

— Vous allez créer en mon nom une société anonyme, pour laquelle vous agirez en tant que fondé de pouvoir. Vous recevrez sous peu la mise de fonds initiale. Une somme importante. Une branche des activités de cette société consistera à prospecter les régions aurifères, où qu'elles se trouvent sur la planète. Voici une première concession à acquérir.

Les coordonnées topographiques transmises par Nohog furent reportées sur un feuillet à en-tête de l'étude, au bas duquel Alexandros Contantinopoulos apposa une date, suivie d'une signature.

Le notaire comprenait parfaitement. Une heure plus tard, la porte capitonnée s'ouvrit à nouveau, et les gants et le haut-de-forme retrouvèrent leur propriétaire. Le banquier Nugen ayant travaillé promptement et avec discrétion, les lingots d'or que lui avait confiés l'excellent ami grec de monsieur le comte de Talleyrand-Périgord furent changés, au taux légal de 290 mg pour un franc, en coupures qui totalisèrent huit cent cinquante mille francs. Cette somme fut remise en mains propres au notaire le lendemain.

Le même soir, Alexandros Constantinopoulos retrouva son ami le comte dans le salon de madame Leckfort, qui avait épousé une grosse fortune dans les chemins de fer. La conversation y fut brillante – comme elle l'est toujours, précisa son mentor –, et le Grec put nouer quelques relations utiles. Plus particulièrement, il n'oublia pas les deux mots échangés avec un richissime ingénieur suédois, que l'hôtesse avait introduit dans le cercle des invités, vers dix heures. L'homme avait fait son apparition, suivi comme une ombre par son conseiller juridique. L'ombre avait un nom : Carl Lindlagen. Mais celui qu'elle servait ne semblait plus avoir besoin de présentations.

— Le plus riche vagabond d'Europe se joint à nous! s'exclama plaisamment madame Leckfort en s'avançant au bras de son invité.

Alfred Nobel protesta : quelques intérêts çà et là, oui, mais avant tout beaucoup de soucis. Les deux hommes plurent à

Alexandros Constantinopoulos qui se promit de les revoir à son retour de Bruxelles.

Quelques jours plus tard, Long-John Williamson descendait en gare du Midi, du train Paris-Bruxelles, avec l'adresse d'Élisée Reclus en poche. Sous l'identité de Constantinopoulos, il avait obtenu le renseignement de l'ami Vignol qui avait un pote dont le cousin avait été mis au frais pour s'être fait pincer avec un engin – filière efficace, sans contredit. Mr. Williamson voulut s'annoncer par un bristol. Américain, métis, *self-made-man* : le visiteur avait tout pour intriguer le géographe qui ne fit aucune difficulté pour le recevoir le lendemain, dans le petit jardin de la maison qu'il habitait à Ixelles. C'était un frais matin de juin. Le métis était ému quand il sonna à la porte d'Élisée Reclus.

La maison était minuscule et encombrée de livres. Les deux hommes la traversèrent sans s'arrêter et, sur un signe de son hôte, Long-John Williamson prit place sur la seconde chaise du jardin. Élisée Reclus avait le front haut, un regard pénétrant qui plongeait dans celui de son interlocuteur. Le métis remarqua la redingote élimée, les poils sur les phalanges et une tache de graisse sur le plastron de la chemise. L'homme souriait.

— Café ?

Le visiteur accepta. Son hôte disparut à l'intérieur et ce n'est qu'au retour que la conversation s'engagea pour de bon.

Long-John Williamson commença par étoffer la présentation esquissée la veille sur sa carte. Élisée Reclus parut intéressé. Il ne chercha pas à connaître la nature du commerce qui avait si bien réussi au visiteur du *Nouveau Monde*, mais il l'interrogea longuement sur l'Oregon, en insistant sur la description des lieux. Les habitations étaient-elles nombreuses sur la réserve ? À quelle distance se trouvait Vancouver ? S'agissait-il d'une grande ville ? Les rivières étaient-elles navigables ? Long-John Williamson s'efforça de satisfaire sa curiosité, en n'oubliant pas de préciser qu'il avait grandi en ville, avec une mère nez-percée, et que sa connaissance du monde indien présentait par conséquent quelques lacunes.

— Qu'importe, répliqua son hôte. Vous venez de là-bas, et cela me suffit. La diversité humaine m'étonnera toujours.

Reclus ajouta qu'il avait séjourné en Amérique quarante ans plus tôt, plus précisément en Louisiane, à la plantation Fortier, où il s'était fait embaucher comme précepteur.

Au fond des tasses, le café avait refroidi. Un silence suivit, que le géographe rompit en complimentant l'étranger sur sa maîtrise de la langue française.

— Et qu'attendez-vous de moi? demanda Reclus.

Long-John Williamson inspira profondément.

— Une part de moi est blanche, une part de moi est indienne. Je ne l'oublie pas. Mes affaires sont florissantes. Une part de moi aime le commerce, une autre se veut philanthrope. Je ne l'oublie pas non plus. Je me suis intéressé à votre doctrine – son interlocuteur protesta avec modestie – dès le moment où j'ai appris son existence. Mais beaucoup de points me paraissent encore obscurs ou contradictoires, et vous pourriez m'éclairer. Pourquoi les bombes, par exemple?

Deux plis barrèrent le front du géographe.

— Cette question me préoccupe aussi. La violence est parfois nécessaire pour protéger les plus faibles. Si on attaque un enfant sous mes yeux, je dois pouvoir réagir violemment pour le défendre. Et il m'est arrivé de prendre les armes, parce que les circonstances l'exigeaient.

Long-John Williamson hocha la tête. L'épisode de la Commune? Il en avait entendu parler. Son vis-à-vis reprit.

— Les bombes, c'est autre chose. Leurs cibles sont trop aléatoires pour que j'approuve ce moyen.

Il chiffonna le journal posé sur la table.

— Le mouvement anarchiste fait appel à la part idéaliste de chacun. Mais les forces d'oppression sont si puissantes que certains veulent y répondre par une violence tous azimuts pour mettre au plus tôt la société sur la voie du progrès et de la justice. C'est une erreur. La violence appelle la violence, et tout est à recommencer. L'oppression redouble. Les bombes aussi. C'est un cercle vicieux.

— Tout se réduirait donc à un rapport de force? interrogea le métis, que cette perspective ébranlait.

— Sans doute, si chacun ne pense qu'à ses intérêts. Mais avec un peu de recul et beaucoup de raison, la société peut accéder à un autre stade. Ainsi elle peut vouloir mettre ses efforts dans l'éducation de tous les hommes, quel que soit leur rang, leur sexe ou leur race. C'est ce que notre Université… – on vous aura expliqué, je suppose?

Le métis acquiesça.

— … s'efforce de faire, même si, dans l'immédiat, notre action ne concerne que quelques privilégiés. Une société juste peut demander à la terre de nourrir tous ses enfants, dans le respect de ses ressources et de ses rythmes naturels. Elle peut vouloir construire des villes humaines, et que le travail ne soit plus une malédiction. Enfin, elle peut faire en sorte que l'autorité ne soit pas l'apanage de quelques-uns, mais que chacun reçoive sa part.

Long-John Williamson se rappela la marge de liberté laissée aux membres du clan par les chefs nez-percés dans l'exercice de leur autorité. À son tour, et oublieux de son vernis citadin, il expliqua le mode de gouvernement de la tribu. Les décisions des chefs n'engageaient qu'eux-mêmes, laissant chaque guerrier libre ou non de les suivre dans cette voie. Chacun pouvait se retirer de la bataille quand il était fatigué, partir à la chasse quand il avait faim, s'éloigner du camp quand il en avait envie. Élisée Reclus était ravi.

— Le gouvernement des Nez-Percés semble avoir du bon. Nos sociétés feraient bien de s'en inspirer sur certains aspects.

— Mais l'école, l'éducation, tout cela prend du temps, objecta le métis. Quand la société juste née de votre doctrine se mettra-t-elle en place? Dans dix ans? Dans deux siècles? Dans cinq cents ans?

La question n'était pas seulement précise, elle était primordiale pour Long-John Williamson. Pourtant la réponse qu'il reçut demeura évasive. L'éducation, répéta Reclus, est la clef de tout. Un prolétariat éduqué fera évoluer la société et, pacifiquement, obligera la bourgeoisie à partager le pouvoir.

Le métis avait lu les écrits de Karl Marx, et s'il en reconnaissait certains termes dans la bouche de Reclus, il savait que les deux doctrines différaient sur plusieurs points.

— Pour les anarchistes, l'individu est ce qui importe, confirma Reclus, comme s'il avait lu dans ses pensées. Plus que les masses. Car un seul homme peut changer le cours de l'histoire, pourvu qu'il y applique sa raison et son intelligence.

Long-John Williamson fixa son interlocuteur. Était-ce un hasard si les mots de la quakeresse résonnaient entre ces murs aussi? Trois heures avaient passé à leur insu, et midi sonna au clocher d'une église. Il fallait partir. Élisée Reclus se leva.

— Me ferez-vous l'honneur, monsieur, de partager mon omelette? C'est tout ce que j'ai à vous offrir, et c'est de bon cœur.

Dix jours plus tard, l'Université nouvelle de Bruxelles emménageait dans de nouveaux locaux, plus vastes, mieux éclairés, mieux aménagés. L'argent manquait toujours pour rémunérer les professeurs, mais un don important et anonyme avait permis de mettre sur pied la Faculté des sciences et l'École de médecine. Ces deux dernières Facultés s'ajoutaient à celle de droit, créée précédemment. Les inscriptions affluaient. Une génération, avait expliqué Élisée Reclus à son hôte, au moment de prendre congé, correspond à trente années. Trois ou quatre générations de têtes bien faites, avait-il conclu avant de lui serrer la main avec chaleur, et, j'en suis persuadé, un homme nouveau habitera la Terre.

7

Mountain fit appel à la technique devenue familière. Il se concentra sur Nohog, ferma les yeux, la pièce disparut. La console de l'entrée, avec les carafes posées dessus, les lustres, le papier peint à rayures, le récamier où nul ne prenait place, tout s'évanouit, jusqu'à la grande baie vitrée donnant sur le lac de Neuchâtel. À Estavayer, sur la rive opposée, un bateau blanc déposait les passagers embarqués à Concise, mais nul ne pouvait soupçonner la présence de Mountain dans le grand living de son nid d'aigle. Tout au plus les villageois de Concise pouvaient-ils apprécier de temps à autre la compagnie du richissime Grec qui vivait parmi eux depuis une douzaine d'années.

Il était fatigué. Les événements des dernières semaines avaient donné à sa mission un tour inquiétant, et il n'avait que Nohog à qui parler. Son rapport serait sans doute plus long que d'habitude et ne lui apprendrait rien qu'il n'eût déjà observé dans l'holoviv, tant pis. L'Observateur comprendrait.

La mort d'Alfred Nobel me peina, commença-t-il, moins cependant que la querelle qui eut lieu à l'ouverture du testament. Je n'étais pas présent dans le bureau du notaire, mais la scène fut rapportée dans les journaux, dans tous ses détails. J'estime qu'Alfred Nobel avait parfaitement le droit de prendre ses dispositions. C'était sa fortune, après tout, amassée de toutes pièces grâce à son travail. Et comme je le comprends de ne pas avoir voulu être associé à la seule invention de la dynamite. Ses héritiers n'étaient que des neveux, et l'oncle ne les avait pas complètement oubliés dans son testament, même si l'étendue de sa fortune avait pu leur donner d'autres espérances.

J'ai fait ce qu'il fallait. J'ai revu maître Lindlagen, son bras droit. Celui-ci était en rapport étroit avec les exécuteurs testamentaires. Alfred Nobel avait beau avoir prévu une somme à cet effet, il était loin de penser que les frais seraient aussi élevés et la contestation aussi violente. J'ai donc veillé à ce que l'argent ne soit pas un problème. Et grande fut ma joie quand les premiers lauréats furent connus. C'était en 1901, cinq ans après la mort d'Alfred Nobel. Je n'ose imaginer le temps qu'il aurait fallu si je ne m'en étais pas mêlé.

Et puis il y a eu cette femme admirable, Bertha von Suttner. Alfred Nobel était mort depuis trois ans quand je l'ai connue, et la querelle des héritiers venait tout juste de s'apaiser. Notre rencontre a eu lieu en 1899, à La Haye, à l'occasion de la Conférence pour la paix que Nicolas II avait réussi à mettre sur pied, malgré tous les obstacles. La communication de la baronne avait été un modèle de fermeté et de dignité. J'entends encore sa voix résonner sous les hauts plafonds de la Maison royale du Bois : «Je songe à créer un prix pour la paix, m'a écrit un jour Alfred Nobel, car je vois tous les efforts que vous faites et l'énergie que vous déployez pour éteindre les multiples foyers d'incendie qui s'allument en Europe et ailleurs. Je veux apporter ma contribution à cette entreprise.»

Nous étions nombreux à La Haye, durant les deux mois que dura la Conférence, à croire sincèrement en la paix. Dehors, on pouvait bien nous traiter de fous dangereux, d'antipatriotes, de rêveurs, la raison était de notre côté. De manière informelle, j'ai rencontré là les délégués de pays comme la France, le Royaume-Uni, la Hollande, la Belgique, l'Allemagne, l'Italie, la Chine et les États-Unis. La Conférence n'était pas la première du genre et je savais qu'il y en aurait d'autres. Serait-ce suffisant pour que les esprits cessent de voir la guerre comme une nécessité et la paix comme une faiblesse?

J'ai assisté aux travaux des sous-commissions et mesuré avec quel soin l'on s'efforçait de baliser les futurs conflits. Cette Conférence, a fait remarquer un président de séance, n'a pas été convoquée en vue de mettre fin à une guerre par un traité, mais l'a été en vue de prévenir de futurs affrontements. N'était-ce pas paradoxal, me disais-je, et réjouissant pour l'avenir de l'humanité, que la guerre, qui est par essence l'explosion des passions, soit ici posément régulée dans ses débordements? Tous les sujets, depuis les soins médicaux à assurer aux soldats et le ravitaillement des populations civiles jusqu'à l'armement des navires marchands et l'appel à la trêve, furent abordés. J'assistais à la victoire du droit sur la force. Chaque intervention était précédée du nom de l'orateur. Et j'arrivais mal à dissimuler ma fierté quand je pouvais mettre un visage sur certains des délégués ayant fait l'objet, quelques mois plus tôt, d'ambassades efficaces, comme j'en avais maintenant la preuve. La filière que j'avais mise au point produisait ses effets. Ces interventions, ces amicales pressions, ces mémoires instructifs émanaient d'organisations pacifistes ayant pu bénéficier, au bon moment, des ressources que procure la conversion du métal jaune en espèces sonnantes et trébuchantes. Mon plan fonctionnait comme prévu. La rencontre de La Haye était peut-être une goutte d'eau dans la déferlante pacifiste que je voulais voir un jour s'abattre sur les États, mais elle pouvait jouer un rôle précurseur et, qui sait? déterminant.

Dans l'immédiat, je ne chômais pas. J'étais peut-être le seul à connaître la véritable échéance donnée à l'humanité, mais aucun des délégués présents ne perdait de vue les objectifs de la rencontre. Voilà pourquoi j'ai applaudi quand fut instauré un tribunal d'arbitrage international chargé de résoudre les différends nationaux de manière non violente. N'était-ce pas un premier pas, de loin plus concret que tous les vœux pieux échangés dans les officines et les salons? Bien sûr, il restait à s'assurer de la mise en pratique de ces mesures. Je n'ai pas cessé, Nohog, d'y veiller en coulisse depuis, et par les mêmes moyens.

Ne serait-ce que pour la création de ce tribunal, la préparation de la Conférence valait les cinq années d'efforts consentis en sous-main, ainsi que les bénéfices engloutis d'une bonne dizaine de gisements aurifères. Celui du Transvaal paraissait inépuisable et rapportait gros. Il m'a permis de consolider mes avoirs en Côte-de-l'Or et en Australie. Mes revenus se diversifiaient, et la valise, qui pourvoyait aux besoins courants, me suivait partout, y compris à La Haye.

Après sa communication, je me suis présenté à la baronne von Suttner. J'ai été frappé par son regard et l'éclat d'une beauté que le temps avait juste un peu empâtée. À Paris comme dans les autres grandes villes européennes, tout le monde semblait avoir lu son roman, *À bas les armes!* Bertha von Suttner m'a parlé avec humour de la *Neue Freie Presse*, qui lui coupait ses comptes rendus de la Conférence, jugés trop longs une fois sur deux. N'est-ce pas frustrant, monsieur... comment avez-vous dit? Constantinopoulos? d'être entravée sur des sujets aussi essentiels?

Un certain Louis Renault s'est alors approché, juriste au sein de la délégation française, comme je devais l'apprendre par la suite. Lui aussi m'a fait excellente impression. Décidément, ce monde dont je devais impérativement changer le cours semblait animé de bonnes volontés qui auguraient bien de l'avenir, quoi qu'en dise le synchre, Nohog... Ou alors c'est que toutes les bonnes volontés s'étaient donné rendez-vous à La Haye, et seulement là. J'ai compté. Nous étions une centaine.

J'ouvre les yeux, Nohog, et il se peut que la transmission s'en trouve affaiblie. Ce n'est pas plus mal. Je sais que je ne t'apprends pas grand-chose de nouveau, mais ordonner mes pensées me fait du bien. Il m'arrive, comme en ce moment, de songer à ma femme et à mes enfants qui vivent au ranch, là-bas, dans l'ignorance de toute cette histoire, et alors ma solitude me pèse un peu. Sait-on assez à Xall à quel point l'être humain a besoin de la compagnie de ses semblables?

Toute cette histoire, c'est d'abord cette propriété en Suisse, trop grande pour un seul homme, j'en conviens, mais qui doit en imposer pour tenir à distance les importuns. Au village, personne n'oserait s'aventurer jusqu'ici, même depuis le lac. Et je sais que monsieur et madame Lanson me sont tout à fait dévoués ou, plus justement, qu'ils le sont à leur patron grec, qui doit s'absenter pour affaires pendant de longues périodes et a besoin de personnel de maison pour assurer l'intendance.

Car étranger je demeure pour les gens du canton, en dépit d'une citoyenneté suisse acquise à prix d'or, avec force libéralités, bien que tout ce qu'il y a de plus régulières. Voilà près de trois ans que j'ai un passeport helvète. Le fait ne change rien pour les habitants de Concise. Du reste, pourraient-ils avoir la même conscience du temps que moi qui vis les yeux rivés sur le prochain siècle? Grâce à l'Aliment, mon corps semble arrêté dans sa jeunesse. En d'autres circonstances, j'en aurais tiré vanité, mais maintenant je n'y vois qu'une façon de parvenir à mes fins, au même titre que l'or. Et plus j'avance, plus je mesure les difficultés d'une entreprise dont il n'est pas sûr que jeunesse et richesse viendront à bout.

Quand le notaire Dumontier a mis la main sur cette propriété, j'ai su tout de suite qu'elle conviendrait à la situation. D'emblée, j'ai aimé la longue allée de peupliers conduisant à la maison, le bosquet de sapins derrière la colline. Et je me souviens d'avoir pensé que tu aurais apprécié, Nohog, cette façade, construite au début du siècle dans un style qui rappelait Palladio. Le précédent propriétaire était un banquier de Zurich qui souhaitait se rapprocher de ses occupations. J'ai pris tout tel quel, meubles, tapis, voilages. La sondine n'a eu qu'à aménager la loge-relais, dont le site s'est imposé de lui-même. Personne, à moins d'être un gamin casse-cou, ne se risquerait à l'intérieur d'une bergerie désaffectée qui menace ruine. Et je me garde bien d'enlever les broussailles qui prolifèrent et cachent la vue à d'éventuels promeneurs. En Suisse, la propriété privée est chose sacrée. Les randonneurs empruntent les sentiers communaux, et aux gamins casse-cou, j'ai aussi pensé, comme tu sais.

Le leurre holoviv fonctionne très bien, et le verrou est résistant à toute intrusion. Il m'arrive de sourire à la vue de cette cabane qui ne paie pas de mine. Mais il suffit que je m'avance pour que mon génotype modifie la perspective au-delà du rideau de broussailles et m'introduise dans la loge-relais. Jadis, Nohog, tu as déployé des trésors de pédagogie pour élargir ma vision. Mais apprends qu'un être humain sera toujours émerveillé par autant d'ingéniosité, et le fait qu'elle soit de routine pour des êtres comme toi ne change rien à son caractère fabuleux.

Parfois, pour combattre l'ennui d'être éloigné des miens, il m'arrive d'imaginer la tête qu'aurait faite Henri Dunant devant la loge-relais. Comme il a multiplié les inventions pendant toute sa vie, il aurait apprécié la prouesse à sa juste valeur, je crois.

Quand je l'ai connu, on était en train d'oublier que le Comité international de la Croix-Rouge s'était d'abord appelé le Comité international de secours aux blessés et que Henri Dunant était son instigateur. La baronne von Suttner m'avait parlé de lui avec chaleur, comme d'un habile et infatigable pacifiste. En 1863, n'avait-il pas réussi à abuser quatorze chefs d'État pour mieux les enrôler sous sa bannière? Quel culot. Il les invitait à Genève pour discuter de la neutralité des médecins militaires en temps de guerre. Sa démarche avait reçu l'appui du comte d'Eulenburg, alors ministre de l'Intérieur du royaume de Prusse. Le roi Jean de Saxe appuyait également son initiative. Et aussi l'archiduc Renier d'Autriche. Aucun de ces appuis n'était réel, mais comment ne pas être du côté de la vertu? Les chefs d'État ont répondu positivement à l'invitation et la conférence de Genève a pu avoir lieu. La baronne von Suttner approuvait cette ruse. La fin justifie les moyens, disait-elle, et j'étais tout à fait d'accord.

Quand on a mentionné le nom de Dunant devant moi pour la première fois, c'était à La Haye, et l'homme émergeait de vingt années de vicissitudes. Le Crédit Genevois, dont il était l'un des administrateurs, avait déposé son bilan. Dunant avait dû démissionner du Comité international de secours aux blessés qu'il avait fondé après avoir vu mourir des milliers de soldats en Italie, faute de soins. Français, italien, autrichien : un soldat blessé n'est plus qu'un homme qui a besoin d'aide, avait-il écrit dans *Un souvenir de Solferino*. Le récit avait bouleversé l'Europe.

— Où habite-t-il maintenant? ai-je demandé à la baronne, qui pendant tout ce temps ne lui avait jamais retiré son estime.

— À Heiden, dans une sorte d'hospice dont il ne sort guère. Mais il refusera sûrement de vous rencontrer sans un mot d'introduction de ma part.

Je suis allé le voir. De l'autre côté de la cloison, j'ai entendu vociférer : Qui êtes-vous? Que me voulez-vous? Êtes-vous journaliste?

Ma réponse à cette dernière question n'a pas eu l'effet escompté. Au contraire, c'était bien parce que je n'étais pas journaliste qu'il s'apprêtait à me claquer au nez une porte à peine entrebâillée.

— Monsieur Dunant, je viens de la part de la baronne von Suttner.

J'ai poussé la porte, lui ai mis la lettre de la baronne sous le nez. Une fois à l'intérieur, j'ai trouvé un vieillard rose et malicieux, que ses déboires avaient juste un peu aigri. Ses réticences ayant fondu à la lecture du mot d'introduction, nous avons discuté. Il m'a montré les articles qu'il faisait paraître dans les revues pacifistes autrichiennes où son amie l'introduisait. Il y défendait en franc-tireur des points de vue raillés par la majorité, comme l'égalité juridique et sociale de la femme et la paix entre les nations. J'ai regardé plus attentivement cet homme aux cheveux blancs, à la barbe bien coupée. Il émanait de sa personne une opiniâtreté mise au service d'idées encore peu répandues, mais dont l'avenir, affirmait-il, prouverait le bien-fondé et le réalisme. Un seul homme, a-t-il répété durant notre entrevue, pouvait changer le cours du monde, s'il faisait appel à sa raison, en toute humilité.

La phrase m'était familière. Je n'étais pas sûr de l'humilité d'Henri Dunant, mais sa manière de raisonner me plut. Aussi n'ai-je pas du tout été étonné quand, deux ans plus tard, le gouvernement norvégien lui a attribué le premier prix Nobel de la paix, et je me suis réjoui de le savoir alors à l'abri du besoin. Juste avant mon départ, il m'a montré un appareil jeté négligemment dans un coin. Des fils pendouillants, un usage incertain. Devant mon air dubitatif, il a expliqué qu'il s'agissait d'une machine chauffante et éclairante. Ah bon. Celui-là aurait été sans doute du genre à aimer les voyages supraluminiques.

Mais cela restera spéculation. Moi, je n'oublie pas ma franche panique lors de mon premier voyage, et je suis curieux de savoir comment un autre être humain aurait réagi à ma place. Les découvertes scientifiques et techniques sont nombreuses à notre époque. Pourtant, le mode de déplacement que je m'apprêtais à faire subir à mon corps n'avait rien à voir avec un voyage en aéroplane. Tout est au point, me disais-je, pour me rassurer. L'échantillonneur, le fil de lumière, le coopteur : tout a été vérifié des milliards de fois. Mais la trouille que j'avais! Je me répétais le schéma en pensée : au ranch, en Pennsylvanie, la loge-relais américaine; à Concise, la loge-relais du Vieux Continent; et tout en haut, invisible, inaltérable, d'une efficacité éprouvée, la sonde construite des millions d'années avant ton arrivée dans le système, Nohog.

La maîtrise du processus ne m'empêchait pas de me sentir comme un tas de molécules sur le point d'être désintégré. Mais j'étais partant. Seul le voyage-éclair me permettait de régler le problème des déplacements géographiques, en ce début du siècle, et de mener de front une double vie pendant la durée de ma mission. Qui est prêt à mourir pour cela, même pendant une fraction de seconde? L'être humain est peu de chose, Nohog, 10^{28} atomes tout au plus, mais comme il tient à ce peu. Je n'oublierai jamais mon soulagement la première fois que je me suis tâté, une fraction de seconde plus tard, en Pennsylvanie, à six mille trois cent soixante kilomètres de Concise – j'ai fait le calcul –, pour constater que mon tas de molécules était parfaitement reconstitué.

Le système m'a permis d'aller et venir sans encombre entre mes identités. Finalement, cette existence me plaît, malgré quelques moments de découragement. C'est qu'au départ le pari de mener la vie de tout le monde, malgré ma mission, était loin d'être gagné. Quelle femme aurait voulu fonder une famille avec un mari absent la moitié du temps? Et quel mari, quel père, rendu éternel jeune homme grâce à l'Aliment, accepterait de voir vieillir les siens sans états d'âme? Pour le moment, l'écart entre mon âge et mon apparence n'est pas trop gênant. Mais il me faudra bien fournir un jour une explication à mon entourage.

8

Permets-moi de poursuivre, Nohog. La première fois que je suis revenu en Amérique, après mon départ à bord du *Maria-Helena*, cinq années avaient passé. À peine le temps pour toi de remuer un filament, mais il en allait tout autrement pour la femme à qui j'avais promis de donner des nouvelles et qu'il me fallait maintenant reconquérir, puisque des nouvelles, j'avais négligé d'en donner.

D'abord, Jennifer McAuley a refusé de me recevoir. Puis elle m'a giflé devant tout le monde, quand elle m'a trouvé en train de l'attendre devant la bibliothèque municipale. J'ai souri; sa colère a redoublé. J'ai regardé celle qui se tenait devant moi, frémissante d'indignation. Elle avait mûri. L'adolescente timide de Chicago s'était transformée en jeune femme sûre d'elle. Elle coiffait ses cheveux différemment, plus savamment, on aurait dit, et ses yeux brillaient d'un éclat sombre que je ne lui connaissais pas. Son pas était résolu. J'ai à faire, m'a-t-elle asséné en même temps que la gifle, et elle m'a tourné le dos. Je l'ai regardée s'éloigner. Je me suis renseigné. Elle avait dit vrai. Elle était très active à la Ligue de défense des droits civiques des Noirs de Philadelphie. Cela m'a plu.

J'ai modifié mon approche et demandé à être reçu par sa tante. À Chicago, celle-ci m'avait fait bonne impression, et tout indiquait que ce sentiment avait été réciproque. Cette flatteuse opinion avait-elle résisté à mon silence? Il fallait me comprendre. J'avais dû jeter les bases de mon action. Pouvais-je entretenir une flamme à distance? Pour compliquer le tout, je ne pouvais en rien me justifier. J'étais confiné au rôle de l'ingrat au cœur sec.

Et maintenant je voulais me marier. Quand j'ai lâché le mot devant la tante Amy, celle-ci a regardé l'horizon par la fenêtre du grand salon.

— Vous venez trop tard, Mr. Williamson. Jennifer est fiancée depuis un an. Le mariage se fera au printemps, puisque rien ne s'y oppose. Ma nièce est très éprise. Et le futur époux est issu d'une de nos meilleures familles.

J'ai encaissé le coup et pris congé, sans pouvoir me résoudre à quitter la ville. J'ai laissé l'hôtel pour une demeure plus confortable. J'ai établi un plan de reconquête. Le plus urgent était de convaincre la tante de ma sincérité, car amoureux, je l'étais bel et bien. Un exobiologiste peut-il comprendre un sentiment aussi étranger, Nohog? Jennifer McAuley ne quittait pas mes pensées. Je la voyais en train de m'expliquer les mérites de Mr. Penn, ou de dessiner dans l'air d'un doigt amusé les manœuvres des faux gondoliers de Chicago, ou de me gifler avec sa petite main brûlante. Je ne veux plus vous revoir! Je me fiche de savoir ce que vous êtes devenu!

Mais alors pourquoi me frappait-elle?

J'ai essayé les cadeaux. Fleurs, livres, bijoux, elle a tout renvoyé illico, sauf l'édition anglaise des *Souffrances du jeune Werther*, dénichée chez un libraire de New York. J'en étais bien malheureux, et un jour que je broyais du noir plus que de coutume, je suis sorti pour marcher dans les rues de cette ville maudite. Je marchais au hasard sans lever les yeux de la pointe de mes bottillons. Il soufflait un vent mauvais, comme de juste. Les dernières feuilles de l'automne 1898 tombaient dans la plus complète indifférence et le vent emportait les morceaux de mon cœur brisé. Tu m'auras vu, alors, Nohog, tu te seras inquiété. Pourtant tu ne pouvais rien faire.

Tout à mon chagrin, je n'ai pas vu qu'elle remontait la rue en sens inverse. M'a-t-elle aperçu? Je l'ignore. Ce que je sais, c'est que nous sommes tombés dans les bras l'un de l'autre. Cette fois, pas question pour moi de la laisser partir, et pas question pour elle de me quitter brusquement. Et voilà pourquoi il existe aujourd'hui, à Philadelphie, un homme qui me hait, quel bonheur.

Miss Jennifer McAuley a rompu ses fiançailles pour m'épouser, Nohog. Peux-tu imaginer ma joie, toi qui ignores les chagrins d'amour? Restait un point délicat à régler. Il le fut dans un salon de thé de la rue Fitzwater. L'après-midi touchait à sa fin. Il y avait de la buée sur les carreaux, et la chaleur du poêle, après notre longue promenade dans le froid, avait plongé ma fiancée dans un engourdissement qui faisait plaisir à voir. J'ai saisi sa main.

— Quand nous serons mariés, je serai souvent absent pour mes affaires. Il ne faudra pas m'en vouloir, ni m'interroger à ce sujet. Mais vous avez ma parole que mes activités sont honnêtes. De plus, je serai un mari fidèle et, je l'espère aussi, un père aimant, le plus rapidement possible.

Je caressais le dos de sa main. Elle restait silencieuse.

— Et puis, vous ne manquerez jamais de rien, cela aussi, je vous le promets.

Elle a posé sur moi un regard perplexe. Ces demi-vérités me coûtaient, mais pouvais-je faire autrement? Je n'ai mentionné le voyage à Paris qu'après qu'elle m'eut donné sa réponse.

Tu nous as vus sur le paquebot, Nohog? Nous sommes arrivés à Paris au printemps 1900, un an après la Conférence de la Haye et juste à temps pour l'ouverture de l'Exposition universelle, comme je le lui avais promis. Durant leur voyage de noces, Mr. et Mrs. Williamson sont descendus à l'hôtel des Grands Hommes, près du Panthéon. J'étais si heureux que je n'ai eu aucun mal à oublier Alexandros Constantinopoulos remontant naguère ces rues que je faisais mine de découvrir avec ma jeune épouse.

Pourtant, c'est bien sous cette identité qu'il me fallait maintenant rencontrer le notaire Dumontier afin de faire le point sur nos affaires en cours. L'échappée dans Paris n'était pas sans poser quelques problèmes logistiques qui n'avaient rien d'insurmontable, à condition de bien contraster les vêtements, la coiffure et les manières. Et puis le jeu m'amusait.

À Paris, je me plaisais à être plus Indien qu'en Amérique, car j'avais vu l'effet simplement produit par le mot. Mon teint cuivré, mes pommettes saillantes, ma veste en peau allumaient un éclat sauvage dans les yeux des Parisiens. Derrière moi, à perte de vue, s'étendaient de grands espaces qui éclipsaient tous les sixièmes sans ascenseur, les remugles de pissat dans les cours d'immeuble et les ifs trop bien taillés des jardins.

Mon épouse n'était pas dupe. Tu en fais trop, me disait-elle, quand elle me voyait jeter une étole en perles sur mon pardessus.

Et moi qui croyais avoir fait preuve de retenue en réservant le grand pectoral de Lone Bird pour la garden-party de l'ambassadeur. Ma femme avait reçu une invitation d'un compatriote, commissaire de l'exposition nègre qui faisait alors courir le Tout-Paris. J'étais réticent à m'y rendre, craignant d'y croiser des visages familiers. Mais Jennifer s'en faisait à l'avance une telle fête que j'ai cédé à son insistance, en me disant que le pectoral agirait comme un écran de fumée.

L'ambassadeur américain connaissait les usages. De longues tables dressées sur des tréteaux accueillaient d'imposants bouquets qui voisinaient avec de vertigineuses pièces montées et des plateaux débordant de fruits. Le champagne jaillissait d'une fontaine en argent repoussé installée à l'écart, sous une treille. Les épaules étaient nues, les émeraudes portées en sautoir et les gilets de soie rivalisaient de finesse.

Une créature s'est ruée sur moi.

— Ainsi vous êtes Peau-Rouge?

L'élégante avait glissé dans ses cheveux une plume de paon dont la longueur et les ocelles auraient impressionné Sitting Bull lui-même. Prudemment, j'ai esquissé une explication des sangs mêlés qui a paru divertissante. Rires menus. Propos légers. Deux heures ont passé ainsi. Des majordomes ont apporté des plats aux cochers qui attendaient leurs maîtres sur l'avenue, tout en bavardant. Soudain la foule s'est mise à me peser. Y avait-il seulement un endroit désert par ici? Dans la cour peut-être?

Comme je passais devant le vestiaire, j'ai surpris le clin d'œil complice d'un groom. Petit, le museau vif, il portait son képi bas sur la nuque. Après avoir décoché des œillades suspicieuses à droite et à gauche, il s'est fendu d'un rire.

— Alors Midas, quoi de neuf? Tu m'as l'air attifé pour un gros coup?

Il s'est approché.

— J'ai vu ta mignonne, tout à l'heure. Bon choix.

Un couple s'avançait, âgé, digne. Hubert Vignol se raidit.

— Si monsieur a besoin de quoi que ce soit d'autre, je suis au service de monsieur.

Vignol était une bonne idée. Dans les études et les salons, la cause était entendue avec des gens comme Dumontier et Périgord. Mais je me devais d'avoir aussi quelqu'un sur le terrain. Deux jours plus tard, et sans avoir eu besoin de changer d'identité cette fois, j'ai retrouvé mon escroc au fumoir du Bouillon Chénier. Dix minutes ont suffi à nous mettre d'accord, y compris sur la somme. Loyal, roi de la débrouille, des entrées dans tous les milieux, curieux des autres, discret sur celui qui le payait : pouvais-je espérer meilleur homme de main? Avec Vignol, j'ajoutais une pièce à mon plan que j'étais confiant de réussir. Mon optimisme n'a pas eu de raison d'être tempéré dans les années qui ont suivi, alors que j'ai vu s'accroître le nombre de groupes pacifistes financés en sous-main. Ce n'est que récemment que se sont multipliés les signes alarmants quant à la portée réelle de leur action. Entre-temps, j'avais mis au point une manœuvre sûre. Le philanthrope repérait les bonnes causes en mal d'argent. Le financier avait le chic pour dénicher les bonnes affaires. Bientôt, mon flair des gisements et des investissements n'étonna plus maître Dumontier, trop heureux de se voir confier un portefeuille aussi lucratif. Après quoi, il ne s'agissait plus que de trouver une façade pour que le philanthrope puisse dépenser l'argent du financier. Avec constance, avec précision, tu as répondu à chacune de mes questions, Nohog, et je n'oublie pas tout ce que te doit mon sixième sens, comme on a dit. La terre contient beaucoup d'or. Il m'a suffi de savoir où creuser avant tout le monde.

Obtenir les concessions, explorer, trouver, exploiter, j'étais présent sur tous les fronts. Que ce soit au Colorado, en Alaska, en Australie, en Inde, et même à Rossland, au Canada, presque à la verticale de ton antre. Dernièrement, ma société d'exploration basée à Pretoria a découvert le gisement du Far East Rand. Je savais qu'il serait très fécond. Beaucoup plus que celui de Homestake, au Dakota. Mais le gisement des Black Hills me tenait à cœur, car la mine était située dans les montagnes sacrées des Sioux. En m'appropriant toutes les parts disponibles, j'avais le sentiment d'honorer la mémoire de Sitting Bull et de son peuple. Des prête-noms sur tous les continents dirigeaient les opérations au sein de sociétés-écrans. De savants montages financiers acheminaient l'or et les bénéfices vers des banques de transit, et ensuite jusqu'à mes banques suisses : la Schweiznationalbank, la Zürcherdepositenbank, la Kreditbank Winterthur, le Crédit Foncier Suisse.

À mesure que Constantinopoulos bâtissait son empire, le recours au coopteur pour assembler le minerai s'est révélé moins nécessaire, sans toutefois devenir inutile. C'est que les bonnes causes sont légion. La plus grande fortune n'y suffirait pas. Pour éviter de me disperser, je jugeais chaque opportunité à l'aune pacifiste. En dernier recours, n'était-ce pas ce qui changerait la donne? Des nations durablement pacifiées trouveraient intolérable la violence faite à l'individu, à la nature, aux espèces animales, et seul ce changement des mentalités pouvait infléchir l'autodestruction programmée de l'espèce. La réalité se charge maintenant d'apporter un démenti à mes espoirs. Comment ai-je pu croire que j'allais réussir, Nohog? Tu as appris, tout comme moi, les derniers événements, qui font craindre le pire.

Heureusement, au ranch de Pottstown, entouré des miens, je me suis consacré à l'élevage des chevaux, ce qui m'a souvent permis d'oublier provisoirement l'état du monde. Accoudé à la barrière du manège, je regardais courir les bêtes, et j'étais bien. Peu de temps après notre installation, j'avais d'ailleurs donné des ordres précis à mon contremaître.

— Je veux les meilleurs chevaux palouses de toute l'Amérique. Je sais où ils sont : dans la province de Colombie-Britannique, au Canada, près d'un endroit appelé Vernon. L'éleveur est un Nez-Percé. Son nom est Two Moon. Son prix sera le mien.

Quelques mois plus tard, je voyais trotter dans le corral le résultat des recherches de Britt. Une douzaine de bêtes, ce n'était pas assez. Mon contremaître est reparti à Nespelem, à Lapwai, à Vernon. Après quelques années d'efforts et de soins, j'ai vu le troupeau palouse s'agrandir, les robes se lustrer, la taille et le poids se stabiliser, l'endurance s'accroître.

Une étrange pensée m'est alors venue. Ce que le dressage avait apporté aux chevaux, l'éducation ne pouvait-elle l'apporter à l'esprit humain? La paix et la vie vont de pair. Comment faire passer ce message en quelques générations, sinon par l'éducation? Sur ce point, Élisée Reclus avait raison.

Il y a tant à faire, Nohog. Action, action, telle a été ma réponse. Je prenais congé de ma femme, j'embrassais Dan et le petit Paul. Je leur faisais mes dernières recommandations. Inutile de m'accompagner à la gare. J'irais à cheval, on pouvait bien me passer cette lubie. Je renverrais ma monture une fois là-bas. Arrivé en ville, j'en repartais aussitôt. J'atteignais les limites nord du ranch passé le champ de trèfle et la butte holoviv au milieu. J'entrais dans la loge-relais. Alexandros Constantinopoulos, vêtu de pied en cap, prenait place. Je me désintégrais, une fraction de seconde plus tard, je me reconstituais en Suisse, dans la bergerie. Devant un miroir posé contre le mur, je vérifiais ma coiffure, je me dessinais une raie bien droite, j'appliquais de la gomina. Je sortais de la loge-relais, je me dirigeais vers Concise, dont je semblais revenir bientôt. Le couple Lanson, fidèle, accueillait le patron rentré de voyage. Ce qui était rigoureusement exact.

Action : je partais pour Londres. Constantinopoulos avait des affaires à y traiter chez Chatney & Sons. Mes affaires au Transvaal étaient devenues trop importantes. Il me fallait diversifier mes opérations.

J'aimais Londres, son air hivernal parfois vif, coupant à certains jours, et j'aimais les talons des passants battant le pavé avec impatience. J'étais aussi traversé d'une inquiétude. Où allaient tous ces gens? Dans quel gouffre allaient-ils tomber? Sur le plan politique, les signes alarmants se multipliaient. L'optimisme de Genève ou de La Haye était-il encore possible? Mon action n'en devenait que plus urgente. En sortant d'un rendez-vous, il m'arrivait d'entrer au hasard dans une librairie. Comme des fées sur un berceau, les rayonnages se penchaient sur mes doutes, et je repartais muni d'un ouvrage qui m'aidait à tenir bon.

Dans la City, Mr. Boswell, mon interlocuteur chez Chatney & Sons, me recevait le mercredi à neuf heures, et nous passions la matinée le nez plongé dans les chiffres : dépenses d'exploitation, retours sur investissements, etc. Un jour, il m'a introduit dans un certain salon de Bloomsbury fréquenté par un cercle d'artistes.

— Toutes sortes de gens, a-t-il précisé, comme nous remontions l'avenue menant chez lady Ottoline. Des écrivains, des peintres, des femmes émancipées, des pacifistes, des intellectuels. Il y a même un économiste parmi eux. Mais je ne sais pas si les idées de ce Keynes vous plairaient. La Fabian Society, vous connaissez?

C'est dans le salon de lady Ottoline que j'ai fait la connaissance d'un certain Roger Fry, aux goûts esthétiques étonnants, à en juger par les tableaux accrochés aux murs, choisis un à un, expliquait-il avec fierté, chez les meilleurs peintres français. On m'a présenté un grand gaillard barbu qui faisait tourner son melon sur son poing, tout en dissertant avec verve sur l'inverti qu'était, paraît-il, l'amiral Nelson.

— Je suis Lytton Strachey, monsieur. À qui fais-je l'honneur de serrer la main?

Il était flanqué de deux jeunes femmes à la grâce lointaine. Les sœurs Stephen, m'a glissé mon guide à l'oreille. Compliquées, à ce qu'il paraît.

Il régnait dans la pièce une effervescence palpable, qui faisait presque oublier le fond inquiétant sur lequel elle s'inscrivait. L'Empire s'agitait dans tous les coins, et avec lui ses richesses, ses frontières, ses peuples, ses guerres. Ceux-là ici présents se moquaient bien de l'Empire; en Angleterre, ils étaient sans doute les seuls. Plus tard, j'ai beaucoup donné aux causes défendues par des groupes de même sensibilité. Souvent j'envoyais Vignol en passeur. Sans poser de questions, il remettait l'argent à l'intermédiaire indiqué, et peu de temps après la nouvelle était rendue publique. Un généreux bienfaiteur, désireux de conserver l'anonymat, permettait à un livre de paraître, à une revue de subsister. Les organisateurs du National Peace Council recevaient un don anonyme. À Hyde Park, un orateur du Speaker's Corner se voyait gratifier d'une jolie somme pour répéter sa harangue pacifiste à seize reprises pendant les quatre mois à venir.

Si l'Empire britannique remuait, le continent européen n'était pas en reste. Je me trouvais à Paris quand Jean Jaurès a été tué. J'ai bien senti l'émoi s'emparer des esprits, même si je ne suis pas sûr qu'on ait pris la mesure du geste assassin. Pour ma part, j'étais dévasté. Voilà plusieurs années que je suivais la trajectoire de cet homme politique et mettais beaucoup d'espoir dans ses idées. Déjà, au plus fort de la lutte du gouvernement Carnot contre les anarchistes, il s'en était pris, dans l'enceinte de l'Assemblée nationale, à ces lois, disait-il, qui tuaient la liberté même qu'elles prétendaient défendre. J'ai financé en sous-main quelques-unes des causes défendues par Jaurès : le journal *L'Humanité* et le Congrès de Paris qui avait vu naître la section française de l'Internationale ouvrière, parti politique anticolonialiste et pacifiste.

Il y a quelques jours, quand l'archiduc est tombé à Sarajevo, j'ai lu la réaction de Jaurès dans les journaux. Du sang-froid. Beaucoup d'inquiétude. De la lucidité. Une profonde connaissance des alliances en jeu. Quel autre homme politique aurait su voir dans le rôle de la France au Maroc l'une des causes lointaines de la situation présente? Si un État adoptait la prédation comme mode opératoire, pourquoi ses voisins n'en feraient-ils pas autant au nom de leurs intérêts?

Jean Jaurès posait sur la politique un regard de philosophe. Le fait était trop rare pour ne pas être remarqué – et combattu. Désormais, l'homme était mort. Assassiné. On tuait les idées comme on allait bientôt tuer les soldats. Impuissant, j'ai vu les pays entrer en guerre les uns après les autres, comme dans un sinistre jeu de dominos. Et ils avaient seize, dix-huit, vingt ou trente ans, ceux qu'on appelait sous les drapeaux. Toute l'Europe n'était plus qu'une bruyante et gigantesque caserne. La guerre. Il n'était question que de cela. Nohog, que faire maintenant? Mes actions ne sont pas que souterraines. Elles sont dérisoires. Comme elles sont loin les vertueuses conventions de Genève et de La Haye. Des mots, des mots. Réduits à un murmure. Les armes vont parler.

9

En ce jour de février 1918, il était neuf heures du matin, et la mer de Chine, au large de Macao, était aussi lisse qu'un miroir. Sur ce point situé à soixante-dix milles marins des côtes, l'œil trouvait peu de relief à quoi s'accrocher. Une grande étendue d'eau froide et salée, bleu-vert sous les rayons du soleil. Nul bateau en vue. Les îles étaient loin. Aucune vie animale, aucune végétation à la surface. Pas de nuages non plus. Un ciel impitoyablement bleu. L'ennui assuré.

Soudain, une tête luisante émergea des flots. Petite, lisse, aux yeux vifs. Blanche. La tête tourna à droite et à gauche, mais ses mouvements n'avaient rien de désordonné. La tête semblait à la recherche de quelque chose. De quelqu'un? D'une direction? Difficile à dire. La voie était libre. Tout le corps de l'animal apparut. La mouette prit aussitôt son envol, sans toutefois s'éloigner de l'endroit d'où elle avait émergé. Elle dessina plusieurs cercles au-dessus de sa position, comme pour mieux la circonscrire. Elle déployait ses ailes, les repliait un instant. Faisait de même avec ses pattes. On aurait dit que l'animal prenait la mesure de son corps et de ses possibilités. Puis la mouette se posa sur l'eau. De son bec, elle se triturait maintenant les flancs, tout en levant par intervalles la tête vers le ciel. Le temps passa. La mouette flottait sur l'eau, vraisemblablement dans l'attente d'un moment favorable pour prendre son envol. Mais quand elle s'anima de nouveau, ce fut pour recommencer à écarter ses plumes avec son bec.

Le manège dura une petite heure, après quoi la mouette, tournant résolument le dos au large, s'envola en direction du continent. La faiblesse du vent ne lui facilitait pas la tâche. Mais l'animal était jeune et vigoureux. Il savait profiter du moindre souffle d'air pour se laisser porter, et ses battements d'ailes étaient efficacement comptés.

La mouette atteignit le port de Canton cinq heures plus tard. L'effort l'avait mise en appétit. Dans les eaux basses, elle survola un banc de perches, qu'elle ignora, lui préférant les herbes déposées sur la grève par le ressac, là où des pêcheurs triaient leurs prises. Elle alla se percher sur un môle. Puis elle avisa non loin l'échoppe d'un poissonnier. Dans l'arrière-cour, elle trouva des trognons de choux et diverses épluchures qui achevèrent de la rassasier. Sorti pour jeter les eaux usées du matin, l'apprenti la regarda faire, amusé. Lui tournant le dos, la mouette souleva ses plumes de queue et fienta dans sa direction. Le jet blanchâtre parcourut la moitié de la cour et s'abattit sur le tablier du garçon. T'as fini de traîner, dit le patron dans son dos, avant d'ajouter qu'il n'avait jamais vu une mouette comme ça, que décidément tout allait de travers à cette époque.

Sa faim apaisée, l'animal s'envola vers le centre de Canton. Des vendeurs itinérants, des porteurs d'eau, des vieilles courbées sur leur sac, des gamins qui jouaient au mah-jong, des chiens reniflant les détritus : la mouette planait au-dessus de tout et ne se posait nulle part. Son radar la faisait se diriger vers l'est, et le port ne fut bientôt qu'un ensemble de points colorés autour de l'estuaire.

Mais pourquoi s'enfonçait-elle aussi profondément dans les terres? La mouette allait son chemin. Le crépuscule tomba. Des plaques de neige jetaient un éclat sur le sol brun. Les labours étaient raidis par le gel. Ce n'était pas la mort qui régnait, mais l'attente. L'animal éprouva alors de la fatigue. N'avait-il pas présumé de ses forces? Il perdit de l'altitude et, quand il ne fut plus qu'à quelques mètres du sol, il se mit à la recherche d'un abri quelconque. Au matin, ses forces revenues, la mouette se remit en route, non sans avoir dérobé quelques grains aux poules d'une basse-cour.

Elle vola ainsi pendant plusieurs semaines, par petites étapes, et à l'odeur salée et humide de l'océan succéda le froid des plateaux du Yunnan. La mouette prenait chaque fois un peu plus d'altitude. Elle volait maintenant à trois mille mètres, avait traversé presque toute la Chine, et ne redescendait au ras du sol que pour prendre du repos. Masses lointaines striées de veines blanches et bleues, l'Himalaya se dessina à l'horizon, à deux jours de vol au moins. Mais la chaîne montagneuse n'était encore qu'une étape. La mouette eut froid, elle se vit comme elle était, pas plus grosse qu'un ballon d'enfant lancé dans l'immensité. Pourquoi les vents s'obstinaient-ils à souffler en sens contraire? Elle lutta un moment, puis la fatigue lui fit abandonner toute résistance. Après quelques culbutes sans joie, elle atteignit le sol.

Dans un village agrippé au flanc d'une colline, dans l'angle d'une cour, l'animal trouva une charrette chargée de foin. La pluie avait trempé le chargement. La mouette s'installa en dessous et, la tête légèrement rentrée dans l'encolure, reprit des forces pendant quelques jours.

Enfin, l'animal remua la tête et, s'aidant de son bec, entreprit de fouailler sous ses plumes. Après quoi, il regarda vers le ciel et s'envola à la verticale comme il ne l'avait encore jamais fait. Il procédait par paliers, sans trop lutter contre le vent.

Il atteignit enfin la hauteur de huit mille mètres, où il se sentit installé sur un courant qui le portait sans effort. La mouette rit de ne plus avoir à battre des ailes pour avancer. Le problème, c'est que ce vent allait d'ouest en est et l'entraînait dans la direction opposée. Malgré le détour, c'était un vecteur inespéré. Elle aurait tort de ne pas en profiter.

10

Le débat au sein de l'Unicité sur l'Exception de Nohog avait eu pour conséquence d'attirer l'attention de la galaxie sur ◊-GVH-18327-Γ. Petite, la planète n'était pas insignifiante, mais sur ce point les avis variaient. Certains peuples n'abandonnèrent pas l'indifférence polie affichée à l'endroit de ses habitants. D'autres continuèrent de se montrer hostiles à toute forme de contact avec des êtres aussi vindicatifs, qui avaient aussi leurs défenseurs. C'était souvent les mêmes qui n'avaient pas ménagé leur peine lors du débat. Comment ceux-ci auraient-ils pu se désintéresser de leur cause, en attendant l'issue de la mission de contact confiée à Nohog de Ventorx? À partir de ce moment, au sein des peuples alliés aux humains, il fut du plus grand chic d'afficher une solidarité bruyante pour ces êtres frustes mais si créatifs. Pire : l'originalité à la manière de ◊-GVH-18327-Γ devint une mode sur certaines planètes.

Sur Odani Prime, on se tailla la fourrure comme des coiffures humaines. À Bngrn, on s'enticha de l'accent. Quelques audacieux Nimuras allèrent jusqu'à concocter des boissons qui présentaient une vague ressemblance avec le vin, réputé apaisant et source de bien-être. Mais en définitive, l'élixir rouge s'étant révélé trop étranger au goût local, l'expérience n'eut pas de suite.

Sur Jebase, on n'avait que mépris pour ces marottes. L'art humain seul importait. Et tandis qu'ailleurs on s'excitait sur une mèche de cheveux ou une inflexion de la voix, sur Jebase, on se repassait, plein de dévotion, le segment holoviv de la sérénade composée par Antonio Vivaldi pour la naissance des princesses de France, en 1727. À Venise, l'ambassadeur Longuet avait fait exécuter *L'Unione della Pace et di Marte* dans les jardins de l'ambassade, où les invités avaient vu monter au-dessus des eaux, reconnaissable entre tous, le palais du Soleil tel que décrit par Ovide. C'était tout de même autre chose. L'art – ses sources, ses thèmes, ses manifestations – fascinait les Jebase, qui auraient été bien incapables de créer les œuvres qu'ils admiraient tant. Quelle importance. Ce peuple savait reconnaître ses limites, dès lors que son plaisir esthétique semblait infini.

Certains Jebase, morphistes accomplis, profitaient de la science des formes réagencées pour pousser plus loin leur passion. Pendant quelques soleils, ils prenaient apparence humaine et s'entretenaient de l'art humain. Cette mise en abîme était tout simplement grisante.

Imnasar était un de ces aficionados, sans doute parmi les plus fervents. Et c'est toujours à regret qu'il se résignait à se défaire de ses nouveaux contours une fois le jeu terminé. Pour ses congénères, ce n'était qu'un jeu. Pour lui, c'était la vie même. Imnasar avait découvert la peinture humaine devant une toile de Hieronymus Bosch – des animaux grimaçants sur fond de ciel tourmenté –, alors qu'il était encore à sa juvebase. Sa nouvelle passion lui fit infiltrer le catalogue du Bureau des répliques afin d'obtenir quelques enregistrements des œuvres de ce peintre. Dès lors il se prit d'une boulimie picturale qui lui fit parcourir toute l'histoire de la peinture sur ◊-GVH-18327-Γ. Le jeune Jebase était un être excessif. Comment ne pas avoir envie de passer à l'étape suivante : à son tour créer, même si de telles velléités étaient contraires à sa nature jebase? Aller à l'encontre des siens, n'était-ce pas souvent ce que faisait aussi l'artiste sur ◊-GVH-18327-Γ?

Imnasar n'avait pas attendu d'en avoir fini avec sa période juvebase pour oser quelques tentatives. Le jeune Jebase manquait de tout – maîtres, matériaux, techniques, sujets –, mais il ne manquait ni d'ardeur ni d'entêtement. Et voilà comment un jour sa persévérance donna des résultats. La Chambre arbitrale des élégances de Jebase permit à Imnasar d'exposer, pendant un cycle de vingt et un soleils, ses propres œuvres, dans la petite salle Lumière, ainsi nommée selon l'engouement humain de l'heure, du Complexe Holovart.

Le bâtiment, situé sur une plate-forme éthérée, dérivant non loin d'un pôle de la planète, faisait la fierté des

Jebase. On y présentait des segments holoviv de toutes provenances, qui attiraient des foules aux goûts artistiques exigeants, avides de commentaires et mises en verve par ce qu'elles voyaient. Trente-quatre salles thématiques, cinq expositions permanentes, plusieurs holamphis : le *nec plus ultra* de la jouissance esthétique. La salle Lumière, à vocation exploratoire, se trouvait sur la gauche, en fin de parcours, mais les visiteurs ne pouvaient pas la rater. On déboulait là après avoir traversé de nombreuses pièces, saoulé de beautés, de couleurs, d'échanges, et disposé à la découverte.

Imnasar avait mûri et se voyait désormais en artiste prometteur. Il retint donc un ensemble de dix œuvres patiemment, laborieusement, et secrètement exécutées au cours des premières années de sa vie adulte. Plus tard, se disait-il en son for intérieur, les historiens de l'art galactique voudraient sans doute désigner ce corpus, au sein de son œuvre, sous le nom de «Période Épicée». Car l'artiste avait pris soin de pigmenter chacune des pièces exposées de l'Épice rarissime, suivant un motif extra- et intrinsèque qui ne manquerait pas de susciter d'abondants commentaires une fois ce dernier connu du public.

Vint le vernissage. Des vagues d'inquiétudes minaient la cohésion du corps d'Imnasar. Allait-il prendre apparence humaine pour la circonstance? Cette coquetterie pourrait lui être reprochée. Il opta pour les manches ballon habituelles, mais sur les chaussures à hauts talons il apposa une boucle en jade – clin d'œil à une pierre fort commune sur ◊-GVH-18327-Γ. Les connaisseurs apprécieraient.

La salle Lumière était circulaire. Le jeune artiste ne pouvait donc compter sur aucune encoignure où afficher la modestie du créateur en attendant que s'élève le brillant caquetage jebase. Il se posta à gauche, mais comme les premiers visiteurs tardaient à arriver, il se déplaça à droite. Il s'apprêtait à revenir à gauche, quand un premier contingent d'esthètes apparut. Le groupe fut bientôt suivi d'une centaine de Jebase, puis d'un autre groupe, plus réduit, de cinquante-quatre esthètes. Pour vaincre son anxiété, Imnasar les comptait un à un. Tous ces gens venus admirer ses premières œuvres. C'était affolant.

La salle se remplissait de visiteurs comme prévu. Muets, indéniablement muets. Imnasar était au supplice. En effet, la conversation et le commentaire étaient l'aune à laquelle les

Jebase jugeaient les innombrables œuvres d'art de la galaxie. Plus le commentaire était abondant, plus la conversation était vive, plus l'hommage à l'artiste était grand. Mais voilà que personne ne faisait un pas de côté pour se diriger vers l'œuvre suivante, à moins d'y être poussé par la foule. Et que, ce faisant, cette foule atrocement silencieuse lui signifiait un opprobre dévastateur et sans appel. Pas une seule des œuvres exposées ne suscita le moindre commentaire, pas la plus petite exclamation. Et il en fut de même pendant toute la durée de l'exposition. Le four.

Cette nuit-là, sous l'affront, le teint de l'artiste devint translucide. Imnasar allait se sentir mal, il n'avait plus qu'à mourir. Comment pouvait-il s'être trompé à ce point?

Ses congénères pouvaient bien faire les fiers avec leurs remarques et leurs liens éclairants, leurs émois esthétiques disséqués avec brio. Ils ne quittaient jamais le terrain du commentaire, où ils étaient passés maîtres. Et aucun Jebase, contrairement à Imnasar, n'aurait songé à franchir la frontière le conduisant de l'autre côté, là où s'étendaient les sables mouvants de l'imagination, où le danger vous guettait à chaque pas, comme l'échec de cette première exposition ne le montrait que trop. Imnasar maudit le sort qui l'avait fait naître Jebase, artiste et ignorant.

Pourtant, dans les profondeurs voûtées de Xall, des techniciens-classeurs ordonnaient, identifiaient les masses de données recueillies par les sondes sur les milliers de peuples de la galaxie. Et les Un-Soi s'emparaient de ces données pour leur faire rendre leurs secrets. Le progrès n'était pas un vain mot, leur avait-on appris, à lui et à ses camarades, au temps de leur juvebase. La liste des conquêtes à l'appui de cette affirmation parlait d'elle-même. La connaissance du vivant était telle qu'elle avait permis d'éradiquer toute forme de maladie au sein des peuples Uns et antéUns, lesquels avaient pu rompre, de surcroît, avec la nécessité de tuer pour se nourrir grâce à la nourriture de synthèse ou à la cooptation élémentielle. Dans les laboratoires de Xall, on savait tout des différentes énergies, y compris de l'énergie vitale. La néguentropie était une vieille science qui trouvait des applications à l'échelle cosmique, comme à celle des êtres. Le processus de dégénérescence avait pu être considérablement étalé et ses effets, contrôlés jusqu'à le rendre imperceptible. Enfin, le savoir s'était tellement accru en amont et en aval de chaque continuum vital que le moment approchait où la science deviendrait entièrement tributaire des nouvelles frontières explorées par les sondes.

Savoir, techniques, sciences, recherche, philosophie : il n'empêche que le siège de l'imagination créatrice résistait. Mais Xall était confiant. Un jour aussi, cet aspect du vivant, comme tout le reste, serait décortiqué par les Uns, puisque l'Éthique Une faisait de l'inconnu et du non-encore existant des champs de savoir tout aussi légitimes que ceux déjà maîtrisés.

Mû par l'urgence de créer, Imnasar ne pouvait attendre le moment où le savoir des Uns coïnciderait avec ses besoins individuels. Depuis le temps que Xall tendait sa toile inquisitrice dans chaque recoin de la galaxie, comment pouvait-on être tenu encore dans l'ignorance du geste créateur ? Les habitants de ◊-GVII-18327-I' n'étaient pas les seuls peuples créatifs de la galaxie, mais l'imagination prenait chez eux un tour si exubérant qu'il forçait l'admiration. Et dire que cette fleur poussait sur le fumier d'une sauvagerie généralisée. Le Jebase avait beaucoup pratiqué l'holoviv de la planète bleue, observée à différentes époques et en des lieux divers. Il en était arrivé à une conclusion : la guerre et l'art allaient de pair, le second trouvant dans la violence de la première un humus particulièrement fécond. Une telle perspective avait de quoi choquer. Imnasar devrait-il retourner à la barbarie d'avant la guerre des doubles pour produire une œuvre valable ? Car il fallait les voir, eux, là-bas, qui créaient tout en s'entretuant !

Enfin, les uns après les autres, les invités au vernissage quittèrent la salle Lumière. Vingt et un soleils plus tard, l'exposition prit fin. Les dix œuvres exposées furent rendues à l'artiste. Resté seul, Imnasar revêtit ses contours de prédilection, ceux, disaient ses amis, qui lui allaient comme une seconde peau : une silhouette humaine revêtue d'une longue blouse grise jetée sur un pantalon à l'ourlet glissé dans des guêtres, et coiffée d'un béret noir. À plusieurs reprises, il avait vu faire les artistes humains. Il agirait de même. Aidé d'un maillet-laser, méthodiquement, proprement, Imnasar détruisit les premiers balbutiements de son œuvre. Il ne souffrait plus. La mission du Contacté humain était noble, mais elle ne lui était d'aucun secours dans la tâche qui l'occuperait maintenant. Il était résolu. Il lui fallait repartir de zéro, sur d'autres bases.

11

La mouette, après avoir volé vers l'est pendant un bon moment grâce au courant-jet, vit à nouveau se découper, tout en bas, l'échancrure de la mer de Chine. À deux reprises depuis son arrivée, Imnasar avait profité de la brève fenêtre offerte par la rotation de ◊-GVH-18327-Γ pour pirater la sonde qui se trouvait alors dans l'axe. Il lui soutira d'abord des renseignements sur la destination à choisir. Si l'étroite corrélation entre la barbarie et le génie créateur continuait de se vérifier, avait-il pensé, l'Europe occidentale, en ce début de vingtième siècle, était l'endroit où aller pour qui voulait circonscrire le siège de l'imagination. Une guerre venait justement de s'y déclarer, qui semblait importante. Ses effets créateurs n'allaient pas tarder à se faire sentir. C'était l'occasion d'étudier le phénomène de près. Cependant, l'Europe était loin du point d'arrivée d'Imnasar. Heureusement, une deuxième fenêtre lui avait permis de connaître la nature des vents qui soufflaient à la surface de la planète. C'est ainsi que la mouette avait appris l'existence du courant-jet et fait demi-tour.

Il s'agissait d'un courant puissant, qui encerclait le globe avec constance et précision. Pour l'atteindre, il fallait voler à très haute altitude. Mais à en juger par l'endroit où était tombé Imnasar, l'orientation du courant d'ouest en est n'en faisait pas, a priori, le moyen le plus rapide pour atteindre le continent européen. Un détour par l'Amérique? Après tout, pourquoi pas? Imnasar avait vite appris à composer avec les aléas de la situation. De plus, il avait considérablement surestimé l'endurance de l'espèce des mouettes, et même le modèle amélioré qu'il avait mis au point avait besoin de longues pauses réparatrices pour parcourir sans épuisement la distance le séparant de son but : une certaine tranchée sur le front de l'Est, comme le disaient les cartes d'état-major de l'armée française, consultées le jour précédent en infiltrant une fois de plus les données de la précieuse sonde. Sur la ligne de feu, là même où les combats faisaient rage, le Jebase se trouverait au cœur de l'art. Et alors il pourrait l'entendre battre, littéralement.

Imnasar descendit se reposer sur les cordages d'un cargo. Il était sur ◊-GVH-18327-Γ. N'était-ce pas prodigieux? En attendant de pouvoir sentir battre le cœur de l'art, c'est bien le sien qu'il sentait cogner dans sa poitrine d'oiseau. Au début, c'est vrai, tandis qu'il émergeait de l'eau, et par la suite, quand il avait gagné la terre ferme, il avait été décontenancé par l'absence apparente d'artistes. Sur ◊-GVH-18327-Γ, selon l'idée qu'il s'en était fait, on butait à chaque pas sur les œuvres d'art. En tous lieux, à tout moment, ce n'étaient qu'arias, fresques, épopées, et des milliers de créateurs au travail. Puis il avait compris. On n'était pas en guerre ici. Cette torpeur était normale.

Imnasar avait hâte de voir un créateur de près, et en pleine action. Sans tarder il exécuterait alors la manœuvre qui lui permettrait de découvrir le siège de l'imagination, de comprendre et de reproduire à volonté le processus créateur. Car à la période de prostration née de son échec artistique avait suivi une intense réflexion d'ordre pratique. Il n'allait pas se laisser démolir par l'adversité. Il avait d'autres ressources. Et il allait se doter des outils nécessaires à son grand dessein. Imnasar avait étudié le cerveau humain sous toutes ses coutures, et il comprenait bien l'effet de relief produit par la superposition d'ondes cérébrales à cycle rapide sur d'autres à cycle lent. Mais comment une étincelle de stress arrivait-elle à faire exploser, juste au bon moment, cette pensée primitive en une extraordinaire illumination? Il avait la conviction que l'hypothalamus du cerveau humain était le coffre aux trésors qu'il fallait fouiller. Le Jebase avait besoin de données brutes pour étayer son hypothèse. Des données qu'aucune compilation ou enregistrement holoviv ne pouvait lui fournir. L'artiste humain devait être approché et le losange enfreint. Imnasar frémit. Malgré ses ambitions, il n'était pas dépouvu de fibre éthique. Mais il n'avait pas tergiversé.

Le choix d'un corps d'oiseau avait été mûrement réfléchi. L'oiseau combinait des qualités d'endurance, de légèreté et de souplesse. Celles-ci s'ajoutaient à la dimension symbolique, évidente pour un connaisseur de l'art humain comme Imnasar. De plus, il fallait choisir un oiseau à habitat maritime, familier des grandes distances autant que de la présence des êtres humains. Sa blancheur lui conférait un certain panache, son cri était mélancolique. La mouette réunissait toutes ces caractéristiques : un avatar taillé sur mesure.

Doublé d'un chef-d'œuvre morphiste. Le bec servait d'antenne, certaines plumes couvrant le bréchet formaient un tableau de bord sophistiqué, et le croupion abritait un système excréteur de haute précision. À l'intérieur du gésier, des cellules spécialisées élaboraient l'huile active. Une goutte de cette huile à forte pénétration sur le crâne d'un artiste humain atteindrait les méninges en quelques heures, les transformant en puissants capteurs-relais de l'activité cérébrale. Des enregistreurs localisés sous les ailes de la mouette parachevaient le procédé.

De retour sur Jebase et une fois ses hypothèses vérifiées, Imnasar n'aurait qu'à calquer la méthode créatrice des humains, qui aurait alors perdu tout caractère fabuleux. Le jeune Jebase se promettait bien de s'en tenir à cette seule intervention et de ne modifier d'aucune manière le cours des événements sur ◊-GVH-18327-Γ. De plus, le processus était indolore et l'huile s'éliminerait naturellement au bout de quelques jours. À la perspective de connaître le ressort de la créativité, il avait du mal à contenir son excitation et, de ce point de vue, le langage limité des mouettes se révélait un atout, en le gardant de tout commentaire intempestif susceptible de le trahir. Posé sur les cordages du navire, Imnasar se fondait dans le décor ambiant et passait inaperçu.

Il fallait comprendre son excitation. Il venait de si loin. Il avait mis tellement de temps à concevoir, puis à exécuter son plan, dangereux, à n'en pas douter, en ce qu'il contrevenait à toutes les règles de l'Éthique Une. Or il avait réussi et franchi le voile-pelta sans avoir été repéré. La mouette rit franchement. Tout avait fonctionné comme prévu.

De quelque manière qu'il avait retourné le problème sur Jebase, Imnasar parvenait toujours à la même conclusion : il n'avait d'autre choix que d'atteindre d'abord le Pied du Centaure, selon le nom évocateur donné par les êtres humains au système GVH-18321, par le transport supraluminique de routine. Ce voyage-éclair compterait pour peu. Tout au plus devait-il prévoir un léger délai pour obtenir les autorisations de transfert.

Arrivé sur place, Imnasar avait prévenu Xall que son retour s'effectuerait par l'antique voie infraluminique, lubie d'artiste, prétexta-t-il. Et pendant que le coopteur construisait le véhicule nécessaire, un second engin, plus léger, avait vu le jour dans son flanc, à l'abri des senseurs de la sonde 26ᵉ GVH-18321. Quand les vibrations du coopteur avaient cessé, le Jebase avait envoyé à Xall un bref signal de départ, et le vaisseau avait entrepris son long voyage. Dès qu'il fut certain d'avoir échappé à la vigilance de la sonde, Imnasar avait grimpé dans le minuscule astronef et pris la tangente. Ce serait long : une dizaine d'années de la planète vers laquelle il se dirigeait. Pour un artiste impatient de créer, c'était beaucoup. Pouvait-il procéder autrement s'il voulait tenir secrète sa destination? Il s'était résigné. L'enjeu valait bien quelques efforts.

À mi-chemin, le petit vaisseau s'était fondu dans le nuage de comètes entourant le système au losange. Aussitôt des particules de matière s'étaient agglutinées au matériau sibor de l'appareil, lui donnant l'apparence d'un météorite. Imnasar avait su qu'il franchissait le voile-pelta quand, sur son relayeur, de nombreuses étoiles avaient été occultées. La gangue qui dissimulait le vaisseau avait à peine été entamée lors de son entrée dans l'atmosphère, et le météorite était allé se ficher au fond de la mer de Chine. Le Jebase avait découpé une ouverture dans la masse rocheuse qui s'était fendue comme un œuf, libérant la mouette. Celle-ci avait pris son envol, enfin.

12

Plus de huit mois terrestres s'étaient écoulés depuis l'arrivée d'Imnasar, qui avait bien vu quelques artistes au travail en survolant l'Amérique, mais un bref examen du résultat avait confirmé l'influence de la guerre et de la barbarie sur la qualité artistique. À ceux-là, la guerre faisait défaut. Il devrait donc concentrer ses efforts sur des humains évoluant dans un contexte créateur maximal. Du reste, il n'était plus très loin du but.

L'impatience d'Imnasar allait croissant. Il tenait son artiste et ne voulait pas le perdre de vue. L'holoviv l'avait montré au travail, assis sur un pliant, dans l'une de ces tranchées grossières par lesquelles des êtres humains croyaient venir à bout de leurs ennemis du moment. Sur Jebase, Imnasar avait réfléchi et trouvé le moyen de déposer la goutte d'huile active sur le crâne du sujet sélectionné. Aussi, plus d'une fois au cours de son vol, la mouette s'était-elle exercée à fienter avec précision. L'acheminement du jet conducteur ne posait plus aucun problème.

L'artiste retenu était un spécimen de choix. D'abord en raison du talent montré, mais surtout parce que ce talent trouvait à s'épanouir dans des conditions de barbarie optimales qui ne pouvaient que lui être bénéfiques. Imnasar avait pu admirer quelques-unes de ses aquarelles. Il avait été séduit par la précision du trait, souvent jeté avec humour, parfois traversé d'une tendresse sans objet. Comme dans ce dessin où les ombres portées de soldats poussaient devant eux un télégraphe sur roues, et qui l'avait ému.

Où le peintre trouvait-il de tels sujets? Certes, la réalité les lui fournissait en abondance, mais comment faisait-il pour le coup de patte original? Pourquoi décidait-il de représenter les soldats ainsi, s'éloignant plutôt que combattant? ou encore adossés à un remblai humide? ou de montrer l'un d'entre eux écrivant une lettre, entouré d'une sarabande de rats? En somme, comment faisait-il pour voir une autre réalité que la réalité commune et pourtant tout aussi légitime? Dans l'attente de pouvoir mener plus avant ses observations, Imnasar en était réduit à des conjectures.

Et à quelques observations. Son artiste était jeune. Il avait trente-quatre années locales et répondait au nom de Joseph Lesage. La mouette savait pouvoir le trouver au Bois-le-Prêtre, dans la cabane du Père Hilarion, où, avec deux de ses camarades, il imprimait sur une presse de fortune un journal des tranchées appelé *Le Mouchoir*. Joseph Lesage faisait les illustrations. Ses deux compagnons rédigeaient les textes. Le résultat avait un certain succès.

Mais où était la cabane? Tout en cherchant, la mouette ne put s'empêcher de poser un regard navré sur les champs boueux, barrés de tranchées où remuaient des casques et des pointes de fusils, comme autant de signes vitaux dérisoires. Il y avait pire. Pour atteindre le Bois-le-Prêtre, la mouette avait dû survoler les champs de bataille de Lorraine jonchés de cadavres. Imnasar était partagé entre le soulagement de ne pas y trouver Joseph Lesage et la tristesse que lui inspiraient ces vies dont on avait stupidement coupé le fil. En cet instant, il fut satisfait d'être un Jebase et d'appartenir aux peuples Uns, et il prit une résolution. Rentré chez lui, devenu un authentique artiste créateur, il ferait la preuve que l'art n'avait pas besoin de barbarie pour s'épanouir. Son initiative était peut-être plus désintéressée qu'il n'y paraissait à première vue.

En attendant, il lui fallait encore survoler un village en ruine. La scène était affligeante. Une rue principale à l'état de gravats. Des façades réduites à une dentelle de pierre. Des fermes effondrées. Les villageois terrés dans des renflements herbus. Puis, çà et là, des cadavres, les pieds écartés, obscènes dans leur abandon.

Enfin, la cabane fut en vue. Des formes s'agitaient à l'intérieur. La mouette se posta au sommet d'un hêtre dégarni et attendit Lesage. Il sortit. L'homme correspondait à celui aperçu dans l'holoviv. Taille moyenne, petite moustache, comme une douceur au fond des yeux. Pour le reste, il était difficile de le distinguer des autres soldats, mais celui-là, qui trimbalait son matériel d'artiste en sus de son barda, ne risquait pas d'être confondu avec quiconque. Comble de chance, l'homme ne portait pas de casque.

Joseph Lesage s'attarda un instant devant la porte pour scruter les environs. Prudence de soldat. La mouette ébouriffa quelques plumes et une goutte d'huile conductrice s'engagea dans l'intestin de l'oiseau. L'artiste fit un pas en avant. D'un battement d'ailes, Imnasar quitta les branches de l'arbre et survola Joseph Lesage qui, un instant plus tard, s'essuyait le crâne en grimaçant.

La mouette s'éloigna. Il ne lui restait plus qu'à attendre le moment créateur, peu importait que l'artiste eût ou non remis son casque dans l'intervalle, qu'il fût dans les tranchées ou dans la cabane, seul ou en groupe. En revanche, qu'il fût vivant était indispensable. Imnasar tremblait pour son sujet d'étude. Pourvu que les tirs ne l'atteignent pas.

La journée se passa sans que l'homme ouvrît sa boîte de couleurs, trop occupé à assurer les liaisons télégraphiques, tandis que les soldats de son unité maintenaient la position. Dans la matinée du lendemain, Joseph Lesage fut pris de fièvre. Au début, Imnasar crut à une forme aiguë d'inspiration, comme il en savait les créateurs humains capables, mais la fièvre s'avéra maligne. L'homme se sentait très faible. Il combattit le mal pendant tout le jour et repoussa la suggestion de ses camarades de voir un médecin. L'hôpital de campagne n'était pourtant situé qu'à une dizaine de kilomètres vers l'arrière. L'y transporter était une affaire de rien.

— Regarde-toi, Lesage. Tu frissonnes, t'es en nage. Tu peux pas rester dans cet état.

Le soldat voulut répondre, mais il suffoqua et reprit son souffle avec peine. Épuisé par l'effort, il resta silencieux. On lui enleva son attirail de télégraphiste, écopa l'eau au fond de la tranchée et on le fit étendre sur un brancard posé sur le sol. Inquiète, la mouette dessinait des cercles au-dessus du malade, mais les manœuvres du seul oiseau à des lieues à la ronde passèrent inaperçues. La nuit fut glacée, striée d'éclats d'obus. Au matin du troisième jour, un brouillard monta des champs et sembla accompagner la fièvre qui emporta Lesage à deux heures de l'après-midi.

C'était la première fois que le Jebase assistait à une vraie mort humaine. Il en fut très affecté. Tous ces efforts en pure perte, se dit-il aussi, en regrettant aussitôt ses réflexions égoïstes. Il n'avait pas de chance, vraiment. Joseph Lesage était mort, en emportant le secret de son imagination créatrice.

Abattue, la mouette quitta les lieux. Que faire maintenant, sinon choisir un autre artiste et répéter l'opération? La zone atteinte par la guerre semblait très étendue. Il devait bien se trouver d'autres créateurs opérant sur le territoire, dans des conditions semblables. Produire une seconde goutte d'huile n'était pas un problème. Mais trouverait-il un autre spécimen aussi prometteur que le premier? Une recherche dans l'holoviv de ◊-GVH-18327-Γ s'imposait.

Imnasar dut attendre que sa position sur la planète soit dans l'axe de la sonde pour la pirater à nouveau. La mouette mit à profit ces six heures d'attente pour prendre un peu de repos, tapie dans un fourré.

Vint le moment propice, et comme il le savait fugace, Imnasar fit défiler l'holoviv des dernières années à toute vitesse. À l'aide de son bec, la mouette fouillait dans ses plumes et semblait examiner le ciel avec attention. Soudain, Imnasar tomba en arrêt devant une toile au réalisme stupéfiant : un Structasensi! Comment un artiste humain, même de génie, aurait-il été capable de peindre l'une de ces créatures avec autant de précision? Aucun détail ne manquait : la silhouette émaciée, la peau brunâtre, le visage étroit et inquiétant, les lèvres minces, les orbites blanches et jusqu'à la veste informe, qui constituait depuis toujours la base de la garde-robe structasensi.

Un Structasensi l'avait-il précédé sur ◊-GVH-18327-Γ? Avait-il lui aussi bravé l'interdit du Contact? Pour qui connaissait le légalisme sourcilleux de ce peuple et son refus des voyages-éclairs, une telle hypothèse était tout simplement inconcevable. Mais si la silhouette d'un authentique Structasensi pouvait se découper en arrière-plan, sur cette toile, n'était-ce pas une prouesse de plus à mettre sur le compte de l'imagination humaine? Imnasar poussa un petit cri admiratif. Les artistes humains étaient décidément très forts. Comment s'appelait celui-ci? Il fallait agir rapidement. Déjà la rotation de ◊-GVH-18327-Γ faisait se refermer la précieuse fenêtre. Le Jebase isola la signature du tableau et interrogea sommairement la fiche technique de l'œuvre : *L'homme et la Mort*, Egon Schiele, 1911, huile sur canevas, 80 × 80 cm. La mouette eut un rire sarcastique : l'association entre la Mort et le Structasensi ne manquait pas de saveur. Le Jebase se sentait peu d'affinités avec ce peuple rigoriste et influent à Xall. Et le voir dépeint sous un jour aussi peu amène que ressemblant était une sorte de revanche.

Vienne, lut-il aussi. Imnasar avait relevé le nom de cette ville sur son itinéraire. Ce n'était pas très loin de la Lorraine. La mouette résolut de se mettre en route sur-le-champ et de reprendre plus tard ses recherches. Un artiste faisant preuve d'autant de perspicacité dans la peinture d'un Structasensi ne pouvait qu'être un sujet particulièrement imaginatif. Mais quelles antennes possédait-il pour tomber aussi juste?

Portée par un vent favorable, la mouette mit trois jours pour atteindre Vienne. Ce n'était pas la ligne de front, mais le pays était tout de même en guerre. Mobilisé, Egon Schiele s'était vu confier en ville la garde de prisonniers russes. Entre-temps, Imnasar avait appris où habitait le peintre en consultant les archives d'une récente exposition appelée Sécession viennoise. Du coup, il découvrit l'ensemble de l'œuvre. L'expression tourmentée des visages le fascina, mais aussi la lumière blafarde émanant des tableaux, le mystère des modèles. La question se posait donc pour Egon Schiele comme elle s'était posée pour Joseph Lesage : comment trouvait-il sa réalité d'artiste parmi la réalité commune?

La mouette se posta sur l'encorbellement de l'immeuble du numéro 6, Wattmanngasse, et attendit. Plusieurs jours s'écoulèrent sans que l'homme en sortît. Intriguée, la mouette voleta à la hauteur de ce qu'elle présumait être sa chambre. Elle s'approcha de la vitre, mais ne distingua rien dans la pénombre. Peu de temps après, la fenêtre s'ouvrit et une femme vint s'accouder sur le rebord pour y prendre le frais.

— Tu es belle, dit une voix d'homme troublée, qui parvenait de l'intérieur. Allez, viens.

— Non, toi, plutôt, viens ici, répondit la femme. Regarde le soleil à l'horizon, il va se coucher.

L'homme rejoignit la femme et couvrit de baisers méthodiques un carré de peau sur sa nuque.

— Il a raison, tu ne trouves pas?

La mouette survola le couple et procéda comme d'habitude. La fenêtre se referma. Imnasar alla se poser sur un banc dans l'attente des résultats. La nuit passa. Egon Schiele était sans doute en train de peindre, se disait Imnasar. Comment expliquer autrement sa réclusion dans l'immeuble? Deux jours plus tard, aucune œuvre d'art n'avait encore filtré de la chambre et les enregistreurs sous ses ailes ne captaient rien de significatif. Le troisième jour, la mouette, impatiente, se posta à la fenêtre. Elle aperçut Egon Schiele, prostré au chevet de sa femme, morte.

Encore la mort. La guerre, au moins, ne pouvait avoir causé celle-ci. La mouette suivit le convoi funèbre qui se mit en branle le lendemain. L'artiste se tenait debout, devant la fosse, les épaules voûtées, le chapeau à la main. Sa douleur était grande. L'oiseau le vit quitter le cimetière. Le peintre se mettrait bientôt au travail, à n'en pas douter. Il suffisait d'être patient.

Le lendemain des funérailles, Egon Schiele ne quitta pas l'appartement de la Wattmanngasse et, comme il y avait aussi installé son atelier, Imnasar demeura confiant. En fin de journée, n'y tenant plus, l'oiseau alla toquer du bec à la fenêtre, et ce qu'il vit l'inquiéta. L'homme était affalé dans un vieux fauteuil à rayures et ne bougeait plus. Créait-il? Il ne peignait pas, du moins. Et la mouette, tout en battant de l'aile à la fenêtre, lui trouva un regard fiévreux. Le matin suivant, Egon Schiele, trop faible, fut incapable de se tirer du lit. Il respirait avec difficulté. La visite de son ami Pietr, en fin de journée, confirma le diagnostic. Il était atteint du même mal qui avait emporté sa compagne. On fit venir le médecin. La mouette, rongée d'inquiétude, se posa sur la corniche, un mètre plus bas. Le docteur repartit en hochant la tête. L'ami demeura au chevet de l'artiste, râlant et suffoquant. Egon Schiele mourut le lendemain, à six heures de l'après-midi. En octobre, la nuit tombe tôt, et les réverbères jetaient dans la rue un éclat morbide qui était bien dans le ton de cet automne 1918.

Imnasar ne savait plus que penser. Non seulement le second artiste avait-il subodoré l'existence d'un peuple Un, mais, en intitulant son tableau *La Mort*, à partir d'une réalité familière aux humains, il avait anticipé son propre destin. Et celui-là mourait aussi, avant que le Jebase ait pu jeter quelque lumière sur ses fascinantes intuitions créatrices. Tout était à recommencer. Imnasar fut pris de découragement. Guerre ou non, autour de lui, les humains tombaient comme des mouches. Était-ce cela aussi, la barbarie?

13

Nohog de Ventorx n'avait pas attendu la mort de Joseph Lesage et celle d'Egon Schiele pour observer les signes inquiétants d'une nouvelle épidémie. Ses compétences d'exobiologiste le rendaient particulièrement attentif à des phénomènes qu'il avait eu l'occasion d'observer à plusieurs reprises depuis son installation sur ◊-GVH-18327-Γ. Il avait vu sévir la peste de Justinien dans le bassin de la Méditerranée, aux VIᵉ et VIIᵉ siècles du temps local, et la grande Peste noire sur le continent européen, durant leur XIVᵉ siècle. Tout récemment, il avait vu le choléra se répandre dans le delta du Gange. Le mal, à défaut d'avoir un remède, avait toujours des causes, un début et une fin. Condamné à l'impuissance par ses fonctions d'Observateur, Nohog tenait un registre précis des divers fléaux endémiques, registre dont l'utilité, il le savait, ne serait tout à fait établie que lorsque la planète serait antéUne, à supposer qu'elle le devienne un jour.

Depuis sa base d'opération située au-dessous de ce que les humains appelaient désormais le mont Ymir, Nohog observait une situation de plus en plus préoccupante et qui donnait raison au pessimisme de Mountain. Le ton des derniers rapports en disait long sur l'actuel état d'esprit de son humain. Pourquoi ses congénères étaient-ils aussi réfractaires à l'idée de la paix? Ce n'était pas faute d'avoir essayé de les convaincre, pourtant.

Nohog avait suivi de près l'action de Mountain et, plus d'une fois, avait applaudi à son ingéniosité. Il n'était pas un mouvement pacifiste, pas un parti progressiste, pas une mesure sociale un tant soit peu sensée qui ne dût son action ou son rayonnement, dans une certaine mesure, à la fortune de Constantinopoulos. Plus généralement, ce dernier tablait sur l'effervescence liée au siècle naissant. Dans tous les domaines, l'esprit nouveau donnait envie de rompre avec le passé. Par conséquent, le xxe siècle humain ne pouvait être que pacifiste, sans quoi il n'innoverait en rien.

Nohog avait donc compris la déception de Mountain, voire son désespoir, quand la guerre s'était mondialisée, réduisant à néant ces espérances. Quatre années s'étaient écoulées depuis sur ◊-GVH-18327-Γ, sans que les esprits fussent moins belliqueux. Et la philanthropie de Constantinopoulos avait de plus en plus de mal à s'exercer, tant l'effort de guerre avait gagné tous les secteurs de la société. Qui parlait encore de paix dans les revues? Quelle conférence de la paix aurait pu être convoquée sans susciter sarcasmes et remarques désabusées? L'une, cependant, et non sans mal, avait eu lieu à La Haye, en 1915.

L'initiative en revenait à une quakeresse de Chicago, Jane Addams, femme énergique et entêtée. À l'époque, les États-Unis n'étaient pas encore entrés en guerre. Et Mrs. Addams estimait que cette neutralité pouvait être mise à profit pour construire la paix. Elle était sans argent. Ses amies n'étaient guère plus fortunées. Qu'importe. Ce n'était pas une raison pour rester à ne rien faire quand le monde allait vers l'abîme. Par l'entremise de Jennifer, qui avait joint le groupe dès sa fondation, Long-John Williamson avait appris la création du tout nouveau Comité international des femmes pour une paix permanente. Un philanthrope grec avait fait le reste. La Hollande, pays neutre, avait accepté d'accueillir la Conférence. Fin avril, les déléguées de douze pays avaient fait le voyage, alliés et belligérants confondus. La première, Jane Addams avait alors parlé de mettre sur pied un organisme que l'on pourrait appeler Société des Nations. Des propositions concrètes avaient été débattues, mises aux voix, puis transmises au président américain Wilson.

S'en souviendrait-il un jour? Nohog devait le reconnaître : si l'action de Constantinopoulos était rendue plus difficile, ses retombées n'étaient pas négligeables.

Autre signe encourageant, ces derniers temps, même les militaires en avaient assez de se battre. Les généraux avaient beau ordonner l'assaut en vagues successives et les corps des fantassins, hachés menu, être remplacés par d'autres, aussi éphémères qu'interchangeables, les déserteurs étaient nombreux. L'état-major français ordonnait de les poursuivre et de les rattraper. Être tué par les siens : le gaspillage s'ajoutant à l'horreur. Dans la nuit où s'enfonçait l'espèce humaine, la dernière initiative de Constantinopoulos pouvait paraître dérisoire, mais n'était-ce pas mieux que rien? En Angleterre, quelques personnes se réclamant de la mouvance pacifiste de Lytton Strachey et de ses amis avaient lancé une campagne pour émouvoir l'opinion publique. Des milliers de lettres, financées en sous-main par le Grec, étaient déposées chaque jour à Londres, sur le bureau du premier ministre Lloyd George; à Paris, sur celui du président du Conseil, Georges Clemenceau. Toutes exigeaient le départ des généraux rendus déments et l'instauration de la paix. Du papier contre des obus et des fusils. L'ironie de la situation n'échappait à personne.

Et voilà que le comble venait d'être atteint avec cette épidémie. Nohog était très inquiet. Il voyait s'accumuler les victimes sur plusieurs continents. Les malades mouraient par suffocation, après seulement trois jours de fièvre. Mountain serait-il épargné?

Nohog multiplia les observations, mais sa perplexité ne fit que croître. Contrairement aux autres pandémies de l'histoire humaine, la souche de celle-ci lui échappait. Il compara le virus avec des virus éradiqués dont il avait conservé la formule dans ses archives, ainsi qu'avec d'autres, encore actifs mais sous contrôle. Aucune analogie n'était possible. Il approfondit ses recherches sur le virus mutant et resta interloqué quand il prit connaissance du résultat. Ce n'était pas une banale mutation; la structure du virus commençait avec un code génétique étranger à la planète et se terminait par l'acide nucléique local. Un morpho-virus? Impensable.

L'Observateur rédigea un premier rapport pour informer Xall de la gravité des faits et poursuivit son enquête.

Il raisonna. Si le virus provenait de l'espace, le vecteur devait être un corps céleste quelconque. Il avait pu repérer le foyer de la maladie. Il était situé à Canton, en février de la présente année. Nohog croisa la liste des chutes de météorites sur ◊-GVH-18327-Γ avec le repère temporel et géographique. Son hypothèse était fondée : un météorite était tombé dans la mer de Chine le 12 février 1918.

Nohog se mit à la recherche de traces possibles et repéra le météorite qui gisait par le fond. Comment le nouveau virus avait-il pu survivre aux grands froids intersidéraux et aux températures élevées lors de l'entrée dans l'atmosphère? L'examen du corps céleste révéla bientôt qu'il s'agissait de matière rationnellement structurée. Les filaments de Nohog se nouèrent. Qui pouvait avoir pratiqué une brèche dans le voile-pelta? Accident? Attentat? Et pourquoi?

L'holoviv montra le météorite qui entrait dans l'atmosphère et s'enfonçait dans l'eau. Puis, plus rien, à l'exception d'une mouette volant en solitaire au-dessus des eaux. Nohog positionna l'holoviv en amont de la chute du météorite et ne vit que la mer étale. Il passa l'enregistrement au ralenti. Le corps céleste tomba. Au bout d'un certain temps, Nohog aperçut distinctement la tête d'une mouette surgissant non loin du point d'impact. La tête tourna à gauche et à droite, puis tout le corps émergea et l'oiseau prit son envol. Nohog repositionna l'holoviv plus en amont encore. Jamais aucune mouette ne plongea dans l'eau. Il tenait peut-être l'explication.

Le second rapport de l'Observateur se fit pressant : losange enfreint; présence galactique inconnue sur ◊-GVH-18327-Γ; lien probable avec épidémie en cours; intervention d'urgence réclamée.

14

Imnasar allait de déception en déception. Parviendrait-il un jour à ses fins? Un mauvais sort semblait s'acharner sur lui. Il avait mis tant d'espoir sur Joseph Lesage, puis sur Egon Schiele, qu'il ne voulait pas s'exposer à connaître une troisième déception. Il le fallait pourtant. Pouvait-il repartir bredouille? Retrouver Jebase et sa condition de créateur frustré, en s'étant donné tout ce mal pour rien? La poésie humaine vint à son secours. L'holoviv de la période récente l'avait mis en rapport avec l'œuvre d'un certain Guillaume Apollinaire. Imnasar avait mémorisé sans effort les poèmes de ce dernier qui correspondaient à sa sensibilité. Une suite de poèmes sur la guerre lui plut particulièrement. Et si je me tournais vers ce poète? pensa-t-il. Imnasar aimait sa façon de combiner les rythmes et les images, ses vers prosaïques, son dédain des règles établies. Avec Apollinaire, la chose devenait poème et le poème, chose.

Imnasar s'envola pour Paris. Il vola longuement et dut lutter contre le froid. Il repassa par la Lorraine, puis atteignit la Marne. La rumeur s'était amplifiée, et avec elle le grondement des canons. Tout en bas, la réalité défilait, intenable. Imnasar s'efforçait de la tenir à distance en mêlant les vers du poète à ses propres mots. *Mais que dire de cet oiseau Que dire des métamorphoses* Bataille dans l'obscurité *Et les nuits sont pavées de guirlandes d'éblouissements* Sifflements Explosions *Cette nuit est si belle où la balle roucoule Tout un fleuve d'obus sur nos têtes s'écoule* Hurlements *Nuit qui criait comme une femme qui accouche Nuit des hommes seulement* Matin qui se lève *Creusez des trous enfants de 20 ans creusez des trous Sculptez les profondeurs* Barbelés Viscères *Et toisonne d'hermine les chevaux de frise* Cadavres *Ils restèrent longtemps ainsi morts et très crânes Avec l'aspect penché de quatre tours pisanes* Accalmie soldat écrivant *Tandis que nous n'y sommes pas Que de filles deviennent belles* Encore une salve *Et qu'il fallût tant de feu pour rôtir le corps humain* Fuir *Mais que dire de cet oiseau Que dire des métamorphoses.* Ses entrelacs le portèrent jusqu'à Paris. La mouette poussa un cri plaintif et perdit de l'altitude. Se poser. Se reposer. À nouveau se poser. Les lumières se rapprochèrent.

Imnasar vit le poète qui remontait le boulevard Saint-Germain, une femme à son bras. De loin, la silhouette de l'homme paraissait empâtée et un bandage lui entourait le crâne. Le Jebase en connaissait la cause : un éclat d'obus à la tête, qui l'avait laissé à demi paralysé. Les médecins avaient dû pratiquer une trépanation pour le lui retirer.

Un trou dans le crâne empêchait-il d'écrire des poèmes? Apollinaire rentrait chez lui à pas lents, sans voir la mouette qui volait au-dessus. Le poète s'arrêta devant le numéro 202 et disparut dans l'immeuble, avec l'élégante qui l'accompagnait.

Trois jours plus tard, il mourait lui aussi, emporté par la fièvre.

C'en était trop. Imnasar renonça à interroger plus avant l'espèce des créateurs, décidément trop fragile. Il resta encore quelques jours à Paris, survolant, dans une sorte de sanglot animal, les foules en liesse qui se répandaient sur les boulevards. Des centaines de cloches se faisaient l'écho du grand bourdon de Notre-Dame et sonnaient à toute volée. La guerre était finie! La mouette poussa un cri amer. La joie générale ne pouvait faire oublier l'échec de son expédition. Des amis, quelques femmes suivaient le corbillard d'Apollinaire et, loin des cris de la foule, ceux-là étaient tout aussi affligés qu'Imnasar. Au moins Apollinaire laissait-il des poèmes. Imnasar ne laisserait rien.

Le Jebase en était à reconstituer l'itinéraire qui devait le ramener à la mer de Chine quand une idée lui traversa l'esprit. L'humain contacté par Nohog de Ventorx : pourquoi ne pas tenter sa chance auprès de lui? L'homme était sûrement plus résistant que la moyenne, sans quoi il n'aurait jamais pu se lancer dans une entreprise aussi hasardeuse. De plus, la difficulté de sa mission l'obligeait sûrement à faire preuve d'invention, ce qui était aussi une forme de créativité, à bien y penser.

L'holoviv le renseigna. Mountain se trouvait actuellement en Suisse, sous son identité européenne. Imnasar décida de s'arrêter en chemin.

Une semaine plus tard, la mouette se posait à Concise, sur les rives du lac de Neuchâtel. Elle y retrouva d'autres oiseaux de son espèce qui hantaient les lieux, mélancoliques, en cette fin de novembre. La mouette vola jusqu'au nid d'aigle.

Alexandros Constantinopoulos avait installé un transat sur la grande terrasse du premier étage, au-dessus de l'entrée. Couvert d'un plaid, il profitait du pâle soleil de l'après-midi pour parcourir divers rapports financiers récemment transmis par son notaire.

Madame Lanson le rejoignit avec un plateau de thé.

— Ne restez pas dehors trop longtemps, monsieur Constantinopoulos. Ce serait bête de prendre froid.

La femme secoua la tête d'un air entendu.

— C'est que le soleil est traître en cette saison. Il vous ferait presque oublier l'hiver.

La mouette vola en cercle au-dessus de Constantinopoulos resté seul. La manœuvre accomplie, elle se replia vers le lac et attendit les premiers résultats. Deux jours s'écoulèrent dans une torpeur uniquement troublée par la Panhard Levasseur du patron qui empruntait la route menant au village. Jérôme Lanson était au volant, son épouse à ses côtés. Lunettes d'automobiliste, bonnets fourrés, écharpes. Ils vont faire des courses, se dit Imnasar, devenu familier des usages humains. La mouette regagna la terrasse pour se rapprocher de l'épicentre créateur. Malgré tout, une pointe d'inquiétude se fit jour en elle. Un tel calme n'augurait rien de bon.

Pendant ce temps, une haute et cliquetante silhouette émergea de la loge-relais et prit à travers champs jusqu'à la demeure de Constantinopoulos. L'être ne rencontra personne et nul ne le vit. Il gravit les degrés du grand perron et, levant la tête, aperçut la mouette. Il n'eut qu'un geste à faire pour que l'animal, toutes ailes déployées, le regard fixe, restât figé dans une stupeur prolongée. La Mort, eut le temps de se dire la mouette, la Mort dans le tableau!

Un bruit de pas sur la pierre avait signalé l'arrivée du visiteur au maître des lieux. Au lit depuis deux jours avec de la fièvre, Constantinopoulos hésitait entre un sommeil agité et une veille délirante. Il voyait les chevaux de la rivière Palouse courir dans la plaine et des paillettes d'or scintiller au fond d'un ruisseau. Maître Dumontier lui tendait une main à serrer, grande comme un battoir. Il s'enfuyait, le rire de Jennifer dans son dos. Ou c'était Vignol qui voulait le rattraper. Attends-moi Midas j'ai oublié de te dire, tac tac, des pas dans l'escalier. Constantinopoulos ne voulait voir personne, à l'exception du docteur. Madame Lanson, où êtes-vous? approchez, le docteur est arrivé, dites-vous? Je vous remercie, docteur. Mais vous n'êtes pas… ajouta-t-il faiblement.

Luttant pour ne pas perdre conscience, Constantinopulos ouvrit un œil vitreux sur la forme cassée, penchée sur lui. Un bâton. Maigre. Des orbites blanches. Il eut un faible sursaut. Que faites-vous ici? articula-t-il, avant de se laisser retomber, épuisé. Le Structasensi ne fit aucun geste superflu. Quelques instants plus tard, l'antiviral coulait dans les veines de l'humain. Shoka-Ub jeta un coup d'œil à la mouette emprisonnée dans la roche translucide. Le Jebase ferait le trajet du retour par le voyage-éclair. Quant au Structasensi, une fois suffisait. Sa mission étant accomplie, il reviendrait sur Xall de la manière traditionnelle. Avec un frisson rétrospectif,

Shoka-Ub se revit, allongé sur la table de transport, résigné à la désintégration. Un ordre bref : il avait disparu. Comment faire autrement ? Il est des moments où les règles de conduite les plus inaltérables devaient s'adapter aux circonstances. Il avait agi comme il le fallait. La décision du Protectoire avait été exécutée.

Dans la voiture les menant au village, les Lanson restaient silencieux. Le bruit du moteur expliquait en partie ce mutisme, mais aussi l'inquiétude. Trouveraient-ils seulement le docteur Pleynet à son cabinet ? Comme la plupart de ses confrères, ce dernier était débordé par l'ampleur d'une épidémie qui n'avait pas épargné le canton. Le mal avait désormais un nom. Approximatif, certes, mais nommer la maladie était peut-être un premier pas vers sa maîtrise. L'épidémie avait plus lourdement frappé l'Espagne. Aussi parlait-on depuis peu de grippe espagnole. Des millions de gens étaient atteints à travers le monde. Constantinopoulos n'était qu'une victime de plus.

— Depuis le début de nos rapports avec cette planète, nous multiplions les interventions intempestives, avait martelé Shoka-Ub devant ses collègues du Protectoire. Mais cette fois nous n'avons pas le choix. Le losange a été enfreint. Nous sommes responsables.

Peu de temps avait suffi pour que les membres du Protectoire n'ignorent plus rien de l'initiative insensée du jeune Jebase. Ce dernier, en revanche, semblait inconscient du mal qu'il répandait, tout comme de la modification virale ayant résulté de sa transformation morphiste.

Quand le docteur Pleynet revint avec le couple Lanson, il examina le malade et se fit rassurant : la fièvre était tombée. Le dos calé contre plusieurs épaisseurs d'oreillers, Alexandros Constantinopoulos confirma qu'il allait beaucoup mieux. Il faisait nuit. Avec la satisfaction du devoir accompli, Shoka-Ub avait quitté les lieux depuis longtemps. De retour dans la loge-relais, il avait expédié son captif et attendait le vaisseau promis par Xall. Celui-ci mettrait des milliers d'années terrestres pour le ramener à la maison. Un sourire tordit l'étroit visage. Douceur des voyages anciens.

15

Assis un peu en retrait au bar du Waldorf Astoria, Long-John Williamson leva les yeux de son livre et regarda la rue animée en cette fin d'après-midi. New York sous la pluie, c'était poisseux et gai. Une pluie presque d'été, qui empiétait sur cette fin de septembre et faisait se hâter les passants. Comme un murmure sur la ville bruyante, clignotante, affairée. Vers la droite, invisible du bar, la marquise du Waldorf abritait quelques imprévoyants sortis sans parapluie. Un homme en complet trois-pièces, veste croisée, chapeau de feutre. Un plus gros, en bleu de travail, et qui souriait d'aise en voyant tomber un peu de fraîcheur du ciel. Une vieille dame, chapeau de paille bleu marine, et son petit chien, tenu en laisse. Assis sur son arrière-train, l'animal semblait contempler la rue avec philosophie. Des taxis s'arrêtaient, déposaient des clients que le chasseur courait chercher, muni d'un parapluie. Sous la marquise, immobile, chacun s'ignorait, tout comme le hall de l'hôtel baignant dans une chaude lumière dorée permettait à ses hôtes d'ignorer la cohue et la poussière du dehors, en offrant un havre débarrassé de tout souci.

La direction de l'hôtel parvenait à ses fins grâce à une attention de tous les instants. Un somptueux bouquet de roses, sur le marbre de la réception, permettait au regard de se reposer, tandis que les formalités d'enregistrement, réduites au minimum, suivaient leur cours. La lampe sur la table basse, près de la cheminée, invitait aux confidences. La moquette étouffait les pas du personnel, ainsi que ceux des clients. On était seul. On avait l'établissement à sa disposition. On était chez soi.

La réalité, bien sûr, était faite de claquements de doigts, de sonnettes agitées, de regards échangés. Le personnel, stylé, obéissait à cette intendance et à son ordonnateur. James Balden avait fait son apprentissage à Londres, chez le duc de Warwick, où il était entré à peine âgé de seize ans. Il avait vu les ambassadeurs se succéder, les capitaux changer de mains, la taille des femmes se libérer, mais l'étiquette, à la table du duc, restait immuable au milieu des bouleversements. C'était une assurance. Il l'avait emportée dans ses bagages, au moment de s'embarquer pour le Nouveau Monde, au lendemain de la Grande Guerre. Le Waldorf Astoria, déjà réputé, était devenu sa maison, et James Balden était un peu plus qu'un concierge d'hôtel. Rien ne lui échappait.

Ainsi, en ce moment, un habitué, Mr. Williamson, assis au bar, venait de poser son livre sur la table basse et laissait flotter son regard. Avait-il besoin de quelque chose? Comme il était d'usage avec les clients fidèles, il convenait d'anticiper ses désirs, sans zèle ni ostentation. C'était un art difficile. La plupart des jeunes gens qu'on lui envoyait maintenant en faisaient trop. Croyant bien faire, ils agaçaient comme des mouches. Ou encore, attitude tout aussi déplorable, ils étaient invisibles quand on avait besoin d'eux.

Le bar était situé sur la droite, au fond du grand hall. Les lumières y étaient tamisées. James Balden avait les yeux d'un homme de cinquante-trois ans. Sa loge était située non loin de la réception, en haut du grand escalier. Il ne la quittait que pour s'assurer périodiquement que sa maîtrise de la situation n'était pas illusoire. Malgré tous ces obstacles, il pouvait très bien apercevoir, là-bas, Mr. Long-John Williamson, laissé à lui-même, une requête au bord des lèvres.

Inadmissible. Où était passé cet abruti de serveur? Le maître d'hôtel décocha un regard au barman de service, et ce regard sévère fut aussitôt répercuté sur le premier garçon disponible, qui s'approcha.

— Que puis-je faire pour vous, monsieur?

Long-John Williamson commanda une eau de Seltz et montra le journal du matin abandonné sur la table. L'édition du soir était-elle arrivée? Le garçon s'inclina.

— Je vais me renseigner, monsieur.

Quelques instants plus tard, il revenait avec un exemplaire du *New York Times*. Long-John Williamson remercia et parcourut les manchettes. La lecture des journaux le jour même de leur parution était un plaisir dont il était privé au ranch, et il se rattrapait chaque fois que sa tâche l'appelait au-dehors. L'exercice n'était pourtant pas toujours réjouissant. Les années passant, Williamson avait vu défiler bien des mauvaises nouvelles, mais l'expérience lui avait appris la véritable portée de ces catastrophes, réelles et pourtant toujours surmontées – jusqu'à présent, du moins. De plus, les journaux manquaient souvent l'essentiel. Comme le rendez-vous de ce soir.

Quelques jours plus tôt, Williamson avait eu son interlocuteur au bout du fil, par l'entremise du secrétariat de l'université. D'abord, on n'avait pas su quoi lui répondre. Qui, dites-vous? Il avait répété : Leo Szilard.

— Je regrette, disait la voix d'une femme, le corps professoral n'a personne de ce nom. Vous êtes sûr que celui que vous cherchez appartient au département de physique?

Williamson avait insisté, et on avait fini par le trouver dans le répertoire, bien qu'il fût absent en ce moment. Leo Szilard travaillait dans un minuscule bureau mis à sa disposition par le professeur Zinn, qui l'avait invité à poursuivre ses recherches à l'université Columbia. La pièce n'avait pas le téléphone, mais elle offrait une table, des étagères, un tableau, l'accès à un laboratoire, ainsi qu'à la bibliothèque des sciences de l'Université, ce qui représentait un avantage appréciable pour mener ses travaux. Le Hongrois, fraîchement débarqué en Amérique, avait saisi l'occasion. Au bout du fil, la femme attendait des instructions, et Williamson avait laissé un message, sans grand espoir. Son correspondant avait rappelé le lendemain. C'était de bon augure. Williamson s'était présenté. Industriel, homme d'affaires, il faisait aussi dans l'électroménager. Il alla droit au but.

— N'avez-vous pas déposé il y a quelques années, avec le professeur Albert Einstein, le brevet d'une pompe de réfrigérateur d'une seule pièce?

L'autre parut étonné mais confirma.

— Je suis prêt à commercialiser l'appareil, avait poursuivi Williamson. J'ai quelques idées à ce propos. Quand pouvons-nous nous rencontrer? Je vous propose de nous retrouver au bar du Waldorf Astoria.

Un long silence avait suivi.

— Nous dînerons au restaurant de l'hôtel, bien entendu.

La précision avait achevé de convaincre Szilard.

Le serveur se tenait à l'affût. Williamson commanda un bloody mary et se replongea dans la lecture du journal. Autour, le bar se remplissait à mesure que l'après-midi tirait à sa fin. En attendant l'apéritif, Williamson termina son eau minérale. Il aimait l'âcreté de l'eau de Seltz, comme un secret de la terre qui aurait filtré de ses replis rocheux. Mountain avait soixante-douze ans. Et s'il ne faisait pas son âge, c'était bien sûr grâce à l'Aliment de Nohog qui avait tenu ses promesses. Cependant, il aimait croire qu'il y mettait aussi un peu du sien, en pratiquant une hygiène de vie qui, peu importe son identité du moment, lui faisait souvent préférer l'eau de Seltz nature aux alcools brûlants qu'elle était censée couper.

Ces dernières décennies, Nohog avait modifié la composition de l'Aliment pour que l'épiderme de Mountain affiche les quelques ridules indispensables à son apparence d'homme vieillissant. Williamson était pourvu d'une famille dont chaque membre était un rappel du temps qui passe. Le métis avait vu grandir ses fils. Dan était maintenant avocat senior dans un grand cabinet de Philadelphie, et Paul enseignait à la Faculté de médecine de Chicago, tout en ayant une pratique privée. Jennifer, pour sa part, sans avoir rien perdu de sa capacité d'indignation, avait tourné le dos à l'âge de la maturité pour entrer avec légèreté dans celui de la première vieillesse. La présence d'un père et d'un mari trop jeune aurait pu susciter des questions inutiles. Nohog y avait remédié au moment opportun.

L'épiderme de Mountain avait perdu de l'élasticité. Autour des yeux, des rides étaient apparues. Mais les chairs restaient fermes et les rouages de la machine, en parfait état. La maturité, de surcroît, lui conférait une plus grande profondeur d'esprit et de jugement. À Concise ou à Pottstown, qu'il fût Constantinopoulos ou Williamson, Mountain se voyait vieillir dans la glace avec plaisir. Son seul regret étant de savoir Mrs. Williamson tenue à l'écart des bienfaits de l'Aliment, même s'ils n'étaient pas nécessaires à la solidité de leur union. L'énergie inentamée de Jennifer, son intelligence, son sens de l'organisation, l'autorité qu'elle déployait sur les plans domestique et civique redisaient chaque jour à Williamson qu'il avait fait le bon choix, quarante ans plus tôt.

Et puis Jennifer ne vieillissait pas, se disait-il avec tendresse. Du moins, pas tant que cela. Le bonheur l'avait préservée des mauvaises rides qui barrent le front et figent le bas du visage dans une grimace amère. La taille restait menue, les formes étaient juste adoucies par l'âge. Le pas était leste. Les mains douces. L'esprit vif. Voilà pourquoi Williamson aurait été tout à fait heureux s'il avait pu entrevoir une issue satisfaisante à sa mission.

Rien de tel à l'horizon. Le journal froissé, qui reposait maintenant sur ses genoux, ne disait pas autre chose. Déjà l'élection du chancelier Hitler, six ans plus tôt, avait profondément inquiété Williamson, même si la nouvelle, à l'époque, avait été rapportée en quelques lignes, dans la presse nationale, dans les pages intérieures consacrées à la politique étrangère. Et il fallait lire les pages économiques des mêmes journaux pour comprendre vraiment la situation.

À plusieurs reprises, Constantinopoulos s'était rendu pour ses affaires dans l'Allemagne ruinée de l'après-Versailles. Le poids exorbitant des réparations se faisait sentir partout, jusque dans les vitrines des boulangeries, où on ne se donnait plus la peine d'afficher le prix du pain tant il s'envolait. L'époque d'alors était insensée. La présente s'annonçait pire. L'Allemagne venait d'envahir la Pologne. Danzig avait perdu son statut de ville libre. Comment croire encore à la paix si même cet imbécile de Führer se disait pacifiste ? En décidant de passer en Angleterre il y a une dizaine d'années, Leo Szilard avait eu du flair. Il est vrai que ses origines lui avaient valu quelques ennuis dans sa jeunesse. L'antisémitisme était un feu toujours brûlant. Très tôt, Szilard avait su en lire les signes renouvelés en Allemagne et y répondre par la fuite.

De quelle manière aborder le Hongrois ? Tout en mettant au point sa stratégie, Williamson faisait mine d'être absorbé par la lecture du journal pour qu'on lui fiche la paix. Les écueils étaient nombreux. Il ne devait pas éveiller les soupçons de son interlocuteur en montrant une intelligence trop poussée des enjeux, mais il devait faire la preuve de ses compétences en dehors de l'électroménager. Et il devait prendre la mesure de l'individu et de ses convictions. De ses mobiles, aussi. Avec ces scientifiques, on ne pouvait jamais savoir ce qui l'emportait d'une vanité inavouée ou d'un désir de faire progresser la science affirmé à tout instant.

Williamson était confiant. À condition de savoir s'y prendre, il pouvait faire du génial physicien l'un de ses alliés. Sur la table basse, le cocktail commandé attendait. En fondant, les glaçons dessinaient un halo clair dans le jus de tomate. Williamson, qui avait observé les gestes du garçon derrière son journal, posa l'imprimé sur ses genoux et but une gorgée. Il avait son idée.

16

On frappait à la porte. Doucement, puis avec plus d'insistance.

— Monsieur? Vous allez bien, monsieur?

Leo Szilard, dans la baignoire, rassura le garçon.

— Bien sûr, aboya-t-il, sur fond de clapotis.

Un client attendait-il de pouvoir utiliser la salle de bain?

— Non, non. Ce n'est pas ça, monsieur. Mais voilà bien trois heures…

— Et alors? C'est ainsi, voilà tout.

Le garçon s'éloigna. Il rapporterait les propos du Hongrois excentrique à la patronne, qui hausserait les épaules et retournerait à l'office. C'était chaque fois la même chose. Pourquoi diable l'envoyait-on aux nouvelles?

Leo Szilard entendit s'éloigner le garçon d'étage. Silence. Puis la porte d'une chambre qui s'ouvrait. Cliquetis de clé. Un client de l'hôtel s'apprêtait à sortir. Sans doute sa voisine, arrivée depuis trois jours, repartant dans une semaine, quel dommage, New York est une si belle ville. Au prix d'un grand effort, ce jour-là, le Hongrois avait dû supporter son bavardage, tandis qu'il fouillait dans ses poches à la recherche de la clé de sa chambre. Voilà pourquoi il aimait tant les bains chauds et prolongés. Ils vous tenaient à l'écart des foules, dont les touristes bavardes ne constituaient qu'une faible partie. Surtout, ils étaient propices à la réflexion. Une fois son corps immergé dans l'eau chaude et dans la mousse, Leo Szilard sentait son cerveau fonctionner avec une précision accrue. Comme si son corps au repos avait fait refluer toute l'énergie électrique vers ses neurones qu'il pouvait presque entendre crépiter. Les liens, les idées, les intuitions, les raisonnements, tout se mêlait dans de lumineuses évidences. Il fallait y mettre le temps, bien sûr : trois heures, dans une eau réchauffée de temps à autre, de préférence le matin, après une nuit de travail. Au minimum.

Le Strand Palace Hotel était beaucoup plus modeste que l'Imperial Hotel de Russel Square, son logis précédent, et, de toute façon, la chambre avec salle de bain privée était devenue un luxe que Szilard ne pouvait plus s'offrir. Sa décision prise, le déménagement de ses effets lui avait pris moins d'une heure. Deux complets, trois caleçons, autant de paires de chaussettes, un nécessaire à raser, une valise, et le tour aurait été joué s'il n'y avait eu aussi ses dossiers, abondante et précieuse paperasse qu'il avait fallu ranger dans des cartons. Sa nouvelle chambre était aussi petite qu'une chambre de bonne, ce qu'elle était, mais la salle de bain était au bout du corridor. Le Hongrois avait repris ses habitudes.

Leo Szilard réfléchit. La proposition de ce type tombait bien, à condition d'être équitable. Al serait d'accord : pas question de se laisser dépouiller de ses inventions. Mais comment l'autre avait-il appris l'existence de la pompe? Sans doute par le Bureau des brevets, dont c'était précisément la tâche de fournir ce genre de renseignements. Al et lui avaient été bien avisés, à l'époque, de protéger leur trouvaille.

Un instant, il demeura sans bouger, attentif. Si chaque neutron relâche deux neutrons, en dix générations, j'obtiens 1024 fissions. Un clapotis vint interrompre ses réflexions. Un léger bruit de succion contre l'émail de la baignoire se faisait entendre lorsqu'il remuait une épaule ou une jambe. Voilà un mois, pensa-t-il, que notre lettre au président Roosevelt a été confiée à Alexander Sachs pour qu'il la lui remette en mains propres. Qu'en était-il advenu? Sachs avait-il seulement obtenu la rencontre escomptée? Ces hommes de la finance avaient-ils vraiment l'oreille du président, comme ils l'affirmaient volontiers? Il faudrait le relancer pour s'en assurer. Einstein s'en occuperait, en faisant jouer sa notoriété, pour que la démarche donne des résultats.

Le physicien soupira. Quand donc serait-il reconnu à sa juste valeur? Il venait de dépasser la quarantaine. Vingt années s'étaient écoulées depuis l'époque où il impressionnait ses professeurs de Budapest par sa précocité et la somme de ses connaissances. À Berlin, c'était par ses raisonnements. Ses maîtres le traitaient d'égal à égal. Il ne dirait jamais assez – mais à qui? et ça lui importait peu – le bonheur que procure à un jeune aspirant physicien la vue d'un amphithéâtre vidé de ses condisciples, envolés vers leurs bières et leurs saucisses, leurs filles à peloter ou leurs consœurs intimidantes; le bonheur d'un tête-à-tête avec le savoir, parfois rompu par une conversation entre savants. À Londres, Leo Szilard avait vécu dans une fièvre permanente, laissant derrière lui sans regret les contrôles d'identité, les vexations de toutes sortes, les regards suspicieux suscités par un faciès ou l'orthographe d'un nom. Toute cette chape de plomb n'était pas tombée d'un coup sur les restes de l'Empire austro-hongrois. Elle s'était installée insidieusement, et sans retour, on dirait, sur un monde brillant, spirituel, effervescent et qui, à l'époque où il avait pris un aller simple à bord d'un wagon de première classe, puisque les contrôleurs y posaient moins de questions, était déjà le monde d'hier.

À Londres, on pouvait réfléchir, on pouvait travailler. Certes, il manquait de fonds et de reconnaissance de la part de ses pairs, mais personne ne pouvait lui enlever l'excitation joyeuse causée par le sentiment d'être au seuil d'une découverte et peut-être dans le vrai. Comme cette fois où il attendait le feu vert pour traverser la rue et qu'il n'était pas près d'oublier. Comment ce Rutherford, tout physicien qu'il fût, avait-il pu affirmer une telle absurdité? La fission de l'atome, expliquait l'Anglais, à supposer qu'elle soit possible, ne dégagerait aucune énergie. Szilard remua. Les gens sûrs d'eux n'ont aucune idée de leur bêtise. Plus d'une fois, il avait pu voir, dans le même souffle qui expulsait l'affirmation péremptoire, s'éteindre la lueur d'intelligence dans le regard, aussi sec qu'une main éteint la lampe pour la nuit. Son assurance à lui était d'un autre ordre. C'était celle d'un être qui se voulait d'exception et dont l'appartenance à une élite de l'esprit supposait une discipline de travail et une existence simple, adoucie de quelques plaisirs hédonistes bien mérités – la table, par exemple, ou, d'un point de vue plus pratique, en raison de l'intense stimulation intellectuelle qu'ils favorisaient, les bains chauds et prolongés.

Ce jour-là, le rhume qui avait gardé Szilard au lit et l'avait empêché d'entendre la conférence scientifique de lord Ernest Rutherford avait eu un effet heureux. Car les propos du physicien, rapportés comme une vérité dans le journal du lendemain, lui avaient mis le cerveau en ébullition. Rutherford se trompait. La fission de l'atome dégageait de l'énergie. Et on pouvait essayer de théoriser la réaction en chaîne à l'origine du processus. Szilard s'était mis au travail.

Le président Roosevelt n'était pas un idiot. Il suffisait que la lettre des deux physiciens parvînt jusqu'à son bureau pour qu'il en mesure l'importance. Szilard en avait rédigé le brouillon, et Einstein l'avait signée pour d'évidentes raisons stratégiques. Szilard était déjà un type insignifiant aux yeux des scientifiques travaillant bien au chaud dans leurs laboratoires universitaires. Que ne serait-il pas pour des militaires et pour les hommes de la Maison-Blanche? Mais signée par Albert Einstein, ce 2 août 1939, la lettre au président ne pouvait être l'initiative d'un hurluberlu, même si les dangers qu'elle évoquait semblaient tout droit sortis d'un scénario catastrophe. Une bombe à base d'uranium? Et d'abord qu'est-ce que l'uranium? Les prendrait-on au sérieux?

Le physicien leva une paume fripée devant ses yeux. Et en seulement quatre-vingts générations, j'obtiens environ 6×10^{23} fissions. Il laissa son bras retomber dans l'eau. Sur un tabouret, à portée de main, il avait disposé son nécessaire à raser. Il prit le blaireau et fit mousser le savon. Un petit miroir, calé contre le mur, sur le rebord de la baignoire, lui évita quelques coups de pioche maladroits.

Ainsi rasé de frais, la peau blanche et ramollie du Hongrois dégageait l'odeur de savonnette d'une campagnarde un soir de bal. Une goutte d'after-shave vint épicer cette image. C'était lui, l'inventeur, après tout. Ce Williamson n'était qu'un vulgaire commerçant.

17

Du bar où il était, Williamson voyait le grand lustre du hall jeter mille feux. D'un doigt distrait, il suivit le motif incrusté dans le bras droit de son fauteuil. Avait-il voulu impressionner le Hongrois en lui donnant rendez-vous dans un tel lieu? Williamson interrogea sa conscience comme quarante années de mariage avec une quakeresse lui avaient appris à le faire, simplement, sans vain scrupule.

Ce n'était pas ça. Il avait commencé à fréquenter le Waldorf du temps où ce dernier était encore sur la 5e Avenue. Un jour, l'immeuble avait dû céder la place à l'Empire State Building et avait été reconstruit sur Park Avenue, à deux pas du Grand Central Terminal, ce que Williamson trouvait fort commode pour ses rendez-vous. Les bureaux de son courtier étaient situés tout près, et aussi ceux de quelques rédactions influentes où il avait ses entrées. Son club était à quelques pâtés de maisons. Il y invitait des relations d'affaires quand il avait besoin d'un cadre détendu. Williamson ne mettait pas en avant son identité indienne, mais il ne la cachait pas non plus. Comme elle lui semblait loin l'époque où, jeune marié, il se montrait à Paris avec des parures nez-percées. Avec les années, il avait compris l'importance de ses rôles respectifs pour le succès de sa mission, et que Williamson devait exhiber les signes de sa richesse pour être crédible. L'Amérique voyait s'éloigner à toute vitesse son passé pionnier, et le prix du sang payé par les tribus indiennes pour la prospérité du pays était lui aussi oublié. Dans ce contexte, le métis Williamson, homme d'affaires cultivé ayant trouvé dans la réussite financière une pacifique revanche sur les humiliations passées, devenait emblématique. Mais pour avoir valeur d'exemple, cette victoire devait pouvoir être affichée. Le Waldorf Astoria faisait partie de l'exhibition.

Au départ, Williamson ignorait tout du physicien hongrois. Il n'en savait guère plus sur les travaux portant sur la réaction en chaîne, née de la fission de l'atome, que ce dernier avait menés avec ses collègues Fermi et Bohr. C'est Nohog qui l'avait mis sur la piste, en répondant à une de ses questions. Qu'allaient encore inventer les humains après la précédente guerre qui avait fait tant de victimes?

Les premiers bilans, dans les mois qui avaient suivi l'armistice, avançaient des chiffres effarants. Vingt millions de morts! À ce nombre s'ajoutaient les trente millions de victimes de l'épidémie de grippe espagnole qui s'était déclarée vers la fin du conflit. Quand il en avait appris la cause, Mountain avait été atterré. Que le jeune Jebase eût été mis hors d'état de nuire et dût répondre de ses actes devant l'Unicité, que lui-même ait eu la vie sauve grâce à l'abnégation et le sens du devoir d'un Structasensi ne changeait rien à l'affaire. Qui sait combien d'êtres humains gagnés au pacifisme, ou susceptibles de l'être un jour prochain, avaient péri dans l'hécatombe? Pacifiste ou non, un mort était un mort, et chacun d'entre eux était une offense à l'Éthique Une. Aussi, à titre d'antéUn, avait-il adressé à l'Unicité une protestation en bonne et due forme. La responsabilité des Uns restait engagée. Qu'on ne l'oublie pas était le minimum, même si la responsabilité humaine était manifeste dans l'indéracinable propension de l'espèce à se faire la guerre. Et avec les famines, tantôt endémiques, comme en Afrique et en Chine, tantôt provoquées, comme en Ukraine, on pouvait même se demander s'il resterait un jour une humanité à sauver.

Mais il nuançait aussitôt ce jugement. Si l'Europe avait été ruinée, l'Amérique était florissante, l'Asie allait croissant, l'Afrique avait un avenir et l'Australie se développait. Il n'empêche que l'humanité demeurait engagée dans une fuite en avant mortelle. D'où le danger viendrait-il, cette fois? Nohog pouvait-il l'éclairer sur ce point?

Habilement, il avait formulé sa question de manière générale. Car l'aide du Ventorxe demeurait soumise aux règles de Xall. L'initiative devait venir chaque fois du Contacté; l'Observateur mettait alors à sa disposition les connaissances nécessaires. De ce point de vue, la valise-coopteur, par l'autonomie qu'elle conférait au Contacté, pouvait paraître une entorse à la règle établie, Nohog le savait. Mais le recours à l'or était une idée de l'humain. Il ne faisait que lui fournir l'outil de son exécution. Une interprétation libérale de la règle établie était tout aussi défendable. Cependant, le Protectoire en avait profité pour fixer des limites au transfert de technologie Une au Contacté : aucune arme.

C'est ainsi qu'en ce début d'été 1939 Mountain avait interrogé Nohog.

VISIONNEMENT. La réponse avait fait irruption dans son esprit quelques heures plus tard. Il devait se rendre dans la loge-relais du ranch où l'attendaient des segments holoviv. Long-John Williamson avait donc pris congé des siens, puisqu'une fois de plus ses affaires l'appelaient à New York.

Une fois de plus, il avait renvoyé le cheval un peu avant Pottstown et refait à pied le chemin jusqu'à la butte herbue et à l'emplacement de la loge. Une fois de plus, le verrou avait été désactivé. Il était entré dans la pièce. Ignorant la table de transfert, il s'était dirigé vers la salle de visionnement. Qu'allait-il apprendre, cette fois?

Dans le bar, un second cocktail fit son apparition sur la table basse. L'avait-il vraiment commandé? Un geste avait dû lui échapper, tout à ses pensées, que le garçon, sermonné par le barman, avait interprété à sa façon. L'horloge marquait six heures. Szilard n'allait plus tarder. Williamson laissa fondre les glaçons avant de tremper les lèvres dans son verre.

La séquence holoviv lui avait paru énigmatique. Il voyait un petit groupe d'hommes de science, des physiciens, avait-il bientôt compris, devant un tableau noir. La scène se déroulait à Berlin, en 1930. Il ne connaissait aucun de ces hommes. Leurs calculs, leurs observations faisaient l'objet d'intenses discussions. L'un d'entre eux, d'origine hongroise, se montrait particulièrement soucieux. Son nom : Leo Szilard.

Pourquoi Nohog avait-il choisi ce moment et ce lieu dans l'holoviv récent de ◊-GVH-18327-Γ? Mountain avait interrompu le visionnement et adressé une requête à l'Observateur : qu'il lui procure une connaissance étendue de la science physique en ce premier tiers du XXe siècle, y compris de la recherche de pointe menée dans certains laboratoires et gardée secrète. Il avait passé la nuit dans la loge-relais en attendant la réponse de Nohog. Il avait hâte de reprendre le visionnement. Dans la première séquence, la discussion s'était déroulée en allemand, langue qu'il se félicitait d'avoir ajoutée à son bagage de langues étrangères, à l'époque de la caverne. Par contre, de larges pans du langage scientifique lui étaient encore obscurs. Cette lacune fut bientôt comblée.

Le visionnement avait repris en 1938, en Amérique. L'homme appelé Leo Szilard était manifestement inquiet. L'état de ses recherches sur la fission de l'atome lui permettait d'envisager le moment où l'humanité pourrait créer une arme d'une force inégalée, qui dépasserait en puissance les bombes les plus meurtrières lâchées vingt ans plus tôt sur les champs de bataille d'Europe et renverrait les gaz asphyxiants à la panoplie meurtrière d'un autre siècle.

Le Hongrois n'avait pas la prétention de se croire seul à travailler sur la réaction en chaîne. Il connaissait assez l'esprit de revanche nazi pour savoir que le parti avait dû enrôler les meilleurs cerveaux œuvrant dans les laboratoires d'Allemagne. Ainsi, les chimistes Otto Hahn et Fritz Strassmann, qui venaient tout juste de casser l'atome d'uranium en le bombardant de neutrons, avaient sûrement été réquisitionnés.

L'effroi de Mountain avait grandi à mesure que l'holoviv rejoignait le temps présent, car il avait compris qu'une course s'engageait. C'était à qui fabriquerait la nouvelle arme en premier. Cette spirale n'aurait-elle jamais de fin? À quoi avait servi la création de la Société des Nations? Au lendemain du traité de Versailles, Mountain s'était réjoui de ce que le président Wilson eût fait siennes plusieurs des propositions formulées par Jane Addams. Et ces derniers mois, il avait regretté le retrait de plusieurs pays de l'organisation, sous divers prétextes. Mais le ver était dans le fruit, puisque le Sénat américain, contre tout bon sens, avait à l'époque renversé la décision de son propre président et refusé de ratifier le traité de Versailles. Comment s'étonner après cela des limites assignées aux interventions d'une Société des Nations restreinte?

Dans la salle de visionnement, ce jour-là, Mountain avait suivi Szilard dans ses déplacements, depuis Berlin et Londres jusqu'à son installation récente dans une minuscule chambre d'hôtel, à New York. Auparavant, il l'avait observé qui tentait de convaincre ses confrères de renoncer pour un temps à publier leurs travaux. Pourquoi alimenter la recherche nazie dans ce domaine? arguait Szilard. Gardons secrètes nos découvertes et nos conclusions, même les plus importantes. Surtout celles-là. Ne publions rien. Un jour, les temps seront plus propices à la science. Protégeons-la et nous protégerons l'humanité. Le mot d'ordre avait été à peu près respecté jusqu'au moment où des savants comme Lise Meitner, Otto Frisch et Frédéric Joliot-Curie avaient rompu le pacte en publiant leurs travaux sur la fission nucléaire. Dès lors, Troisième Reich ou non, tout était redevenu comme avant.

Un autre segment holoviv avait montré Leo Szilard en train de convaincre Albert Einstein d'adresser une lettre au président Roosevelt afin de le prévenir du danger. Mountain les avait vus s'attabler, avec un troisième collègue, dans la véranda de la maison d'Einstein, à Long Island. Einstein avait parcouru le brouillon de la lettre rédigée par son ami Szilard et l'avait approuvé.

Mountain s'approcha du document, qui n'avait manifestement rien de privé. Monsieur, y lut-il, les récents travaux de Fermi et Szilard en Amérique et de Joliot en France rendent possible une réaction en chaîne nucléaire dans l'uranium. Le phénomène permettrait la construction d'un nouveau type de bombe extrêmement puissante dans un futur proche.

La lettre se terminait sur une mise en garde : ces travaux sur l'uranium étaient connus à Berlin, et l'Allemagne avait cessé de vendre à l'étranger l'uranium provenant de ses mines tchécoslovaques. C'étaient là autant de signes inquiétants.

Le ton alarmiste de la lettre avait convaincu Mountain : il devait faire la connaissance de Leo Szilard. Ses intentions étaient louables, mais les conséquences d'une telle missive n'étaient pas sans risque. Le pire devait être empêché.

18

Le chasseur du Waldorf s'approcha, l'air hautain.

— Vous désirez, monsieur?

En voilà un qui ne paie pas de mine. Complet élimé, cravate froissée, chaussures poussiéreuses. Le chasseur insista.

— Vous avez rendez-vous avec quelqu'un, monsieur?

Un regard si méprisant lui répondit que l'employé fit marche arrière. Impressionné, il ouvrit la porte au visiteur et put vérifier le bien-fondé de la loi voulant que les millionnaires soient des excentriques. Leo Szilard gravit l'escalier du hall et se dirigea vers la réception, où une jeune femme tendit le bras vers le bar, tout en jaugeant le visiteur d'un coup d'œil professionnel. Visiblement, elle n'arrivait pas à trancher. Sa perplexité réjouit Szilard.

Au téléphone, les deux hommes avaient convenu d'un signe de reconnaissance : l'essai de John Maynard Keynes, *The Economic Consequences of the Peace*. Szilard avait été surpris et ravi. Un homme d'affaires capable de lire un économiste anglais défendant un marché régulé par l'État ne pouvait être un industriel comme les autres. Tout comme Keynes, Szilard pensait qu'une Allemagne à l'économie ruinée n'augurait rien de bon sur le plan politique. Mais à en juger par la situation présente, ils avaient été peu nombreux de cet avis. Et voilà qu'il se trouvait en Amérique un homme d'affaires pour connaître ce livre et vouloir en plus commercialiser la pompe d'une seule pièce dont il était le co-inventeur. La circonstance valait le détour, et très certainement le bon repas qu'on lui faisait miroiter.

Une fois dans le bar, Leo Szilard chercha l'industriel des yeux et s'arrêta devant la table basse où l'ouvrage de Keynes était posé bien en vue. Ses yeux allèrent à l'homme qui se tenait derrière. Szilard réprima un léger étonnement en découvrant un Indien en complet-cravate. En face, les pommettes saillantes se détendirent en un sourire. Williamson se leva. Les deux hommes se serrèrent la main. Peu de temps après, le serveur s'approchait.

La question des consommations réglée, la conversation put s'engager. Tout en parlant, Szilard tripotait machinalement les boutons de sa veste, tantôt croisée, tantôt ouverte. Il se tortillait sur son fauteuil. Le regard était fuyant. Williamson comprit que la timidité était à l'origine du manège, qui s'estompa à mesure que la conversation s'engageait.

Keynes n'était pas leur seule lecture commune. Suivant son plan, Williamson laissa tomber le titre d'un roman de Wells. Aussitôt, le visage du physicien s'éclaira.

— Vous aussi vous avez lu *The Last War*? Quel roman passionnant! L'affrontement final entre les deux armées est très bien vu. Une guerre pour en finir avec toutes les guerres, et ces bombes au carolinum lâchées sur les villes, effrayant, non? Vous savez, les romans futuristes sont souvent plus dans le vrai que l'on pense. C'est ce que je me dis, certains jours.

— Les bons, oui, commenta Williamson. Et le roman de Wells en est un, sans contredit. Qu'un homme de science comme vous y trouve son compte ajoute à ses mérites. Vous en lisez beaucoup, des romans de ce genre?

— Disons que j'ai lu celui-ci, répliqua Szilard, un brin décontenancé par la tournure de leurs propos.

Williamson comprit que cette réserve ne demandait qu'à fondre. À dessein, il avait choisi la piste des livres. En parlant de littérature, on se révèle volontiers. Les souvenirs de lecture de Szilard étaient encore vifs. C'est en voyant tomber les bombes «atomiques» dans *The Last War* qu'il avait eu l'intuition que la fission de l'atome pouvait dégager une réaction en chaîne d'une force impressionnante. Wells donnait l'impression de mêler la science et la fiction, pourtant ses projections semblaient si plausibles qu'on avait envie d'y croire. Devant Williamson, Szilard ne dit rien de tel, mais l'intérêt pour ces questions qu'il avait senti chez son interlocuteur eut raison de sa méfiance. Ce Williamson, sans être un savant, semblait pourvu d'une culture scientifique supérieure à la moyenne. Szilard s'en réjouit et s'ouvrit à lui d'un rêve ancien. Un jour, l'atome maîtrisé deviendrait une source d'énergie pour tous. L'homme d'affaires ne parut pas étonné.

— Que la science soit un bienfait, nous sommes d'accord. Mais quel besoin a-t-elle d'inventer de nouvelles armes dans la foulée? L'histoire n'a-t-elle pas montré des milliers de fois qu'une arme inventée est une arme utilisée?

— C'est vrai. Mais alors il faudrait s'interdire de faire des découvertes? Cela ne s'est jamais vu, pas plus que des armes qui ne servent pas.

— La science aurait donc besoin de la guerre? Vous-même avez connu la guerre, non? Vous savez qu'elle marque chaque fois un recul de l'intelligence. Un homme de science peut-il oublier cela?

Szilard resta silencieux. Il songeait à ses collègues qui avaient choisi de publier leurs découvertes malgré ses exhortations à n'en rien faire. Il songeait à sa jeunesse en Hongrie. La passion de l'étude l'avait pris à un point tel qu'il en avait presque oublié la décision de son père, trente ans plus tôt, de désenjuiver le patronyme familial. Et cette nécessité s'était imposée bien avant qu'un pantin à moustache ne se fût répandu en vociférations sur les estrades. En fuyant Berlin pour Londres, Szilard n'avait pas complètement abandonné ceux qu'il laissait derrière lui. Une fois en Angleterre, n'avait-il pas participé à la fondation de l'Academic Assistance Council, créé pour venir en aide aux scientifiques désireux de quitter l'Allemagne nazie? Mais la science l'appelait, et elle l'avait appelé en Amérique en 38, au bon moment. Puisque la guerre semblait inévitable dans certaines parties du monde, autant se mettre à l'abri. Cependant, la perspective d'une bombe à l'uranium entre les mains des nazis changeait la donne. Nul n'était plus à l'abri. La science ne pouvait rester à l'écart. Et il fallait bien s'occuper un peu de l'état du monde si on voulait le tenir à distance. Toutes ces pensées – les travaux que lui avaient inspirés les intuitions de Wells, la lettre au président Roosevelt, et jusqu'à l'appel au boycott nippon, en 32, resté sans suites –, Szilard, ce soir-là, les garda pour lui. Après tout, même s'il avait envie de lui faire confiance, il ne connaissait pas ce type qui lui parlait plus de paix que d'affaires. Même en Amérique, le mélange étonnait. La première impression était bonne, mais qui était-il au juste?

Ils gagnèrent la salle à manger vers huit heures, sous les regards faussement blasés du personnel. Dans le hall de l'hôtel, la nouvelle que le vagabond qu'on avait vu passer plus tôt avait rendez-vous avec Mr. Williamson s'était répandue rapidement, jusqu'à atteindre le chasseur qui, sous la marquise, avait hoché la tête.

Leo Szilard commanda un consommé, du hareng fumé, du jambon cru, un œuf en gelée, un plat de bœuf Wellington, des pommes de terre sautées à l'ail, des petits pois aux oignons blancs, du pain de seigle, du gouda au cumin, une part de tarte aux fruits, une autre de gâteau au fromage blanc, et un café – ajouta-t-il en levant le doigt – mais servi à la fin du repas seulement.

— En Amérique, conclut-il à l'intention de son hôte que cet appétit faisait sourire, il faut chaque fois préciser pour le café. Mais je ne vous apprends rien, à vous qui êtes Américain.

— Naturalisé américain. Je suis né au Canada.

Le métis s'en tint à la salade Waldorf, à la réputation méritée. Ils burent un Nuits-Saint-Georges 1928, qui avait bien vieilli, décidèrent-ils.

Après les entrées, le brevet de la pompe les occupa un instant. Williamson sortit un papier de la poche intérieure de sa veste.

— Voici ma proposition. Réfléchissez-y avec le professeur Einstein, et revenez-moi là-dessus au moment qui vous conviendra.

Dès lors, le sujet ne fut plus abordé. Si Leo Szilard s'étonna de cette simplicité, il n'en laissa rien voir, tout occupé à faire honneur aux plats qu'une armada de garçons renouvelait régulièrement. Vint le café. La vue du noir breuvage rendit Williamson pensif. Au petit-déjeuner, il avait dû combattre une impression de vieillissement contre quoi l'Aliment ne pouvait rien. Cette fois, la conscience du temps passé ne l'atteignait plus à travers les siens, comme une fatalité dont il fallait s'accommoder. Elle devenait le rappel glacial d'une échéance, à mesure que s'en allaient les compagnons des premiers jours et qu'il devait en trouver d'autres. Ces derniers temps, toute la vieille garde semblait avoir disparu. Ainsi Hélie de Talleyrand-Périgord était mort dans son lit, deux ans auparavant, laissant une épouse américaine et une fille. La rubrique nécrologique du *Figaro* avait fait état de sa disparition avec les accents d'usage, et le *New York Times* en avait répercuté l'écho dans sa rubrique mondaine. Son détachement avait étonné Williamson. Constantinopoulos aurait-il réagi différemment ? Vers quelle schizophrénie sa double vie l'entraînait-elle ? Constantinopoulos avait envoyé ses condoléances à l'épouse inconnue puisqu'elle appartenait à la seconde existence de son ami, celle qu'il avait choisi de mener, en se rangeant, après son mariage. La dernière rencontre entre les deux hommes remontait à douze ans, en 1927, à Paris, lors d'un cocktail-bénéfice, presque par hasard.

Un peu plus tôt au cours de cette même année, Williamson avait revu Two Moon, lui aussi pour la dernière fois, mais en des circonstances qui n'avaient rien de fortuit. Son contremaître Britt était parti acheter des chevaux palouses à Vernon. C'est alors que Two Moon, rendu curieux d'un acheteur qui, d'un coup d'œil, venait périodiquement écrémer son troupeau des meilleurs éléments, en payant le gros prix sans discuter, avait refusé toute nouvelle transaction, à moins d'accompagner les chevaux jusqu'à leur nouvelle pâture. L'éleveur indien disait vouloir s'assurer de visu de la santé et du maintien du troupeau de ce monsieur Williamson, mais en réalité il mourait d'envie de voir ce qu'étaient devenus ses chevaux et leurs descendants. Williamson, mis au courant par téléphone des exigences de Two Moon, avait souri et accepté ses conditions.

Quand le camion était arrivé en Pennsylvanie, l'Indien avait été reçu aimablement par Jennifer Williamson, qui l'avait invité à retrouver son mari et le troupeau sur les bords de French Creek. Britt lui avait sellé une monture paisible et Two Moon, en petites étapes, avait chevauché vers le nord, admirant les vertes collines qui l'entouraient. La horde devait se plaire ici, avait-il pensé. Il avait atteint la rivière sans voir le troupeau et fait grimper son cheval en haut d'une colline. Les bêtes étaient là, de l'autre côté, à peu près trois cents têtes. Toutes palouses. Du jamais vu depuis la guerre contre les Blancs. Un cri de ralliement voulut franchir ses lèvres, mais le vent porta jusqu'à lui d'autres cris dans sa langue. Les sens aiguisés, il aperçut au loin un cavalier qui rameutait les bêtes écartées. Les mouvements étaient souples et amples, et semblaient convaincre plutôt que contraindre. Son cœur avait bondi, il savait maintenant qui était ce Mr. Williamson.

Two Moon avait passé une semaine au ranch, à la joie de Jennifer, qui avait vu pour la première fois son mari se comporter en authentique Indien et discourir en nez-percé avec celui qu'il lui avait présenté comme un proche parent. Les deux amis s'étaient dit adieu à la gare, et dès lors Mountain n'avait plus revu Two Moon que dans l'holoviv.

Vignol avait lui aussi tiré sa révérence, mais son départ n'avait rien eu de lugubre, puisqu'il était sans doute en ce moment en train de rigoler avec deux ou trois habitués du Cheval blanc. Ce café sur la Côte d'Azur, il l'avait racheté au prix fort, c'était obligé, à une vieille amie qui en avait assez. Les canaris, au moins, expliquait Mado, ne vous réclament pas le pastis à dix heures du matin et le ballon de rouge à dix heures du soir. Ces choses finissent par peser, quand on est seule. Or Vignol n'aspirait plus qu'à cela, servir le pastis aux joueurs de boules, et Constantinopoulos l'avait aidé à s'établir pour la retraite, ce qui n'était que justice. Enfin, un peu plus tôt la même année, maître Dumontier s'était lui aussi retiré des affaires. Le fils de son associé, Gérard Fournel, avait pris la relève et apportait le même soin exact à gérer une partie de la fortune du Grec dont il était loin de soupçonner l'ampleur, tant Constantinopoulos s'était ingénié à compartimenter son empire en multipliant les prête-noms et les sociétés fiduciaires.

Ce matin-là, Williamson avait replié le journal avec un sourire triste. Si son action était lente, rien n'arrêtait sa progression. Il y a dix ans, le krach boursier avait à peine entamé sa fortune, bien au contraire, le nouveau statut de valeur-refuge accordé à l'or avait servi ses intérêts. Sur le marché de Londres, l'abandon de l'étalon-or et l'abolition, en 1932, d'un prix fixe pour ce minerai avait fait passer l'once de 85 à 154 shillings en sept ans. La fortune de Constantinopoulos, déjà colossale, avait alors presque doublé. Dans les années vingt, écœuré, il s'était départi de ses mines en Afrique, en Asie et en Amérique du Sud. En Union sud-africaine, un mineur noir gagnait dix fois moins qu'un mineur blanc. Constantinopoulos avait bien essayé de modifier les choses de l'intérieur, mais devant la levée de boucliers des autres propriétaires miniers, il avait dû renoncer, de peur d'attirer l'attention sur lui. Depuis, le coopteur bourdonnait régulièrement, et les barres de 12,5 kg s'empilaient dans ses coffres suisses.

En guise de couverture, le Grec avait étendu ses possessions aurifères au Canada, à Porcupine, Kirkland Lake, Val-d'Or, et, plus récemment, à Yellowknife. En 1933, une nouvelle loi aux États-Unis rendant illégale la possession d'or par les particuliers ne l'avait pas affecté, toutes les opérations sous les multiples bannières Constantinopoulos étant centralisées en Europe. Cependant, la guerre à nouveau déclarée ouvrait des perspectives plus inquiétantes. Que pouvait l'argent dans une course en vue de doter un gouvernement de l'arme la plus destructrice jamais inventée?

Achevées ou s'achevant, les existences des compagnons de la première heure avaient été bien remplies. Mais lui, Mountain, qu'avait-il fait de son temps? Et combien lui en restait-il? Williamson n'avait pas la réponse, Constantinopoulos non plus. Dans l'immédiat, il ne savait qu'une chose : un cycle de vie humaine s'était écoulé, et il lui fallait trouver d'autres alliés.

Mountain avait laissé dévider le fil de ses pensées, tandis que Szilard faisait honneur aux desserts. Du reste, l'Indien qu'il était s'accommodait de silences dans la conversation que Szilard semblait apprécier. Après le café, les deux hommes optèrent pour un petit cigare et retrouvèrent l'atmosphère feutrée du bar.

Le Hongrois, repu, répondait par monosyllabes, ce qui permit à un Williamson de nouveau en verve de se lancer dans l'un de ses sujets favoris : le Mahatma Gandhi. Il avait sûrement entendu parler d'un homme aussi exceptionnel? Un grommellement lui répondit qu'il perçut comme une invitation à poursuivre, car Szilard était intrigué. Einstein s'était lui aussi intéressé à la pensée de Gandhi. Comme le monde est petit.

Williamson ne dit pas tout. Il ne dit pas que Constantinopoulos avait d'abord entendu parler du leader indien par son fondé de pouvoir en Union sud-africaine. Mais il dit l'essentiel. Après ses études en Angleterre, Mohandas Karamchand Gandhi s'était installé en Afrique du Sud pour y pratiquer le droit. Pour la première fois alors, il s'était heurté au racisme. À Londres, il était un étranger. À Pretoria, il n'était rien. C'est à partir de ce moment que la nécessité d'une action politique s'était fait sentir avec force. Mais quelle forme lui donner?

— On peut dire qu'il a trouvé le bon moyen avec ce truc… la non-violence, répliqua Szilard, qui sortait peu à peu de sa torpeur digestive.

Williamson saisit la balle au bond. Le pacifisme, c'était sa marotte, son credo, et l'un des nombreux combats menés par sa femme, militante convaincue. L'intérêt de Szilard augmenta. On était loin des pompes et des réfrigérateurs.

— Votre femme est quaker, dites-vous? Gandhi serait donc un modèle pour ces gens?

— Bien sûr. La doctrine de la non-violence n'est-elle pas en train d'avoir raison des Anglais?

— Ça reste à voir. L'indépendance de l'Inde se fera peut-être, mais non sans affrontements, je le crains.

— Pour le moment, la résistance reste pacifique, objecta Williamson.

— Oui. Et je pense que c'est admirable – une admirable exception.

Ils avaient partagé leurs lectures, s'étaient découvert un intérêt pour la science appliquée, et voilà que son interlocuteur était pourvu d'une épouse militante. Malgré tout, Szilard demeurait sur ses gardes. Il avait devant lui un industriel qui traitait ses affaires avec courtoisie et désinvolture, mais qui semblait animé de convictions en matière publique.

D'ailleurs l'autre était lancé. Appliquée à la vie politique, la doctrine de la non-violence menaçait le pouvoir colonial. Pourquoi prendre les armes? Pourquoi tuer des hommes dont les hasards du lieu de naissance et de l'époque avaient fait des adversaires, mais qui n'en demeuraient pas moins des hommes? Ainsi raisonnait Gandhi, devant des adeptes de plus en plus nombreux. L'impôt anglais sur le sel était injuste? Pour y échapper, il suffisait à chacun d'entrer tranquillement dans la mer et d'y prélever sa ration. On avait même la bonté de prévenir la police, avant de passer à l'action.

L'industriel riait de l'épisode comme d'une bonne blague, et Szilard admit que l'astuce était bien trouvée. Mais ce qui semblait marcher en Inde pouvait ne pas réussir ailleurs.

— Pourquoi? rétorqua Williamson. C'est l'*ahimsâ* qui est en cause. Les moyens peuvent varier, mais l'*ahimsâ* reste à la base de toute action.

Szilard en avait entendu parler par un Einstein admiratif. Au cœur du jaïnisme, le principe demeurait d'application difficile : ne pas nuire, ne pas tuer, respecter toute forme de vie. Gandhi avait sans doute aussi emprunté quelques-unes de ses idées à Tolstoï, un vieil original qui avait lu Thoreau et pris au sérieux les Évangiles et l'amour du prochain, en paroles du moins. Les deux hommes avaient même échangé une correspondance. Mais Gandhi avait poussé plus loin le raisonnement en lui conférant une portée révolutionnaire, visant à faire tomber le pouvoir colonial. Si, en plus, on jeûnait de temps à autre et évitait les excès… ajoutait Williamson. Szilard sursauta. Jeûner? Plutôt mourir.

— L'esprit s'élève quand le corps est maîtrisé, rétorqua le métis, malicieusement.

— Seriez-vous devenu un adepte de Gandhi?

— Non. Mais j'aime sa réponse à une question qui m'obsède. La violence n'est pas une réponse; elle ne fait qu'aggraver le problème.

— Nous voilà devenus bien sérieux, murmura Szilard, avant de tourner le regard vers la porte du bar, comme si la Vérité en personne allait en franchir le seuil.

La conversation avait pris un tour éthique, et le Hongrois se défendait mal contre l'effet qu'elle produisait sur lui. Ne pas tuer. Certes, mais les armes peuvent avoir aussi un effet dissuasif. Il se revit à Berlin, dix ans plus tôt. Au début, les nationaux-socialistes ne paraissaient que ridicules, et leur chef avait même été jeté en prison. Quelques abrutis à la cervelle grosse comme une épingle, voilà tout. Mais après l'Italie, l'incendie nationaliste avait gagné l'Allemagne. Des petits hommes revanchards avaient pris le pouvoir et entraîné d'autres hommes à leur suite, avec des promesses d'uniforme et de bottes astiquées. Ils avaient appris le garde-à-vous aux foules, des vagues de bras fiers et levés : Szilard était dégoûté. Autour de lui, on avait faim. On manquait de tout. Plus rien n'était stable. À Wall Street comme à Berlin, le papier-monnaie ne valait plus rien. Et maintenant que le bruit des armées recouvrait tout, comment repousser les hommes en chemises brunes ou noires? Du sel dans la mer? Laissez-moi rire, Mr. Williamson.

Le barman était seul derrière le bar. Un à un, les clients de l'hôtel avaient regagné leur chambre, et la clientèle new-yorkaise avait déserté les lieux. La grande horloge indiquait deux heures passées. Pourtant, aucun des deux hommes n'étouffa un bâillement, n'évoqua de tâche ou de rendez-vous à la première heure, demain matin. Quelque chose avait été dit, mais quoi? Williamson ajouta qu'ils se reverraient, qu'il n'en doutait pas.

— Je vous fais appeler un taxi, si vous voulez.

Szilard refusa. Il pouvait marcher, il en avait l'habitude. Le concierge referma son livre quand il les vit sortir du bar et venir à sa rencontre. Pourquoi m'a-t-il raconté tout cela? pensait Szilard, tandis que le portier leur adressait un bref salut. Dans l'air humide de la nuit, un taxi s'approcha. D'autorité, Williamson le héla, régla la course, et Szilard, perdu dans ses pensées, ne protesta pas.

— C'est bien? interrogea Williamson au retour, avec un signe de tête vers le livre refermé sur la table.

— Oui, monsieur, et j'ai bientôt fini. Un drôle de type, vraiment. Vous voulez jeter un coup d'œil?

Williamson déclina la proposition. Le besoin de sommeil était tombé sur lui d'un coup et avait éteint toute curiosité. Demain, demain.

19

Constantinopoulos regarda les images de l'holoviv, incrédule. Autour de la loge-relais, le vent faisait onduler l'herbe et flotter les drapeaux helvètes, ajoutant, par contraste, au caractère irréel du dispositif qu'il voyait se mettre en place. Allait-on le croire? C'était si monstrueux. Et l'or seul pouvait-il arrêter cela? Son cœur battait à coups sourds. Une nausée l'envahit.

Autour de la cabane, tout était silencieux, pas le moindre craquement d'aiguilles, pas le moindre frôlement d'ailes. La bougie fut soufflée. Dormirent-ils? Milka, assurément, avec la sagesse des très jeunes enfants qui sentent la chaleur d'une mère à leurs côtés. Si Noam mit plus de temps à s'endormir, c'était par scrupule de nouveau chef de famille. Tout était-il en ordre?

Mais Noam restait un enfant. Car il fallait être un enfant pour appeler ordre, malgré tout, ce qui n'était que désordre depuis le début. Il s'allongea avec sa mère et sa sœur, contempla le plafond, et ses yeux se posèrent sur la fenêtre qui baignait dans une clarté lunaire. Il pensa à sa collection de pierres à jamais perdue puisqu'il n'avait pas eu le temps de la cacher dans la précipitation du départ. Mais en sortant de la maison de Rexingen, sa mère avait fermé à clé, elle avait aussi fermé les volets. La clé était dans le sac de voyage. L'ordre, oui, était revenu. Et peut-être qu'il n'y aurait pas de pillards. Noam s'endormit.

Au matin, la famille se remit en route sans tarder. Le rendez-vous avec le passeur, monsieur Gil – il tenait au

Monsieur, paraît-il – avait été fixé à six heures, sous les trois sapins, à un demi-kilomètre au sud de la cabane. À vol d'oiseau, le poste-frontière de Stühlingen n'était qu'à cinq kilomètres, mais ils n'étaient pas des oiseaux. La mère se força à regarder autour : les arbres, le sentier qu'ils suivaient depuis un moment, tout lui parut menaçant. Elle se répéta qu'elle ne devait pas envisager l'avenir en fonction du passé, mais il était difficile de l'oublier. Fuyez, lui avait dit Yossi juste avant qu'on l'arrête, gagnez la Suisse, mettez-vous à l'abri jusqu'à la fin de la guerre.

Monsieur Gil avait été formel : éviter les douaniers. L'homme demandait trois cents francs suisses par tête pour les conduire jusqu'à Grimmelstofen. De là, ils passeraient le pont sur la rivière Wutach et, par un sentier dans la forêt connu de lui seul, rallieraient la frontière suisse pour entrer dans le canton de Schaffhouse.

La cabane s'éloignait derrière eux. Soudain, monsieur Gil surgit des fourrés. Il semblait en colère. Lui était silencieux, mais eux! Vous le faites exprès ou quoi?

Un si jeune homme. Qui la réprimandait, elle, bien mise, avec ses deux enfants. En d'autres circonstances, la scène aurait été comique. Milka se mit à pleurnicher.

— Non, ordonna le frère.

L'enfant se blottit plus étroitement contre sa mère.

Ils s'enfoncèrent dans la forêt. Le passeur allait devant, suivi du garçon et de la fillette. La mère fermait la marche. Elle gardait les yeux rivés sur les épaules musclées du guide, sa nuque ferme, laissée à découvert malgré le chapeau de feutre. On était arrivé.

— Cette fois, pas de bruit, prévint monsieur Gil. Le poste-frontière est juste là, derrière les arbres.

Il montra une lisière de sapins.

— L'équipe de nuit n'a pas encore été relevée. Ils ne sont que deux, et ils ont sommeil. C'est le moment.

D'un certain point de vue, les Chevaliers de la Paix furent efficaces. Dès leur arrivée en Suisse, la famille fit connaissance avec l'un de leurs représentants, monsieur Meier, qui se mit aussitôt à discuter paperasse et visa. Mais à Schleitheim, le premier geste de Hanna Frenkl avait été, comme convenu avec l'épouse du pasteur de Rexingen, de sonner au portail d'Ursula Vogelsanger. «Deux coups brefs, deux fois. Elle saura alors que c'est moi qui vous envoie.»

Leur hôtesse avait préparé du café au lait. Il fut jugé le meilleur au monde. La mère en avait oublié jusqu'au goût.

— C'est du vrai?

— Un mélange. C'est déjà pas mal. Mais le lait n'est pas coupé. Mes vaches ne le permettraient pas.

La remarque avait fait sourire Milka, qui s'était enfin décidée à lâcher la main de sa mère. La pièce était chaude et accueillante, mais inutile de rêver : ils ne pouvaient pas rester. Un ami, avait expliqué Ursula Vogelsanger, passerait les prendre bientôt. Il appartenait au réseau des Chevaliers de la Paix. On pouvait lui faire confiance. Il les aiderait pour les papiers.

— Je dois voir madame Kurz, Gertrude Kurz. C'est le nom qu'on m'a donné en Allemagne.

— Bien sûr, avait répondu l'hôtesse avec bonne humeur. Le problème, c'est que tous les Juifs réfugiés en Suisse veulent rencontrer Gertrude Kurz. Voilà pourquoi, en attendant, il y a monsieur Meier, et d'autres personnes, aussi. Nous sommes bien organisés, vous verrez.

Une heure plus tard, la camionnette de monsieur Meier était à la porte. Les Frenkl enjambèrent les sacs de patates et chacun prit place sous la bâche. Monsieur Meier s'installa au volant et démarra. Chaque kilomètre parcouru les faisait pénétrer plus profondément sur le territoire helvétique, loin de l'Allemagne, songeait la mère, qui se sentait soulagée d'autant. Milka s'était endormie, bercée par le roulement du moteur, et Noam la fixait de son regard de fils prévenant. Soudain, la fourgonnette s'immobilisa.

Hanna Frenkl s'inquiéta des voix qu'elle entendait, impérieuses et sèches. Ce n'étaient certainement pas celles d'une famille qui vous ouvrait sa porte. Milka s'éveilla. La mère posa un doigt sur ses lèvres. Le frère et la sœur obéirent.

D'un coup brusque, le hayon fut rabaissé. On souleva la bâche. On remua les sacs. On les fit sortir sans ménagement. On vérifia qu'il ne se trouvait personne d'autre avec eux. Monsieur Meier s'efforçait de rester calme. Il palabrait à l'écart avec l'un des policiers, qui coupa court à ses objections. Tout concordait, dit-il. L'immatriculation de la camionnette. Une Juive et ses deux enfants. Un citoyen suisse qui défie la loi. On nous a bien renseignés.

À la gendarmerie de Schaffhouse, madame Frenkl, enfermée dans une pièce avec ses enfants, regardait avec inquiétude l'officier suisse qui examinait leurs passeports. La lettre J était deux fois plus grande que la photo.

— Où est votre mari, madame? dit-il en posant les documents sur la table.

— En Allemagne, je crois, répondit Hanna Frenkl, qui étouffait un sanglot.

Elle voulait se maîtriser, ne pas lui donner la satisfaction des larmes, qui n'arrangeaient rien. Mais voilà qu'elles coulaient, brûlantes, sur ses joues et qu'elle n'y pouvait rien. Du revers de sa manche, elle s'essuya.

— Vous allez retrouver votre mari, madame, cela vaut mieux.

Un coup de tampon. Un signe de tête. Des policiers les encadraient. Sous bonne escorte, la famille Frenkl refit le trajet vers le nord, dans une voiture de la Police des Étrangers. Au poste-frontière, elle fut remise aux autorités allemandes compétentes. Celles-ci firent le nécessaire.

L'exercice était chaque fois accablant. Pourtant, Gertrude Kurz et Paul Dreyfus ne songeaient pas à s'y dérober. Leurs plaidoiries, dans les bureaux du conseiller fédéral Von Steiger ou ailleurs, devaient pouvoir s'appuyer sur des chiffres éloquents pour être entendues. Et ces chiffres s'étalaient maintenant sur la table. Il allait de soi qu'ils n'étaient jamais communiqués aux autorités dans toute leur brutalité. Les Chevaliers de la Paix, tout comme les autres organisations suisses d'aide aux réfugiés, n'étaient pas naïfs au point d'alimenter les statistiques d'une bureaucratie zélée et xénophobe.

Les yeux gris de Gertrude Kurz se posèrent sur le téléphone en bakélite. Ils glissèrent sur le noyer luisant de la table. Ils traînèrent sur les rayons de la bibliothèque où les dos des livres s'alignaient en bon ordre.

— Certains jours, murmura-t-elle, je nous en veux d'être là, bien à l'abri.

— Et vous auriez raison, si nous nous contentions de rester sans rien faire, ajouta son interlocuteur. Mais voyez plutôt : plus de trois mille personnes ont réussi à entrer en Suisse et à y rester depuis le 13 août.

Gertrude Kurz eut un pauvre sourire.

— Une goutte d'eau, quand dix mille, vingt mille attendent! C'est trop peu, et le plus souvent trop tard, vous le savez bien. Hier encore, on a reconduit à la frontière toute une famille, sans que j'aie pu empêcher quoi que ce soit. Quand je suis arrivée à la gendarmerie, on avait déjà embarqué tout le monde. Et pourquoi suis-je arrivée trop tard? Parce que j'ai été retenue à Saint-Gall, où on venait d'arrêter onze personnes. Je suis intervenue pour ces gens. J'ai pu obtenir au moins qu'ils restent sur le territoire, même si on les a dirigés vers un camp. Pour l'autre famille, c'était trop tard. La mère et ses enfants avaient déjà retraversé la frontière. J'en ai été malade. Je ne me ferai jamais à cette époque.

— Nous allons faire amender cette loi qui est la honte de la Suisse, madame. L'opinion publique est avec nous. Nous allons réussir. J'ai d'ailleurs pu obtenir un second rendez-vous avec le conseiller Von Steiger. Mercredi prochain, à dix heures. Vous y serez?

— Cet homme est peut-être puissant, mais il a le cœur aussi sec qu'un nid de guêpes. Nous perdons notre temps, à mon avis.

Paul Dreyfus secoua la tête. Il ne voulait pas céder au pessimisme; malgré son admiration pour cette femme, il était d'avis qu'elle se trompait : toutes ces démarches étaient utiles. Leur travail commun auprès des Juifs datait d'avant la guerre et s'était imposé aux premiers signes de persécution. Dreyfus n'oubliait pas la détermination de Gertrude Kurz, l'application méthodique qu'elle mettait en toutes choses, dans la colère comme dans la tendresse. La colère de Gertrude Kurz, le conseiller fédéral Von Steiger y avait déjà goûté. Aussitôt la fermeture des frontières décrétée, le 13 août 1942, le haut fonctionnaire avait dû subir dans son bureau un siège en règle. Deux heures d'une argumentation serrée, qui avaient épuisé l'homme, sans faire fléchir le bureaucrate. Quant à la tendresse de Gertrude Kurz, elle se manifestait à l'endroit des plus faibles et semblait inépuisable. Nombreux, en Suisse, étaient ceux à en avoir reçu les bienfaits, les enfants dans les homes comme leurs parents aux abois. Voilà des gens auxquels on refusait tout moyen de subsistance, au seul motif d'une identité réduite à quatre lettres. Que l'argent au moins, s'était dit Paul Dreyfus, serve à quelque chose. En la personne de Gertrude Kurz, il avait trouvé une alliée résolue. Il regarda l'heure à sa montre, sursauta et entreprit de classer les papiers. Il travaillait de manière ordonnée, lissant d'une main fine les documents, avant de les ranger dans un portfolio.

— Je n'ai pas vu le temps passer et j'ai rendez-vous avec un client important. Je vous prie de m'excuser.

Son interlocutrice se leva.

— À mercredi, donc?

— Entendu.

Paul Dreyfus raccompagna la visiteuse. Au passage, il jeta un coup d'œil dans le hall d'entrée. Cela ne ressemblait pas à son client d'être en retard. L'instant d'après, sa secrétaire le prévenait de l'arrivée de monsieur Constantinopoulos.

Le financier s'immobilisa dans l'embrasure de la porte. Voulait-il s'asseoir? Constantinopoulos refusa et se mit à arpenter la pièce. Paul Dreyfus s'inquiéta. Il s'est passé quelque chose? Son client ne s'embarrassa pas de politesses et martela chaque mot. La situation internationale avait fait bondir le cours de l'or, comme Dreyfus ne pouvait l'ignorer. Eh bien, il se refusait à toucher pour son propre compte les bénéfices d'une conjoncture favorable. Tous les profits sur l'or devaient être reversés à des organismes d'aide aux réfugiés. Paul Dreyfus était bien placé pour lui préciser lesquels, non?

— Croyez à la reconnaissance de tous ces gens, monsieur Constantinopoulos, balbutia le banquier qui sortit son mouchoir et s'essuya le front, en songeant à la somme en cause.

Ce n'était pas tout. Le Crédit Foncier Suisse, soucieux de récupérer ses avoirs immobilisés en Allemagne, entretenait avec les nazis des relations commerciales suivies. Il achetait du tungstène de l'Espagne et du Portugal et revendait le minerai au IIIe Reich, qui s'en servait pour solidifier son acier. Faire du commerce avec des criminels, s'indigna Constantinopoulos, des brutes commandées par un fou!

Le Grec avait tranché. Il se refusait à confier ne serait-ce qu'une partie de sa fortune à ces banquiers dévoyés. Il avait retiré tous ses avoirs du Crédit Foncier et les confiait maintenant à Dreyfus, pour qu'il les ajoute au portefeuille qu'il gérait déjà.

— Mais qui a pu vous apprendre tout cela? s'étonna Dreyfus. Le secret bancaire…

Si ce n'était que cela. Constantinopoulos s'immobilisa.

— Monsieur Dreyfus, que savez-vous de la Solution finale de la question juive?

— Je ne comprends pas…

Il pesa ses mots.

— Je vous parle du plus monstrueux des euphémismes, l'extermination planifiée des Juifs d'Europe par les nazis. Je vous parle d'une abominable machine bureaucratique qui, après avoir tenté d'éliminer les fous de ses asiles, veut aussi se débarrasser de quiconque ne correspond pas au profil aryen : Juifs, tziganes, homosexuels, communistes, tous y passent!

Paul Dreyfus avait pâli.

— J'ai entendu ces rumeurs.

— Des rumeurs? Les sous-secrétaires d'État ont reçu des consignes. La machine est en marche. Le général SS Heydrich et ses *Einsatzgruppen* ont déjà fusillé quatre cent mille Juifs sur le front de l'Est. Mais les exécutions par balle ne sont pas assez efficaces. Alors ils ont mis au point des camions à gaz, à Semlin, en Yougoslavie, à Chelmno, en Pologne. Mais ça ne va pas assez vite. En Pologne, on vient de construire des camps d'extermination, à Belzec, Sobibor, Treblinka, Auschwitz, Majdanek, chaque fois le long de voies ferrées. Le zyklon B, vous connaissez? C'est un gaz mortel élaboré à partir d'acide prussique. Depuis un an, en France et en Allemagne, la production a décuplé.

Paul Dreyfus était effaré.

— Continuez, réussit-il à articuler.

— Des populations entières disparaissent. Hommes, femmes, enfants, malades, vieillards, peu importe : tous sont envoyés dans des camps et gazés dans des chambres spéciales. Leurs corps sont brûlés. Il n'en reste rien. Depuis des semaines, je tire toutes les sonnettes. Le Département d'État américain et le Foreign Office anglais sont au courant. J'ai discuté avec le président de la Croix-Rouge à Genève et avec monseigneur Bernardini, de la nonciature, à Berne. Que ce soit l'État-Major allié, le Vatican ou la Croix-Rouge, personne ne fait rien.

— En avez-vous parlé à des Juifs?

— Oui. Gerhart Riegner m'a reçu dans les bureaux du Congrès juif mondial à Genève. Vous vous souvenez? C'est vous qui m'avez introduit auprès de lui.

— Et alors?

— Il sait. Mais il se heurte au même mur d'incompréhension et d'indifférence. Sur le terrain, c'est pire. Même les conseils juifs croient devoir collaborer pour limiter les dégâts. Cet été, par l'entremise du vice-consul américain, Riegner a envoyé un télégramme au Département d'État. Ça n'a rien donné. Il attend toujours la réponse. Ailleurs, on n'y croit pas. Le pays de Goethe dirigé par des meurtriers bureaucrates? Inconcevable. Et quand des gens parlent et obligent à concevoir l'inconcevable, malgré tout, on ne fait rien. Les usines de la mort fonctionnent à plein régime et tout le monde s'en fout.

Les deux hommes se turent. Paul Dreyfus anéanti regardait Constantinopoulos qui regardait par la fenêtre, indifférent à la pluie qui s'était mise à tomber.

20

À Pottstown, la saison des fraises approchait, le maïs commençait à pousser. Abritées du vent, les tomates feraient bientôt leur apparition, et on pourrait dresser une table appétissante. Quant à celle que l'on préparait maintenant, elle ne manquait ni de fleurs, ni de pain, ni de ce fromage blanc mis à égoutter dans une assiette. Jennifer Williamson tourna vers son mari un visage radieux.

— Quelle bonne idée! Ce sera un plaisir de faire la connaissance de ce monsieur… Szilard, dis-tu?

— Szilard. Avec un z. Il est né en Hongrie. Ils ont tous un z à leur nom là-bas, plaisanta-t-il.

Jennifer avait déjà disparu à la cuisine. Il lui suffisait de savoir que l'invité était un scientifique de haut niveau, doublé d'un homme de paix et de grande culture, pour qu'elle se réjouisse de sa visite. À l'heure présente, le pacifisme était loin d'avoir la faveur des esprits. Voilà plus de trois ans que les États-Unis étaient entrés en guerre, le débarquement en Normandie avait eu lieu un an auparavant, et les Russes progressaient maintenant vers Berlin. Mais un IIIᵉ Reich aux abois n'en était que plus dangereux. Depuis Philadelphie, la Société des Amis avait mobilisé toutes ses sections. Les quakers multipliaient les interventions publiques et se portaient au secours des réfugiés, tout en s'avouant souvent dépassés par les événements. Folie, ne cesseras-tu de régner sur le monde?

Jennifer retrouva la cuisinière en train de tisonner le feu, et les deux femmes décidèrent du menu. Un poulet, venu tout droit de la basse-cour, et qu'on ferait rôtir. Mr. Williamson, comme d'habitude, s'en tiendrait à un plat de légumes.

— Les garçons seront des nôtres, précisa Jennifer. Avec Beth et les enfants, nous serons neuf à table.

— La jeune madame Williamson viendra donc aussi, se réjouit la cuisinière. Et le petit Tommy. Et Chris. Quelle joie.

— Bien sûr qu'ils seront là. Mais Dan viendra seul, comme d'habitude.

Avec un haussement d'épaules, Jennifer pivota sur ses talons et regagna le séjour où l'attendait son mari.

Long-John Williamson n'avait eu aucun mal à convaincre Leo Szilard de quitter Chicago pour venir passer quelques jours au ranch. Ce dernier avait accepté d'autant plus facilement de se plier au rythme familial le temps d'un week-end que ce mode de vie lui était étranger, le célibataire, chez lui, se doublant d'un bourreau de travail qui lui faisait négliger toute espèce de vie personnelle. Solitaire, en revanche, Szilard ne pouvait plus l'être autant depuis qu'il avait intégré une certaine équipe scientifique de haut niveau constituée par Washington trois ans plus tôt. Mais il était tenu au secret absolu et n'entendait pas le rompre pour satisfaire la curiosité de l'aimable industriel, en dépit de la convergence de leurs idées sur plusieurs points.

Williamson, quant à lui, ne pouvait pas être vraiment curieux, puisqu'il savait tout. Mis à part les cerveaux de l'équipe et leurs supérieurs à la Maison-Blanche, il était sans doute l'une des rares personnes aux États-Unis à connaître le but de la recherche menée au sein du très confidentiel projet Manhattan. Et il devait chaque fois veiller à n'en rien laisser paraître dans ses échanges avec Szilard, revu régulièrement depuis leur première rencontre au Waldorf, six ans plus tôt.

Vers une heure de l'après-midi, Williamson envoya une voiture cueillir l'invité à sa descente du car, à Philadelphie. Peu de temps après, Szilard faisait son entrée au ranch. Tout son bagage tenait dans une mallette, ce qui fit sourire Jennifer. Elle conduisit le physicien au salon où elle l'invita à s'asseoir. La voix de Williamson résonna l'instant d'après.

— Szilard? Quel plaisir de vous voir parmi nous! J'ai été retenu au corral, alors que je m'étais bien promis d'être là pour vous accueillir. Le voyage s'est bien passé, au moins?

L'épouse s'éclipsa, prétextant une ultime inspection de la chambre, et grimpa à l'étage, où elle déposa le minuscule bagage. De la fenêtre, elle vit les deux hommes ressortir bientôt pour un tour du propriétaire. Elle en profita pour faire du courrier dans la pièce qu'elle s'était réservée en face de la chambre d'amis.

Le soir venu, on se retrouva à table.

— Hélas, expliquait Szilard, le recours à la force est souvent vu comme l'unique issue. Armée contre armée : ce serait la seule réponse. Voyez ce qui s'est passé en Espagne. Voyez ce qui s'est passé en Mandchourie. Chaque fois, c'est la raison du plus fort qui l'a emporté.

— Dans une logique de rapports de force, c'est inévitable, répliqua Jennifer Williamson. Mais on peut imaginer une société gouvernée par d'autres lois. Et puis la force elle-même doit pouvoir faire preuve de retenue.

— On peut imaginer tout ce qu'on veut, répondit le savant, en remuant bruyamment les mâchoires, mais ce n'est pas demain la veille, et en attendant il faut faire avec la nature humaine. Williamson, je ne vous comprends pas de bouder ce poulet.

Le métis sourit.

— Faites, je vous prie. Rendez hommage à cette bête autant de fois que vous voudrez en la dépeçant. Pour ma part, j'ai tout ce qu'il me faut dans mon assiette.

— Notre père, ajouta Dan Williamson, jusque-là resté silencieux, a souvent des lubies de ce genre. Savez-vous qu'il possède le plus bel élevage de chevaux palouses en Amérique, et qu'on ne le voit dans aucune compétition?

— Le plaisir de voir courir les chevaux me suffit, répliqua l'intéressé.

Après un moment de réflexion, il ajouta.

— Saviez-vous que la race a déjà été au bord de l'extinction? De tous les troupeaux qui avaient fait la fierté des Nez-Percés, il ne restait plus, à une certaine époque, que quelques têtes éparpillées dans l'Ouest.

Szilard était intéressé. Cela vous changeait des équations.

— Au fait, comment fait-on pour reconstituer une race?

— On fait comme au commencement, avec un étalon et une jument.

Dan intervint.

— Et c'est quand le début de tout ça?

Williamson hésita. Pour évoquer la renaissance de la race, il fallait d'abord raconter une histoire plus ancienne, celle de la Découverte du Grand Chien. Cette histoire, il la tenait de Yoomtis, son grand-père. Mais pouvait-il la répéter sans ennuyer? Des hochements de tête l'invitèrent à poursuivre. Cela s'est passé vers 1700, commença-t-il, et aussitôt les enfants prêtèrent l'oreille. Une histoire! Dan et Paul Williamson échangèrent un regard entendu. Un jour, des guerriers nez-percés embusqués aperçurent leurs ennemis shoshones montés sur des chiens gigantesques. C'étaient là des animaux bien étranges. Ils s'approchèrent, la discussion s'engagea. Pouvait-on faire un échange? Les Shoshones virent de la convoitise dans le regard des Nez-Percés. Ces grands chiens sont des chevaux, expliquèrent-ils. Ils pouvaient transporter des charges et des hommes sur de longues distances, traverser les montagnes, courir dans la plaine. Leur valeur était inestimable. Les Nez-Percés approuvèrent. Aussitôt ils se dépouillèrent de tous leurs biens : vêtements, nourriture, armes, bijoux, sacs, amulettes. Et ils retournèrent au camp aussi nus qu'au premier jour mais fiers comme des paons. On leur fit un triomphe. L'étalon et la jument acquis au prix fort se multiplièrent, et à partir de ce moment les chevaux et les Nez-Percés furent inséparables.

Les enfants applaudirent. Jennifer sourit. Même sans la nouveauté, le charme opérait.

— Beau début, commenta Szilard, mais nous parlions de renaissance, je crois. Il me semble que c'est chose faite à en juger par votre troupeau.

— Ah, c'est tout récent, nuança Williamson. Il y a quelques années, un article a paru dans un magazine équestre dont j'ai oublié le nom, mais je me souviens bien de celui de son auteur, Francis Haine, historien et cavalier émérite. Des gens ont lu l'article, et c'est ainsi qu'est née l'idée de fonder un club qui retrouverait les chevaux palouses survivants.

Dan était un garçon réservé, et il n'était pas facile de savoir ce qu'il pensait.

— Et on en a trouvé en nombre suffisant?

— Oui, poursuivit Williamson, heureux de cette curiosité. Le club les a dénichés un par un. Le premier, chez un Indien nez-percé qui vivait dans l'Oregon. Le deuxième, au

Colorado. Et puis d'autres sur la réserve de Nespelem, où le chef Joseph a fini ses jours, après les guerres avec les Blancs. Plus tard, on leur a donné le nom d'Appaloosa.

Dan regardait son père, admiratif. Le cadet, qui croyait avoir oublié ses origines indiennes, les voyait maintenant ressurgir sous la forme de silhouettes lointaines de chevaux appaloosa. Ce regain d'intérêt fut noté par Williamson. Les deux garçons étaient si différents. La quarantaine bien avancée, Paul et Dan Williamson n'étaient pas tombés sous le coup de la conscription décidée par le président Roosevelt, en 40. Là s'arrêtaient les similitudes. Les parents de Dan s'étaient réjouis de le voir épouser la carrière du droit, même si, pour le moment, celle-ci semblait le confiner à la lecture d'austères traités juridiques. Jennifer avait bien cherché à mettre son fils en rapport avec des activistes de sa connaissance dans l'espoir de l'intéresser à quelque cause, mais Dan avait préféré garder ses distances, se sentant peu de goût pour l'action. Il en allait autrement avec son frère Paul, bientôt nanti d'une solide réputation pour son franc-parler et sa force de conviction. Ce qui ne l'empêchait pas d'être un médecin apprécié à Philadelphie, où il était revenu s'établir depuis peu. Curieusement, ce dernier était peu intervenu au cours du repas, tandis que Dan le taciturne se montrait en verve.

— Votre père a raison pour ce qui est des exhibitions de chevaux, commenta Szilard. Et on pourrait transposer la question sur un plan politique. Une grande partie de nos malheurs présents vient de là. Posséder ne suffit pas. Il faut montrer ce qu'on possède. De même, la force ne suffit pas. Il faut en faire la démonstration pour terroriser ses voisins. Si nous devions être les vainqueurs de cette guerre, j'aimerais que nous soyons des vainqueurs intelligents.

— Comme j'aimerais que l'avenir vous donne raison, approuva Long-John Williamson.

— Pourquoi pas? C'est parce que nous serions les plus forts que nous serions capables de renoncer à faire usage de la force.

Si le physicien faisait honneur aux plats comme d'habitude, Williamson lui trouvait aussi quelque chose de changé. L'homme semblait tendu et répondait de manière évasive aux questions les plus anodines, comme s'il avait voulu couper court à toute indiscrétion. Williamson, qui n'ignorait pas les raisons de cette attitude, savait aussi que la cohabitation des physiciens et des ingénieurs n'allait pas sans mal au sein du projet Manhattan, tant les deux mondes étaient différents. De plus, d'autres antagonismes se faisaient jour. La tâche des savants avait consisté à fabriquer avant les nazis une bombe d'une force inégalée. C'était chose faite. Berlin était sur le point de tomber, et la course à l'atome n'aurait jamais lieu. Ce qui au fond embêtait le général Leslie Groves, à la tête du Projet. À l'en croire, l'arme nouvelle n'allait pas rouiller dans les hangars. Les regards des militaires s'étaient donc tournés vers une nouvelle cible : le Japon. La destruction d'une ville n'était-elle pas le moyen le plus efficace de miner le moral de l'ennemi? Comme à Hambourg? Comme à Dresde?

Mais la perspective de tuer des civils, quel que soit leur camp, répugnait à Szilard. Mesurait-il vraiment le cynisme de l'état-major américain? s'interrogeait Williamson, que l'holoviv tenait informé de l'évolution du Projet, parfois mieux que les acteurs eux-mêmes, non sans le renvoyer à son impuissance. L'antipathie entre Groves et Szilard n'était plus un secret pour personne. Le Hongrois méprisait l'ingénieur en uniforme qui se méfiait de ce type trop intelligent pour être manipulé. Étranger de surcroît, et professant des idées qui sentaient son agitateur venu des confins de l'Europe. Aussi profonde qu'elle fût, cette incompatibilité de caractères n'était pas le seul motif d'inquiétude de Szilard. Ayant compris que le projet Manhattan n'allait pas s'arrêter avec la défaite des nazis, le Hongrois avait récemment joint les rangs d'un comité formé à l'initiative d'un collègue de Chicago, le professeur James Franck. De plus en plus, l'homme de sciences Szilard se doublait d'un homme de paix.

Plongé dans l'holoviv, Williamson suivait les événements. Il avait assisté à la première réunion du comité Franck, qui se proposait de réfléchir aux dangers de la course aux armements nucléaires découlant du Projet. Et il avait assisté aux réunions secrètes de l'état-major tenues à la Maison-Blanche. Il avait entendu des propos, lu des notes de service, et il ne se faisait plus aucune illusion sur les intentions des militaires. À l'heure actuelle, Williamson était bien le seul civil à avoir toutes les clés en main. Mais il était laissé à la porte, incapable, malgré sa fortune, d'empêcher le massacre annoncé de centaines de milliers d'innocents au moyen de l'arme nouvelle qui inquiétait tant Nohog.

On pouvait cependant éviter le pire. Szilard et ses collègues du comité étaient déjà sensibles aux enjeux éthiques posés par la bombe. Si les savants pouvaient opposer un front uni aux ardeurs belliqueuses de Groves, le président lui-même serait bien obligé d'y penser à deux fois, et la bombe atomique ne serait peut-être jamais utilisée. En montrant une telle retenue dans la force, l'humanité se rapprocherait du rang antéUn, étape sans laquelle toute l'espèce humaine serait bientôt anéantie – y compris les descendants de Groves. Et puis, comment un militaire pouvait-il penser que l'arme atomique ne se retournerait pas tôt ou tard contre ses inventeurs? Que l'existence d'une arme d'une telle force ne menaçait pas l'humanité tout entière, et pas seulement le Japon? À table, ce jour-là, si les pensées de Williamson l'entraînaient vers les plus inquiétantes spéculations, il n'eut d'autre choix, à voix haute, que de s'en tenir au terrain connu de l'actualité.

— Quelqu'un peut-il me dire à quoi a servi la démonstration de force sur Tokyo, en mars dernier? On a avancé le chiffre de cent mille civils tués, d'un million de gens laissés sans toit. Une ville entière n'est pas une cible militaire, que je sache.

Son couvert heurta l'assiette avec bruit.

— Savez-vous qu'en deux jours, des centaines de bombardiers ont déversé sur la ville plus de dix mille tonnes de bombes incendiaires? Pouvez-vous imaginer le résultat?

Autour de la table, on resta silencieux. Mais Jennifer retrouvait, intacte, l'indignation qui avait été la sienne, un mois et demi plus tôt, à la lecture des journaux. Le Japon avait beau être loin et les Japonais appartenir à une autre culture, elle n'en ferait jamais des sous-humains, comme la propagande officielle l'y invitait.

— Vous me paraissez bien informé, mon ami, s'étonna Szilard.

Jennifer rappela que l'action pacifiste des quakers les rattachait à divers réseaux en Europe et dans le monde. La situation internationale y était souvent présentée sous un tout autre jour que celui des versions officielles.

— Mais mon mari m'étonne, c'est vrai. Il lui arrive souvent d'en savoir plus que notre bureau de Philadelphie.

— Je lis énormément, et sur toutes sortes de sujets, se justifia Williamson, y compris dans votre domaine, Szilard. Je m'intéresse à la physique – en amateur, comme vous le savez.

Il se leva.

— Et si nous poursuivions cette conversation au salon?

Restés seuls, les deux hommes s'installèrent près de la cheminée.

— *The Last War*, vous vous souvenez?

Le savant opina.

— Eh bien, si vous voulez mon avis, nous vivons à une époque où, plus que jamais, il suffirait de peu de chose pour que la fiction devienne réalité. Mais laissons les romanciers à leur imagination. L'autre jour, j'ai lu un article dans une revue tout ce qu'il y a de sérieux. Les faits parlent d'eux-mêmes, je le crains, et du coup les conséquences n'ont plus rien de farfelu. J'aimerais bien savoir ce que vous en pensez.

Williamson attrapa un numéro de *Reports on Progress in Physics* posé sur un guéridon. Aux premiers mots, Szilard comprit qu'il était question des applications de l'atome. Ils échangèrent un regard. Cet homme, pensa Szilard, en sait assez pour s'inquiéter. Et moi, qui en sais davantage, je ne ferais rien?

— Cela vous dirait, une promenade à cheval, demain matin?

Le savant soupira.

— Mon cher, je n'ai aucune disposition pour l'équitation. Quand j'étais gamin, la vue de la cavalerie défilant à Budapest, les jours de fête, me terrorisait, alors qu'elle faisait rêver mes camarades. C'est vous dire.

Le silence s'installa, et le métis ne fit rien pour le rompre.

— Au fait, Williamson, vous n'y avez sans doute pas songé en m'invitant ici, mais il se pourrait que ma visite vous cause quelques ennuis avec le FBI. Rien de grave, sinon certaines questions, qu'on voudrait vous poser. Je fais partie d'une équipe qui mène des recherches importantes, désolé, je ne peux en dire plus.

Williamson grimaça. La perspective de voir un enquêteur mettre le nez dans ses affaires, malgré la présence du verrou ADN autour de la loge-relais, n'avait rien pour le réjouir. Sa mission était trop importante et son temps trop compté pour qu'il se soumette avec plaisir à des tracasseries administratives.

— Je m'en voudrais d'avoir troublé la paix de votre foyer. Votre femme est une hôtesse parfaite, vous savez.

Le mari leva une main fataliste.

— Je sais aussi que ses activités en ville ne la font pas toujours bien voir des autorités, et en ce moment moins que jamais. Mais ne vous inquiétez pas pour nous. On verra bien. Poursuivez vos recherches top secret, moi, j'ai mes chevaux et mes affaires à mener. De toute façon, vous serez toujours le bienvenu dans cette maison.

Szilard repartit à Chicago le lendemain. S'il ne s'expliquait pas la cause de l'impression laissée par ce court séjour, il était plus déterminé que jamais à ce que le projet Manhattan ne passe pas à l'histoire comme un projet mortifère.

21

Le professeur Chambers trouva la lettre bien en vue sur son bureau. Il en fut intrigué. Le courrier était distribué une fois par jour dans les casiers du personnel scientifique qui couvraient tout un mur dans le bâtiment principal du laboratoire de métallurgie de Chicago. La présence de la lettre sur son bureau signifiait qu'on s'était introduit dans la pièce en son absence. Et que le messager savait quand le professeur Chambers rentrerait de déjeuner, ce qui évitait de laisser traîner la lettre trop longtemps. Depuis le début du Projet, il y a quatre ans, les autorités militaires entretenaient un climat de suspicion qui n'était pas loin de gagner tous les participants. La lettre lui était adressée. Pourquoi? Et par qui?

Le professeur Chambers avait été parmi les premiers recrutés sur la recommandation d'un des hauts gradés du Projet, le professeur Oppenheimer en personne. Sa vanité de savant en avait été flattée et, depuis lors, son zèle n'avait jamais faibli. Chambers ouvrit l'enveloppe.

Leo Szilard. Encore lui. Ces derniers temps, le Hongrois avait multiplié les appels à la conscience de ses collègues. Le plus actif à cet égard, Chambers le savait, avait été James Franck qui avait rassemblé autour de lui les esprits inquiets, dont ce Szilard. On était en juin, le rapport Franck venait d'être déposé, et plus personne au sein du Projet n'ignorait ses conclusions, qui dérangeaient les chefs. La plus grande prudence s'imposait avec l'atome, recommandaient les auteurs du rapport. L'arme atomique faisait courir à l'humanité un danger jusqu'alors inconnu, et si elle semblait donner l'avantage au pays détenteur, elle pouvait très bien aussi se retourner contre lui. Du coup, il fallait établir des règles internationales en matière d'utilisation de l'uranium et de ses dérivés, doublées de contrôles rigoureux. Et s'il fallait malgré tout utiliser la bombe, une démonstration de force sur une île déserte suffirait largement à impressionner l'ennemi.

Pendant ce temps, les pétitions se multipliaient. Szilard, toujours. La plupart étaient adressées aux plus hautes autorités, avant avril au président Roosevelt lui-même, et après sa mort, au président Truman. Des mots, des craintes, des noms : toutes les pétitions empruntaient le même chemin et atterrissaient sur le bureau du patron. Le général Groves fronçait les sourcils, sa mauvaise humeur augmentait.

Jusqu'alors Chambers avait observé l'agitation de loin, en tâchant de concilier l'objectif avoué de leurs recherches et la dimension humaine de l'entreprise. L'agit-prop, très peu pour lui. Pourtant, il ne put s'empêcher de lire la lettre qui lui était maintenant adressée, à lui comme à d'autres collègues sans doute. Szilard s'exprimait sans détours.

L'Allemagne, écrivait-il, venait de capituler. La défaite d'Hitler rendait inutile le Projet né de la volonté de prendre de court les nazis. À l'époque, il avait été le premier, fort de l'appui d'Einstein, à vouloir convaincre les États-Unis de se lancer dans la course atomique. Mais si la situation politique avait évolué entre-temps, les généraux étaient restés sur leur position. Défaite d'Hitler ou non, pas question de s'arrêter en chemin. La bombe serait lâchée dans le but d'écraser le Japon et de procéder à une démonstration de force en Asie. La lettre de Szilard s'élevait contre cette logique de guerre et en appelait à la conscience de chacun. La science ne pouvait se rendre complice de massacres. Il fallait signer la pétition.

Le professeur Chambers rangea la lettre dans la poche intérieure de sa veste. Se pouvait-il qu'un État décide froidement de pulvériser toute une ville et ses habitants? Quelles étaient les intentions véritables du Projet? Szilard avait peut-être raison.

Le soir venu, il fit part de ses doutes au professeur Albee et convint avec lui d'un rendez-vous sur le terrain de football, derrière la serre. On parlera plus librement en plein air, expliqua Chambers. Quatre années de guerre incitaient à la paranoïa. Son collègue accepta.

La silhouette du professeur Albee ne rappelait en rien celle d'un joueur de football, et la présence de ces deux fourmis avançant sur l'immensité du terrain n'en sembla que plus incongrue. Le professeur Chambers ne fit pas de manières. Avait-il reçu lui aussi une lettre de Leo Szilard?

Le professeur Albee avait une voix de fausset, que ses compétences en physique nucléaire faisaient presque oublier.

— Et je l'ai signée. Je pense comme Szilard. Notre travail est détourné de ses fins s'il sert à tuer des civils.

L'instant d'après, le terrain de football était redevenu désert. Rentré chez lui, le professeur Chambers signa la pétition, en précisant qu'elle devait être transmise au président américain par la voie officielle.

Magdalena Linanovitch trouva la lettre de Szilard dans son casier. Le professeur Linanovitch n'était pas communiste, non, mais la pensée qu'il pouvait se trouver, à l'autre bout du monde, une mère pour être calcinée, avec ses enfants, leurs amis, leur institutrice et jusqu'au bâtiment de l'école, cette pensée la remplissait d'horreur. Le professeur Magdalena Linanovitch signa la pétition le soir même, en regardant son fils faire ses devoirs à l'autre bout de la table.

Depuis son bureau, le général Groves ne ratait rien de la valse des signatures. On allait voir ce qu'on allait voir. À son tour, il écrivit une lettre. À Lord Cherwell, conseiller scientifique de Churchill à Londres, qui connaissait Szilard pour avoir été son employeur jusqu'en 38. Quelques amabilités, après quoi Groves attaqua. Lors d'un voyage à Washington, il y a deux ans, Cherwell avait rencontré Szilard. Dans quel but? Que s'étaient-ils dit? Le Hongrois avait-il rompu le secret auquel il était tenu? La réponse de Cherwell lui parvint quelques jours plus tard. Groves fut déçu par sa minceur. Il ne pouvait rien en tirer.

Cependant, les théories des physiciens et les premières expériences sur la réaction en chaîne dans le laboratoire métallurgique de Chicago avaient ouvert la voie aux ingénieurs chimistes de Du Pont de Nemours. À Oak Ridge, dans le Tennessee, on produisit de l'uranium 235. À Hanford, Washington, ce fut du plutonium. À Los Alamos, dans le désert du Nouveau-Mexique, Oppenheimer et son équipe bricolèrent la bombe. Et c'est ainsi que le 16 juillet 1945, à 350 kilomètres de là, eut lieu la première explosion nucléaire de l'histoire humaine. Groves triomphait.

Une semaine après, le président Truman se trouvait à la conférence de Potsdam, convoquée à l'issue de la capitulation allemande. En privé, on lui communiqua les résultats, dont il se montra très satisfait, mais le premier ministre Winston Churchill, mis dans le secret, parut plus excité encore, jusqu'à en laisser tomber sa canne. Le président Truman savait que le Japon était prêt à capituler. Le 13 juillet, ses services de renseignement avaient intercepté le chiffre utilisé dans les communications japonaises. Aucun doute n'était permis : l'ennemi était mûr pour la reddition. Mais la décision d'utiliser la bombe contre le Japon remontait à presque un an. On n'allait pas revenir là-dessus, d'autant que le 509e groupe spécial de la 20e flotte aérienne avait mis des mois à s'entraîner. Si on voulait lâcher la bombe et venger l'attaque de Pearl Harbor, il fallait agir sans tarder.

Bouleversé par ce qu'il voyait dans l'holoviv, Mountain chevauchait sur ses terres. C'est du moins ce que croyait Jennifer. En réalité, il revenait sans cesse à la loge-relais du ranch. Le comité Cible s'était réuni à plusieurs reprises et Groves avait obtenu qu'aucune copie ne soit faite du procès-verbal des réunions. Seul l'original était adressé au président des États-Unis, qui en prenait connaissance, avant de classer le document top secret. De la procédure, on était ensuite passé aux questions pratiques. Quatre ville cibles avaient été retenues : Hiroshima, Kokura, Nagasaki, Niigata. L'opération avait été planifiée dans tous ses détails. Deux avions météo ouvriraient la voie au bombardier solitaire qui larguerait la bombe : un éclair unique réduisant à néant, en quelques secondes, tous les habitants d'une ville, ramenée à l'âge de pierre par la puissance de l'atome.

L'expression plut au président Truman et fut reprise dans les cercles militaires et politiques. La puissance américaine serait de plus réaffirmée quelques jours plus tard, décida-t-on, par le largage d'une seconde bombe, sur une seconde ville. Laquelle? Il n'y avait qu'à consulter la liste. Pas de coup de semonce. Il fallait terroriser l'ennemi et au passage montrer aux Soviétiques qui était le patron dans la région. La dernière réunion du comité prit fin. Mountain se leva, fantôme arpentant les coulisses de l'Histoire. Dehors, son cheval l'attendait. Il le monta et piqua un galop vers la rivière. Le lendemain, il retourna dans l'holoviv. Impuissant, il vit les pétitions de Szilard empilées sur le bureau de Groves. Une seule parvint jusqu'à Stimson, secrétaire d'État à la Guerre. En vain. L'ordre fut donné le 25 juillet 1945. Tout devait être prêt pour un bombardement à vue sur l'une des cibles, dès que la météo le permettrait.

22

La maison de Mizuki n'était pas la plus belle de la rue Asaka. Malgré tout, certains jours, la fillette pouvait penser que la ville de Kokura était le plus bel endroit de la Terre et que jamais elle ne voudrait la quitter. Mizuki avait huit ans. On était en guerre. Comment aurait-elle pu penser que son père avait envisagé un temps de mettre la famille à l'abri à la campagne, mais qu'il avait fini par y renoncer? Le déplacement s'était révélé impraticable. Les enfants devaient aller à l'école, la mère avait besoin de l'atelier de couture pour recevoir ses clientes, et lui devait pouvoir pointer à l'arsenal chaque matin, sans quoi la famille n'aurait bientôt plus rien à manger.

L'ignorance des plans de son père lui avait donc évité bien des soucis. Ne plus voir ses amies? Impensable. Ne plus faire chaque matin la promenade conduisant à l'école? Jamais de la vie. Le trajet ne variait guère. D'abord l'allée de néfliers le long de la rivière Murasaki, jusqu'au bassin aux nénuphars et, enfin, l'ombre fraîche du préau où elle retrouvait Aiko, sa meilleure amie. Renoncer à cela? Impossible. Pourquoi y a-t-il la guerre? demandait-elle parfois à sa mère, quand toute la famille était réunie pour le repas du soir. Mais à peine formulée la question était oubliée. Les problèmes des adultes ennuyaient Mizuki, qui aimait mieux courir, chanter et rire. Plus tard, confiait-elle à Aiko, elle serait médecin. Elle soignerait les gens et leur apprendrait à ne pas tomber malade. Ça ne s'apprend pas, objectait son amie. Mizuki s'entêtait. L'autre jour, la maîtresse leur avait parlé des microbes, et Mizuki s'était dit qu'avec un peu de patience elle saurait apprivoiser de telles bestioles et les persuader de ne plus embêter les gens. Aiko hochait la tête. T'es folle ou quoi.

C'est ainsi que, de rêves en chimères, le temps passa pour Mizuki, jusqu'en cette veille du 9 août. Le lendemain, toute la classe serait en congé, en raison d'un bris dans la canalisation de l'école, leur avait-on expliqué. En réalité, il s'agissait d'inspecter le bâtiment et d'élever, au nord, du côté de l'arsenal, un rempart de sacs de sable. L'ordre était venu d'en haut, dans la panique suivant les bombardements américains des derniers jours. Hourrah ! crièrent les fillettes. Et en plus il fera beau. Mizuki et Aiko prévoyaient d'aller pique-niquer dans les ruines du château de Kokura. Les parents ne firent pas d'objections. Ce n'était pas très loin, et il fallait bien continuer à vivre. Ils posèrent deux conditions : rentrer à six heures et ne pas s'aventurer au-delà des limites du parc.

C'est le major Charles Sweeney qui pilotait le B-29 assigné au largage de la seconde bombe, mais cette nuit-là la météo fut mauvaise. Depuis son état-major établi sur l'île de Guam, le général LeMay décida de profiter de la fenêtre offerte avant la dépression à venir et donna ses ordres. Le major Sweeney décolla donc des îles Marianne à 3 h 45 le matin du 9 août. Cinq B-29 accompagnaient le Bock's Car, son bombardier.

Arrivé au-dessus de l'île de Kyûshû, le major Sweeney jura. Ces maudits nuages. On n'y voyait rien. Et pendant une heure, il vola au-dessus de la ville de Kokura, à la recherche de la cible.

Mizuki se réveilla à l'aube du 9 août, excitée comme une puce, et trompa l'attente en lisant. Tournant le dos au petit frère endormi, elle profita du jour qui filtrait par la fenêtre de la chambre. Au début, dans la pénombre, elle n'avait fait que feuilleter son livre de sciences. Elle en avait si souvent admiré les planches qu'elle n'avait pas besoin de lumière pour en revoir les contours. Puis le jour s'était levé et elle avait pu lire tout le chapitre des in-ver-té-brés – apprit-elle – qui la fascinaient. Plus tard, elle entendit du bruit dans la cuisine. N'y tenant plus, elle se leva.

Elle trouva sa mère qui avait mis l'eau à bouillir pour le thé et des fruits sur un plateau. Son père était déjà parti au travail.

— Ce n'est pas une bonne journée pour pique-niquer, la mit en garde celle-ci. Le temps est couvert, Mizuki.

— Je parie, moi, qu'il ne pleuvra pas.

L'enfant se précipita dans la rue, huma l'air, scruta le ciel, l'air grave.

— Il ne pleut pas, dit-elle, prudente.

Comme elle allait refermer la porte, un bruit sourd se fit entendre au-dessus de leurs têtes, et Mizuki fut brusquement ramenée à l'intérieur. Le visage tendu, la mère écouta décroître le bourdonnement. Après quelques minutes, elle parut rassurée et, sur un signe, l'enfant prit place à table, à ses côtés. Pfft! des avions, il en passait tous les jours. On n'allait pas s'énerver pour si peu. Tout en regardant sa mère pétrir l'*azuki*, la fillette laissa courir son imagination. Dans son dispensaire, tous les malades seraient heureux et bien portants. Chaque matin, elle ferait la classe aux microbes isolés la veille, désormais forcés à l'inaction. Elle leur apprendrait à lire, leur raconterait des histoires. Les microbes seraient heureux et deviendraient tout à fait gentils.

— La classe, s'étonna la mère, en se forçant à sourire.

— Mais oui. Pour leur apprendre des tas de choses utiles, comme faire des culbutes, chanter, manger des *wagashi*.

Depuis quelques instants, la mère de Mizuki ne pouvait s'empêcher de jeter des regards inquiets vers la fenêtre. L'avion était revenu. Il tournoyait au-dessus de la ville. Ou était-ce un autre?

L'œil rivé sur la jauge du carburant, le pilote comprit qu'il ne pourrait jamais rallier la base dans le Pacifique. Il n'avait même pas de quoi se poser sur les îles de Tinian ou même celles de Iwo Jina, non loin. Il fit un rapide calcul. Tout au plus pouvait-il espérer atteindre l'île d'Okinawa, à condition de larguer au plus tôt Fat Man, la bien nommée, puisqu'elle pesait cinq tonnes. Dans le cockpit, on approuva. Le pilote renonça donc à bombarder la ville de Kokura et mit le cap sur Nagasaki, dans l'espoir d'une météo plus favorable. Mais en route, les jurons se transformèrent en vociférations. Le mécanisme de la bombe venait de s'activer sans prévenir. *God damn it.* Tendu, l'équipage se mit au travail et put interrompre le processus.

Le major Sweeney scruta l'épaisse couche de nuages. Lors de la dernière réunion du comité Cible, la question de la météo avait été soulevée. Groves l'avait résolue le plus simplement du monde. Pour le second largage, si la météo ne permettait pas d'opérer avec précision sur l'arsenal de Kokura, il n'y avait qu'à prendre la troisième ville de la liste, suffisamment distante de la précédente pour jouir de conditions différentes. Mais pas question de reporter l'opération : il faudrait profiter au maximum de l'effet de stupeur causé par la première bombe. Avec ses installations portuaires, la troisième cible était tout aussi intéressante. Des questions?

À 11 heures, la seconde bombe fut lâchée à l'aide du radar, car on n'y voyait rien. Tant pis pour le bombardement à vue. L'impact eut lieu avec un écart de quelques degrés par rapport aux coordonnées établies, laissant malgré tout intact le port de Nagasaki.

À 11 heures, tandis que le soleil, timidement, commençait à percer les nuages, un coup de tonnerre retentit, venant du sud-ouest. Le pique-nique avait été annulé. Mizuki, inconsolable, ne cessait de s'en prendre à cette stupide météo qui lui avait gâché la journée.

23

Peu à peu, grâce à l'holoviv, Mountain avait apprivoisé les étranges reliefs de Xall et appris à s'orienter suivant le ballet de ses multiples soleils. Son architecture composite, aux styles foisonnants, ne l'étonnait plus, mais le soin extrême apporté aux détails le frappait tout autant que lors du premier visionnement. Pourtant, sa connaissance de la planète Une demeurait virtuelle, filtrée par l'holoviv qui maintenait une distance entre lui-même et la réalité galactique. La situation serait différente une fois qu'il aurait mis le pied sur le sol de la planète, car maintenant sa décision était prise : il devait se rendre sur Xall.

Mountain étudia à fond le droit Unique et se familiarisa avec ses règles de délibération. La fourmi humaine qu'il était serait-elle seulement reçue dans l'enceinte de l'Unicité? Avec constance, Nohog répondit à chacune de ses requêtes.

Certaines étaient d'ordre pratique. Ainsi, quelle était la nature du sol là-bas? À son arrivée, il lui faudrait se diriger d'un pas ferme vers l'Aire. Aussi bien savoir sur quoi, au juste, il mettait les pieds.

MILIEU. La réponse de Nohog lui parvint dans les délais habituels. Le sol de Xall était translucide, lisse et solide;

il affichait une température constante de douze degrés à l'échelle centigrade terrestre.

Autre question : quel air y respirait-on? Le pangaz assurerait-il d'emblée la présence de l'oxygène indispensable à sa survie? Nohog donna toutes les assurances à cet égard.

D'autres questions encore étaient d'ordre théorique ou juridique. Mountain se savait détenteur d'un statut spécial : celui de représentant humain ayant accédé, à titre individuel, au rang antéUn. Dès lors, quels étaient ses droits? L'Unicité pouvait-elle refuser de l'entendre au motif qu'il ne représentait que lui-même?

Sur ce point, le droit Unique demeurait silencieux, faute d'une jurisprudence. Cependant, les volumineux traités galactiques résumés à l'intention de Mountain, par un Nohog puisant librement dans le fichier Exotrad, pouvaient laisser croire à une interprétation libérale des lois.

Enfin, Mountain voulut connaître à fond les règles de délibération de l'Unicité. Il examina plus attentivement l'holoviv de la séance qui avait conduit au Contact. Les yeux agrandis par l'étonnement, il prit la mesure de la virulence des débats, non sans inquiétude à l'idée d'être bientôt le centre d'intérêt. D'ailleurs, serait-il vraiment au centre de l'Aire?

— ÉTIQUETTE. Pas exactement, corrigea le Ventorxe. Les représentants des peuples antéUns ont le statut de peuple invité et sont assignés à une loge spéciale, en contrebas, non loin de la tribune du Clerc de l'Ordrun. Toutes leurs interventions se font depuis cet endroit.

— Aurai-je tout le temps nécessaire?

La réponse de Nohog le remplit d'aise d'une certaine façon et l'accabla d'une autre.

— PROCÉDURE. Les interventions ne sont pas limitées dans la durée, mais la règle de non-redite ne souffre aucune exception.

Voilà qui était embêtant. Comment ne pas rappeler à l'Unicité le cadre difficile de son action, pour mieux faire valoir quelques récentes et indéniables avancées humaines?

Mountain n'était pas peu fier des documents qu'il comptait tirer de sa poche au bon moment. Il y voyait les fruits d'un élan amorcé à Genève par Henri Dunant, en 1864, lors de la Conférence sur le droit de la guerre, pour s'en tenir à la seule perspective contemporaine, mais que l'on pouvait faire remonter au tout premier traité de paix entre peuples hostiles, voire jusqu'aux grognements de soumission qui avaient mis fin à la guerre du silex au néolithique. La guerre était indissociable de l'humanité, mais tout aussi bien le désir de paix. Cependant, la situation actuelle l'obligeait à tempérer son optimisme. Ne t'emballe pas, s'admonestait-il, en sortant de la salle de visionnement. Ne perds pas le sens de la mesure. Tu tiens là des cartes maîtresses, qui marquent un saut qualitatif de l'esprit humain. Ne va pas en diminuer le caractère novateur en les replongeant dans le grand chaudron de l'histoire, pour n'en faire que des signes avant-coureurs. Le silence succédait à ces harangues chuchotées. Il devait réussir. Les textes qu'il entendait brandir étaient de bon augure. Il redoubla de soins dans les préparatifs.

Il choisit la loge-relais de Concise comme point de départ, où sa solitude était plus grande qu'au ranch. Il prépara le couple Lanson à son départ : un voyage à l'étranger, il ne savait pas pour combien de temps. Bien, monsieur, approuva madame Lanson, ravie d'être un peu seule et qui se voyait déjà à genoux dans la terre brune du potager, à biner, semer, arracher les mauvaises herbes.

Une fois entré dans la loge-relais, et tandis que Nohog transmettait à la sonde les coordonnées du trajet vers Xall, l'Indien s'allongea sur la table qui se mit en mode opérationnel. Mountain ne put s'empêcher d'éprouver une sorte de vertige, comme s'il prenait seulement maintenant la mesure de la distance qui le séparait du centre galactique. Instinctivement, il ferma les yeux, prononça à voix haute l'ordre d'envoi. En une fraction de seconde, le recenseur fit l'inventaire moléculaire de son corps, et la confirmation du stockage intégral des données en déclencha la destruction. L'instant d'après, l'éclair qu'il avait été ouvrait les yeux sur Xall.

Un être l'accueillit en lui maintenant fermement le filtre pangaz sur le nez et la bouche. Mountain était prévenu. Il ne broncha pas, tandis que d'une main leste la créature lissait les bords translucides du masque qui épousait maintenant son épiderme. Le voyageur inspira profondément. L'air était frais et sans odeur particulière. Il sourit et un chatoiement lui répondit. L'être se pencha sur la table de réintégration et aida

Mountain à se remettre sur pied, en lui tendant un appendice secourable. Cet appendice, comme tout le corps de l'être, était recouvert d'une matière irisée. Mountain regarda la créature qui semblait parcourue en permanence d'un frémissement, comme du vif-argent, pensa-t-il, mieux : une truite qui remonte la rivière par un matin de juin. Il était fasciné.

L'être parla. Des sons inintelligibles au voyageur. Dans un coin, ce que Mountain avait d'abord pris pour une sorte de fontaine ou quelque gros sac entouré de bruine se mit en mouvement et, sur le devant de la tunique du voyageur, une plaquette métallique apparut : le lingal. Au même moment, le clapotis qui semblait émaner de la masse liquide se mua en syllabes et en phrases, aussitôt reprises en différentes langues terrestres : grec, français, swahili, russe, anglais. Au voyageur de choisir.

Ayant procédé aux ajustements de l'appareil, l'être liquide s'en fut dans un chuintement. La créature irisée prit la parole.

— Bienvenue sur Xall, voyageur. Je suis Marevan-Tâ ; j'appartiens au peuple des Irnans. Et celui qui s'éloigne, c'est Eliod, de l'agence Exotrad. Me comprenez-vous?

Sans vraiment pouvoir se l'expliquer, Mountain choisit le français, et la communication s'établit.

— Heureux de faire votre connaissance et d'être arrivé à bon port.

— À bon port, dites-vous? Y a-t-il un port, ici? Votre langage a des tournures qui m'enchantent.

Marevan-Tâ conduisit le voyageur à l'entrée de l'aire d'accueil et lui souhaita un bon séjour. Mountain s'étonna. N'y avait-il aucune formalité à laquelle il devait se soumettre? L'Irnan hocha sa tête chatoyante.

— Les vôtres, Humain Mountain, vivent encore à l'ère des frontières, si je ne me trompe. Ici, chacun va et vient en toute liberté, dès lors que le voile-pelta ne le concerne plus.

Méditant encore sur le peu qu'il venait de voir et d'entendre, Mountain fut laissé à lui-même. L'instant d'après, il se retrouvait sur l'esplanade des Quatre-Bras, ébloui devant la perspective dégagée au-delà des obélisques en flammes. Les soleils de la matinée se trouvaient presque à la même hauteur dans le ciel. Au loin, il aperçut le disque de l'Unicité qui poursuivait sa majestueuse rotation. Il avança d'un pas hésitant.

Nohog avait réglé la plupart des problèmes d'intendance avant son départ. Mountain devait gagner l'hostella mise à la disposition des voyageurs arrivant sur Xall. Mais c'était une chose que de voir Xall à travers l'holoviv. C'en était une autre que d'y déambuler vraiment et d'interagir avec ses habitants. Car aussi précise que soit l'illusion de l'enregistrement, constatait-il, il lui manquait une composante essentielle : l'émotion du voyageur qui dépose sur les paysages, les monuments, les rues, les êtres rencontrés, et jusque dans l'air, la couleur singulière du futur souvenir.

Mountain descendit les degrés de l'esplanade et retrouva les allées de Xall qu'empruntait, à cette heure, une petite foule affairée. Chacun semblait avoir une destination précise, et il se rappela l'existence des jours neutres, les seuls à laisser prise à l'aléatoire. Il n'était manifestement pas tombé sur un de ces jours.

Le lingal crachota. Autour on le saluait. Deux êtres couleur de cendre. Un serpentin bondissant. Et d'autres créatures encore. Aux uns et aux autres, il rendit leur salut, qu'il mit sur le compte des usages locaux. Il trouva l'hostella derrière le jardin pétrifié de Noosaque, et quelques instants plus tard prit possession de la sphère qu'on lui avait assignée. Ses formes lisses lui plurent. Il sombra dans le sommeil.

24

Il comprit bientôt la cause des saluts qu'on lui avait adressés. Il n'était pas un inconnu sur Xall. L'Exception de Nohog avait eu un retentissement qui allait au-delà de l'intérêt montré par quelques peuples de la galaxie mieux renseignés sur l'espèce humaine, tels les Jebase ou les Structasensi. À Xall, centre de la diplomatie galactique, nombreux étaient ceux au fait des péripéties entourant l'action de Mountain depuis le Contact singulier.

Il fut également fixé sur la date de son audience devant l'Unicité. Les travaux du deuxième tiers de l'année Unique avaient commencé depuis peu. L'audition du seul représentant terrestre à accéder au rang antéUn fut inscrite à l'ordre du jour de la séance du 45e jour du troisième mois de Nan. Deux semaines terrestres à attendre, que Mountain mit à profit pour explorer la planète Une.

— Êtes-vous Marevan-Tâ? s'étonna-t-il un jour en découvrant un Irnan, à la sortie de l'hostella.

— J'ai pensé que vous seriez curieux de me connaître.

Le ballet des plates-formes les amusa un instant, puis la créature l'entraîna du côté des sables mobiles de Dantor. Et le septième soleil de la journée les surprit à discuter dans la lumière stable du soir. Ils étaient alors devenus amis.

Au jour dit, l'humain se présenta devant l'Aire, prêt à soutenir l'un des combats les plus difficiles de son existence. Car il s'agissait bien d'un combat. Xall et toute la galaxie avaient beau être durablement pacifiées, il ne pouvait ignorer l'antagonisme de la situation. C'était eux contre lui. Bien que la cause terrestre eût été entendue lors de la fameuse séance de l'Unicité, Mountain devait maintenant faire en sorte que cette dernière se range aux arguments nouveaux dictés par la situation. La partie était loin d'être gagnée.

La plate-forme s'arrima au disque géant et Mountain contempla dans toute son étendue la salle de délibérations de l'Unicité, bruissante des premières discussions de la journée. L'Affaire humaine est le prochain sujet inscrit à l'Ordrun, lui souffla Marevan-Tâ, en scintillant. Un instant plus tard, en silence, le vector vint se poster à leurs côtés. Ils grimpèrent à bord et l'engin se mit en route.

Aussitôt arrivés à la loge des peuples antéUns, ils gagnèrent leur place sous les regards curieux des nombreux occupants. Mountain nota que la sélection des langages disponibles était conforme à la répartition linguistique alors en vigueur sur $\lozenge$-GVH-18327-Γ. Il choisit la langue anglaise, et les interprètes de l'Agence Exotrad s'ajustèrent.

La voix du Grand Clerc se fit entendre à travers le lingal.

— Humain Mountain, nous vous écoutons. Qu'avez-vous à nous dire que nous ne savons déjà?

L'image magnifiée du Grand Clerc était monstrueuse. Mountain était sûr de n'avoir croisé son espèce dans aucun holoviv. La petite galaxie spirale, symbole de sa fonction, paraissait dérisoire, suspendue au-dessus des multiples têtes de l'être, par ailleurs tout en arêtes et en blocs, comme fait d'un marbre mouvant. Instinctivement, Mountain se mit debout, même si l'inutilité de la posture dans un espace aussi vaste ne lui apparut guère sur le coup. La présence attentive de Marevan-Tâ se faisait sentir sur sa nuque et lui donnait de l'assurance. Enfin, il n'oubliait pas les leçons de Nohog quant aux usages Uns.

— Peuples Uns, commença-t-il, vous me permettez aujourd'hui de m'expliquer sur le cours de la mission qui m'a été confiée en l'année terrestre 1886, et je vous en suis reconnaissant. Cependant, si je ne devais pas m'exprimer de manière à être compris de vous tous, il faudra mettre ma maladresse sur le compte de l'émotion qui est la mienne, à la pensée de me trouver dans ce haut lieu galactique.

Le préambule plut, à en juger par les lueurs orangées qui parcoururent l'Aire.

— Peuples Uns, poursuivit Mountain, ma mission est difficile, l'échéance terrestre approche, et je suis seul parmi deux milliards et demi d'êtres humains, mes semblables, qui avancent en aveugles vers leur fin. Pourtant, peuples Uns, une réelle évolution s'est produite sur $\Diamond$-GVH-18327-Γ. Mais pour en prendre la mesure, vous devez tenir compte de la dimension spéculative de l'esprit humain. À plusieurs reprises, vous aurez observé un décalage entre notre volonté et nos actes. Or nous progressons, peuples Uns, et bientôt notre volonté et nos actions coïncideront. L'humanité est engagée dans cette voie – voilà le fait nouveau qui justifie ma présence parmi vous. Je suis venu vous montrer un type de progrès humain dont l'holoviv seul ne saurait donner une juste idée. Ce progrès est fragile, mais il est indéniable.

Et l'Indien posa sur son relayeur la *Charte des Nations Unies*, d'adoption récente. Il en fit défiler les pages, que chacun put lire dans la traduction appropriée. «Nous, peuples des Nations Unies, résolus : – à préserver les générations futures du fléau de la guerre qui, deux fois en l'espace d'une vie humaine, a infligé à l'humanité d'indicibles souffrances ; – à proclamer à nouveau notre foi dans les droits fondamentaux de l'homme, dans la dignité et la valeur de la personne humaine, dans l'égalité des droits des hommes et des femmes, ainsi que des nations, grandes et petites ; à créer… » Mountain ne cachait pas sa fierté, en imaginant ces mots répercutés dans la multitude des langues galactiques. Quel chemin parcouru par ce texte élaboré dans un manoir discret par une poignée d'humains clairvoyants. « … En conséquence, nos gouvernements respectifs, par l'intermédiaire de leurs représentants réunis en la ville de San Francisco, et munis de pleins pouvoirs reconnus en bonne et due forme, ont adopté la présente *Charte des Nations Unies* et établissent par les présentes une organisation internationale qui prendra le nom des Nations Unies. Signé le 24 octobre 1945. »

Mountain attendit la fin des traductions. Avait-on bien saisi la portée du texte? Il prit l'Aire à témoin.

— Croyez-moi, peuples Uns, cette nouvelle Organisation des Nations Unies réussira – réussit déjà – là où la vétuste Société des Nations a échoué. J'en veux pour preuve cet autre texte qui en émane et que nous avons appelé la *Déclaration universelle des droits de l'homme*. Désormais, les peuples de notre planète ont un idéal commun, auquel les constitutions nationales vont pouvoir se référer et dont les dirigeants s'inspireront pour gouverner.

Les êtres humains naissent égaux et libres, put lire chaque représentant Un, non sans perplexité pour certains d'entre eux. Toute personne a droit au respect de son intégrité physique, de sa vie, de ses convictions, de ses pensées et de ses opinions.

Le représentant lanakoète demanda la parole.

— À l'humain de passage, je ferai remarquer le caractère flou de plusieurs termes utilisés dans ces documents. Je m'en tiendrai à un seul. «Égaux», est-il écrit. Nous autres, Lanakoètes, déployons nos existences sur très exactement soixante-quatorze niveaux de conscience et de vitalité. Et il ne nous viendrait jamais à l'esprit d'affirmer que ces niveaux puissent être égaux ni même constituer des étapes menant à un état supérieur. Simplement, nous prenons acte de la diversité de la vie que nous protégeons. Chaque Lanakoète est libre d'aller et de venir entre ces différents niveaux, de s'installer dans un seul, ou encore dans plusieurs successivement. La diversité nous importe davantage que cette chimère humaine qu'est l'égalité.

Mountain encaissa le coup. Il n'avait pas prévu cette réaction, trop convaincu de l'universalité – comme l'affirmait l'en-tête du document – du principe de l'égalité de droit entre humains. Le rédacteur principal du document, ce René Cassin à la science juridique si grande, pouvait-il soupçonner la relativité d'un tel principe au-delà de sa planète? Manifestement non, et pas davantage Eleanor Roosevelt, à l'intelligence si fine. Lui-même n'aurait-il pas dû faire l'effort de rompre avec de tels présupposés au moment de défendre les progrès de son espèce? Il se ressaisit.

— Peuples Uns, j'entends bien les paroles de l'Un-Soi Ianakoète. Et je ne suis pas ici pour prétendre que l'humanité, dans son statut actuel préantéUn, puisse rivaliser en sagesse ou en achèvement avec les sociétés Unes de cette galaxie. Je veux simplement faire état devant vous des progrès accomplis par l'espèce à laquelle j'appartiens. L'humanité, en cette fin d'année terrestre 1949, tourne le dos aux deux dernières guerres et à toutes celles qui les ont précédées. La dignité de l'homme est désormais pourvue d'assises juridiques qui la rendent inaliénable. Mais il y a plus. Les nations ont résolu de s'unir, plus sérieusement qu'elles ne l'avaient jamais fait, afin d'étouffer dans l'œuf tout germe de conflit. La *Charte des Nations Unies* et la *Déclaration universelle des droits de l'homme* marquent un point de non-retour et sont pour nous deux jalons sur le chemin de l'Éthique Une. Par conséquent, levez la marque d'infamie accolée à notre planète. Une nouvelle ère s'ouvre pour les humains. Le jour approche où l'homme pourra lever la tête vers le ciel et sentir, en toute paix, la présence du vivant dans la galaxie.

Tour à tour rose, vert, jaune et vermeil, les couleurs de la stupéfaction balayèrent l'Aire de l'Unicité. Le Clerc de l'Ordrun laissa s'éteindre la vague. Marevan-Tâ tendit à Mountain son relayeur. Réaction appréhendée Structasensi, y lut-il furtivement. L'Irnan avait vu juste. Bientôt les voyants de parole des représentants mnetor, structasensi et ganguad s'allumèrent. Le Mnetor souleva la masse ambre de son abdomen et s'immobilisa.

— J'entends bien ce que dit l'humain, Vos-Soi, mais seuls les actes importent, en définitive, martela-t-il. Où irait-on s'il fallait commencer à tenir compte des intentions?

Le voyant de parole du Structasensi s'éteignit. Il n'allait pas répéter ce que l'Un-Soi avait formulé avec une concision parfaite. La parole était au représentant des Ganguad. Ce peuple, expliqua Marevan-Tâ à son ami, habite sur le bras Zeruni de la galaxie, non loin des Minam, avec lesquels il entretient des liens d'amitié étroits. Mountain examina l'Un-Soi. Tout à l'opposé de l'apparente fragilité des Minam, il affichait une haute stature, rendue plus impressionnante par la douceur de ses manières. Cependant, le Ganguad n'y alla pas par quatre chemins.

— Une nouvelle ère, dites-vous? J'ai fait le compte : à peine deux centièmes de microag – cinq de leurs années – se sont écoulés entre certains événements que j'évoquerai maintenant et votre venue sur Xall.

Mountain frémit. Où le Ganguad voulait-il en venir? L'Indien songea aux massacres et aux génocides de la dernière guerre, aux famines provoquées en Ukraine, aux camps de Sibérie, aux invasions japonaises... Ses pensées furent interrompues par la harangue du Ganguad, dont le ton avait monté d'un cran.

— Regardez, Vos-Soi de la galaxie, le bel esprit humain à l'œuvre. Ce que je vous montre maintenant vient d'avoir lieu, et cet humain voudrait nous faire croire que son espèce a tourné le dos à de telles pratiques, en vertu de quelques documents?

Au centre de l'Aire, la scène de l'holoviv s'éclaira violemment. Et violentes, insoutenables, les images de la destruction d'Hiroshima défilèrent au ralenti. À l'instar de l'humanité de l'homme ce jour-là pulvérisée, chaque scène se fragmentait, et tous ces fragments d'horreur s'imprimaient sur la rétine de Mountain. Un petit garçon, interminablement, prenait feu. Une grimace tordait ses traits à l'infini. Une mère et son bébé fuyaient à longues et lentes enjambées. Leurs corps se couvraient d'une poix tombée du ciel. Leurs bouches hurlaient de douleur. Comme un poing crispé et inutile, le visage du nourrisson se couvrait de cloques, et la mère s'effondrait sans relâcher son étreinte. Une petite fille, nue, carbonisée, aux yeux à jamais ouverts, semblait les juger. Le représentant ganguad crut important d'ajouter :

— Vos-Soi, voici une espèce assez intelligente pour maîtriser l'atome et qui l'utilise pour détruire ses propres petits.

Atterré, Mountain prenait la véritable mesure de l'attaque nucléaire. Bien sûr, il avait vu déjà les images de la dévastation, mais elles n'avaient pas alors la précision, la profondeur et l'effrayante proximité qu'elles avaient ici, projetées au ralenti dans l'enceinte de l'Unicité, du coup érigée en tribunal.

— C'est vrai, ajouta une voix qu'Exotrad identifia comme celle du représentant bandoru. S'ils traitent ainsi leur progéniture, que nous feront-ils, à nous, étrangers? J'ai appris que les savants humains désignaient leur espèce sous le nom d'*Homo sapiens sapiens*. Des humains qui savent qu'ils savent? En réalité, des primitifs qui ne savent pas qu'ils ne savent rien.

L'orange approbateur parcourut l'Assemblée. L'Un-Soi ganguad ajouta que, quelques soleils plus tard, une ville voisine à celle montrée avait connu la même dévastation. L'Un-Soi structasensi Zvano-Ub demanda la parole.

— J'attire l'attention de l'Unicité sur ce que plusieurs microag d'observation scientifique sur ◊-GVH-18327-Γ ont permis de constater. La forme de vie intelligente sur cette planète montre une vivacité et une adaptabilité étonnantes. Comme si l'espèce compensait ainsi le caractère éphémère de ses composantes individuelles qui vivent le temps d'un soupir. Collectivement, ces qualités se traduisent en bonds prodigieux sur le plan technique, mais également effrayants, comme nous l'avons vu, et qui causeront sans doute la disparition des humains, rendant bientôt sans objet la discussion présente. Dans l'immédiat, peu importent les documents ici brandis, ce qui a changé chez eux, c'est la force des armes, non les mentalités. Je demande le vote sur la requête du Contacté.

L'assemblée procéda et le verdict prit la forme d'une vague violette. Mountain se voyait opposer un non presque unanime.

Un sentiment de totale impuissance s'abattit sur lui. Que répliquer aux images? Il échangea un regard avec Marevan-Tâ, dont les couleurs lui parurent éteintes. Mais il se ressaisit. Il avait envisagé un tel refus et tenait prête une riposte.

— Peuples Uns, qu'il me soit permis d'intervenir encore.

L'orange de l'assemblée l'invita à poursuivre. Soyez bref, précisa le Clerc.

— Est-ce là, peuples Uns, votre façon de respecter la vie? Une espèce va disparaître, et vous ne faites rien, frileusement repliés derrière vos voiles-pelta.

Avec amertume, Mountain railla.

— Sur Xall aussi il y aurait donc un décalage entre le discours et les actes. Voilà près de soixante années terrestres que je m'agite. Vous oubliez les accomplissements humains. Et je rappelle que l'un des vôtres a transgressé vos règles et semé la désolation sous l'apparence d'une mouette. Des millions de morts! Et parmi eux des scientifiques, des artistes, de futurs dirigeants politiques qui auraient pu faire avancer la cause de la paix et, qui sait? nous éviter cette dernière guerre dont vous venez de nous rappeler les images. Parmi eux, peut-être, des savants capables de ralentir le réchauffement sur ◊-GVH-18327-Γ qui fera se réaliser, si rien n'est fait, toutes les prévisions de vos instruments. Bon sang! pourrons-nous jamais accéder au rang antéUn? Bénéficier de votre aide? Survivre?

L'Aire, incolore, recevait les manifestations de l'humaine colère. D'une pression de l'appendice, Marevan-Tâ invita Mountain à conclure.

— Je parlerai sans détours. Un homme seul n'y suffit pas. J'en appelle à l'Éthique Une. Aidez-moi. Il y a trop à faire. Accordez-moi de recruter d'autres êtres humains, de les former comme j'ai été formé par Nohog de Ventorx et de les jeter dans l'action pacificatrice telle que je la mène sur ◊-GVH-18327-Γ depuis près de six décennies. À ce prix seulement l'espèce humaine aura une chance de survie.

Partagée entre l'agacement et l'intérêt, l'assemblée accepta de prendre la question en délibéré. Mountain se tourna vers Marevan-Tâ. La créature exultait.

25

À son arrivée à Genève, Noam Frenkl avait été décontenancé par l'allure, mais aussi par les manières du Grec. Celles-ci n'avaient rien de désagréable, mais ses années au camp de Flossenbürg avaient appris au jeune homme à se méfier de la douceur comme de la violence : l'une et l'autre pouvaient exploser à tout moment et montrer un visage de mépris et de haine. Noam était cassé. Vivant, mais cassé.

Cependant, dès le premier jour, le jeune stagiaire n'avait eu qu'à se féliciter de l'attitude d'un patron par ailleurs respecté de tous. La société d'import-export Constantinopoulos, apprit-il bientôt, employait une trentaine de personnes à Genève. Derrière cette façade modeste, l'entreprise déployait ses activités dans plus de vingt-quatre pays d'Amérique, d'Europe et d'Orient, à travers des dizaines de consortiums, filiales, sociétés fiduciaires et autres paravents en apparence tout ce qu'il y a de plus réguliers. À Harvard, Noam, premier de sa promotion, avait été recruté par la société suisse. Le salaire était impressionnant, et le patron, d'origine grecque, avait laissé entendre que le jeune homme serait appelé à occuper de très hautes fonctions. Surtout, l'entretien d'embauche avait permis à Noam d'entrevoir la personnalité hors du commun d'Alexandros Constantinopoulos, et il soupçonnait qu'il y avait encore beaucoup plus à découvrir. La curiosité l'emporta. Le stage serait certainement bénéfique. Sans obligations pour le retenir en Amérique, sans liens affectifs depuis son retour des camps où avaient péri tous les membres de sa famille et guère tenté par le sionisme, Noam avait bouclé sa valise en moins de deux. Une dizaine de jours plus tard, il remettait pied sur le continent européen.

Entre-temps, il avait vu passer une ombre envieuse sur les visages de ses condisciples. Qui était ce type pour se distinguer de la sorte? Il n'appartenait à aucune des grandes familles de la côte Est et ne devait sa présence entre ces murs qu'à l'intervention alliée auprès des rescapés juifs. Dans les faits, la Croix-Rouge avait guéri Noam du typhus et lui avait fait reprendre vingt kilos. Par la suite, l'American Jewish Joint Distribution Committee avait veillé sur son intelligence, et le comité de sélection des boursiers n'avait pas tardé à s'aviser des aptitudes exceptionnelles du jeune Frenkl, bientôt dirigé vers la Harvard Business School. Le brillant sujet n'avait pas déçu ces espérances.

Le temps de Rexingen était révolu, et Noam jonglait désormais avec les rendements de plusieurs centaines de titres. Les accords de Bretton-Woods avaient imposé des taux de change fixes dont les Banques centrales nationales se servaient pour acheter et vendre des dollars. La devise américaine avait rejoint l'or comme valeur de réserve et de référence. Pour autant le métal jaune n'avait pas perdu son attrait, comme Noam l'avait vite appris de la bouche même de Constantinopoulos, qui ne ratait jamais une occasion de former son stagiaire. Il le faisait venir dans son bureau et, ensemble, ils épluchaient les rapports d'activités.

Un jour, Constantinopoulos avait déroulé des plans d'architecte.

— Les marchés sont volatils, expliqua-t-il, les mines d'or restent un placement sûr, et nous en profitons, ou plus justement nous en faisons profiter certains. Par exemple le centre-ville de Francfort-sur-le-Main, qu'il s'agit maintenant de reconstruire. Que dites-vous de ces façades? Ne sont-elles pas magnifiques?

Tout en suivant du doigt le tracé d'un encorbellement, Constantinopoulos observait la réaction du jeune homme. Aider à reconstruire l'Allemagne?

La réponse positive qu'il reçut montra au Grec qu'il ne s'était pas trompé, et chaque jour il introduisit davantage le stagiaire dans les arcanes du commerce international et de la philanthropie planétaire.

Deux années passèrent.

Au début, Noam flairait une astuce, mais il avait dû se rendre à l'évidence. Malgré l'enchevêtrement complexe des affaires du Grec, ses comptes étaient limpides. Son action philanthropique, sincère et réelle. Y avait-il à cela des motifs cachés? s'interrogeait parfois le jeune homme, en voyant la part importante de bénéfices généreusement redistribuée et l'armada de notaires attelés à la tâche, sans jamais soupçonner leur existence réciproque. À Noam, l'expérience avait enseigné que l'être humain n'était jamais tout à fait désintéressé, que le philanthrope avait autant besoin de donner que le pauvre de recevoir, et que l'argent n'était que la mesure commode mais trompeuse des termes de l'échange. Le Grec avait sûrement d'autres visées. Comment pouvait-il soutenir une telle générosité? L'argent, dans les coffres, semblait inépuisable.

À qui Noam aurait-il pu confier ses doutes? Il était seul au monde. Et si, au début, quelque méfiance avait suscité des réticences, la confiance avait repris le dessus. Le vieux était bon, il n'y avait pas à en douter. Quant à savoir où il voulait en venir au juste…

— Je serai absent pendant plusieurs mois, le prévint-il un jour.

Pourquoi cet air mystérieux? Le Grec eut un petit sourire.

— Voilà un garçon qui lit trop de romans et pas assez de bilans financiers, on dirait. Aucun mystère en vue, Noam. Je vous demande simplement de me remplacer en mon absence. Il se peut que je sois retenu à l'étranger plus longtemps que prévu. Je vous confie l'ensemble des portefeuilles de la société. Vous aurez tout pouvoir pour agir. Faites-en bon usage.

Noam, interloqué, regarda le patron. Il retrouvait la sensation de vertige éprouvée à son arrivée en Suisse, quand il avait découvert l'étendue de la fortune en cause. À une telle échelle, même le terme colossal ne voulait plus rien dire.

L'habileté employée à compartimenter cet empire, dont seuls Constantinopoulos et vraisemblablement lui-même étaient en mesure de jauger l'ampleur, forçait l'admiration. Noam y voyait un mélange d'audace, de flair, de prudence et de secret qu'aucune grande école de gestion n'aurait été en mesure d'enseigner. Au fil des années, le Grec semblait avoir tout prévu dans la conduite de ses affaires, même l'imprévu. Le résultat était admirable d'ingéniosité. Et voilà que cet empire lui était confié, et à lui seul?

— Parfaitement. J'ai entière confiance en vous. Et comme mes avoirs, dans l'ensemble, ne dépendent pas des marchés boursiers, leur gestion ne relève que de moi-même et des notaires qui en sont les instruments. Vous trouverez le rappel de leurs noms dans ce dossier, ajouta-t-il, en lui tendant l'objet. C'est donc à moi qu'il faut rendre des comptes, et mon absence ne changera rien à l'affaire. Exercez votre jugement et agissez selon les règles que je vous ai apprises. De mon côté, je serai informé de chacune de vos décisions, de chaque mouvement de capitaux. Mon silence sera mon approbation. Et je saurai bien vous manifester mon désaccord s'il le faut, même si je doute d'avoir à le faire.

— Vous me faites un grand honneur, monsieur, avait bredouillé le jeune homme.

Et le Grec avait disparu de la circulation.

Noam s'était attelé à la tâche, et très rapidement son zèle et sa façon d'exercer l'autorité avaient fait en sorte que le personnel de la Société d'import-export Constantinopoulos avait tout naturellement reconnu en lui, malgré son jeune âge, le fondé de pouvoir du patron.

— Maître Fournel, de Paris, annonça un jour sa secrétaire.

Un coup de fil l'avait précédé. Noam attendait cette visite avec intérêt. Par son ancienneté, l'étude de maître Fournel jouait un rôle central dans le montage financier de la société. Le notaire tenait de son défunt père la gestion de l'imposant portefeuille confié jadis à l'étude Fournel et Dumontier. Jusqu'alors Noam ne s'était guère arrêté à ce genre de détails, mais ses responsabilités nouvelles l'avaient rendu curieux. En attendant l'entrée du notaire, il fit un rapide calcul et fut frappé du résultat. Nom de nom, ça remonte à des lustres, tout ça! Le patron serait donc si vieux?

Maître Fournel tendit une main soignée au protégé du Grec et, sur son invitation, prit place. Noam rompit la glace.

— Vous n'avez guère été bavard au téléphone, Maître. De quoi s'agit-il au juste?

Le notaire expliqua. Son client avait pris des dispositions dont Noam Frenkl devait maintenant apprendre l'existence. Voilà six mois que monsieur Constantinopoulos était en voyage. Les directives laissées à l'étude parisienne étaient claires. Passé ce délai, maître Fournel devait informer Noam Frenkl, le fondé de pouvoir de son client, de l'existence d'instructions supplémentaires. Ce délai étant venu à échéance, le notaire s'exécutait.

Les yeux de Noam s'agrandirent d'étonnement. Le notaire insista.

— Des instructions dont j'ignore moi-même la teneur. Vous seul devez en prendre connaissance. Voici l'enveloppe scellée que je suis chargé de vous remettre en mains propres.

Ce qu'il fit.

Le départ du Français avait laissé le jeune homme intrigué. On était en juillet 1950, les derniers mois avaient été bien remplis. Les consignes laissées par Constantinopoulos étaient sensées et s'inscrivaient dans la continuité de l'action entreprise, même si leur précision avait quelque chose d'effrayant. Mais que penser des dispositions spéciales qui s'ajoutaient maintenant? Était-ce un testament? Constantinopoulos était-il mort? Se sentait-il menacé au point d'envisager sa disparition prochaine? Et qu'avait donc à craindre un homme d'une telle probité? Noam était dans la plus totale confusion. Ses doigts tremblèrent en décachetant l'enveloppe.

26

Les délibérations de l'Unicité traînaient en longueur. Les Un-Soi étaient partagés. Pourquoi venir en aide une fois de plus au représentant humain? N'était-ce pas accroître les risques de dérapage? La levée du voile-pelta pour les individus sélectionnés, la formation avancée qui leur serait dispensée, les moyens techniques mis à leur disposition, tout cela pouvait monter à la tête des sujets plus fragiles et mettre en péril l'ensemble de la galaxie Une.

— Vos-Soi de la galaxie, commença le représentant des Villonimang, l'espèce humaine a souvent montré des ressources insoupçonnées dans les situations de crise. Voilà pourquoi Xall devrait faire preuve d'initiative une fois de plus et permettre à l'humain antéUn de recruter des êtres de son espèce, en comptant cette fois sur son jugement plutôt que sur le hasard.

Le représentant pan-shee émit une objection. N'était-ce pas le hasard qui, à l'époque, avait présidé au choix initial du Ventorx-Observateur? En théorie, rien n'était plus risqué que le hasard, surtout si l'on gardait en mémoire le passé violent du Contacté. Pourtant, ce dernier, sa formation achevée, s'était révélé un individu des plus responsables.

— Non! hurla le Minam, qui n'en démordait pas. Moi peur! Moi toujours peur!

L'Un-Soi jebase, cinglant, lui intima l'ordre de se taire, avant d'être rabroué par le Structasensi Zvano-Ub. Le Grand Clerc dut rappeler les règles du débat. Le successeur de Shoka-Ub ajouta que l'humain avait raison sur un point. N'est-ce pas l'inconscience d'un Jebase qui leur avait jadis coûté cher à tous? Au fait, qu'était-il advenu du dénommé Imnasar?

Le représentant des Jebase se rembrunit.

— Quand il a compris ce qu'il avait fait, sa raison n'a pas résisté. Il peint aujourd'hui des œuvres répétitives qu'il détruirait si on ne les lui enlevait à mesure. Alors il les oublie. Il commence un autre tableau, toujours le même. Il lui a donné un titre, ce qui témoigne de l'importance du motif à ses yeux.

Les couleurs de la curiosité envahirent l'Aire.

— *La mouette sanglante*, tels sont les mots qu'il trace chaque fois derrière la toile. Pour le reste, l'épidémie, son retour forcé, il a tout oublié.

— Tout? interrogea l'Un-Soi zordan.

Le peuple zordan était laissé sans mémoire depuis la catastrophe d'Ogarnon qui avait décimé ses rangs. Son équilibre démographique s'était par la suite rétabli, mais l'espèce n'avait pu surmonter son traumatisme que dans l'oubli, où subsistait malgré tout, douloureuse, la conscience d'une chose oubliée, mais laquelle? Ce manque poursuivait tous les Zordan, qui ne cessaient de consulter les registres mémoriels à la recherche d'une réponse. Le représentant zordan ne pouvait donc que compatir au malheur d'un Imnasar que l'ambition créatrice avait rendu amnésique et compulsif.

Dans la loge réservée aux dignitaires antéUns, Mountain montrait des signes d'épuisement. Il lui semblait que les délibérations duraient depuis des mois terrestres, mais il savait que cette lenteur était avant tout causée par les nombreuses traductions. Du coup, l'Indien n'avait qu'une envie : sortir de l'Aire, respirer l'atmosphère de Xall, même filtrée. Lever un bras pour frôler la végétation aérienne lui apparut soudain le comble de la félicité. Marevan-Tâ comprit sa fatigue. Les deux amis s'éclipsèrent. L'Unicité en était à entendre les ultimes plaidoiries précédant le second vote, ce qui excluait toute autre intervention de la part de Mountain. Le statut antéUn du Contacté s'accompagnant d'une certaine liberté de mouvement, aussi bien en profiter pour reprendre des forces.

Une fois dehors, le couple fut assailli par un groupe de jeunes excités. On voulait toucher l'humain, entendre les sons émis par sa bouche. Les plus hardis tiraient avec force sur ses vêtements. Soudain, Mountain ressentit un pincement et il vit s'éloigner une créature caparaçonnée. L'Indien regarda son avant-bras où perlait une goutte de sang. Marevan-Tâ entraîna son ami à l'écart et activa son placiflux. La barrière s'éleva. Marevan-Tâ et Mountain virent qu'on leur adressait de grands signes fervents de l'autre côté, mais ils n'entendaient plus les piailleries, et mêmes les silhouettes s'estompèrent bientôt. Mountain respira et prêta l'oreille aux explications de Marevan-Tâ. Des énervés, fanatiques sur les bords, fascinés par la violence humaine au point de lui vouer un culte. Mountain s'étonna. De tels comportements sur Xall?

— Et cette petite boîte que j'ai aperçue?

— Juste un capteur d'ADN. Allez, laissons crier ces idiots et gagnons la colline, où nous serons plus tranquilles.

Mountain connaissait le rôle joué par l'ADN comme support du patrimoine génétique humain. Mais quel rapport avec les excités de l'esplanade?

— La perfection n'existe pas davantage sur Xall que sur ◊-GVH-18327-Γ, commença la créature irnan. La civilisation Une a réglé le problème de la guerre et de la violence en son sein, mais elle l'a fait en refusant la censure. Nul n'ignore ainsi qu'il existe des planètes violentes comme la vôtre, Humain Mountain. Et si les peuples Uns ont appris à canaliser l'agressivité naturelle du vivant, ils ne peuvent empêcher certains des leurs, souvent de très jeunes sujets, d'éprouver une fascination pour une pulsion aussi archaïque.

L'Indien médita ces doctes explications.

— Ce que vous me dites me fait penser aux théories d'un certain médecin, sur ma planète, qui font grand cas des pulsions humaines. Malheureusement, mis à part quelques disciples, peu de gens ont pris l'homme au sérieux. Il est mort maintenant, et j'ignore si ses idées connaîtront un jour la fortune qu'elles méritent. Mais revenons au capteur d'ADN. Que mettent-ils dedans?

Les deux amis s'étaient éloignés de l'Aire. Arrivés sur le rocher de Vabros, ils s'assirent et laissèrent promener leur regard sur l'horizon rutilant de Xall. De son appendice supérieur, Marevan-Tâ effleura l'humain et le contact troubla Mountain. L'Irnan énuméra.

— Des rognures d'ongles, un morceau de peau, un cheveu, une goutte de sueur. Tous prélevés sur nos répliques moléculaires d'œuvres d'art humain. Il leur est impossible de prélever l'ADN de vrais spécimens préantéUns, losange oblige. Voilà pourquoi votre présence les excite tant. Elle leur paraît une occasion inespérée d'accroître la valeur de leur collection. Ce cheveu, par exemple, vous savez ce qu'il vaut sur le marché des reliques humaines, où il est introuvable pour la simple raison qu'il n'existe pas?

Le cheveu était accroché à la veste de Mountain, sur son épaule. Avec douceur, la créature s'en empara et s'amusa à le tenir tendu entre ses deux appendices, l'air songeur. Un cheveu gris, lustré. À cet instant, tout le corps de l'Irnan brilla d'un éclat singulier et subtil. Mountain en fut remué, et la voix de Marevan-Tâ agit sur lui comme un aiguillon. Il voulut parler, mais sentit que chaque mot prononcé appellerait une réponse.

— Nos excités, précisa l'Irnan, raffolent de vos batailles à grand déploiement.

Ce «déploiement», traduit dans la rondeur du français, embrasa l'humain comme aux jours de sa jeunesse.

— C'est hors de prix, mais ils achètent les extraits de l'holoviv de ◊-GVH-18327-Γ parmi les plus sanglants. Moi-même, plus jeune, je me suis laissé tenter. La bataille de Wagram d'un certain Napoléon, ça vous dit quelque chose?

Que cachait l'éclat irisé de sa peau? songeait-il, tandis que la créature poursuivait ses explications. Quelle sensation au toucher? Quel fluide coulait dans ces veines? La créature était-elle troublée? Du moins, elle n'en laissait rien paraître. Une autre forme de violence très prisée par ces êtres turbulents, poursuivit-elle, était celle de vos combats de gladiateurs. Ils aimaient l'odeur de la sueur, le choc des fers, et surtout ils aimaient entendre le sifflement s'échappant des blessures quand la vie se retirait.

— On me dit que certains des vôtres en ont fait des poèmes très longs et très beaux. Un jour, je voudrai les découvrir.

Marevan-Tâ se tourna vers l'humain.

— Et par quoi devrai-je commencer, dites-moi?

À ces mots, la créature laissa tomber le cheveu sur le sol de Xall qui l'avala silencieusement. Le cinquième soleil se leva. Une grande faiblesse submergea l'humain, qui serait tombé si son guide ne l'avait enlacé. L'iridescence de Marevan-Tâ s'étendit alors aux deux êtres, jetant comme une multitude de passerelles entre les chairs. En cet instant, Mountain sentit avec stupeur se répandre sa semence.

Depuis son arrivée sur Xall, chaque sensation avait un caractère si nouveau qu'il avait renoncé à les nommer, pour mieux suivre le cours déroutant de la vie quotidienne. Son sommeil était protégé par les formes lisses de l'hostella, l'Aliment de Nohog assurait le renouvellement de ses forces. Et même si à aucun moment il n'avait vu s'alimenter Marevan-Tâ, ni même quiconque sur Xall, il ne s'en était pas étonné outre mesure, trop absorbé par la découverte des lieux. À en juger toutefois par l'intense sensation qu'il venait d'éprouver, la situation présente était d'un ordre supérieur.

Leurs pas les ramenèrent au pied de la colline, où le souvenir de l'Unicité se rappela à l'humain. Où en étaient les discussions sur l'Aire?

— L'heure du vote approche, dit Marevan-Tâ, sobrement.

Ils réintégrèrent l'Aire comme le Clerc s'apprêtait à prendre la parole. Nul ne semblait s'être avisé de leur absence. D'un signe de tête, Marevan-Tâ renvoya le vector et se tourna vers l'Aire. Le vote avait eu lieu. Les interprètes d'Exotrad, tendus, guettaient les premiers sons qui débouleraient du Clerc de l'Ordrun.

— Humain Mountain, l'Unicité a délibéré et tranché. Elle vous dit non une seconde fois. Aucun recrutement ne sera permis. Poursuivez seul votre mission avec les ressources exceptionnelles déjà consenties.

Les résultats du vote s'affichèrent sur l'Ordrun. Si Mountain avait plusieurs alliés, ceux-ci n'avaient pas été en mesure de peser sur la décision finale. Il resta sans voix, réfléchit. Ce second refus aussi, il l'avait envisagé. Il fallait passer au scénario suivant, plus risqué. Il se leva, couvé par le regard de Marevan-Tâ.

— Peuples Uns… dit-il avec lenteur.

Cette fois, le Clerc ne cacha pas son irritation.

— Humain Mountain, vous n'êtes pas le seul sujet à l'Ordrun de cette séance. Qu'y a-t-il encore? Et d'abord l'Unicité vous a-t-elle accordé le droit de réplique?

— Peu importe. Dans un instant, je rentrerai sur ◊-GVH-18327-Γ, puisque vous en avez décidé ainsi. Mais sachez que vous venez, au mépris de l'Éthique Une, de signer l'arrêt de mort d'une espèce. Je ne peux plus rien faire. Je ne veux plus rien faire. Je retourne sur mes terres, où je tâcherai de vous oublier, vous et l'irréalisable mission que vous m'avez confiée. Tout est fini. Je remercie les Un-Soi qui ont défendu ma requête. Et malgré tout je remercie l'Unicité de m'avoir donné les moyens de marquer quelques progrès. Ceux-ci passeront-ils à l'histoire de l'humanité? J'aimerais le croire, même s'il n'y aura bientôt plus personne pour la raconter ou la poursuivre. Je remercie votre Observateur, Nohog de Ventorx, mon tuteur, que j'ai appris à connaître dans toute sa complexité et à qui je dois tout ce que je sais. Mon espèce s'en va vers sa fin, pourtant jamais je ne me suis senti plus humain qu'en ce moment. Je renonce à vos artifices. Je vais vieillir. Je vais mourir bientôt. Mais que tous les êtres humains de ◊-GVH-18327-Γ meurent aussi, voilà l'échec.

Le Contacté sembla chercher ses mots, toute l'Aire suspendue à ses lèvres.

— Même notre violence, je l'aurai aimée, puisque tant de fois nous avons réussi à la sublimer. Vos beaux esprits le savent, qui jouissent sans vergogne de nos œuvres d'art. Je pars, peuples Uns. Que la planète bleue tourne sans nous.

À pas lents, c'est un vieillard qui sortit de la loge réservée aux peuples antéUns. À ses côtés, muette, une créature couleur muraille s'efforçait de faire bonne figure. Et d'une voix éteinte, ce qui donna un peu de mal aux interprètes d'Exotrad, Mountain ajouta :

— Une autre fin était pourtant possible, peuples Uns.

Ayant pris place à bord du vector, le couple parcourut à rebours l'Aire de l'Unicité. Et chacun, cette fois, tant le silence était complet, put entendre le bruit de l'appareil, léger – mélancolique, songeait le représentant jebase, bouleversé.

27

Des vieilleries, tout ça, pensa Nohog, accablé, et aussitôt il voulut rattraper cette pensée trop humaine. Il activa le réagencement moléculaire et observa la loge-relais de Concise se transformer en un bosquet de mélèzes. Sous l'effet de la contrariété, son bâtonnet médian vibrionna. Réflexion faite, les mélèzes n'allaient pas. Un seul peuplier, voilà qui était plus suggestif. Solitaire, droit, se détachant sur l'horizon de la colline, comme une figure de l'adversité. Nohog révisa les paramètres et bientôt le peuplier prit forme à l'écran.

C'en est donc fini, se dit-il, déçu de voir s'achever l'aventure humaine, un peu plus de temps ou un peu moins ne changeant rien à l'échéance dictée par le synchre. Du reste, plus les paramètres s'affinaient, plus la date-butoir se précisait. De toutes ses missions, celle sur $\Diamond$-GVH-18327-Γ avait été de loin sa préférée. Nohog de Ventorx s'estimait heureux d'avoir assisté à l'apparition d'une forme de vie intelligente. Peu d'exobiologistes pouvaient en dire autant. Il en avait suivi l'évolution dans ses moindres tâtonnements. Il s'était réjoui de ses progrès, même si l'aveuglement des humains le laissait toujours aussi perplexe. Au moins avait-il pu croire un temps que l'arrivée de Mountain allait changer la donne. Il lui fallait déchanter. On arrivait à la fin. La suite était connue. Dans quelque temps, l'élévation des températures ferait fondre le pergélisol, libérant les hydrates de méthane retenus dans ses strates gelées. La température des océans augmenterait de quelques degrés, suffisamment pour que les hydrates de méthane enfouis le long des côtes remontent à la surface, réchauffant l'atmosphère avec une telle intensité qu'aucun mammifère n'y survivrait. Beaucoup plus tard, une vie douée de raison réapparaîtrait peut-être sur la planète, pourquoi pas? Mais quelle forme prendrait-elle? Cette hypothétique intelligence n'évoquerait en rien celle qui avait été associée à la créature humaine, bientôt espèce éteinte. Nohog ne pouvait se résoudre à cette conclusion.

Depuis son orbite cachée, au-delà de celle de la quatrième planète, la sonde supervisait le travail de remodelage programmé par l'Observateur et exécuté avec minutie par les sondines. Le Ventorxe, tout en introduisant les données de réagencement, avait montré des signes de déception et d'hésitation. La sonde luisait faiblement et, sans interrompre sa tâche, pivota, tous capteurs levés, vers l'Observateur, comme en attente – cette pensée est stupide, se dit Nohog – d'une confidence. La sonde cherchait-elle à imiter les humains? C'était grotesque. Nohog remua l'extrémité d'un de ses filaments, amusé malgré tout.

Pourtant, impossible de s'y tromper : la sonde prenait l'initiative d'engager le dialogue avec l'Observateur. Après une première réaction d'étonnement, Nohog, curieux de la suite, répondit à l'invitation inanimée, en optant pour le langage decim, aux possibilités de nuance avancées, même s'il exigeait le recours exclusif à la troisième personne. La sonde répondit au signal dans le même langage. L'appareil en était maintenant à traiter le coopteur atomique, qu'il s'employait à ramener au rang d'une banale valise usée.

— Sonde 27e GVH-18327 exécute les ordres, commença la sonde, mais Sonde 27e GVH-18327 perçoit une résistance aux paramètres intégrés par celui-là même qui les conçoit. Cette perception est-elle fondée?

Silence de Nohog, qui se prolongea au-delà des délais de réaction habituels.

— Il n'entre pas dans les fonctions d'une sonde de s'interroger sur les mobiles des directives reçues, dit enfin l'Observateur, étonné d'avoir été percé à jour.

— Sonde 27e GVH-18327 réagit ainsi lorsqu'un certain décalage entre la pensée et les actes peut compromettre sa tâche. Le paramètre sensibilité est aussi une donnée à prendre en compte.

Nohog s'attarda sur la couleur brunâtre de carton bouilli de la valise que la sonde débarrassait de ses composantes physico-chimiques. À l'intérieur, le coopteur était réduit à des cloisons de rangement tendues d'une cotonnade à motif fleuri. Observer le processus de banalisation était éprouvant. Si Nohog avait eu un cœur, il en aurait été brisé. L'incongruité de l'expression, reprise dans bon nombre de langues humaines étudiées au cours de sa mission, lui avait plu d'emblée. Aussi avait-il retenu la tournure «cœur brisé» dans le répertoire des bizarreries linguistiques qu'il s'était constitué et qu'il comptait emporter sur Ventorx, plus tard, comme le souvenir d'une période chère de son existence. Désormais, plus aucun atome d'or ne serait attiré par la valise-appeau.

— Avec le temps, Nohog de Ventorx ne juge plus aussi sévèrement les méfaits du décalage entre la pensée et les actes, reprit l'Observateur. Il a constaté que certains humains font parfois bon usage de leur ambiguïté native. Nohog de Ventorx s'est efforcé de demeurer un témoin neutre, même s'il a appris à aimer les humains.

— Beaucoup de paroles peuvent dissimuler de l'embarras, interrompit la machine. Sonde 27e GVH-18327 a noté les divers rôles de Nohog de Ventorx : Observateur, puis Acteur, puis de nouveau Observateur.

— Nohog de Ventorx sait très bien ce qu'il doit faire.

— Xall ordonne, Nohog de Ventorx observe et Sonde 27e GVH-18327 obéit. Sonde 27e GVH-18327 est rassurée. Chacun remplit ses fonctions. Sauf le Contacté, reprit-elle un instant plus tard.

— L'humain antéUn a renoncé à accomplir sa mission. Il s'en dit incapable sans aide supplémentaire. Nohog n'a pourtant cessé de l'aider. Le Ventorxe est très déçu. On pourrait essayer encore un peu, lui semble-t-il.

— Sonde 27e GVH-18327 doit-elle conserver la poignée? interrogea l'appareil, qui n'avait pas renoncé à faire preuve d'esprit pratique.

Nohog grossit l'image de la valise sur son écran. La corne de la poignée était cassée, et l'objet pendait à un bout. Nohog projeta une poignée neuve dans la recomposition moléculaire du coopteur. Sur le bateau qui le ramènerait en Amérique, Mountain devrait pouvoir compter sur une valise solide pour transporter ses effets de voyageur rentrant définitivement au pays.

La fin, on y était. La mélancolie reprit l'Observateur. Dans peu de temps, une sondine s'attaquerait à la loge-relais du ranch. Ni mélèze ni peuplier, cette fois. Il opterait pour des bouleaux. C'était très bien, les bouleaux, et puis cela poussait toujours par grappes de deux ou trois. Les bouleaux avaient la sagesse de ne pas se lancer seuls dans l'entreprise de croître sous le soleil. Nohog prit la décision de se munir d'une copie moléculaire des bouleaux, pour son dôme, sur Ventorx. Plus tard, quand sa mission sur ◊-GVH-18327-Γ serait terminée, que l'humain contacté serait moins que l'ombre d'une vibration, ce serait une consolation d'entendre le chuchotis de ce feuillage tendrement collectif, où prononcer à voix basse les mots « cœur brisé ». Il n'empêche que plus Nohog de Ventorx songeait à l'issue des événements, moins il se résignait à devoir assister à la fin de l'espèce humaine. L'Observateur maudissait la frilosité de l'Unicité.

— Le Contacté va donc s'éteindre? s'enquit la sonde.

— Nohog lui préparait l'Aliment. Il n'en veut plus. Il va devenir très vieux dans très peu de temps, mais cela lui est égal. Le Contacté dit que vivre parmi les siens et s'occuper de ses chevaux seront ses dernières joies.

La sonde mit du temps à intégrer une perspective aussi dénuée d'ambition. Une fois de plus, sa réaction fut pratique.

— Sonde 27ᵉ GVH-18327 recommande à l'Observateur un certain segment holoviv.

Nohog n'aimait pas le ton soudain familier de leurs rapports. Malgré l'importance de l'activité humaine et la difficulté pour la sonde d'en rendre compte de manière suivie, ses suggestions n'étaient jamais sans fondement. Le Ventorxe ne put s'empêcher d'aller y voir de plus près. Pendant ce temps, en Pennsylvanie, trois bouleaux firent leur apparition discrète, surgis de nulle part. Désormais, la loge-relais sur le continent américain n'était plus qu'un souvenir, elle aussi, et qui d'autre que Nohog de Ventorx s'en souciait, dans la galaxie? S'éloignant de l'écran couvert de verdure, ce dernier se concentra sur l'holoviv passé du 22 novembre 1949 pour y observer une scène tout à fait surprenante : à Concise, sur la terrasse de sa propriété, Constantinopoulos, muni de crayons de couleur et prenant ses dernières dispositions avant son départ pour Xall.

28

Moitié par désœuvrement, moitié par nervosité, Noam avait écumé les bouquinistes des quais avant de se diriger vers l'étude de maître Fournel. S'il avait reporté jusqu'alors le moment de cette rencontre, c'est qu'il se doutait de son importance. Trois années s'étaient écoulées depuis le moment où, dans son bureau de Genève, Noam avait décacheté l'enveloppe contenant les ultimes instructions du patron. Il a perdu la tête, avait-il murmuré.

Fou, le patron l'était bel et bien, car ses instructions étaient sans équivoque : Constantinopoulos léguait à Noam toute sa fortune, non pas à titre de gestionnaire mais de propriétaire, à charge pour ce dernier de poursuivre dans la même voie. La prospection minière était mentionnée, mais le Grec l'invitait aussi à investir dans les secteurs prometteurs de la TSF, de la télévision, des journaux, de l'édition, du cinématographe et de tout autre moyen de communication, disait-il, propre à atteindre le plus grand nombre. Le plus étonnant était une pièce annexe au document : une carte détaillée des gisements aurifères dans le monde !

Noam avait été pris de vertige. La carte, couverte de plusieurs symboles colorés, était on ne peut plus éloquente. À côté de chaque gisement répertorié, une image révélait l'état des lieux : un doublon espagnol pour les mines à acquérir, une pioche pour les gisements encore inconnus des investisseurs. De plus, un buste de sénateur romain était accolé aux noms des villes où Noam trouverait des hommes de confiance, au service de Constantinopoulos depuis plusieurs années. Leurs noms et coordonnées se trouvaient en annexe. Suivaient les bordereaux d'une multitude d'institutions bancaires. Noam avait alors compris qu'il avait vécu dans l'illusion. Il ne connaissait pas le quart d'un huitième de l'étendue de l'empire Constantinopoulos que les nouvelles instructions exhumaient maintenant. Autant d'argent, était-ce encore réel ?

Comme s'il avait prévu la réaction de son protégé, Constantinopoulos rappelait aussitôt l'ampleur de l'action philanthropique à poursuivre, relancer, amorcer. Soutenir la paix et favoriser le droit, tels sont les grands axes qui guideront cette action, résumait-il dans sa lettre, avant de conclure : «Quand vous aurez pris l'exacte mesure de l'étendue de l'empire que je vous lègue, faites l'inventaire de vos sociétés. L'exercice sera utile. Pour le reste, faites comme vous l'entendez.»

C'est complètement dingue, se répétait Noam depuis trois ans, alors qu'il s'employait à réaliser les promesses de la somptueuse carte, toujours exacte. Noam se savait bon gestionnaire. Mais que de travail, que de décisions, que d'investissements liés à cette mission. Formé par Constantinopoulos, il avait su s'entourer de gens compétents et fiables, qu'il associait avec prudence à ses décisions. C'est ainsi que monsieur Weiss, son directeur administratif, lui avait un jour rappelé son obligation au sujet de l'inventaire.

Deux jours plus tard, Noam Frenkl montait à bord du train, en gare de Genève-Cornavin. Son adolescence singulière avait eu au moins le mérite de lui éviter, à l'âge adulte, les formes communes de l'anxiété, aux causes presque toujours banales. Malgré tout, Noam n'avait pas manqué de se découvrir récemment quelques irritations au cuir chevelu et au cou, désagréments qu'il avait mis sur le compte d'un excès de travail. Cette escapade à Paris était la bienvenue.

— Monsieur tient une première édition. Une excellente affaire à ce prix.

Noam regarda son interlocuteur qui lui tourna le dos pour fouiller dans sa réserve. Le bouquiniste en revint bientôt nanti d'un *Père Goriot* enveloppé dans du papier de soie. Avec respect, il défit l'emballage et lui tendit l'ouvrage.

— Vous le mettez avec votre *Eugénie Grandet* et vous repartez avec deux authentiques raretés. Monsieur est un bibliophile, cela se voit.

Noam n'hésita pas. Il était à la hauteur du Pont-Neuf. L'étude était à deux pas. Il s'éloigna des quais, satisfait de ses acquisitions.

Un quart d'heure plus tard, il franchissait la porte cochère donnant sur l'étude de maître Fournel, au fond de la cour, à droite. De vastes bureaux, qui se déployaient aussi à l'étage. Noam observa que l'aménagement des lieux gagnait en raffinement à chacune de ses visites. Ce que les miettes d'un empire peuvent faire, songea-t-il avec amusement, tout en déclinant son identité à une blonde personne. Hochement de tête : monsieur Frenkl était attendu. Noam ignora l'ascenseur, prit les escaliers. L'instant d'après, il serrait la main du notaire et s'excusait de son retard en montrant les deux Balzac. Maître Fournel sourit.

— Vous aimez beaucoup notre langue, m'a confié mon client. J'en suis heureux.

Noam bondit.

— Vous avez vu M. Constantinopoulos?

— Non, hélas. Sa remarque remonte à quelque temps, en fait. Asseyez-vous, je vous prie.

Le notaire tourna la tête vers une table couverte de dossiers.

— Je vous ai fait préparer des documents d'archives. Mais il vous faudra sans doute les dépouiller sur place. Paris est une belle ville, monsieur Frenkl, vous pouvez bien vous y attarder un peu.

Il se redressa.

— Voici l'inventaire que vous m'avez demandé. En gros, il reprend celui dressé en 1938. Les ajouts sont contenus dans ce dossier.

Le notaire se dirigea vers le coffre-fort de l'étude, trapu, noir, qui attirait les regards, au fond de la pièce. Tournant le dos au visiteur, il se pencha, aligna la combinaison de chiffres.

— Et puis, il y a cette chemise. À l'époque, monsieur Constantinopoulos m'avait demandé de la distinguer des archives courantes sans même y jeter un coup d'œil. J'ignore ce qu'elle contient.

Un déclic se fit entendre. Le notaire tira à lui la lourde porte et plongea une main à l'intérieur. Comme un jeu de piste, pensa Noam malgré lui.

Le carton était d'apparence banale, sauf pour le sceau à la cire, qui lui conférait un air mystérieux. Noam prit le coupe-papier en argent qu'on lui tendait et, sous l'œil professionnel de maître Fournel, fit sauter le cachet et se mit à lire.

Le soir même, il reprit le train. L'inventaire des biens meubles pouvait attendre.

De retour à Genève, Noam Frenkl ne perdit pas de temps et se présenta à la première adresse apparaissant sur la première des quatre listes contenues dans la chemise. Une banque, comme toutes les autres adresses de la liste. Le directeur de la banque Bordier conduisit Noam au coffre-fort loué une vingtaine d'années auparavant par l'entremise du fondé de pouvoir genevois de son client, maître Santet, agissant au nom de l'étude Fournel. Noam s'étonna de retrouver un coffre-fort aussi trapu, noir et vétuste que celui aperçu dans l'étude de maître Fournel, et non pas quelque coffret à numéros.

L'objet se trouvait dans l'une des petites pièces dégagées dans la paroi circulaire de la voûte blindée, au cœur de la banque. Le directeur laissa seul Noam, qui aligna la combinaison de chiffres notée systématiquement, sur les listes, à côté de l'institution bancaire, en se demandant, agacé, pourquoi tant de mystère.

La réponse apparut dans les entrailles du coffre. Il compta : trois cent cinquante-deux lingots d'or, soigneusement empilés…

Ce jour-là, il visita les six banques genevoises figurant sur les listes. À chaque banque correspondait un coffre-fort. Cinq cent quarante lingots dans la deuxième, deux cent vingt-quatre dans la troisième, cent cinquante-huit dans la quatrième. Le lendemain, il partit pour Lausanne. Et par la suite Berne, Lucerne, Zurich et Bâle. Dans chaque ville, le scénario se répétait. Des lingots d'or. Des tonnes de lingots disséminés, en bon ordre, sur le territoire helvétique. C'était ça, le fameux inventaire. Il fit le compte. Comment un seul homme avait-il pu amasser autant du précieux métal? Et sans attirer l'attention des marchés de Londres et de Zurich? C'était incompréhensible. C'est… c'est impossible, songeait-il en se grattant convulsivement le poignet droit.

29

Avec une lenteur qui aurait dû l'exaspérer, mais qui le réjouissait par les découvertes qu'elle lui permettait de faire, Nohog comprit peu à peu le plan de Mountain. La retraite au ranch provoquée par le refus de l'Unicité était on ne peut plus vraie, et tout aussi réelle la vieillesse qui le rattrapait maintenant à grandes enjambées. Oui, Mountain se retirait du jeu, puisque Xall lui refusait les moyens de réussir, mais il ne renonçait pas à l'action pacifiste menée depuis soixante ans, en faisant de Noam Frenkl l'instrument aveugle de sa mission. Inconscience? optimisme? sens des responsabilités? Qu'importent les mobiles, Mountain avait soigneusement préparé sa sortie.

La sonde, qui, depuis son arrivée dans le système, enregistrait globalement la troisième planète, avait mis Nohog sur la piste du successeur de Constantinopoulos. Bien que l'engin fût capable d'analyses corrélatives, il revenait à Nohog de faire les liens nécessaires dans ses rapports. L'initiative de la sonde avait suffi à faire la lumière dans le bâtonnet médian du Ventorxe qui, par ailleurs, avait appris à connaître son humain. Mountain n'avait pas démissionné, il attendait son heure. Elle ne viendrait peut-être jamais, mais l'option restait ouverte.

Tel était le plan, dont le Ventorxe avait pris conscience en voyant Constantinopoulos couvrir de signes une carte du monde et faire la tournée de ses notaires et de ses banquiers. Dans les délais réactifs propres à son espèce, il comprit ce que Mountain attendait de lui. En rédigeant ses rapports envoyés à la Commission d'Observation, Nohog ne devait pas trop s'attarder sur les scènes de l'holoviv susceptibles de révéler les intentions du Contacté. Après tout, un Ventorxe n'est pas omniscient.

La mission se poursuivait. Nohog jubilait. Il admira la manœuvre et entreprit de suivre à la trace ce Noam Frenkl qui, dans l'ensemble, se tirait bien d'affaire.

Birmingham, Alabama, 1956

Sur l'herbe mouillée entourant l'église de Bethel, deux ombres se découpèrent, rendues visibles par la blancheur du bois luisant dans la nuit. Sous le magnolia, les silhouettes délibérèrent un instant en chuchotant, après quoi elles se séparèrent. À cette heure tardive, aucune lumière n'éclairait la façade de l'église, mais dans le presbytère attenant, une lampe brillait tandis que deux hommes devisaient en pyjama, chacun allongé sur un lit étroit. Dehors, les ombres s'affairaient.

Sale nègre, tout juste bon à engraisser l'herbe autour de ta sale baraque. On va t'en mettre partout, tu vas voir. Sous l'œil attentif de son comparse, Jo Macphan déroulait un fil transpirant de haine jusqu'au bâtiment. Ta gueule. Des deux, Jimmy Stoddart était le cerveau : l'autre obtempéra. Ce coup, ils le préparaient depuis trois semaines, depuis que le juge Seewell avait renvoyé chez lui ce sale nègre de pasteur, alors que la justice aurait eu mille raisons de le jeter en prison avec toute l'engeance nègre qui y pourrissait déjà. Les convictions de Jimmy Stoddart n'étaient pas moins fermes que celles de Jo Macphan, mais pas question de tout foutre en l'air en se faisant repérer. Tu la fermes, compris? Tu dis pas un mot. Et en rentrant, tu diras rien non plus à Linsey. Jo Macphan le regarda, hébété. Pas même à Linsey? Pour toute réponse, il fut poussé au sol.

Le fil était en place. Les bâtons aussi. Jo Macphan était ressorti en rampant de sous l'église érigée sur une empilade de pierres plates, ce qui est parfait pour les pétards. Couvert de boue, l'homme soufflait comme un cachalot. Il allait maudire la sale vase sur laquelle les sales nègres construisaient leurs églises, mais en face un signe impérieux le réduisit au silence.

Les deux ombres reculèrent à pas lents, la clarté jaune de la lampe s'amenuisant à mesure. Jimmy Stoddart tenait fermement le détonateur. Il l'actionna, éclairant la face hilare de son complice.

À Birmingham, ces derniers temps, on avait pris l'habitude des incendies criminels et des bombes. Malgré tout, la rue entière accourut sur les lieux de ce qui, hier encore, était l'église baptiste de Bethel. Le quartier se joignit à la rue, et il en vint aussi des quartiers avoisinants. La foule grossissait, houleuse. Faire sauter une église le soir de Noël? Les plus résolus avaient ramassé des pierres et brandissaient des bâtons.

La police arriva, ce qui n'arrangea rien. Des Blancs qui se protègent entre eux. La vie d'un pasteur nègre, ça ne compte pas, et son cadavre non plus.

— Le diacre dormait là aussi, cria quelqu'un. Il devait faire la marche avec nous, demain.

Toe Nacky était l'homme à tout faire du révérend. Il habitait à côté. Il sanglotait de rage.

Les pompiers arrivèrent à leur tour, balayant les gravats de leurs projecteurs. Le shérif Hartman entreprit de fouiller les décombres, aidé de quelques hommes. Mais à peine avait-on soulevé deux ou trois planches qu'une forme surgit, aussi droite et résolue que Josué devant les Philistins. Les murs de Jéricho allaient tomber, et ses habitants n'en savaient rien. Colère de Dieu! pensa la foule, parcourue d'un frisson. Un miracle! Le révérend Shuttleworth était indemne. Pas une goutte de sang sur lui, pas la moindre ecchymose. L'explosion l'avait surpris en pyjama. Elle le jetait à la rue dans la même tenue. Il refusa le bras du shérif et voulut se couvrir, cherchant dans les ruines le manteau ou la couverture qui le rendrait présentable.

— Et de deux, compta un policier, en apercevant son compagnon.

— Joyeux Noël, fit une voix résignée, venue des premiers rangs.

Le révérend Fred Shuttleworth militait pour les droits des Noirs depuis des années, et chacun connaissait ses manières directes. Il fit un pas vers la foule. Sur un signe discret, le shérif redéploya ses hommes.

— Mes amis, gardons-nous de la colère, clama le révérend.

La rumeur s'apaisa.

— Laissons la violence aux violents. Notre arme est l'amour. Cette église, nous la reconstruirons. Notre Père dans les cieux y pourvoira, tout comme il nourrit les oiseaux qui ne sèment ni ne moissonnent. Ils ont voulu me blesser...

— Vous tuer, oui! protesta une femme.

— ... me blesser, tempéra le révérend.

Il n'oubliait pas la leçon de Ghandi. Son ami d'Atlanta, le pasteur King, lui avait parlé du leader indien et depuis, dans ses sermons, Shuttleworth prenait soin de mêler la pensée du Mahatma aux leçons de l'Évangile, comme une épice étrangère relève un plat familier.

— Aaah! rugit le rescapé. Les blessures de Jésus m'ont protégé. Nul ne peut rien contre Ses plaies. Plaignons nos ennemis, mes amis. Leur violence passera. Toute chose passera. Eux aussi passeront. Seul l'amour demeure. Et la paix. Aimons nos frères, mes amis.

Alléluia! La foule ondoyait. Aimons nos ennemis, ajouta le révérend. Alléluia, reprit la foule, confiante avant même que ne résonnent, moins d'un mois plus tard, les premiers coups de marteau sur le chantier de l'église en reconstruction. Du reste, le révérend l'avait prédit, et même si la Providence n'y était pour rien, l'argent vint à son heure, d'aussi loin que la Suisse, n'ayant fait alors que transiter par les caisses modestes de l'Alabama Christian Movement for Human Rights, où les bonnes volontés ne manquaient pas.

30

Noam Frenkl se tourna vers son directeur administratif.

— Monsieur Weiss, notre fondation n'a que trois années d'existence, mais, dites-moi, combien de dossiers avons-nous traités?

— Une bonne vingtaine, au moins, celui de l'Alabama étant le plus récent. Nos interlocuteurs sont variés. Et nous faisons parfois appel aux fondations existantes quand la situation s'y prête.

— Je veux un récapitulatif de l'ensemble des requêtes. Il ne suffit pas de choisir les bonnes causes, il faut aussi être efficace.

— Je comprends, monsieur. Les sommes en cause sont trop importantes. D'ailleurs, je me demande si les fonds de roulement du Groupe ne pourraient pas en subir le contrecoup. Simple question.

Noam Frenkl leva les yeux de la paperasse étalée sur la table. Cette frilosité l'agaçait royalement.

Pugwash, Nouvelle-Écosse, 1957

Les Russes ne buvaient pas toujours de la vodka. Ils ne vous embrassaient pas forcément sur la bouche pour vous assurer de leur amitié. Et à quatre heures du matin, nul chant beuglé ne filtrait du seuil de leurs chambres. Mais cette entorse aux stéréotypes nationaux n'étonnait pas outre mesure les délégués canadiens, américains, japonais, français, anglais, chinois ou polonais de la Conférence qui s'apprêtait maintenant à ouvrir les travaux de sa première édition. Après tout, on était entre scientifiques, et il y avait plus urgent à faire que de cultiver des idées reçues. C'était précisément le contraire qu'on attendait des participants. À Pugwash, le monde n'était pas coupé en deux par un glaçant rideau de fer.

La Conférence avait été précédée d'une rumeur favorable dans les milieux intellectuels et scientifiques. Le professeur David Cavers regarda autour de lui, séduit par le cadre. Il reste qu'on ne venait pas ici pour la verdure, ni pour la quiétude des lieux aux chambres refleuries chaque jour. Celle du professeur Cavers donnait sur le pré avec, au bout, des vaches qui broutaient l'herbe en suivant la pente jusqu'au bras de mer de Northumberland. Le tableau était pittoresque, mais l'essentiel était ailleurs.

Arrivé la veille, le professeur se préparait à assister à la séance inaugurale. Il refusa le café offert par une domestique, alors qu'il prenait place à la table des délégués, dans le grand salon vert. David Cavers était flatté de se trouver là, et impressionné. Il regarda s'installer ses collègues. Vingt-deux délégués en tout, comme il devait le vérifier par la suite. Tous scientifiques de haut niveau, sauf lui-même, avocat, spécialiste en droit international et enseignant à Harvard.

D'un signe de tête, l'Américain répondit aux saluts qu'on lui adressait. Rester discret, attendre son heure : les conseils de Noam Frenkl étaient judicieux. Cavers n'avait pas oublié celui qui avait été l'un de ses plus brillants élèves à Harvard. Aussi avait-il été heureux, deux ans plus tôt, de retrouver Frenkl à Berlin, où s'était réunie l'une des commissions de la Banque internationale pour la reconstruction et le développement. Revoir son ancien étudiant en cette circonstance n'avait surpris Cavers qu'à moitié. Mais que le jeune Frenkl ait eu désormais assez d'influence pour l'introduire ici, à Pugwash, voilà qui était beaucoup plus surprenant, pensait le professeur, alors que, peu à peu, la pièce se remplissait d'un bourdonnement de bon augure.

Où était le fameux Mr. Eaton? Le mérite de l'événement revenait en grande partie à cet homme, nul ici présent ne l'ignorait. Cavers parcourut la liste des délégués. Les organisateurs avaient bien fait les choses. Joint à la liste, un plan indiquait la place attribuée à chacun autour de la table. Cyrus Eaton se trouvait tout au fond, dans l'encoignure, près de la porte donnant sur la bibliothèque laissée à la disposition des invités pendant la durée du séjour.

L'avocat chaussa ses lunettes et vit un homme dans la soixantaine, aux traits doux, aux manières simples et distinguées. La résidence d'été du milliardaire, en Nouvelle-Écosse, offrait un cadre qui mêlait le rustique au raffinement. Mais l'étendue de cette propriété n'était en rien comparable à sa résidence principale, dans l'Ohio, qui faisait parfois l'objet de reportages admiratifs dans les journaux du week-end : cinq hectares de pelouse vallonnée, des Rembrandt sur les murs du salon et du cabinet d'études, trois rutilantes berlines au garage, des chevaux de race, une serre aux espèces rares, un immense jardin avec des grottes, des massifs taillés, des jets d'eau, le tout d'un goût sûr.

Cyrus Eaton comptait des amis dans tous les milieux, communistes ou capitalistes. Mais la réussite financière et sociale ne lui suffisait pas. Comme plusieurs, il s'inquiétait des relations internationales en cette décennie d'après-guerre, où les alliés d'hier se métamorphosaient en ennemis à abattre. En 1954, un jour qu'il était de passage à Londres, le philanthrope avait regardé une émission de la BBC, où il était question du manifeste Russell-Einstein. Aussitôt, il avait réagi. Les premiers mots du texte lui avaient plu. «L'humanité étant confrontée à une situation dramatique, nous estimons que les hommes de science devraient se réunir en conférence pour prendre la mesure des périls créés par le développement d'armes de destruction massive.» Une dizaine de prix Nobel avaient paraphé le document, dont Albert Einstein, quelques heures avant sa mort. Sans tarder, Cyrus Eaton avait écrit à Russell.

Le manifeste Russell-Einstein répondait aux exigences de l'heure. Aux dirigeants de ce monde, empêtrés dans des intérêts nationaux et contradictoires, il fallait proposer une vision plus large, humaniste et résolument pacifiste, si on voulait que l'humanité ait un avenir. Russell n'était pas sans savoir que l'élite scientifique avait contribué à la naissance de la bombe atomique, même si certains de ces savants avaient été les premiers à mettre en garde les autorités contre ses conséquences, tels les professeurs Eugene Rabinovitch et James Franck, de Chicago, ou ce Leo Szilard, à la fois instigateur et critique du projet Manhattan. À en juger par les résultats obtenus dans le passé et l'inquiétante accumulation d'armes auquel s'employait chaque camp depuis la fin de la guerre, le recours à la force en matière de relations internationales menait à une impasse. De plus en plus de gens en étaient convaincus. C'est sur ces bonnes volontés, estimaient les auteurs du manifeste, qu'il fallait s'appuyer pour construire un monde plus juste, plus raisonnable.

Cyrus Eaton avait fait fortune dans l'électricité, le pneu, l'acier, les chemins de fer, le gaz. Mais si le commerce lui réussissait, il ne nourrissait pas son esprit. Plus que tout, le milliardaire aimait la conversation entre personnes choisies – intellectuels, scientifiques, philosophes. Il avait donc mis à la disposition de Russell sa résidence d'été de Pugwash pour que des gens comme lui puissent y discuter de l'avenir de la planète, de la science et de tout ce qu'on voudra. En dépit de sa mise modeste, Cyrus Eaton n'avait rien de banal.

— De quoi écrire, monsieur, dit le majordome qui distribuait des blocs de papier.

Cavers remercia. Sa présence ici n'avait rien de symbolique. Quelles que soient les résolutions et les recommandations avancées au terme de cette première Conférence, il faudrait les inscrire très tôt dans un cadre légal, si on voulait y voir les bases de futurs traités internationaux, comme Noam Frenkl et lui-même l'avaient évoqué à Berlin.

L'avocat se reporta à la liste des places attribuées aux participants. Là-bas, au fond, vers la droite, le professeur Oliphant, venu d'Australie. Là, le professeur Lacassagne, de l'Institut du radium, à Paris. Vers le centre, le Dr Brock Chisholm, du Canada, et son voisin était le Chinois Chou Pei Yuan. Mais qui était donc ce petit homme rondouillard, assis là-bas, au côté du professeur Rotblat? David Cavers vérifia sur le plan : Leo Szilard. Il connaissait la réputation du physicien et nota que cette discipline scientifique dominait autour de la table. Il y avait de quoi être intimidé. Le huis clos, l'importance des enjeux, la gravité des sujets, le caractère privé des échanges, tout invitait à un rapprochement entre les participants et les observateurs. Serait-il à la hauteur? Cette pensée le préoccupa furtivement la première journée, mais, dès le lendemain, le juriste était à pied d'œuvre.

31

Londres, Angleterre – Mukarov, Tchécoslovaquie, 1962

— Le Van Dort Gruppen, je ne sais pas pourquoi, mais ça ne m'inspire guère confiance, dit lentement Peter Benenson.

— Je me suis renseigné, répondit son collègue, mais je n'ai pas pu remonter toute la filière, qui est tortueuse à souhait. Pourtant, les activités du Groupe me semblent régulières : acier, mines – de l'or, notamment. J'ai enquêté avec soin, croyez-moi. Le siège social est à La Haye et son propriétaire est un certain

Heime Van Dort. De plus, le Groupe déploie une intense activité philanthropique, le plus souvent par le truchement de sa Fondation. Je pense que nous pouvons accepter cet argent. D'autant que la Fondation Van Dort témoigne, tenez-vous bien, d'un intérêt marqué pour le pacifisme.

— C'est vrai?

Sean Mac Bride n'était pas peu fier de ses découvertes.

— À La Haye même, le Groupe parraine le World Federalist Movement of the Netherlands, tandis qu'ici, à Londres, sa Fondation subventionne l'Anglican Pacifist Fellowship et le National Peace Council. J'ai aussi trouvé un fil conducteur entre certains subsides du Groupe et le Service civil international, à Genève.

— Voilà qui honore ces gens, et je fais confiance à vos talents de limier, Sean, pour un de ces jours mettre à plat l'organigramme du Van Dort Gruppen. Pour l'instant, ce que vous m'en avez dit me suffit. Le montant du chèque m'avait intrigué, mais après tout, si cet argent provient d'un commanditaire privé, notre indépendance n'aura pas à en souffrir. Je propose que ce don serve à alimenter le fonds d'aide aux prisonniers, qu'en pensez-vous?

Dans les geôles où il croupissait, l'archevêque Josef Beran ne disposait ni de secrétaire privé, ni de papier à lettres, et il y a longtemps que son anneau épiscopal n'en imposait plus à personne. En Tchécoslovaquie, le gouvernement d'Antonīn Novotný ne plaisantait pas avec l'opinion d'un individu. Chacun, fût-il prélat, était libre de penser ce qu'il voulait, mais c'était autre chose que d'étaler sur la place publique des états d'âme sur des sujets qui n'intéressaient pas le peuple. Heureusement, l'État veillait à rétablir l'ordre.

Treize ans après le début de son incarcération pour délit d'opinion, coupé du monde extérieur, sans radio ni journaux, pas même communistes, l'archevêque tenait enfin un livre dans ses mains. Un seul livre à la fois, lui avait-on précisé, magnanime. Le prisonnier pourrait en changer à mesure, suivant le bon vouloir des autorités, mais seulement si sa conduite était jugée irréprochable. Aussi, en ce moment, le prisonnier Beran lisait-il *Les frères Karamazov*, dans une mauvaise traduction tchèque qui semblait avoir recueilli comme malgré elle l'éclat sombre du maître russe.

Quand l'archevêque Beran rendit le livre, il réclama les *Souvenirs de la maison des morts*. Comme il était d'usage, le bibliothécaire de la prison de Mukarov le fournit au prélat. Et c'est là, dans le journal de Dostoïevski, que le prisonnier détecta une anomalie dans la fabrication du livre. La deuxième de couverture et la page de garde étaient bizarrement collées. Le prisonnier tâta le léger renflement, admira le travail de dissimulation, le déchira de son ongle. Une lettre s'en échappa. Un seul feuillet, sur papier oignon, couvert d'une écriture fine. Qui donc pouvait lui écrire de la sorte? La lettre était envoyée de Londres. Sa date remontait à plusieurs semaines : le 30 mars 1962, plus exactement. Qui avait conduit son auteur vers le bibliothécaire? Qui l'avait convaincu de courir le risque d'être arrêté à son tour, en transmettant le message? L'auteur de la lettre était un avocat anglais qui affirmait parler au nom d'une nouvelle association d'aide aux prisonniers : Amnesty International. Le prisonnier Beran comprit qu'on l'avait adopté. La lecture du Dostoïevski ne traîna pas. Quand, un mois plus tard, l'archevêque ouvrit les *Sermons* de Bossuet, son cœur battait à coups sourds dans sa poitrine. Il ne fut pas déçu. Une autre lettre l'attendait, insérée, cette fois, à la page précédant l'oraison funèbre d'Henriette d'Angleterre. Il n'était plus seul.

Uli, Biafra, 1969

Je m'appelle Ralph Cartridge, voilà ce qu'elle dirait au premier soldat venant à sa rencontre, en montrant ses papiers, l'en-tête à la gerbe d'épis, le tampon de la Croix-Rouge et tout. Food for Biafra n'était pas la première ONG à tenter de pénétrer sur le territoire de la République depuis sa séparation du Nigeria, deux ans plus tôt. Mais elle était sans doute l'une des rares organisations humanitaires prêtes à confier à une femme pilote les dons recueillis. Ralph Cartridge était-elle une femme? Elle détestait le regard des Blancs sur sa personne, leurs mines perplexes à la vue de ses cheveux coupés court, ses oreilles dégagées, sa frange grise, sa silhouette en tonneau, et leurs petits yeux de prédateurs fourrageant sous sa chemise kaki, à la recherche d'une poitrine trop plate à leur goût. C'était plus simple avec les Africains. Eux ne doutaient pas une seconde d'avoir affaire à un homme. La discussion pouvait s'engager.

Ralph Cartridge consulta le plan de vol par principe, mais elle connaissait déjà la réponse. Parti de Guinée équatoriale deux heures auparavant, son avion atteindrait Uli dans moins d'une demi-heure. Depuis le début du conflit, Lagos faisait toutes sortes de difficultés aux organisations humanitaires pour survoler le Nigeria, toutes suspectes, à ses yeux, de nourrir des sympathies à l'endroit du Biafra. La mission n'était donc pas sans danger. Au moins le vol s'était-il bien déroulé. Ralph Cartridge mettait sa bonne fortune sur le compte de l'avion utilisé, un Noratlas, aisément reconnaissable à son double poutrage et dont l'armée nigériane possédait quelques exemplaires.

L'avion survolait maintenant le Biafra. Pourvu que l'autorisation d'atterrir vînt rapidement. La dernière fois, ils avaient dû tourner en rond pendant un bon moment, et l'avion s'était posé le réservoir vide. Il est vrai que le trafic était alors intense, en raison du pont aérien qui fonctionnait à plein régime. Pour la première fois, la télévision montrait l'horreur d'une famine. La réponse internationale avait été immédiate. Autant d'avions en une seule nuit, Ralph Cartridge n'avait jamais vu ça. Il faut croire que toutes ces images d'enfants aux ventres gonflés avaient paru insupportables à l'heure de passer à table. Venus de Suède, d'Angleterre, de France, d'Italie, du Canada, les avions s'étaient succédé pendant plusieurs jours. Au plus fort du pont aérien, Ralph Cartridge avait volé pour la Croix-Rouge, qui, pour l'instant encore, coordonnait l'aide humanitaire au Biafra.

Une sacrée bonne femme, oui. La plupart des pilotes considéraient leur mission terminée une fois les bordereaux tamponnés et la soute vidée de son contenu. Pas Ralph Cartridge. Avec elle, on pouvait être sûr que la cargaison ne moisirait pas dans un hangar. C'était un commencement. Restait ensuite à la remettre en mains sûres. Au Biafra, la chose était au moins aussi compliquée que l'accès au pays.

C'est sans doute son entêtement qui avait valu au pilote d'être contacté par le délégué européen de la toute nouvelle ONG américaine Food for Biafra. Ils s'étaient vus à Londres, où Ralph Cartridge louait, entre deux missions, un minuscule appartement dans Fleet Street. Le délégué n'avait pas mâché ses mots. Son organisation en avait assez de voir des enfants mourir en direct à la télévision. Récemment, un don important d'une fondation luxembourgeoise lui avait donné les moyens d'agir, et elle entendait être efficace.

— On dit que vous êtes un des meilleurs pilotes de brousse.

Ralph Cartridge n'avait pas bronché. Peu lui importait cette réputation-là.

— Et que vous connaissez l'Afrique comme le fond de votre poche.

Ralph Cartridge avait souri. On pouvait dire ça, oui. Son interlocuteur était un grand maigre qui rabattait compulsivement sur lui les pans de sa veste, comme s'il avait toujours froid.

— Les instructions du comité directeur sont sans équivoque. L'aide doit être distribuée sur le terrain. Pas question de répéter la gaffe de Port Harcourt.

— Port Harcourt est tombé l'année dernière, avait rappelé le pilote.

— Je sais, mais à cette époque le port faisait encore partie du Biafra et on croyait avoir une chance. On avait tout prévu, les laissez-passer, les bakchichs, et même les règlements invoqués à la dernière minute. Malgré toutes nos précautions et le patronnage de la Croix-Rouge, notre bateau n'a jamais pu décharger sa cargaison. Notre mission est d'aider les gens...

Le délégué avait hésité.

— ... madame. Pas de les regarder crever. Vous avez la réputation de ne pas abandonner facilement la partie. Cette mission est pour vous, Mrs. Cartridge.

Le navigateur confirma sa position à l'aéroport, et le bimoteur changea de régime pour amorcer la descente. Pour une fois, l'autorisation d'atterrir ne s'était pas fait attendre.

— T'as vu la piste? commenta le copilote. C'est pire que jamais.

La guerre du Biafra, qui entrait dans sa troisième année, ne donnait pas de signe d'épuisement, si ce n'était le rétrécissement progressif des frontières. Mais la piste d'atterrissage accusait la fatigue : nids-de-poule, herbes folles sur les corridors de dégagement, détritus. À cent mètres d'altitude, ils virent fuir une antilope. Le copilote jura. Calme-toi, dit Ralph Cartridge.

Deux militaires en uniforme biafrais attendaient sur le tarmac, tandis qu'une petite unité montait à bord de l'avion, mitraillettes au poing. L'air chaud lui caressa le visage. Posément, elle montra ses papiers au comité d'accueil. Comme elle aimait cette moiteur. Et la brûlure du jour...

— Suivez-nous, messieurs.

D'un geste résolu, le pilote rejeta en arrière sa sacoche et les suivit. Aussitôt entrés dans le bâtiment, les soldats l'entraînèrent à l'écart. Ils voulaient discuter avec monsieur le commandant.

Les palabres durèrent jusqu'à la tombée de la nuit.

— Que transportez-vous?

Au début, elle se montra coopérative.

— Trois tonnes de lait en poudre, trois tonnes de riz, une tonne de farine de blé, cinq hectolitres d'huile, des médicaments.

— Quelle sorte de médicaments?

— De la quinine, de l'aspirine, des antibiotiques.

— Pas de docteur à bord?

— Le docteur attend les médicaments au dispensaire d'Umuahia. C'était prévu qu'il envoie deux camions à ma rencontre. À l'heure qu'il est, ses gens sont sûrement dehors.

À son tour, elle interrogea.

— Freedom Fighters, sans doute? Quelle division?

— C'est nous qui posons les questions, monsieur le pilote. Qui vous envoie?

Ralph Cartridge s'énerva.

— C'est écrit, là : Food for Biafra! Une organisation basée à Boston. Aide humanitaire exclusivement.

— Et vous-même? Votre passeport est australien.

— Moi? Je vis surtout dans les airs, vous savez. Quand je suis au sol, je vis à Londres. Mais j'ai vu le jour à Perth. Maintenant vous savez tout.

Les deux soldats parlaient l'anglais avec l'accent d'Oxford, ou quelque chose d'approchant. Les deux hommes échangèrent quelques mots en dialecte ibo. C'est du moins ce que crut Ralph Cartridge, qui parlait le bambara, le swahili, mais ne connaissait pas l'ibo. Un doute l'effleura. Étaient-ils vraiment Ibos, ces deux-là?

— Écoutez. Vous vous rendez compte qu'il y a là-dedans de quoi nourrir un village entier pendant plusieurs mois. Vous voulez savoir combien de bébés sont morts depuis que nous avons commencé à discuter? Je vous donne des chiffres, si vous voulez.

— Vous allez repartir, monsieur le pilote. Nous allons nous occuper de votre cargaison. Mais d'abord, nous devons vérifier si la nourriture n'est pas empoisonnée.

Ralph Cartridge pigea. Les cargaisons mixtes mettaient peut-être de bonne humeur le général Ojukwu, mais ça ne facilitait pas la tâche des humanitaires.

— Messieurs les soldats, je vous préviens : vous ne trouverez pas une seule arme à bord de mon avion. En revanche…

Le pilote ouvrit sa sacoche et en sortit une enveloppe.

— Londres m'a demandé de vous remettre ceci.

Les deux militaires restèrent impassibles. De vrais Anglais, pensa-t-elle. Une interminable minute s'écoula, avant que la main droite du soldat de gauche n'amorce une lente reptation vers l'enveloppe. Le soldat de droite répéta.

— Vous allez repartir, monsieur le pilote.

Espèce d'enculés, hurlait-elle sans qu'aucun son franchît ses lèvres, dont elle parvint même à retrousser les commissures. Voilà, on dira que c'est un sourire et que nous nous sommes mis d'accord.

Ralph Cartridge regarda par la fenêtre le jour jaune déclinant. Quand ses yeux revinrent à la table, l'enveloppe avait disparu. Le pilote retrouva son copilote et son navigateur, et tous trois durent passer la nuit dans une pièce minuscule de l'aéroport, dans une moiteur étouffante. Ralph était résignée à ce que les choses suivent leur cours. Il fallait encore décharger la cargaison, faire le plein de kérosène, dégager la piste. En Afrique, dans un pays en guerre de surcroît, tout cela prenait du temps. Le lendemain, le pilote acquitta les taxes et des frais d'entretien afférents firent une apparition inopinée. À quatre heures de l'après-midi, un soldat vint les prévenir que tout était prêt. Soulagé, le pilote et ses acolytes quittèrent les lieux. Mission accomplie. Ralph Cartridge pouvait en témoigner, ayant assisté à la manutention depuis la petite pièce de l'aéroport. Tous les ballots de nourriture et de médicaments avaient été hissés à bord de camions et de jeeps. Elle avait vu le convoi s'ébranler vers l'est. Elle avait attendu jusqu'à la fin, pour être sûre. Le Noratlas avait pris son envol vers cinq heures du soir.

À Umuahia, cependant, l'attente se prolongea. Seule la mort y mettait fin.

32

Il n'allait pas embêter Xall avec les détails. Mais Nohog demeurait curieux, à vrai dire très intéressé. Le protégé du Contacté était décidément aussi habile que son mentor. Portée restreinte, observa Nohog malgré tout. Efficacité à évaluer. Quelle action la sonde allait-elle lui montrer maintenant?

Palo Alto, Californie, 1971

Suivant l'usage quaker, les Amis de Palo Alto méditèrent un moment avant d'entamer l'ordre du jour de la réunion. Une soudaine bourrasque menaça de faire s'envoler les papiers posés devant le président Simmons. Mais l'air était si frais après ces derniers jours étouffants qu'Edward Simmons ne pouvait se décider à fermer la fenêtre. Il résolut le problème en posant le grand livre des comptes du trésorier Fuller sur les feuillets légers. Le président jeta un coup d'œil à la ronde et médita à son tour. *À l'étranger tu donneras tout ce qu'il demande.* La prière de Salomon vint se mêler à celle d'Edward Simmons. La réunion put commencer.

L'allocution du président fut suivie du rapport du trésorier, qui ne suscita aucune question, tant le travail de Ted Fuller s'était révélé minutieux. Gêné par les éloges, le trésorier ajusta le nœud papillon qu'il étrennait rituellement pour la circonstance.

Le président Simmons reprit la parole.

— Nous allons maintenant aborder le sujet qui nous réunit aujourd'hui. Cette année encore, notre Société bénéficie des subsides généreux de la Fondation Minghely, versés par l'entremise de la firme d'avocats Miller & Gorkaiev de Sacramento. Nous devons décider de l'usage que nous en ferons.

L'administrateur Olafson intervint.

— Je rappelle que l'an dernier nous avons donné la moitié des soixante mille dollars au Musée des beaux-arts de San Francisco et que l'autre moitié a servi à doter l'université Tulane d'un fonds d'aide aux étudiants de couleur.

— C'est exact, confirma le président, et nous pouvons choisir de continuer dans cette voie. Mais pour être justes, il nous faut examiner aussi les demandes reçues cette année. Et d'abord celle d'un certain Irwin Stowe.

Dans les documents annexes, chacun put lire qu'Irwin Stowe avait exercé le droit à Philadelphie avant de s'établir à Vancouver, au Canada. Il agissait cette fois au nom d'un groupe appelé le Don't Make a Wave Committee.

— C'est quoi, ça? s'enquit l'administrateur Grüber.

— Je constate que certains parmi vous n'ont pas eu le temps d'examiner la documentation en détail, ironisa le président. L'année prochaine, je veillerai à vous la transmettre plus tôt. Le Don't Make a Wave Committee s'est donné pour tâche...

— Ce Nixon, grommela l'administrateur Halley. Vous croyez vraiment qu'une poignée d'idéalistes l'empêchera de faire ses tests en Alaska?

— Si je peux me permettre, interrompit le trésorier en se raclant la gorge. Quelqu'un ici se souvient-il du *Phoenix of Hiroshima*?

Un silence interrogateur lui répondit.

— Un tout petit bateau, avec seulement une famille à bord. Les parents, Mr. et Mrs. Reynolds, le garçon et la fille adolescents.

— Je m'en souviens, répondit l'administrateur Olafson. Ils ont réussi à atteindre l'atoll Bikini. Il fallait avoir du culot. Mais tout ça remonte à un sacré bout de temps.

— À plus de dix ans, précisa le trésorier. En 1958, toute la famille a été arrêtée par la Garde côtière américaine. Et un peu plus tôt, le *Golden Rule*, un petit ketch, avec cinq quakers à bord soit dit en passant, avait été intercepté alors qu'il faisait route vers les îles Marshall.

— Monsieur le trésorier, le taquina le président, nous vous remercions pour cet historique.

Le trésorier rougit.

— Je n'ai aucun mérite. Quand j'ai lu la lettre de ce monsieur Stowe, je me suis dit qu'il faudrait en discuter en toute connaissance de cause.

— Bien. Mais si je ne me trompe, ça n'a rien donné, ces agaceries en bateau. Les essais nucléaires ont eu lieu quand même, ajouta le président Simmons.

— Oui, bien sûr. Mais leur but n'était pas tant d'empêcher les explosions atomiques que d'attirer l'attention sur une entreprise insensée. De ce point de vue, on peut dire qu'ils ont réussi leur coup puisque de nombreux journaux s'en sont fait l'écho à l'époque. Ces gens, nous le savons aujourd'hui, étaient des pionniers.

— Le programme des essais souterrains en Alaska a commencé l'année dernière, commenta l'administrateur Garnett, jusque-là demeuré silencieux. Et le deuxième essai est prévu le 15 septembre. Je pense que nous devrions considérer avec attention la requête de ce comité.

— Je me suis laissé dire qu'on y trouve pas mal d'exaltés, fit remarquer l'administrateur Halley.

— Canadiens surtout, dit le président.

— Disons que le comité est établi à Vancouver, ville qu'une partie de la jeunesse américaine a récemment préférée à Saïgon, railla l'administrateur Olafson. À vrai dire, le Don't Make a Wave Committee est actif des deux côtés de la frontière. J'ajoute qu'ils ont le soutien du Sierra Club.

L'administrateur Garnett intervint.

— Vous savez ce qu'ils comptent faire au juste avec notre aide? La lettre ne donne pas de détails.

Le trésorier, fidèle à lui-même, déplia la carte de l'Amérique du Nord, apportée au cas où. Amchitka se trouvait au nord-ouest, point minuscule sur une ultime banderole se déployant au bout de la péninsule d'Alaska : les îles Aléoutiennes.

— J'ai eu Stowe au téléphone, poursuivit le trésorier, et il m'a expliqué ce qu'ils comptent faire. Ils ont guigné un petit bateau, le *Phyllis Cormarck*. Ils veulent le louer, et cap sur l'Alaska! Ils se doutent bien qu'ils seront arrêtés tôt ou tard, mais pourvu que ce soit le plus près possible du site, ils s'estimeront satisfaits. Et ils ont bien l'intention de recommencer. Jusqu'à ce que Nixon renonce aux tests.

— Je propose de suspendre la séance pendant un quart d'heure, dit le président d'une voix posée. On va réfléchir à la question autour d'un café, même si quant à moi c'est tout réfléchi.

La Haye, Pays-Bas, 1975

L'orange, commença la docte oratrice, appartient à la famille des agrumes, qui comprend une dizaine de variétés. L'oranger met sept ans avant de parvenir à maturité et de donner ses premiers fruits. L'arbre peut s'élever jusqu'à huit mètres de hauteur et ses feuilles sont à lobe unique, pourvu d'une nervure centrale. L'oranger est très sensible aux variations de température et ne supporte ni le gel ni la sécheresse. Aussi croît-il principalement sous les climats tropical et méditerranéen. L'orange est apparue en Chine ou en Inde, les auteurs anciens ne sont pas d'accord sur ce point, mais son nom viendrait du sanskrit *nâgaranga*, qui veut dire «fruit aimé des éléphants», et est devenu *naranj* en arabe dialectal. L'écorce de l'orange fait environ deux millimètres d'épaisseur. Mouchetée de petits trous, elle rappelle l'épiderme humain. Confite, elle a de nombreuses utilisations en cuisine, notamment dans la préparation des desserts et des confitures. Infusée, elle possède des propriétés diurétiques. L'orange est gorgée de vitamines C, A, B_1, B_2 et B_6, ainsi que de carotène, de calcium et de potassium. La vitamine C est très volatile. Voilà pourquoi le jus d'orange doit être consommé frais pressé. Louis XIV prisait fort cette boisson. Et avant lui Marie de Médicis, qui cultivait des orangers en pots que, l'hiver venu, ses jardiniers remisaient dans la serre de l'Orangerie. Les variétés d'orange les plus communes sont la Navel, la Murcia, l'Aïda et l'orange amère. Mais de toutes, la plus rare, celle au goût le plus subtil et le plus apprécié des connaisseurs, est la sanguine, ainsi nommée en raison de sa chair purpurine.

Où diable veut-elle en venir? songeait Jan Van Dort depuis un moment. Comme si elle avait perçu la pointe d'impatience montrée par le président-directeur adjoint du Groupe, Bente de Vries se jeta à l'eau.

— Voilà pourquoi notre campagne prendra appui sur l'orange sanguine, dont l'un des principaux producteurs dans le monde est précisément l'Afrique du Sud.

Jan Van Dort était intrigué. Cela faisait presque quatre ans que le vieux avait catapulté son neveu au bureau directeur du Van Dort Gruppen. Heime Van Dort n'entendait pas lâcher les rênes, mais en la personne du fils unique de sa chère sœur Constance, il préparait sa succession, et Genève avait donné son accord. Sans projet d'avenir, brillant, énergique et infatigable, Jan Van Dort n'avait pas hésité à intégrer une entreprise où, d'emblée, l'arbitraire d'un oncle lui assignait une place de choix. D'un tempérament fantaisiste, Jan Van Dort s'y serait sans doute ennuyé au bout de quelque temps s'il n'avait compris très tôt l'importance, dans les activités du Groupe, de la filière philanthropique, dont il n'avait eu aucun mal à obtenir la direction. Depuis, Jan Van Dort était un administrateur heureux.

Ce matin-là, Bente de Vries comprit que sa stratégie avait fonctionné. Le détour encyclopédique avait rendu son interlocuteur attentif. Le Deutsche Anti-Apartheid Movement, dont elle était la porte-parole, poursuivit-elle, était résolu à faire un succès de cette campagne de boycott.

— Et comment juge-t-on du succès d'une campagne de boycott, monsieur Van Dort? Par l'effondrement du marché qui en résulte. Et comment fait-on s'effondrer le marché d'un produit délectable? En le rendant détestable. Et comment le rend-on odieux?

— Madame de Vries, au fait, je vous prie.

Du portfolio appuyé contre sa cuisse, la jeune femme sortit un dessin qu'elle brandit sous le nez de son interlocuteur.

— En frappant les esprits, monsieur Van Dort.

Et saisi, Jan Van Dort le fut sans contredit. Le dessin était d'une effrayante éloquence. Une immense main blanche pressait la tête d'un enfant noir sur un presse-agrumes, pour en extraire un jus sanguinolent. Chaque jour, disait l'affiche, des millions de consommateurs en Occident se rendent complices de l'apartheid, d'un esclavage qui refuse de disparaître.

— Combien? s'enquit l'administrateur, sans lâcher des yeux l'extraordinaire dessin. Votre graphiste est très doué.

— N'est-ce pas? Je vois des affiches le long des autoroutes, sur les façades des immeubles, aux carrefours les plus fréquentés. Vous constaterez, monsieur Van Dort, que la ligne graphique n'a pas été sacrifiée au profit du message. Admirez : la souffrance physique rendue en quelques traits, l'arc de la dentition dans la bouche ouverte sur un cri, le sang qui s'égoutte. Quiconque aura vu cette affiche ne voudra plus acheter d'oranges en provenance d'Afrique du Sud.

— Combien? répéta Jan Van Dort.

— Cent vingt mille florins devraient suffire pour assurer la diffusion en Europe, campagne de presse comprise. Je vous apporte un budget détaillé.

La porte-parole du Deutsche Anti-Apartheid Movement déposa sur la table le document mis au point par le comité financier.

— Nos partenaires au Royaume-Uni et dans le Common-wealth – le Canada, la Nouvelle-Zélande, l'Australie – sont prêts à emboîter le pas. Nos vis-à-vis en France et en Belgique n'attendent que notre feu vert, c'est-à-dire le déblocage des fonds nécessaires, pour mobiliser leurs ressources. Notre ambition, monsieur Van Dort, est de donner une dimension éthique aux règles du commerce mondial. La recherche du profit en sera toujours le moteur, mais des entreprises de plus en plus nombreuses devront tenir compte des préoccupations éthiques de consommateurs de plus en plus politisés.

Jan Van Dort leva sur la femme un regard dubitatif. Des utopistes, des fous, des rêveurs, pensa-t-il. Sur le presse-agrumes, la main resserrait son étau. Il se décida.

33

La patience du docteur Semmel était infinie, Noam n'en doutait pas, depuis le temps qu'il fréquentait son cabinet.

— Vous souffrez, cher monsieur Frenkl, d'une forme particulièrement virulente de psoriasis érythémateux.

— Voilà que mes démangeaisons portent un nom, fit Noam, en remettant sa chemise. C'est nouveau.

— La précision est nouvelle, en effet. Mais les causes restent inconnues. Vous repartez bientôt pour Zurich?

— Oui. Pourquoi?

— Je pourrais demander à un confrère de passer à votre hôtel. Vous descendez toujours au St. Gotthard?

Noam acquiesça.

— Le docteur Lüthi est très certainement le meilleur dermatologue de tout Zurich, pour ne pas dire de toute l'Europe. Il est aussi très sollicité. Mais je n'ai qu'un coup de fil à donner et je vous promets qu'il vous examine dans les quarante-huit heures.

Noam Frenkl soupira. Avec l'âge, ses démangeaisons le faisaient de plus en plus souffrir, mais quel remède, sinon s'en remettre à l'avis des médecins? Seule l'huile d'amande douce, certains jours, lui donnait quelque répit, et encore. En période de crise, elle ne servait à rien. Noam était en crise depuis une semaine.

Devraj Naidoo, son homme de confiance à New Delhi, avait été jeté en prison par Indira Gandhi, qui venait de décréter l'état d'urgence. Quel besoin avait-il eu de s'agiter de la sorte, celui-là? Noam était agacé. Ses proches collaborateurs, où qu'ils fussent dans le monde, étaient libres de mener une activité politique, si cela leur chantait, mais Noam n'y croyait guère pour lui-même. Anonyme, camouflée, son action philanthropique n'en était que plus efficace. Et un peu d'ombre était souvent nécessaire à l'empire Constantinopoulos pour répandre, comme une eau vive, les bienfaits de ses conglomérats. Enfin, n'était-ce pas normal d'exiger l'entière disponibilité de ses collaborateurs?

Bien sûr, les motifs de son combat étaient légitimes. Devraj Naidoo s'en était pris à la corruption au sein du Parti du Congrès et défendait l'indépendance des tribunaux. Avec inquiétude, Noam avait suivi l'actualité indienne. Tout n'était pas à rejeter dans l'action de ce gouvernement. Le programme de contrôles des naissances, par exemple. Noam avait même demandé à Devraj Naidoo un bilan provisoire de l'initiative. Il pouvait toujours courir, maintenant. Bien sûr Noam ferait son possible pour obtenir la libération de son collaborateur. En attendant, il fallait lui trouver un remplaçant. Un voyage à New Delhi s'imposait.

Il soupira. Encore un problème. Ces derniers temps, il se savait tendu. On était en 1976, Constantinopoulos s'était éclipsé vingt-huit ans plus tôt, et il y avait longtemps qu'il n'escomptait plus son retour. Noam vivait seul dans le vaste appartement aménagé au rez-de-chaussée de l'immeuble qu'il avait fait construire au début des années soixante, à la suite de réaménagements au sein de l'empire. Il était toujours entre deux avions, satisfait, malgré tout, de faire fructifier le legs du patron sur tous les plans. L'action philanthropique s'était élargie au point qu'il avait perdu le fil de toutes les causes défendues par le Groupe. Heureusement, des administrateurs compétents, notamment au sein des Fondations Minghely et Van Dort, avaient pris le relais. S'il en maîtrisait les moyens, le but ultime de la prodigieuse mobilisation continuait d'échapper à Noam. Était-ce pur altruisme? L'incertitude le rongeait.

— Je vous remercie, docteur Simmel, mais je crains de devoir remettre cet examen à mon retour de voyage.

— Prenez au moins cette pommade à base de cortisone. Elle vous soulagera en attendant.

Noam le regarda griffonner une ordonnance. Un minuscule feuillet, couvert de jambages encore plus minuscules, traversa le grand bureau en acajou. Le lendemain, Noam était à Zurich. Il passa la journée chez Norutex, filiale de Constantinopoulos Import-Export, où il pouvait disposer d'un bureau. On s'occupa de son billet d'avion. Il s'envolerait le jour suivant, par le vol 194 de Swiss Air.

La firme Thompson, Majumdar, Varty & Associates fut prévenue de son arrivée par câble. Les relations de Noam avec l'important bureau d'avocats de New Delhi remontaient à une dizaine d'années. Les gens de Thompson connaissaient bien les activités de l'homme d'affaires suisse et continuaient de défendre ses intérêts, même en l'absence de Devraj Naidoo.

C'est Majumdar qui le reçut. Noam choisit de ruser. Son instinct lui disait de recruter à visage couvert. Un guide pour la durée du séjour? Venant d'un Occidental, la requête n'avait rien d'étonnant. Majumdar se montra empressé. Il avait la personne qu'il lui fallait : Renu Chandaray. Leur plus brillante recrue. Une jeune Bengali, qui maîtrisait cinq langues. Avocate. Vraiment, il ne pouvait trouver mieux.

— Elle connaît bien la ville?

— Elle la connaît parfaitement, et tout aussi bien le pays. Son père était ingénieur des ponts et chaussées, et il tenait à ce que sa famille le suive dans tous ses déplacements. Avec Renu Chandaray, vous irez partout.

— Son âge?

— Vingt-quatre ans. Notre dernière recrue, je vous dis. Elle vient d'être reçue au barreau. Et puis…

Noam, qui avait laissé traîner son regard sur l'amas urbain humide s'étendant de l'autre côté de la fenêtre, tourna la tête vers son interlocuteur.

— Oui?

— Rien d'inquiétant, rassurez-vous. C'est que…

— Dites toujours.

— Tout un tempérament, vous verrez. Il faudra vous faire respecter dès le début, monsieur Frenkl.

Si ce n'était que cela.

À sa descente d'avion, Renu Chandaray n'éprouva aucune fatigue. Au premier coup d'œil, Genève lui apparut terne, mais elle voulut explorer les environs avant de se faire une opinion.

L'accueil de Noam Frenkl fut aimable. Il ne semblait pas lui en vouloir de sa rebuffade à New Delhi. Elle-même avait la conscience en paix : son refus était justifié. Et on pouvait faire confiance à Majumdar pour expliquer les choses avec le doigté nécessaire.

— Café?

La situation apparut alors à la jeune femme dans toute son incongruité. À New Delhi, on lui avait tracé un portrait du grand patron suisse qui ne laissait planer aucun doute sur son importance. Certes, Noam Frenkl n'en était pas à son premier voyage à New Delhi, ayant l'habitude de s'occuper personnellement des dossiers importants. Et nul n'ignorait que ses manières affables s'accompagnaient d'exigences et de rigueur. Mais l'inouï était qu'il eût voulu la rencontrer, elle, Renu Chandaray, qui, sur le plan professionnel, n'avait rien d'autre à offrir qu'un néant prometteur. Majumdar avait fait preuve d'audace en la recommandant. Voilà pourquoi la réaction de la jeune fille l'avait sidéré.

— Mais enfin, Renu, monsieur Frenkl n'est ici que pour quelques jours. Servez-lui de guide, cela ne vous engage à rien.

La jeune femme s'était entêtée. Elle avait mieux à faire que de servir de guide, et avait expliqué pourquoi. La cause était juste, avait rétorqué Majumdar, tout de même, ne pouvait-elle faire un effort? Impossible. Elle avait promis, elle devait tenir parole. Et maître Majumdar s'était résigné à devoir présenter à monsieur Frenkl des excuses embarrassées – non sans effet, à en juger par le café que l'avocate se voyait maintenant offrir à Genève. Cette fois, elle accepta. On ne peut pas toujours dire non.

Noam Frenkl appuya sur un bouton, derrière son bureau. Le mouvement dégagea un poignet où Renu aperçut quelques croûtes roses et sèches. Pour le reste, l'homme portait beau, avec comme un fond de tristesse dans le regard. La jeune femme ne décela aucune tension sexuelle entre eux. Un assistant apporta le café et se retira.

— Je suis content de vous savoir ici, commença Noam. Cela s'est bien passé à Madras?

Au souvenir de la 25ᵉ Conférence, la jeune femme s'anima. Une semaine bien remplie à discuter de sujets liés au sort du monde. Cette année, le mouvement des non-alignés avait dominé les échanges. Vous connaissez les Conférences Pugwash, monsieur Frenkl?

— Je sais aussi qu'elles m'ont privé du plaisir de faire votre connaissance à New Delhi.

Miss Chandaray reposa la tasse sur le bureau.

— Vous avez été compréhensif, je vous en remercie.

— Et pourquoi votre présence était-elle aussi indispensable, dites-moi?

Ça me regarde, eut-elle envie de répondre. Se souvenant des recommandations de maître Majumdar, elle fit un effort.

— Certains problèmes ne peuvent être résolus que sur un plan supranational, comme vous le savez. Cela suppose une organisation soigneusement réglée. On me proposait d'en faire partie. Je n'allais pas laisser passer une telle occasion.

Depuis la toute première, à Pugwash, jusqu'à la dernière, à Madras, Noam Frenkl n'ignorait rien des Conférences et de leurs retombées. La formule s'était diversifiée, prenant tantôt la forme d'une plénière, tantôt celle de comités de travail, et toute cette activité commençait à porter des fruits. Avec satisfaction, Noam tenait le compte de plusieurs traités de non-prolifération d'armes dont les Conférences avaient fait le lit : le *Traité d'interdiction partielle des essais* en 1963, le *Traité de non-prolifération des armes nucléaires* en 1968, le *Traité sur les missiles antibalistiques* en 1972, la *Convention sur les armes biologiques* en 1972. Autant d'accords ratifiés entre pays membres de l'OTAN et du Pacte de Varsovie. Autant de victoires sur les armes.

— Et je m'étais engagée auprès des organisateurs, poursuivit l'avocate. Je ne pouvais tout de même pas leur faire faux bond pour jouer les touristes avec vous.

— On me dit que l'organisation de la Conférence a reposé en grande partie sur vos épaules. Si jeune et sans expérience…

— Monsieur Frenkl, allez vous faire foutre.

La jeune femme soutint son regard. Noam ne broncha pas. Il s'était renseigné : tout s'était très bien passé. Les délégués étaient repartis enchantés de la parfaite intendance qui avait régné pendant ces quelques jours, dans un pays du tiers-monde, sous état d'urgence de surcroît.

Il regarda l'effrontée.

— Nous allons bien nous entendre, Maître.

Quelques jours plus tard, la jeune femme reprit l'avion, non sans avoir joué la touriste. Elle était montée au sommet du Salève, même si à l'hôtel on avait pris soin de la prévenir que le téléphérique était fermé depuis un an pour des raisons de sécurité. Qu'importe, j'aime la marche, avait-elle rétorqué, en songeant à son dernier trekking dans l'Himalaya. À Annemasse, elle s'était arrêtée pour acheter de l'eau minérale et des noix. Deux heures plus tard, elle avait à ses pieds Genève, le lac Léman et, au loin, le Jura. Le lendemain, elle avait passé la matinée à rêver sur les planches du grand herbier de la Bibliothèque des sciences, au Jardin botanique.

Mais le plus impressionnant avait eu lieu la veille de son départ, alors que Noam Frenkl avait insisté pour lui faire découvrir le quartier de Carouge, où des dizaines de jardins secrets s'offraient au promeneur averti. Au premier coup d'œil, Renu Chandaray comprit qu'il ne lui avait pas menti. Là, enfermés entre des murs de pierre, loin de la rue, des rosiers embaumaient; sur leurs tuteurs, des clématites légères grimpaient jusqu'au ciel; dans les bassins, une eau suave frémissait.

Noam Frenkl fut un guide attentionné, et Renu Chandaray lui abandonna son bras avec la même confiance qu'elle avait mise, quelques heures plus tôt, à accepter sa proposition d'affaires. L'homme savait lire les façades et ouvrir les écrins. D'une pression du coude, il vous faisait prendre à droite, où l'éblouissement vous attendait. Un signe de tête du vigile accompagnait parfois leur passage dans l'entrée cossue de certains immeubles, mais jamais nul concierge ne s'interposa, ayant chaque fois reconnu le guide. Tout en prenant plaisir à jouer ce rôle, le patron de l'empire Constantinopoulos était soulagé. Il avait trouvé sa nouvelle collaboratrice en Asie.

34

Tangay, Haute-Volta, 1980

En cette après-midi plongée dans la torpeur, toute chose semblait participer du sommeil de l'homme. Le voilage à la fenêtre, le chien sur la natte, les coussins, le bracelet d'argent autour de la cheville. Seuls les longs orteils qui remuaient par intermittence pouvaient faire douter de l'authenticité de ce sommeil. L'homme sourit en ajustant le casque léger sur ses oreilles. La qualité du son était incroyable. Comme s'il avait vraiment été dans la tente des Touaregs Kel Ansar à écouter la berceuse *bell'ilba*, comme si la Malienne s'était vraiment penchée sur lui pour l'endormir avec ses ioulements. Envoyé de Paris, le walkman était un cadeau de roi. Sa collection de voix africaines venait de prendre une nouvelle dimension.

Montant la garde devant la maison, Marie-Cécile repoussait les enfants curieux, invectivant, au passage, le petit attroupement de badauds.

— Eh! grand-père, tu as faim? Va d'abord manger et tu reviendras. Tu peux être tranquille, on ne va pas commencer sans toi.

Le vieillard interpellé se mit à rire et hocha la tête. Autour, on l'approuvait de ne pas s'éloigner. Il y avait là des hommes et des femmes de tous âges, des enfants, une poignée d'adolescents qui, sans quitter des yeux la maison de Marie-Cécile, attendaient l'heure de la représentation à l'ombre des kolatiers. Quand enfin le soleil commença à décliner, le griot parut dans l'embrasure de la porte, et sa silhouette fut accueillie avec un murmure de contentement. Marie-Cécile s'écarta.

Seydou salua la foule et se dirigea vers l'arbre à palabres, non loin. Le conteur allait commencer son récit. Toute fébrilité disparut dans l'air. Même la poussière s'accorda un répit en demeurant au sol. Un coup de paume impérieux fit vibrer le djembé, les doigts tambourinèrent, le public fit silence.

«Cela se passait au temps où le fleuve rouge sortait de son lit.»

Le griot parlait moré. Il attendit, balaya le public du regard.

«Il y avait un grand personnage. C'était l'homme le plus important de tout le territoire qui s'étend de la Volta blanche jusqu'aux terres des gourmantchés. Il s'appelait Mamadou Longobé. Il avait quatre femmes et vingt-deux enfants. Tarra, la deuxième épouse, portait fièrement le vingt-troisième. Mamadou Longobé avait aussi plusieurs maisons. Les vaches de son troupeau avaient les cornes les plus pointues et les plus recourbées de tout le pays. La fabrique de savon lui appartenait, et les femmes qui achetaient de la laine au marché devaient payer le droit de nouvelles mains établi par Mamadou Longobé. Nombreux étaient les cousins et les oncles de Mamadou Longobé qui ne rataient jamais une occasion de lui rendre visite avec des cadeaux. En affaires, Mamadou Longobé était sans pitié. Tout le pays connaissait sa loi.»

Fidèle à son habitude, Marie-Cécile s'installa en retrait pour observer la scène. Elle ne se lassait pas de l'histoire de son frère, sans cesse remodelée au gré de l'auditoire et des circonstances.

— Peuh! fit un homme, dans l'assistance, dédaigneux. Moi, des enfants, j'en ai vingt-cinq. Le professeur les a comptés l'autre jour.

Le vantard s'appelait Yembi Zongo. Il nourrissait des ambitions auprès du député Kangoyé. Mais le député était bien servi en la personne de la redoutable Clémentine Nacanabo, qui régnait sur les marchés de Cotonou et de Ouagadougou. Yembi Zongo ne régnait sur aucun étal, pas même dans sa maison, le griot le savait.

— On a bien compté aussi les pères?

Le public s'esclaffa. Yembi Zongo protesta, cracha par terre, se tut. Seydou reprit le fil.

«Mamadou Longobé avait beau être riche et respecté, ce n'était jamais assez pour lui. Un jour, il pensa qu'il était assez riche pour s'offrir une cinquième épouse. Il la voulait jeune, bien noire de peau, la croupe rebondie comme il se doit, et parlant dioula comme lui, c'était plus simple. Il demanda à sa mère de lui trouver une femme.

«Un jour, Mamadou Longobé vit sa mère venir à lui en compagnie d'une jeune fille.

— Ta cinquième épouse, mon fils. Elle s'appelle Aminata.

«La jeune fille semblait conforme à ses vœux. Mamadou Longobé fut reconnaissant.

— J'espère qu'elle te plaira, dit la mère, avant de retourner près du foyer où la première épouse faisait cuire le ragoût.

«Vint la cérémonie du mariage.

«Mamadou Longobé connaissait les femmes. Chaque épouse devait avoir sa maison, pour elle et ses enfants. Il était riche. C'était facile. On décida que la jeune fille vivrait un temps dans le foyer le plus ancien, avec la mère de Mamadou Longobé et la première épouse. Aminata était encore une fillette. L'homme ne pouvait la prendre avant l'arrivée des sangs. La mère de Mamadou Longobé en profiterait pour lui enseigner comment tenir maison et plaire à son mari.»

Des rires fusèrent. Seydou se tourna vers ceux du premier rang.

— Qui a peur des ombres? Vous, les enfants?

Les têtes opinèrent.

«Eh bien, tout comme lui, vous auriez eu peur, si vous aviez été là, durant la vraie nuit de noces. Mamadou Longobé avait hâte…»

Les rires reprirent. Le griot échangea un regard complice avec les hommes.

«… mais il avait peur tout aussi bien. La cinquième épouse était une Gourounsi. Les Gourounsi de la famille d'Aminata étaient voyageurs. Plusieurs vivaient à Koudougou, et même ceux qui avaient décidé de rester au village étaient curieux de tout. Aminata était jeune et dégourdie. Plus que quiconque dans la famille de Mamadou Longobé. Elle chantait, elle riait, elle s'entendait bien avec les autres femmes. Toutes ces qualités auraient dû réjouir Mamadou Longobé. Au contraire, elles le rendaient inquiet. Et si la cinquième épouse en profitait pour prendre l'avantage? Mamadou Longobé n'en menait pas large.

«Cela se passait au temps des nuits sans feu. À son piquet, la chèvre chevrota. Sur le sable, sur les murs, les insectes se figèrent. Tout le village attendit.»

Un frisson parcourut l'assistance. Marie-Cécile adressa un petit signe de tête à son frère. Tout se passait bien.

«Soudain, un hurlement se fit entendre et dans les jujubiers toutes les hirondelles s'envolèrent en même temps. Et Mamadou Longobé aussi s'enfuit en courant. Qu'était-il arrivé?

— Le démon des sangs! parvint-il à articuler, à ceux venus à son secours. Je l'ai vu. Il s'est jeté sur mon bâton. Il m'a mordu. La caverne d'Aminata était grande ouverte pour le laisser sortir. Je l'ai senti sur mon bâton!

«En disant cela, Mamadou Longobé n'était pas plus gros qu'un lézard, et son bâton était aussi petit qu'une brindille, et plus mou qu'un brin d'herbe.»

La foule applaudit.

«Mamadou Longobé courut se réfugier auprès de sa première épouse, où il passa le reste de la nuit dans les fièvres. La fille n'était pas préparée, répétait-il. On l'avait laissée se développer toute seule, sans lui couper ce qu'il fallait couper pour en faire une bonne épouse. C'était affreux. Le démon des sangs était sorti de la caverne tandis que Mamadou Longobé y entrait, et il lui avait dérobé sa puissance.

«Au matin, Aminata parut, souriante, reposée. D'un pas léger, elle se rendit au point d'eau. Ousmane s'y trouvait déjà et, comme chacun au village, il avait appris le malheur de Mamadou Longobé. Ousmane était jeune, il était beau. Le démon des sangs ne lui faisait pas peur. Au contraire. Il pensait que les filles non coupées valaient mieux que les coupées. Il le tenait de son cousin, qui n'en voulait pas d'autres pour épouses. Ousmane non plus.

«Aminata plut à Ousmane, qui plut à Aminata. C'était au temps du soleil d'or et de l'herbe verte. Même les insectes chantaient.»

— Et le démon des sangs? s'enquit une voix.

Le tambour s'interrompit. Seydou leva la main.

— Seuls les maris qui veulent des épouses coupées doivent le craindre. Ceux-là, le démon les mord et il leur prend leur virilité. Les autres, il les laisse tranquilles.

Marie-Cécile frappa dans ses mains. Ce fut le signal. La foule se dispersa en petits groupes animés. L'histoire avait surpris mais elle avait plu. Il fallait préparer les filles pour le mariage, il n'y avait pas à revenir là-dessus. Il n'empêche que Mamadou avait eu ce qu'il méritait.

— Que fait-on maintenant? demanda Marie-Cécile à son frère, quand ils furent seuls.

— On reste encore un peu. Je redirai l'histoire demain.

Le griot Seydou avait hérité du vaste répertoire de son père, qui lui avait aussi appris l'art de raconter. Une histoire pour les récoltes, une autre pour apaiser les tempêtes, une pour les pluies du nord, une pour les pluies du sud : rien ne manquait. Mais de toutes les histoires que le fils tenait en réserve, sa préférence allait à celle de Mamadou Longobé. D'abord parce qu'il était le seul à la connaître, Seydou l'ayant un jour fait sortir de sa propre bouche, où elle attendait d'exister. Mais aussi parce que Seydou se savait le seul à parler de ces choses que Marie-Cécile lui avait confiées, dans le plus grand secret. Toutes les coutumes ne sont pas également bonnes, avait-elle chuchoté. Et Marie-Cécile avait raconté ce qu'avait fait le couteau de la vieille, entre ses cuisses, dix ans plus tôt, pendant que Seydou étudiait en France. Rien ne doit changer, répétait Papa-N'goni à son fils, les griots sont les gardiens des coutumes. Après les confidences de Marie-Cécile, Seydou ne voyait plus les choses de la même façon.

Le lendemain, il fallut prévoir deux représentations, tant la foule était nombreuse. À la seconde séance, Seydou aperçut Papa-N'goni dans le public. Le griot choisit une histoire de son invention, celle de la vieille Bambalé à-la-main-qui-ne-tremblait-jamais. Bambalé était une coupeuse très demandée. Même les gens du Mali, pourtant bien pourvus en vieilles femmes, faisaient appel à ses services. Bambalé connaissait les chants du couteau. Elle savait comment arrêter les cris. Avec elle, deux femmes suffisaient pour tenir l'enfant. Avec Bambalé, les filles ne saignaient pas. Enfin, pas longtemps. Son savoir-faire l'avait rendue célèbre à des lieues à la ronde. Mais un jour où la pluie avait fait fuir la sécheresse, la main de Bambalé s'était mise à trembler sans raison. Un démon cherchait-il à la posséder? Elle perdait son couteau, elle ne trouvait plus son aiguille, le fil se cassait, ses jambes la trahissaient. Elle devait maintenant travailler assise par terre, alors qu'auparavant Bambalé dominait la fillette qu'on lui apportait, et sa main ne tremblait pas.

Désormais, elle tremblait sans cesse. Le démon avait-il vu trop de sang?

Ce jour-là, Papa-N'goni portait son luth en bandoulière sur son boubou d'apparat. Il laissa son fils terminer son histoire sans intervenir. Après la représentation, il le prit à l'écart.

— Où habites-tu?

Le fils montra une case vers la droite.

Après trois années à Lille, Seydou Bissiri, son diplôme de journaliste en poche, avait voyagé sur le continent, sans se fixer dans aucune ville. Puis il était rentré en Haute-Volta, par l'entremise d'une fondation qui facilitait le retour au pays des Africains formés en Europe. Tournant le dos à la capitale, Seydou avait renoué avec la fonction de son père, mais il avait son idée, que lui avait soufflée Marie-Cécile, peu de temps après leurs retrouvailles. Au début, Papa-N'goni s'était réjoui de voir se poursuivre la lignée, mais il s'était énervé quand certaines histoires du fils étaient parvenues à ses oreilles. Les choses tourneraient mal pour lui s'il ne respectait pas davantage les traditions.

— Ce qui a existé existe encore pour une raison, poursuivit Papa-N'goni. Je ne t'ai pas envoyé en France pour détruire l'œuvre des anciens. Et ta sœur qui subit ton influence!

C'est précisément le respect dû aux anciens qui empêcha Seydou de répliquer. Papa-N'goni oubliait que c'était Marie-Cécile qui avait décidé de suivre son frère. À l'usage, la formule s'était révélée efficace. Le frère racontait, la sœur expliquait. Et efficace, leur association l'était, particulièrement les jours de marché, quand les vieilles affluaient sur la place. Marie-Cécile était aussitôt repérée. Les plus troublées par les histoires du griot la prenaient à part. Que faire d'autre, si on ne sait faire que ça, couper les filles? Alors Marie-Cécile s'occupait de tout, le petit commerce, le capital de départ, les papiers de la banque au besoin. Du Luxembourg, la Fondation Minghely envoyait l'argent. Son porte-parole était monsieur Volpone. Ils étaient des précurseurs, expliquait-il au frère et à la sœur, mais tout ça changerait un jour.

35

Paris, France, 14 août 1988

En face, le café d'Auteuil était fermé au mois d'août, et Karim eut du mal à dissimuler sa mauvaise humeur, tandis qu'il entrait au journal, gagnait la salle de rédaction et s'installait au pupitre. Les mégots débordaient du cendrier; sur la table de travail, une boîte de trombones éventrée, son contenu éparpillé; un sous-main couvert de griffonnages, notes, tâches et autres urgences. Tout au fond d'un gobelet en plastique, le café de la veille dessinait un cercle brun. Ce dernier élément redit au rédacteur qu'il lui faudrait, le temps des vacances, se rabattre sur le jus de la machine à café, à moins de se rendre chaque fois jusqu'à la rue Erlanger. Un jour de bouclage comme aujourd'hui, il n'en était pas question.

— Salut, dit Josiane, qui arrivait.

— Salut.

Dans la salle déserte, leurs salutations parurent solennelles. La moitié des journalistes étaient en vacances. Une partie se trouvaient à l'étranger. Les autres faisaient la grasse matinée, comme Karim aurait aimé la faire, sans ce putain de bouclage. Qu'est-ce qu'on s'en fichait de l'Égypte de Moubarak! Il se mit au travail.

Chacun, à la rédaction, et même dehors, savait ce qu'il fallait penser de ces suppléments financés par la pub. Quand le staff régulier rechignait à fournir de la copie, des plumes mercenaires prenaient la relève, et le supplément de commande paraissait comme prévu. Tout cela avait été écrit noir sur blanc dans un livre qui avait fait jaser à l'époque. Qu'adviendrait-il des idéaux des fondateurs si *Jeune Afrique* devenait complaisant? La direction avait dû calmer la fronde : Et pour vos salaires, on fait comment? Et l'imprimeur? Un magazine comme le nôtre, objectaient les journalistes, doit savoir se débrouiller pour survivre. Une dizaine de fois dans l'année, on se débrouillait donc, et même le vindicatif Karim devait reconnaître que le résultat était parfois intéressant.

Il ne lisait pas les papiers. Il n'avait pas le temps. Il faisait défiler les textes à l'écran pour les photos et la titraille, s'en remettant, pour le reste, à l'avis du rédacteur en chef et au sommaire établi par la rédaction. La coordination du supplément sur l'Égypte avait été confiée à Marcel Cherki. Un type ordonné, strict sur les heures de tombée. Karim avait tout ce qu'il fallait. Ses doigts effleurèrent le clavier, et le Macintosh II flambant neuf se mit à ronfler. Le rédacteur en profita pour étaler les feuillets de la maquette sur la table et, armé d'une règle et d'un crayon, commença la répartition des articles.

Il ne lisait pas vraiment les papiers, d'accord, mais quand son regard était attiré par un sujet ou une phrase, il ne s'interdisait pas d'aller y voir de plus près. Ce matin-là, sa curiosité fit fondre sa mauvaise humeur.

«Entrevue avec Chérif Habani : Quand la télévision traite de choses sérieuses».

Karim corrigea : «Quand la télévision vous allume».

Chérif Habani était le réalisateur de *Café turc*. Cinq ans après sa sortie, Karim, cinéphile boulimique, avait revu le film au Studio 28 avec le même plaisir. Que devenait le cinéaste? Le titre de l'article faisait craindre le pire. Avait-il abandonné le cinéma pour la télévision? Formé à Moscou, Chérif Habani était rentré au Caire avec deux ou trois idées sur ce qu'il convenait de faire ou non au cinéma. Les gros plans, par exemple. Du pathos neuf fois sur dix. Il préférait les plongées, qui plaçaient d'emblée le spectateur dans la position du roi observant ses sujets. Dans *Café turc*, il y avait cette scène où le mendiant se dressait sur ses béquilles devant un touriste en short. Génial. Trois ans plus tôt, Chérif Habani avait réalisé *Leila de la nuit*, jamais montré en Europe, pas même dans le plus petit festival. Une honte. Karim avait découvert le film lors d'une rétrospective sur le cinéma d'auteur égyptien à la cinémathèque d'Alger. On ne faisait pas assez de sujets culturels dans ce journal. Et on ne lui demandait jamais son avis sur le contenu des articles. Sur le cinéma, pourtant, il était incollable.

Alors, seulement, Karim se mit à lire.

Le journaliste de *Jeune Afrique* présentait Chérif Habani comme le cinéaste le plus original de l'industrie cinématographique égyptienne, voire comme le successeur de Youssef Chahine. Karim chercha la signature. Pour une fois, cet idiot de Boubaker disait vrai. Le rédacteur sentit une présence féminine dans son dos.

— Chérif Habani se met à la télé? interrogea Josiane en faisant la moue.

Josiane portait une robe bleu clair et son parfum s'insinua jusque sous la chemise de Karim. Une odeur de bergamote et de jasmin. Quelle idée, aussi, de boucler un dimanche, en août! En semaine, au moins, il se trouverait toujours quelqu'un pour s'interposer entre Karim et le parfum de Josiane.

— Tu en es où avec les corrections? grommela le rédacteur.

— Ah, ça va, on peut bien se changer un peu les idées. Je n'ai pas encore lu celui-là. Tu en as encore pour long-temps?

Sans attendre la réponse, la correctrice regagna son bureau d'un pas léger. Karim ferma les yeux, inspira profondément, les rouvrit, reprit sa lecture.

Chérif Habani voyait dans la télévision un formidable outil d'éducation. Le sida, la libération de la femme, l'éducation des fils : on ne comptait plus les sujets délicats que la télévision mettait à la portée des foules, souvent en se jouant de la censure qui ne voyait dans les feuilletons télévisés que la reprise de figures interchangeables. Père mourant, cadet à l'armée, rivale de l'épouse, fille séduite, noces, enterrements, maladies, et la vie, toujours, qui reprenait le dessus. Chérif Habani, écrivait le journaliste, transmuait en or les thèmes les plus éculés. Au passage, il n'oubliait pas la leçon de Tarkovski. L'art devait rappeler à l'homme qu'il est un être spirituel. Donner à voir et à rêver, d'accord. Mais la réflexion devait aussi se glisser dans les interstices et nourrir l'esprit. Bien, pensa Karim. Mais comment?

Chérif Habani était devenu très riche. Il vivait depuis peu dans une maison toute blanche du quartier Héliopolis, avec un jardin, une fontaine dans la cour, et tout un mur de son bureau tapissé de livres. Chérif Habani aimait Shakespeare et Edward Said. Il avait adapté un récit de Naguib Mahfouz pour la RAI. Son chat s'appelait Lawrence, comme dans Lawrence d'Arabie. Et sa fiancée étudiait la médecine à l'Université américaine de Beyrouth. Non, il n'avait pas le sentiment de s'être renié. La télévision, art de divertissement, pouvait aborder tous les sujets, même les plus sérieux. Dans un pays de 50 millions d'habitants où l'on comptait 50 pour cent d'analphabètes, il fallait occuper le terrain.

Dix heures. Le rédacteur sursauta. Il s'était laissé emporter par la lecture, et il lui fallait maintenant rattraper le temps perdu. À 15 heures, tout le numéro devait être transmis à l'imprimeur. Le supplément comptait douze articles, à répartir sur trente-deux pages. Sans compter la présentation de Cherki, qui avait besoin d'une double page, avec photo. Celle avec les felouques sur le Nil ferait l'affaire, avait-il été décidé plus tôt. Non mais quel fatras de phrases. Trop longs, tous les papiers étaient trop longs. Karim contempla la maquette avec humeur. Et qu'est-ce que c'est que cette pub? Deux pleines pages qu'on lui fourguait au beau milieu du supplément, alors qu'il avait besoin d'air, d'espace. De l'air!

Il changea de tactique et fit défiler à l'écran la version électronique de la maquette. Il ne gagnait pas d'espace de cette façon, mais l'opération lui permettait de pester nommément contre chacun des annonceurs, puisque les pubs étaient déjà en place dans le fichier.

La double page du centre était consacrée au concours international d'architecture lancé par l'Unesco et l'Égypte pour la reconstruction de la bibliothèque d'Alexandrie sur les ruines de l'édifice ptolémaïque. Karim fit défiler les pages. À côté d'une pub de Médecins sans frontières, une autre vantait les mérites d'une campagne pour l'éradication mondiale de la poliomyélite lancée par l'Unicef et l'OMS. Le sommaire prévoyait l'insertion du portrait de Chérif Habani à la page 27, où le commanditaire du supplément, la Fondation Minghely, avait expressément demandé d'être associé à un sujet culturel, comme le spécifiait une note interne du responsable commercial. Karim réduisit la photo du cinéaste sur deux colonnes, envoya le palmarès du 12e Festival de cinéma du Caire en page 30, et le tour fut joué. Le rédacteur était satisfait, finalement. Tout était parfait dans le papier de Boubaker : longueur, ton, intérêt – non, vraiment, rien à couper.

36

«Cher grand-p'pa», commençait la lettre. Une bouffée de tendresse envahit Williamson, qui posa une main sur le bois rugueux de l'enclos. La vue paisible des chevaux renâclant acheva de le remettre d'aplomb. «Cher grand-p'pa, vous devriez voir tout ce qu'il faut faire ici», écrivait Sam – de la dizaine d'arrière-petits-enfants qu'il comptait maintenant, celui dont il se sentait le plus proche. Sam, fils de Tommy fils de Paul fils de Long-John Williamson, et qui avait choisi d'étudier le droit à Philadelphie. Idéaliste comme Jennifer, qui s'était tuée à jamais un certain soir de juin, au coucher du soleil. Où va la clarté du soir? Où va la joie? En 47, celle de Jennifer avait été grande quand les quakers de Philadelphie avaient reçu le Nobel de la paix pour leur aide aux réfugiés de tous bords, pendant la guerre. Il revoyait ses idéaux intacts, son esprit combatif – contre tout cela le temps ne pouvait rien. Un jour, à l'Exposition universelle de Chicago, une toute jeune fille l'avait abrité sous son ombrelle, et les mouvements des gondoliers, dans une lagune de toc, les avaient divertis un instant. C'est cette jeune fille qui était morte. Puis, ses fils morts à leur tour, ses descendants éparpillés aux quatre coins du pays, le vide s'était fait autour de lui, et il avait pu abandonner ses identités d'emprunt, désormais inutiles. Williamson et Constantinopoulos appartenaient aux temps révolus de l'action. Il n'y avait plus qu'à s'abandonner au temps de l'immobilité d'avant la mort.

Sans rompre avec la lecture des journaux, sa passion. Mountain n'y trouvait pas que des mauvaises nouvelles, par exemple ces Casques bleus, conçus par le Canadien Pearson.

Et grande était sa satisfaction d'imaginer la patte de Noam derrière d'autres faits rapportés. Il n'avait rien oublié, ni Xall, ni sa mission, même si tout cela était loin. Au village, le maître de poste s'étonnait de la vague de presse étrangère qui déferlait à Pottstown dans des langues aussi bizarres que nombreuses. Comment le vieux Williamson faisait-il pour lire tout ça?

Désormais, la vie de Mountain tournait autour des chevaux. Et l'Indien se réjouissait du renouvellement heureux des générations sur le troupeau. Parfois, il levait la tête et fixait le ciel. Tout s'en va, disait aussi la mort de Jennifer. Il suffit d'attendre son tour.

«L'autre jour, poursuivait la lettre, dans la classe d'Isaura – elle s'appelle donc Isaura, pensa-t-il –, un enfant s'est évanoui en pleine heure de lecture. Il n'était ni blessé ni malade. Il avait faim. Son père s'est enfui dans la montagne au début de la guerre. Plus tard, le gamin a montré à Isaura l'endroit où son oncle a été tué. J'étais avec elle, bien sûr. Je n'aime pas la savoir seule loin du village, même si je ne me fais pas d'illusions sur le genre de protection que je peux lui assurer.

«Je ne sors jamais sans mon fusil. Je n'oublie pas ce que vous pensez des armes, mais je suis bien obligé de faire avec. J'ai une sale blessure, grand-p'pa. Le docteur est venu. Il a dit que je m'en sortirais, mais je vous écris au cas où les choses tourneraient mal. Vous saurez alors ce qu'il faut dire aux parents. La semaine dernière, les *contras* sont venus par la route de Wiwili. J'ai voulu défendre Isaura, barricadée dans l'école. J'ai pris une rafale de mitraillette dans le ventre – il sentit la brûlure – et depuis je fais de mon mieux pour me rétablir. Surtout, je vous écris pour vous dire ceci: quand la révolution aura triomphé, que le blocus sera levé, je veux qu'Isaura vous rende visite au ranch. Elle n'est jamais allée au nord et se méfie des Américains. Si je suis encore en vie, je l'accompagnerai. Sinon, elle se débrouillera, mais je tiens à ce qu'elle fasse votre connaissance. Dans son ventre, il pousse un petit Williamson, ou une petite, on ne sait pas. Promettez-moi d'accueillir ma femme – sa femme? – comme elle le mérite. Je m'adresse à vous plutôt qu'aux parents, qui posent trop de questions. Vous n'en posez jamais, vous, j'ai remarqué, et ça me plaît, votre silence, vos absences, votre calme. C'est la meilleure institutrice du Nicaragua, vous savez.

Avec d'autres, elle s'est mis en tête d'apprendre à lire et à écrire à deux millions de gens. Je l'aide comme je peux. Nous manquons de tout, mais ce n'est pas le plus important.

«Je ne veux pas mourir, grand-p'pa. Quand j'étais petit, papa me racontait votre histoire, votre mère nez-percée, votre père blanc, mais il lui manquait des tas de détails, que j'aimerais bien connaître maintenant. Parlez-moi de vos chevaux. Ici, ils sont noirs et petits. On dirait de gros ânes. Dites-moi que rien n'a changé au ranch. Affectueusement, Sam.»

Williamson retourna la lettre. Aucune adresse de retour, mais le cachet de la poste portait la mention Jinotega et la date du 3 septembre 1988. Comme indice, c'était plutôt mince. Où lui répondre? Le vieillard regarda plus attentivement l'enveloppe. L'adresse était d'une autre main. D'une écriture plus petite, plus anguleuse. Il réfléchit. Mauvais signe. Il téléphona à New York, demanda Madison. Celui-ci s'étonna. Depuis le temps.

— Trouvez-moi le meilleur détective privé du pays. Faites vite. Trouvez-le, et ne regardez pas à la dépense.

— Ça va être difficile, objecta son interlocuteur, quand il eut appris le motif de l'enquête. À moins d'opérer depuis le Costa Rica.

— Pas question. Je veux quelqu'un sur place. Si une poignée d'hommes en treillis lui fait peur, trouvez-m'en un autre qui n'a pas froid aux yeux.

— Je crois avoir celui qu'il vous faut, Mr. Williamson. Vous avez une description de la fille?

Carlos Carlos Carlingua ne fit aucune difficulté. Sam Williamson avait quitté les siens quatre ans plus tôt. L'ancienneté de la piste ne posait pas de problème, à condition d'y mettre du temps et de l'argent. Le privé accepta la première avance de trente mille dollars. Pour le paiement, on ferait comme d'habitude.

— Et aussi pour le carburant, ajouta-t-il.

Dans l'après-midi, trois caisses de Veuve Clicquot furent livrées à l'agence Carlingua. L'immeuble était miteux. Le livreur grimpa les cinq étages, une caisse à la fois sur l'épaule, puisque le monte-charge était en panne depuis des siècles. Il était en nage. Le comble fut de devoir subir le regard narquois d'un petit gros, habillé d'une veste jaune à carreaux tout à fait hideuse. Toisant du regard l'esclave, le type avait craché un cure-dent et refermé la porte, sans un pourboire, sans un verre d'eau, sans rien.

Ça commence mal, pensa le latino. J'avais pourtant demandé du brut.

Pas un souffle d'air dans la pièce. Sur des rayonnages improvisés, un capharnaüm de soupes en boîte, sur lequel veillait une santa Lucia de plâtre, abritée dans un angle. Les yeux de la sainte, arrachés de leur orbite, flottaient dans la coupelle qu'elle tendait au visiteur en souriant. Une forme remua sur le sol de terre battue. Carlos Carlos Carlingua devina un enfant, et aussitôt après se revit, tout aussi morveux, la culotte merdeuse, et la vieille Bé, non loin, dispensant claques et soupe avec une égale générosité. Le privé se pencha sur l'enfant.

— Tu es seul?

Le chiard léchait avec application les deux chandelles vertes qui lui sortaient du nez. Il trottina jusqu'au rideau de perles cliquetant au fond de la pièce, suivi de Carlos Carlos Carlingua qui constata bientôt que le rideau était en réalité fait de capsules de bouteilles. Le privé avait soif. La réserve de champagne était épuisée depuis longtemps, et il avait dû se rabattre sur la bière à partir de San Jose. Dans la pièce à côté, une femme était étendue dans un hamac. Dehors aussi, on cuisait. Tout n'était que poussière, parpaing, tôle, poules et poussière encore. Quinze jours que ça durait, pour le privé. Avec une Camaro de plus en plus poussive.

La femme s'éventait en silence. Toute cette enquête pour aboutir ici? Carlingua se remémora le parcours du gamin. Deux années dans une école d'administration à Philadelphie, avant d'abandonner ses études pour gagner l'Amérique latine en ébullition. Première étape, le campus de l'université, où Carlos Carlos Carlingua avait tout retrouvé : les professeurs, les condisciples, les relevés de notes. Rien n'avait résisté à ses assauts administratifs, avec l'aide d'une procuration de Mr. Williamson père, habilement contrefaite.

À Philadelphie, Sam Williamson s'était lié avec Nat Ferney, un gars de Nashville, un temps barman à Memphis. D'abord méfiant – il le croyait flic –, le bachelier en maths s'était laissé aller aux confidences autour d'une bière. Les folies de jeunesse étaient loin. Le jeune homme préparait maintenant un concours dans la fonction publique. Pourquoi les gens ont-ils tous envie d'être vieux? pensa Carlingua.

Le garçon avait connu Sam Williamson au ciné-club de l'université. À l'époque, il ne lui restait qu'une Datsun 1981 de ses années fastes comme barman. La voiture était en bon état. Elle pouvait rouler jusqu'à la Terre de Feu, si on voulait. C'est comme ça qu'on a décidé de partir. À Nashville, il avait retrouvé Tommy Trollope Jr., un ami d'enfance, qui avait grandi à deux pas, en face du terrain de baseball. On s'est mis en route. Plus d'une année en cavale, à faire les beatniks, en ménageant de longues étapes, Zipolite au Mexique, Livingstone au Guatemala. Et un jour, tout avait changé. Ils étaient arrivés au Nicaragua. La révolution sandiniste, ça c'était du sérieux. À Managua, Sam avait rencontré une beauté locale, une pure et dure, pour tout dire, décidée à éduquer les masses. Elle s'appelait Isaura, il avait fait sa connaissance dans un meeting et ne la lâchait pas d'une semelle. Finis les couchers de soleil, les sérénades au clair de lune, les parties de cartes jusqu'à l'aube. La fille ne plaisantait pas avec les besoins du peuple. Sam était ensorcelé. Il n'y avait plus qu'à se séparer. Lui est resté là-bas. On est remontés vers le nord. J'ai repris mes études. Dans un mois, j'aurai la licence, et si je réussis le concours, finie l'université. Bravo, commenta sobrement le privé, en se levant. Il en savait assez.

Il avait alors changé de méthode et pris l'avion à Miami pour le Costa Rica. Sur place, il serait plus facile de pister un garçon américain en mal de sensations fortes que de suivre les déplacements d'une fille du pays. Exceptionnelle, la *muchacha* l'était sûrement, mais ses cheveux noirs, son teint mat, ses allures de fille de la classe moyenne gagnée par la fièvre révolutionnaire ne la distingueraient guère du lot. L'*American Boy*, lui, ne passerait pas inaperçu.

À la créature étendue dans le hamac, ce matin-là, le privé ne dit rien de tout cela, mais il en dit encore trop, car la femme eut l'air complètement paumée.

— Je ne comprends rien à tes histoires, gémit-elle d'une voix lasse. C'est el Chino qui t'envoie?

Carlingua opina.

— Il m'a dit que tu les avais hébergés quelques semaines.

— Et pourquoi el Chino t'a dit ça?

La créature se dressa sur un coude.

— Enrique! beugla-t-elle en direction du rideau de capsules.

Un glissement lui répondit. Carlingua regarda l'enfant de plus près et vit qu'il n'avait rien d'un bébé, finalement. Quatre ans, peut-être cinq. La couche-culotte était trompeuse.

— Va chercher le pot.

Le pot était une casserole. Un peu de soupe de tomate était restée au fond. Carlos Carlos Carlingua regarda la femme lécher la cuillère avec application, tandis que le gamin jouait par terre avec un cafard. Quand il l'écrasa, un peu de liquide blanchâtre se répandit sur le sol.

— C'est vrai, reconnut la femme. Parmi les instituteurs, il y avait un *chele*.

Elle ricana.

— Un petit Blanc bien propre. Un *maricon*, ça se voyait tout de suite. Après, ils sont montés à Las Praderas.

Il n'en tirerait rien de plus. Avant de partir, Carlingua fit un détour par le poste de police. El Chino feignait de dormir, en équilibre sur une chaise, contre le mur. En réalité, il avait un œil sur tout. Le policier arborait le stetson bleu roi de la veille. Deux doigts l'effleurèrent.

— À votre service, fit-il en guise d'adieu.

Carlingua savait qu'il lui devait une fière chandelle, même s'il avait pu se débrouiller seul jusque-là. Écoles, fermes, hangars, Managua, Boaco, San Ramon, Matagalpa, Mancotal : le parcours des gamins avait été tortueux, mais il finissait toujours par retrouver leur trace. S'il aimait tant les filatures, c'est qu'elles donnaient un sens aux périples les plus désordonnés. De loin, raisonnant, observant, supputant, Carlingua avait l'impression de survoler la jungle des passions humaines et d'être l'archéologue qui distinguait une route antique là où chacun ne voyait que broussailles ou dos d'ânes.

Au poste-frontière de Penas Blancas, les formalités avaient été réduites au minimum, grâce à quelques billets verts exhibés au bon moment. À première vue, rien n'indiquait qu'on était entré au Nicaragua. Même jungle, mêmes bâtiments de tôle ondulée, mêmes ornières profondes, même poussière, mêmes poules. À San Juan del Sur, il avait acheté la Camaro.

Il savait où aller. Le plan suivi par la campagne d'alphabétisation des sandinistes était connu. Les volontaires avaient d'abord investi les environs de Managua, avant de se déployer par grappes dans les montagnes. Des adolescents, pour la plupart. En arrivant, ils clouaient trois planches en guise de bancs et se mettaient en quête d'élèves, peu importe l'âge. La classe durait quelques semaines. Les volontaires repartaient, les nouveaux instruits restaient et apprenaient l'alphabet aux autres.

Carlingua se trouvait maintenant aux avant-postes du mouvement. Et c'est là, en vue de la cordillère Isabella, que la Camaro, après quelques hoquets, poussa son dernier soupir. Le sac en bandoulière, le chapeau de paille vissé sur le crâne, il redescendit jusqu'au dernier village. Sur la place de l'église, il demanda s'il y avait un car en direction de Paso Real. *¿Quién sabe, señor?*

Des groupes épars, des matrones, chargées de paniers et de bassines, accompagnées d'une ribambelle de mômes, feignaient l'indifférence à l'ombre d'arbres gigantesques. Lorsque enfin le car déboucha sur la place, ce fut l'hallali. À moitié assommé par un coup de bassine sournois, il parvint à se hisser à bord du véhicule, qui s'ébranla lentement. La montée fut pénible, mais le privé se savait près du but. À Las Praderas, on avait été formel.

Au village, le chauffeur immobilisa le car sur la place et la foule se dispersa. Le chapeau de paille enfoncé jusqu'aux yeux, un latino new-yorkais s'efforçait de passer inaperçu.

Il avisa un hangar. L'école, sans doute. Il s'approcha.

Un peu d'eau gouttait du robinet installé sur la façade et tombait dans une citerne rouillée. L'unique fenêtre était sans vitre. Il contourna le bâtiment et découvrit l'entrée qui donnait sur une plantation de caféiers. Des voix juvéniles s'échappaient du bâtiment. Il entra. Les voix s'interrompirent. Au regard hostile que lui jeta l'institutrice, il comprit que le ranch du pépé milliardaire était encore loin. Le vrai boulot commençait.

37

Dans le vector, Marevan-Tâ annonça le programme. La première salle était dite de l'Individu ; la deuxième, de l'Enfant ; la troisième, de la Foule. Chacune montrait les avancées du pacifisme humain. Le point de vue était laissé au choix du spectateur dans les deux premières salles, mais le positionnement contraint était de rigueur dans la troisième, où l'agencement s'annonçait époustouflant. Alvan l'avait voulu ainsi.

— La logistique semble au point, fit remarquer un visiteur bakid, quatre groupes par jour...

— Le temps nous presse, Un. Nous ne disposons de l'holamphi que pour le cycle de Nan.

Le Bakid connaissait la réputation d'Alvan, ayant assisté, récemment, à l'extraordinaire *Semiorka*. À ce souvenir, son pédicellaire s'ouvrit. L'engin *Semiorka* était tout à fait rudimentaire. Pourtant, il avait pu échapper à la gravité de ◊-GVH-18327-Γ et propulser une sphère en aluminium dans l'espace, avec un humain à son bord. Revisitée dans l'holoviv par Alvan, l'entreprise humaine n'en était que plus audacieuse.

Le génie d'Alvan avait consisté à faire ressentir au plus près ce que ce Gagarine avait dû éprouver pendant le vol, tout en superposant des plans plus larges de l'archaïque machine qu'il fallait bien appeler un vaisseau spatial. Tout était admirablement rendu. La mise à feu du mélange kérosène-oxygène dans les trente-deux chambres de combustion, les vibrations, l'accélération, les secousses, le largage des sections, le tangage, les craquements, l'apesanteur, et même les premiers mots de l'humain hors de son monde : Je me sens bien – avant que l'habitacle en feu, tournoyant et dilaté, ne réintègre l'atmosphère. Que leur réservait-il cette fois? Curieux, le Bakid s'extirpa du vector avec les autres invités.

Holexpos, unicoms, manifestes : le mouvement pro-sapiens multipliait les interventions. Portés à la tête du mouvement, l'Irnan Marevan-Tâ et le Banzii Eliod ne ménageaient pas leur peine. L'affaire du Contacté était loin d'être close.

L'Irnan évalua à cinq mille le nombre de visiteurs devant l'holamphi. Les séances allaient débuter. Aussi bien partager son temps entre les trois lieux de visionnement. Premier arrêt : la salle de l'Individu. Que fallait-il comprendre ici? D'où venait cet humain émacié au teint livide? Un prisonnier? L'humain, allongé sur un lit de fer étroit, fixait des yeux l'un de ses semblables qui lui injectait le contenu d'une seringue. Les spectateurs, perplexes, multipliaient les positionnements, sans en saisir le sens.

Le commentaire résonna dans les lingals. Cet homme est un objecteur de conscience. Il refuse la guerre par principe. Et de même d'être conscrit. Mais il veut être utile à son espèce. Il a donc accepté de se prêter à des expériences médicales risquées, qui aboutiront à l'élaboration d'un vaccin. Au cours de l'affrontement appelé Seconde Guerre mondiale, le nombre d'objecteurs s'est élevé à 72 000 dans l'entité États-Unis et à 61 000 dans l'entité Angleterre. Le mouvement avait été amorcé durant le conflit précédent.

La voix s'interrompit. Un spectateur se pencha sur le cobaye et interrogea son regard fiévreux. L'holoviv montra ensuite des objecteurs occupés à nettoyer les décombres des villes, à mettre au point des engrais, à conduire des ambulances, à fabriquer des sacs en jute, à enseigner les langues étrangères. Tous étaient cantonnés dans des baraques. Tous étaient méprisés, qu'ils soient religieux, humanistes ou libres-penseurs. Même si le Contacté Mountain a diffusé l'idéal pacifiste, l'espèce a encore du chemin à parcourir, ajouta le commentateur.

Deuxième arrêt : la salle de l'Enfant. Marevan-Tâ arriva au moment où l'iguane de l'humain Bonder s'échappait de sa cage pour trotter sur le pupitre de l'institutrice. Les petits humains riaient aux éclats.

— Ils sont touchants, dit un Jebase, juché sur le globe terrestre de la classe et décidé à ne rien rater.

Mr. Bonder et sa Ménagerie savante! avait claironné l'institutrice un peu plus tôt, d'une voix haut perchée. Un fracas de bancs lui avait répondu, et le personnage avait fait son entrée, précédé de l'odeur trompeuse d'un after-shave bon marché. L'habit était propre, à condition de ne pas y regarder de trop près, et l'haleine ne devenait vraiment alcoolisée qu'à moins d'un mètre. Le plus important était enroulé au cou du visiteur. Devant le boa, les enfants avaient reculé.

— Mr. Bonder, expliqua l'institutrice, est venu exprès du New Jersey pour nous offrir une séance de cinéma. Mais il ne sort jamais sans sa Ménagerie savante, dont voici maintenant un numéro spécial. Soyez attentifs, les enfants.

Le conférencier se racla la gorge et prit un ton docte.

— La Terre s'est formée il y a deux millions d'années. Vous n'étiez pas nés, et Tom non plus.

À son nom, l'iguane balaya d'un coup de queue la pile de dictées. La classe s'esclaffa.

— Il y a des centaines de soleils dans l'univers. Notre soleil est né il y a un million d'années. La Terre est la seule planète où il y a de la vie, et Jackson, Mississippi, est la plus belle ville de l'Union.

À peine amorcée, la conférence prit fin, Tom l'iguane refusant obstinément de commenter plus avant la formation de l'univers, en dépit des exhortations répétées de son maître.

— Tant pis. Et maintenant le plat de résistance.

Le boa, tout à sa digestion, ignora les petites mains qui le caressaient et s'enfouit sous une couverture. Un étrange appareil fut extirpé d'une caisse. L'excitation grimpa d'un cran.

— Si je n'obtiens pas immédiatement le silence, la projection sera annulée, menaça Mrs. Pearl.

Trente-quatre corps d'enfants se figèrent. Ce qui serait bien dommage, pensa l'institutrice. L'école n'avait jamais d'argent pour ce genre d'activités. Un jour, pourtant, elle avait appris l'existence d'un programme commandité par la New York Children's Aid Society. Quand la réponse lui était parvenue, elle avait compris qu'elle ferait d'une pierre deux coups, puisque le conférencier se doublait d'un projectionniste itinérant.

Le commentaire attira l'attention des spectateurs sur un certain petit garçon, immobile au troisième rang, qui fixait le drap tendu au mur. Il s'appelle Stanley, vibra le lingal, comme la projection allait commencer. Avec un cliquetis poussif, le projecteur se mit en marche, et bientôt les enfants suivirent les tribulations d'un clochard attendrissant. Tout finissait bien. La jolie fleuriste recouvrait la vue et tombait amoureuse de son bienfaiteur.

La voix reprit.

— L'action du Contacté a parfois été infinitésimale, mais sa portée réelle. L'enfant attentif du troisième rang sera un jour l'un des meilleurs cinéastes de son temps.

Un Santor effleura son relayeur, et le commentaire se fit plus précis.

— On appelle «cinéastes» les agenceurs de ces proto-holoviv en deux dimensions. Leur production est inégale, mais elle est parfois étonnante. L'humain Stanley Kubrick agencera plus tard un véritable plaidoyer pacifiste sur le mode dramatique. Copie disponible au Bureau des répliques, datagalac 3923, cote Sapiens 1957-C-F-Pathsofglory.

Marevan-Tâ quitta sans bruit la salle de l'Enfant, tandis que plusieurs spectateurs intégraient les données à leur relayeur.

Troisième arrêt : la salle de la Foule. On avait pris du retard, en raison d'une lecture fautive qui avait déposé un voile rougeâtre sur un enchaînement de tonalités terrestres particulièrement subtil. La projection allait commencer. Alvan s'était mis en phase passive et Marevan-Tâ le vit qui s'imbibait de l'encre du repos.

Une vue spectaculaire de la planète bleue, tournant sur son orbite avec une lenteur majestueuse, ouvrit la séance. L'holoviv plongea ensuite vers le continent nord-américain, sur les États-Unis d'Amérique, en ce 15 octobre 1969 du temps humain.

L'action se déplaçait de ville en ville à une vitesse effarante. Washington, San Francisco, Boston, Charlestown, New York, Bangor, Chicago. Chaque fois, l'agencement d'Alvan montrait des foules déferlant en vagues paisibles. Depuis cinq années terrestres, reprit le commentaire, la plus grande puissance militaire de cette planète mène une guerre totale contre un pays appelé le Vietnam, à grand renfort de moyens de destruction : napalm, bombes à fragmentation, défoliants toxiques. Mais voyez l'ampleur de la réaction humaine, et cela dans le pays même qui répand la guerre loin de ses frontières.

Noir. Et noir encore. Enfin, une lueur ambrée apparut, minuscule goutte de lumière, qui alla se déposer sur chacun des spectateurs, à son tour enveloppé. La goutte grossit, et des formes apparurent, comme à travers une gaze. Là deux femmes s'étreignaient de joie. Ici, un homme montrait l'étendue de la foule à un enfant. À mesure que les scènes gagnaient en netteté, la lumière apparut diffractée, agrandie, révélant que l'angle de vision était celui d'une larme montée aux yeux d'un inconnu. Paix, scandaient les foules. À bas la guerre. Au Vietnam. Partout dans le monde. Plus jamais la guerre. Imaginons l'amour. Imaginons la paix.

À Hawthorne, au Nevada, un enfant fit sonner la cloche de l'école à toute volée. Il tenait fermement la corde, prêt à s'envoler. Et les têtes réjouies se retournaient, comme elles se retournaient au son des sirènes, des carillons et de la musique. La perspective s'était modifiée : les spectateurs chevauchaient maintenant les ondes sonores. Des classes entières d'écoliers remontaient la rue avec leur professeur, le directeur de l'école en tête. À Springfield, Massachusetts, le propriétaire d'une usine donnait congé à ses employés pour manifester. À Berkeley, à Eugene, à Ann Arbor, ce n'était que sit-in et guitares.

Tout le pays se transformait en une rumeur impatiente, où les spectateurs Uns purent s'égarer, avant d'être portés par des sons plus ténus. Le pépiement d'un oiseau, quelques mots échangés à voix basse en marchant, la bague qui s'échappe d'un doigt et roule dans l'herbe, l'attaque d'un discours : chacun fut cela, à son heure, suivant l'ingéniosité d'Alvan. Enfin, l'holoviv montra l'humain Nixon, agacé, qui regardait défiler depuis sa fenêtre des centaines de milliers de manifestants sur Pennsylvania Avenue.

La mosaïque de la prodigieuse mobilisation prit fin dans le silence. Et le silence des Uns devint éloquent lui aussi.

38

Isaura s'éveilla, prise de nausée. Combien d'heures s'étaient écoulées? Elle ne savait plus, ni même combien de jours, mais elle sentit dans sa bouche le goût acide du sang. Juste avant de perdre conscience, elle avait emporté la vision des pommettes saillantes de l'Indien miskito qui leur avait autrefois servi de guide, à leur arrivée dans la montagne. Isaura revit la main de Sam cherchant à faire connaissance, et l'Indien qui souriait, sans accepter la main tendue. Elle revit le visage de l'Indien penché sur elle, au moment de l'enlèvement. Une sensation de piqûre, et plus rien.

Elle scruta la pénombre. À la vibration, elle comprit que la route n'était pas goudronnée, et les plaques de métal rivetées lui disaient qu'elle se trouvait à l'arrière d'un camion. Rouillé, de surcroît. Un peu de jour filtrait à travers les trous. Elle remua, contente de se savoir libre de ses mouvements. Elle voulut s'asseoir, mais, trop faible, se recoucha. Droguée? Elle n'était plus sûre de rien.

Le camion s'immobilisa. Des voix d'hommes lui parvinrent à travers la cloison. Bruits de bottes. Elle cria. Un coup contre la paroi lui répondit. Le camion se remit en route. Elle se dressa et approcha sa montre d'un des trous causés par la rouille, et crut lire qu'il était deux heures trente. Plus de quatre heures s'étaient donc écoulées depuis l'irruption des soldats dans l'école. À supposer qu'on soit le même jour. Elle effleura la courbe de son ventre, là où quelques mois plus tôt un bourgeon avait tenté de s'accrocher. Ce rêve d'enfant la protégerait. L'idée n'était pas farfelue. Les rêves sont si réels.

Pourquoi n'avait-elle pas peur ? Les *contras* n'avaient pas fait de manières. Et pourquoi ne s'en étaient-ils pris qu'à elle ? Señorita Fonseca ? avait demandé le chef, et à peine avait-elle bredouillé une réponse qu'ils l'embarquaient. C'est alors qu'elle avait reconnu le guide indien.

La question de la peur demeurait légitime, mais en ce moment, son instinct lui disait qu'elle ne devait rien craindre, alors que tant de fois le même avait su la prévenir du danger. Pourquoi ? Après la mort de Sam, elle avait choisi de rester à la coopérative pour y attendre la naissance de l'enfant. Elle avait donné ses vêtements, gardé le beau stylo avec lequel il écrivait à sa famille et remplissait chaque soir les pages de ce qu'il appelait son Journal de la révolution. Le Journal aussi, elle l'avait gardé.

Pendant trois années, ils avaient été heureux. Et elle avait su qu'il en serait ainsi dès Managua, quand il lui avait fait sa déclaration à tue-tête, pour couvrir la mauvaise sono du café Pouchkine : Où tu iras, j'irai. Il avait tenu promesse en épousant la cause de l'alphabétisation et en s'adaptant aux conditions du moment. Elle se souvenait de leurs discussions. Tout n'est pas blanc et noir, disait-il, et il lui avait parlé d'un grand-père adoré, qui vivait plus au nord, dans cette Amérique détestée, sur un ranch, tu devrais voir ça. L'amour rassure, disait-il aussi, en l'embrassant. Alors seulement elle eut envie de pleurer.

Le véhicule s'immobilisa et le hayon s'ouvrit. Elle cligna des yeux dans la lumière du jour. On lui tendait une main. Elle la saisit, s'extirpa du camion. L'instant d'après elle rejetait la main avec dégoût.

— N'ayez pas peur, dit le type dans cet espagnol yankee qui l'avait tant exaspérée la première fois qu'elle l'avait entendu, quatre mois plus tôt.

— Qu'est-ce que ça veut dire, gringo de merde ? J'avais dit non.

— Et alors? Vous avez cru que je vous demandais votre avis? Cessez de discuter et prenez un bol d'air. On sera à Tegucigalpa dans moins d'une demi-heure. Pause-pipi, conclut l'horrible bonhomme.

— Vous voulez dire que vous m'emmenez vraiment dans ce pays pourri? J'ai dit non, espèce de fumier! Vous n'avez pas le droit.

— L'argent a tous les droits, ma chère enfant. Ne me dites pas que vous l'ignorez, savante comme vous l'êtes.

— Sale porc!

— Moi, impur? Allons donc. Je n'ai cessé de déposer mes hommages à vos pieds depuis que j'ai mis les miens dans votre école en fil de fer. Si vous voulez, on peut même s'arrêter à La Nouvelle-Orléans. Je connais un endroit où on sert le champagne très frais...

Carlos Carlos Carlingua n'eut que le temps d'intercepter le petit poing qui s'abattait sur lui. De sa main libre, il écarta un à un les doigts de la jeune femme. Le poing s'ouvrit. La pierre alla rouler sur le sol. Coupante, il n'empêche. Il fallait se méfier.

— Écoute-moi bien, fillette. J'ai été payé pour faire un boulot et j'entends le faire, que tu le veuilles ou non. Le vieux qui t'attend, tu n'as qu'à te dire que c'est ton grand-père, et puis tu la fermes.

Avec juste ce qu'il faut de ménagement dû à son sexe, Isaura Fonseca fut poussée dans le camion. Le moteur couvrit ses cris de rage.

Le DC10 d'American Airlines prit de l'altitude, et Isaura ne put s'empêcher d'être impressionnée par la lagune en bas. Mais elle prit soin de dissimuler sa réaction pour ne pas donner satisfaction au privé. Quel bonheur que d'aller vers l'inconnu. Le cœur battant, les sens avivés, elle écarquillait les yeux, petite fille que son père emmenait sur l'archipel de Solentiname, ce bout du monde des citadins aisés d'avant la révolution.

Galamment, le détective lui avait cédé la place près du hublot, et un quart d'heure ne s'était pas écoulé depuis le décollage qu'il dormait – ou feignait de dormir, comment savoir avec ce genre d'individu? La méfiance d'Isaura n'avait fondu qu'à moitié. Certes elle n'était plus confinée dans l'affreux camion, et elle avait pu échanger quelques phrases avec son ravisseur durant le trajet en voiture jusqu'à Mexico. Désormais, ils étaient seuls. Les motifs de l'enlèvement lui paraissaient tout aussi douteux, et le procédé, odieux, mais elle devait reconnaître que les circonstances qui l'avaient jetée sur la route avaient transformé le souvenir douloureux de Sam en un tendre murmure. Avec un peu d'audace, elle aurait sans doute pu faire faux bond à son gardien, mais à son grand étonnement elle avait découvert qu'elle n'en avait plus envie.

Ce type était étrange. À la *finca*, en renvoyant l'escorte de faux *contras*, il avait grommelé en anglais une phrase obscure sur l'art de perdre maisons et villes et même toi mon amour. Il avait parlé à voix basse, comme pour lui-même, mais elle avait saisi quelques mots. De la poésie, pour autant qu'elle pût en juger, et qui n'avait rien à voir avec celle d'Inès de la Cruz. Des poètes américains, elle ne connaissait que Walt Whitman, mais ces vers grommelés comme s'ils sortaient de la jungle lui avaient paru répondre à un autre rythme. Les comparses s'étaient montrés satisfaits. À l'argent avaient été ajoutées les bouteilles de rhum et de tequila gardées en réserve comme monnaie d'échange. Le plus étonnant restait à venir. Une invraisemblable voiture orange avait fait son apparition, tirée des fourrées par des hommes de main remplis de respect.

— Une Camaro, avait salué le détective, cachant mal son excitation.

Et se tournant vers elle :

— C'est ma deuxième cette année. La plus belle bagnole du monde, si vous voulez mon avis. Vous montez, mademoiselle?

Dans l'avion, elle l'observa plus attentivement. Il s'était bel et bien endormi, comme en témoignait un léger ronflement. La chemise s'ouvrait sur des poils gris; il avait gardé sa veste jaune à carreaux et retiré ses mocassins. Elle le voyait se frotter convulsivement la plante des pieds dans son sommeil.

Depuis qu'ils étaient montés à bord de l'avion, le privé était resté silencieux, mais il en allait autrement dans la Camaro, où il avait cherché à l'apprivoiser. La voix de Carlos Carlos Carlingua était chaude, et il fallait reconnaître qu'il n'aimait pas les paroles inutiles. Cette retenue lui plaisait. Se pouvait-il que le type qui l'avait enlevée et celui assoupi à ses côtés soient le même homme?

La forme remua. Le privé redressa son siège, se frotta les yeux. Elle lui jeta un regard absent, toute à ses pensées qui défilaient sur la vitre légèrement embuée du hublot. Au Honduras, ils avaient dormi dans la *finca* isolée, située non loin de la capitale. Son ravisseur était bien organisé. Il avait sorti un appareil photo de son sac et lui avait tiré le portrait en lui racontant une histoire drôle, pour qu'elle ait l'air aimable, avait-il ajouté. Il avait ensuite bloqué toutes les issues de la chambre. L'unique fenêtre fut fermée de l'extérieur, les volets rabattus. Même chose pour le fenestron de la salle de bain.

— Je vais aux provisions. J'allais oublier : je vous ai pris deux ou trois trucs, en partant.

D'un air détaché, il avait montré un sac de jute, posé dans un coin. L'instant d'après, la clé tournait dans la serrure. Restée seule, elle avait ouvert le sac. Ses vêtements, son nécessaire de toilette, des livres, le carnet de Sam, et même son beau stylo. Sa joie n'avait pas duré. De nouveau, elle était captive. Pas de cris, cette fois. La curiosité l'emportait. Un ranch? Elle avait repensé à Sam. Un jour, lui répétait-il, il l'emmènerait voir les Yankees et lui présenterait son grand-père. On verra, répondait-elle invariablement. Et la voilà en route. Où était la Pennsylvanie? En fouillant dans les affaires du détective, elle était tombée sur un recueil de poèmes. Le livre était tout au fond du sac de voyage et son auteur n'était pas Walt Whitman, elle le comprit tout de suite, mais son attention fut aussitôt détournée par une autre découverte : un cahier relié en toile noire. La moitié des feuillets au moins étaient couverts d'une écriture serrée. Oserait-elle lire ces mots, alors qu'elle n'avait même pas voulu lire la dernière lettre de Sam avant de l'expédier à sa famille? Après tout, ce type était son ravisseur. L'agression appelait une riposte. Elle avait commencé à lire.

Des poèmes, des pensées, des choses vues. Il notait ce qui lui passait par la tête. En anglais. Isaura n'était pas en mesure de juger de la qualité du style, mais elle sentait que ce n'était pas médiocre. Un homme pourvu d'une telle sensibilité pouvait-il être détestable?

Le bruit de la voiture l'avait prévenue de son retour. Elle avait remis précipitamment le cahier en place, noté au passage le nom du poète sur le livre – Elizabeth Bishop –, vite, le fermoir, la lampe, le lit, et elle, allongée dessus. Bien dormi? Et posant le sac de provisions sur la commode : je reviens.

Il était dans le patio, ouvrait les volets, revenait dans la chambre. Le poulet avait un goût de caoutchouc, mais ce diable d'homme avait déniché du vin et des fruits confits. En plus, il brandissait un passeport canadien avec sa photo à l'intérieur. Comment faisait-il?

— Bien dormi? demanda Isaura, presque souriante, dans l'avion.

Les pieds du détective retrouvèrent les mocassins. L'appareil amorça sa descente, en longeant le fleuve Delaware.

À l'aéroport, Carlos Carlos Carlingua loua une voiture où il jeta leur maigre bagage. Hors des limites de la ville, ils laissèrent leurs regards se perdre sur les vallons de chaque côté de l'*Interstate*, dans un silence quasi méditatif.

Une heure plus tard, ils étaient à Pottstown. Les roues de la Ford crissèrent sur le gravier de l'allée. Un vieillard vint à leur rencontre. Un Indien! Madison ne lui avait jamais parlé de ça.

— Pouvez-vous prévenir Mr. Williamson de notre arrivée?

— Je suis Mr. Williamson, répliqua le maître des lieux, glacial.

Isaura Fonseca tourna vers le détective un regard moqueur et éclata de rire pour la première fois depuis leur rencontre.

39

Kadokvor entra dans la salle régénérative d'un pas pesant. Il allait soigner son ennui selon les règles, mais, même de routine, la manœuvre ne pouvait faire oublier son niveau d'abattement actuel. Il pensa à l'être Donzé qui, d'ordinaire, le bouleversait avec sa façon de moduler le son aigu des maîtres d'ondes Arkam. En vain. Aujourd'hui, tout lui paraissait sans relief.

Il arrivait au bon moment. Seules quelques créatures occupaient la salle, et le Siva en profita pour gagner le tapis préparatoire.

Ce ne fut pas long. Dans l'instant qui précéda la secousse, il oublia tout, et jusqu'à l'existence de Xall. La galaxie elle-même ne fut plus qu'un point minuscule surgissant devant ses capteurs, signe que le traitement avait pris fin. Alors la réalité se dilata et reprit ses droits.

Gonflé à bloc, Kadokvor gagna la salle de détente où la surchage dynamique devait être stabilisée. Un Vigana et un Spherit s'y trouvaient. Kadokvor vit qu'ils communiquaient sans leur lingal. Intrigué, Kadokvor isola les fréquences utilisées. Un demi-tsi de silence suivi d'un long nanthé : un son rarement entendu sur Xall. De plus, les deux êtres superposaient au spectre sonore du nanthé un spectre de particules. Ce détour ajouta à la curiosité de Kadokvor.

Il l'ignorait, mais ceux-là étaient des anti-sapiens, rendus furieux par le récent revirement de l'Unicité.

— Le Contacté devrait être mort depuis longtemps, pestait le Spherit. Il faut obtenir le rappel du Ventorxe.

— L'Unicité se trompe, renchérit le Vigana, en effleurant son relayeur.

Un segment de l'holoviv terrestre apparut entre les deux êtres. Une silhouette irisée venait de surgir sur la butte, au-delà des champs jaunes. Comble d'humiliation pour les anti-Sapiens, les Un-Soi avaient choisi l'Irnan Marevan-Tâ comme messager. Ayant franchi sans problème le voile-pelta, l'Irnan marchait d'un pas assuré vers la demeure du Contacté.

Le traitement de Kadokvor était terminé. Mais fasciné par l'holoviv aperçu à la dérobée, il ne pouvait se résoudre à partir. Les hautes herbes ondoyaient dans le vent. Sous la véranda couverte était assis le Contacté humain. Et chacun put voir le vieillard se dresser lentement quand la silhouette irisée de l'Irnan fendit le troupeau qui paissait non loin. Un vieillard soudain droit sur ses jambes, qui secouait son grand âge comme une peau morte. Un vieillard qui éclatait d'un rire incrédule. Arrivé sous la véranda, l'Irnan rejoignit l'humain et, aussitôt, l'holoviv se brouilla.

Se sentant observés, le Vigana et le Spherit firent pivoter leurs capteurs vers Kadokvor, qui ne remarqua rien. Il songeait au signe de reconnaissance de l'être Donzé quand il s'en approchait. On pouvait penser ce qu'on voulait des humains, certains contacts avaient du bon.

Imperceptiblement, le silence s'installa. Alors la nuit se retira comme à regret, et l'horizon couleur d'ambre réapparut dans l'hémisphère nord du globe. L'étoile du matin apposa sa signature dans le ciel. Le premier chant du premier oiseau de la toute première aube se fit entendre. Timide d'abord, puis s'enhardissant à mesure que le soleil enluminait le jour.

— Comment les humains appellent-ils cet oiseau? demanda Marevan-Tâ.

Avaient-ils seulement dormi? Mountain aurait juré que non. De fatigue, un peu plus tôt, l'iridescence de l'Irnan s'était changée en une lueur bleutée, tandis que son regard se tournait vers l'intérieur. Marevan-Tâ entrait dans l'espace fermé du repos.

Une brise laissée par la nuit avait mis fin à leur assoupissement. C'est à ce moment que l'oiseau avait chanté. Dans une heure ou dans cinq, dès le lendemain ou dans une semaine, pensa Mountain, sa mission allait reprendre, rendue plus urgente par les années d'inaction volontaire, dont le poids se faisait maintenant sentir. Car s'il se réjouissait de la décision de Xall, il ne pouvait oublier son grand âge.

— Les Irnans ne vieillissent pas? demanda-t-il, en couvant des yeux la créature qui retrouvait les couleurs du jour.

Marevan-Tâ saisit l'allusion.

— Si tu t'inquiètes pour ces cheveux ou ces rides – la créature effleura les traits du visage – ou ce corps – elle le vit alors tel qu'il était, brindille à la merci du vent –, tu as tort, Humain Mountain. Nohog de Ventorx pourvoira à tout. D'ailleurs, je le soupçonne d'avoir saupoudré de l'Aliment dans ta nourriture pendant tout ce temps.

— C'est un sansonnet.

Devant l'air surpris de l'Irnan, Mountain précisa.

— L'oiseau, je veux dire. C'est étrange. J'ai beau savoir qu'il n'y a pas de temps à perdre, je n'ai pas envie de quitter ce lieu.

Un silence suivit.

— Hier encore, les journaux ont rapporté un génocide en Afrique. Un million de personnes assassinées à ce qu'il paraît.

Mountain leva les yeux.

— «Sous un échafaudage de barbarie se construit un temple de civilisation», a déjà formulé un de nos écrivains. Marevan-Tâ, dis-moi, la barbarie serait-elle inscrite dans nos gènes?

L'Irnan mesura le découragement qui s'abattait sur son ami. Une intervention s'imposait. L'être se redressa. Sur le fond bleu du ciel, ses couleurs se découpèrent avec encore plus d'éclat.

— J'ai un recenseur et je suis en liaison avec la sonde locale. Allons voir Nohog de Ventorx, veux-tu?

Mountain, soudain très las, consentit à tout.

— N'oublie pas, poursuivit l'Irnan, en amorçant le décompte moléculaire. Tu n'es plus seul. Dix autres Contacts ont été autorisés par l'Unicité. Par qui commences-tu, Humain Mountain?

40

Souvent, vers quatre heures de l'après-midi, Noam avait une pensée pour son petit banc de bois. Jusque-là impitoyable, l'emploi du temps s'était imposé, avec son cortège de tâches : présider le conseil d'administration du jeudi, voir défiler une douzaine de personnes dans son bureau de Genève, régler divers problèmes, prendre des décisions, signer de la paperasse, retourner les coups de fil. Las. Le moment approchait : son banc était en vue, dans un certain jardin de la ville connu de lui seul, là il pourrait souffler un peu.

Ce jour-là, Noam, ayant renvoyé le chauffeur au pont de la Fontenette, avait traversé l'Arve et parcouru à pied le reste du chemin, empruntant les raccourcis des initiés. Mais même parmi ceux-là, rares étaient ceux qui connaissaient l'existence de ce jardinet situé derrière la rue des Moraines, non loin de l'école d'où montaient, à heures fixes, les cris des enfants jouant au ballon. À gauche, derrière le rideau des arbres, une femme appelait son chat, Tina! Tina! fugueur impénitent. À droite, un saxo mélancolique faisait ses gammes avec lenteur. Là seulement, dans cet ombilic du monde où le soleil de fin d'après-midi se faisait doux, Noam Frenkl reprenait des forces.

Il prit place sur son banc, se massa la jambe droite qui l'élançait, ferma les yeux, respira profondément. Était-ce la vieillesse? La fatigue? Il avait l'impression d'être arrivé à un tournant. Les années passaient. L'empire prospérait et, dans la foulée, l'activité philanthropique qui en découlait. Il soupira. Il n'était pas éternel. Il faudrait peut-être songer à passer la main, se disait-il certains jours, avant que le goût de l'action ne reprenne le dessus. Pour l'instant, il s'abandonnait à la joie de la pure contemplation.

Quand il ouvrit les yeux, un vieillard avait poussé la porte qui s'ouvrait dans le mur de pierre délimitant le jardin au nord et s'avançait à sa rencontre. Quelque retraité en mal de compagnie, se dit Noam en observant machinalement l'intrus. Les cheveux blancs nattés, il portait un pectoral somptueusement brodé sur une chemise en denim noire. Un Indien d'Amérique? Noam scruta la silhouette qui marchait vers lui, tandis qu'une série d'impressions confuses allèrent se loger dans son cerveau. Le pas était calme, déjà familier. Le vieillard sourit et Noam répondit à son salut le plus simplement du monde. Il contempla le réseau de rides que semblaient démentir les yeux vifs qui le fixaient, comme en attente... Monsieur Constantinopoulos!

— Vous êtes revenu, murmura-t-il en se levant.

Il s'étonna d'être aussi peu étonné. Pendant toutes ces années, pas un jour ne s'était écoulé sans qu'il eût une pensée, même furtive, pour Alexandros Constantinopoulos, bien qu'à vrai dire il eût à peu près cessé de croire à son retour au milieu des années soixante-dix. C'était trop tard, alors. Une simple déduction arithmétique suffisait à comprendre que le temps avait gagné et il n'y avait plus qu'à spéculer sur les circonstances d'une mort certaine. Leurs retrouvailles n'auraient jamais lieu.

Les deux hommes s'étreignirent longuement. Noam respira dans le cou et sur l'épaule du Grec une odeur de grand vent et d'herbe. Il est resté le même, pensa Constantinopoulos, mais il a vieilli, il faudra faire vite.

— Vous me reconnaissez, après tout ce temps? s'enquit Mountain.

— Mais... comment pouvez-vous être ici?

Et Noam fut pris de tremblements, comme si un gouffre venait de s'ouvrir sous ses pieds. Mountain le fit se rasseoir.

— Calmez-vous, mon ami. Je vais tout vous expliquer.

Les tremblements diminuèrent. Noam fixait l'accoutrement du Grec.

— Je ne comprends pas, monsieur Constantinopoulos. Comment…

— Plus de Constantinopoulos. Je m'appelle Mountain. Je suis né en 1867, en Amérique, au sein d'une tribu d'Indiens nez-percés. J'étais encore un enfant quand le chef Joseph s'est rendu au général Howard.

Noam écarquilla les yeux. Il ne connaissait rien de l'épisode, mais il savait compter.

— Impossible. Cela vous ferait…

Mountain lui souffla la réponse.

— Cent vingt-sept ans.

La Suisse, pays raisonnable, n'échappait pas au fléau des hurluberlus que le positivisme avait laissés dans son sillage depuis trois siècles. Constantinopoulos, membre d'une secte? Cela ne lui ressemblait pas.

L'Indien mesura l'incrédulité de Noam et changea d'approche. Il remonta le temps, énumérant les faits marquants qui avaient ponctué la gestion de l'empire par son protégé. Chaque fois, il faisait mouche et voyait fondre d'autant le scepticisme de son interlocuteur. Alors, Mountain remonta encore plus loin, évoquant certains souvenirs que Noam n'avait confiés à quiconque. Avec tact, mais aussi avec un souci du détail sans réplique, il évoqua certains souvenirs du camp de Flossenbürg, empoussiérés dans un recoin de sa mémoire.

Les tremblements reprirent. Mountain posa une main sur son bras. Il évoqua la collection de pierres qu'un gamin montrait fièrement à l'école de Rexingen, ville où il vivait avec ses parents et sa sœur avant que la famille en fût chassée. Il en avait assez dit. Mountain laissa le silence s'installer entre eux, jusqu'au moment où il sentit Noam prêt à accepter son histoire et l'avenir qui les attendait.

Deux heures d'échanges suivirent. Tant d'inouï avait fait irruption dans l'esprit de Noam que la conclusion de l'exposé – la fin annoncée de l'humanité et les moyens d'y échapper – en devint plausible, à portée d'entendement humain. Mais le scénario n'avait rien à voir avec la vertu militante et le ton alarmiste des journaux.

— C'était donc ça, le but de toute cette philanthropie, de toute cette fortune…

— Et ni vos interventions, ni les miennes au début du siècle, n'auront été inutiles, soyez-en sûr. Pourtant elles ne suffisent plus. Il faut maintenant passer à une autre étape.

Dans l'enclave de Carouge, ce jour-là, les derniers rayons du soleil avaient déserté le petit banc de Noam depuis un bon moment quand Mountain expliqua quelle serait leur tâche. La nuit allait tomber. Sans perdre un mot du programme qu'on lui exposait, Noam regardait les lampes, aux fenêtres, qui éclairaient des repas, des conversations, des lectures résolument humaines. Il vit les carrés tremblotants des téléviseurs, dieux lares de l'époque. À toutes ces réalités familières, la présence de Xall donnait une autre perspective, qui aurait pu être exaltante si elle n'avait été glaçante : le délai était si court.

Peu à peu, les deux hommes avaient baissé la voix. Noam proposa de gagner l'immeuble du chemin des Coudriers, désert à cette heure. Cette conversation, ils la poursuivraient loin des oreilles indiscrètes, bien installés dans le grand séjour de l'appartement de Genève. En faisant construire dans les années soixante ce bâtiment dans le style verre et béton alors en vogue, Noam pouvait-il se douter qu'il deviendrait l'un des lieux où se discuterait le sort de l'espèce humaine?

Ce soir-là, Noam interrogea Mountain jusque tard dans la nuit. Pour la première fois depuis longtemps, il se sentit apaisé. C'était une sensation si nouvelle que, le moment venu, il dormit comme un bébé.

41

— Je suis Linavotic, du peuple des Spherit.

Il n'avait pas besoin d'en dire plus. Peu importe la provenance du signal, l'interlocuteur savait à qui il avait affaire, tant les anti-Sapiens avaient fait parler d'eux dans la galaxie. L'Unicité avait beau avoir passé outre à leurs mises en garde et autorisé le recrutement d'auxiliaires, les anti-Sapiens n'entendaient pas renoncer. Dix humains antéUns de plus. Une folie! Le lobbying avait repris.

Ce jour-là, après les salutations d'usage, l'écran de phase ne montra aucune image. Un balayage plus complet isola un nuage de particules chargées. L'agencement spécifique des électrons et des positrons désignait un Nordalim.

Une volute impatiente se forma au-dessus de Linavotic. Que lui voulait-on? Avec Tor le Vigana, son complice à la tête du mouvement anti-Sapiens, il avait multiplié les interventions, tant sur le plan collectif qu'auprès de chaque unité vitale susceptible de modifier la position de son représentant sur Xall. Ces derniers temps, ils réclamaient la destitution et le rappel de Nohog de Ventorx comme la meilleure façon de mettre fin à l'engrenage interventionniste. Mais pourquoi le Nordalim leur demandait-il maintenant de revisionner la scène?

— Déplacez-vous au sommet de la colline, à l'ouest de la demeure du Contacté, émit-il, avant de se déphaser.

Le Spherit et le Vigana se regardèrent, intrigués, et commandèrent le segment holoviv. L'Irnan Marevan-Tâ, triomphant, annonçait au Contacté la décision de l'Unicité.

— Là, sur la droite!

Un second humain, petit, bigarré, tapi dans les hautes herbes, assistait à l'arrivée de l'Irnan sans être vu. Muni d'un magnifieur rudimentaire, et comme rendu fou par ce qu'il voyait, il réglait frénétiquement la distance focale. Abasourdi, il avait même murmuré des paroles incompréhensibles au sujet d'un certain Mulder, qui aurait eu raison.

Les deux anti-Sapiens interrogèrent le Noyau Central d'Exotrad, et le résultat ne fit qu'exaspérer davantage le Spherit.

— *The X-Files.* Des fables grossières extirpées d'un «téléviseur». S'entendre appeler «extraterrestres» par une sous-variété du vivant incapable d'adopter un autre point de vue que le sien! comment l'Unicité peut-elle compatir au sort de tels êtres?

— Qu'importent leurs engouements, rétorqua le Vigana. C'est la présence de cet humain qui doit nous intéresser.

Soudain, le Spherit lâcha une volute joyeuse.

— L'espion humain vient de nous fournir une arme. Saisissons le Protectoire du problème. La présence d'un non-initié sur les lieux du Contact est suffisamment dangereuse pour invalider le processus de recrutement. C'est notre chance.

La sondine avait opéré avec célérité et en toute discrétion. Aucun habitant du quartier du Petit-Saconnex, pas même

Noam Frenkl qui l'habitait depuis plus de trente ans, n'aurait pu soupçonner son arrivée dans le jardin de l'immeuble du chemin des Coudriers, le 10 juin 1995, à trois heures trente-deux du matin, son insertion muette dans le sol, son positionnement sous la cave de l'appartement du rez-de-chaussée. Sur le banc, à Carouge, Mountain s'était bien gardé de mentionner l'existence de ce type d'appareils, et pas davantage lorsque son compagnon lui avait offert l'hospitalité, en regrettant de ne pas avoir conservé la propriété de Concise, plus propice à leurs échanges. Mountain l'avait rassuré avec un sourire entendu.

Le lendemain matin, Noam ouvrit les yeux aux premières lueurs du jour. Frais, dispos, vêtu de pied en cap, Mountain se tenait debout devant la porte de la salle de bain.

— Bien dormi?

Dans son pyjama de soie bleu marine, Noam Frenkl avait l'air d'un grand enfant ahuri. Mountain se dirigea vers la fenêtre, admira les arbres du jardin.

— Pour ma part, j'ai dormi comme une masse. En plus, le décor n'est pas mal.

Dans son dos, la voix se fit hésitante.

— C'est bien vrai, tout ce que vous m'avez raconté hier? Là, à l'instant, en ouvrant les yeux, j'ai eu l'impression d'avoir rêvé. Eh! où allez-vous?

L'Indien fit signe à Noam de le suivre à la cave, et ce dernier n'eut que le temps d'attraper un peignoir.

La cave était vaste, pourvue de deux soupiraux. Mountain déroula les stores, puis se pencha sur le sol et, sans effort, souleva une trappe avant de disparaître dans le trou d'homme improvisé. Interloqué, Noam se précipita à sa suite et descendit les échelons. Il était un gamin. Il fuyait les méchants. Il était vivant. Mais bientôt les souvenirs s'éclipsèrent devant l'intrigante réalité : une salle de dimensions moyennes, avec une penderie et un miroir à l'entrée, et, au fond, deux surfaces horizontales, des couchettes peut-être, même si Noam hésitait encore sur le terme exact. Ces lits semblaient si inconfortables qu'on ne devait guère y dormir. Au centre de la pièce, une petite sphère flottait.

— Vous pouvez vous habiller, fit Mountain, en montrant la penderie.

Noam s'exécuta, tout en observant l'Indien qui faisait un rapide inventaire des lieux. La sondine avait bien travaillé.

Chaque instrument était en place, selon ses spécifications. Noam finit de s'habiller, mais sa curiosité se transforma bientôt en terreur quand Mountain lui eut expliqué l'usage de la pièce.

— Me désintégrer? protesta-t-il, les yeux agrandis d'effroi. Vous croyez que je vais me laisser faire?

L'infirmerie. Surtout, ne jamais tomber malade. Dès son arrivée, les prisonniers avaient mis l'adolescent en garde.

Le flash prit fin, mais la méfiance de Noam était revenue. Mountain avait trahi sa confiance. Il était devenu fou. L'Indien devina ses pensées.

— Rappelez-vous notre conversation d'hier, sur le banc. Rappelez-vous chacun des détails. Cette loge-relais n'est qu'un outil mis à notre disposition par Xall. Ah… et puis aussi bien vous le dire maintenant, quitte à être brutal : vous vous faites vieux, mon vieux. Il va falloir vous requinquer. Regardez-moi. Ai-je l'air d'un homme de cent vingt-sept ans?

Et sans crier gare, Mountain fit la roue, suivie d'une culbute, avant de terminer par un redressement debout, les bras à l'horizontale. La scène était si comique que Noam ne put s'empêcher d'éclater de rire.

— Souvenez-vous de ce que je vous ai dit au sujet de l'Aliment, poursuivit Mountain, à peine essoufflé par la démonstration. Si vous me suivez sur cette table, vous ferez la connaissance de Nohog de Ventorx, qui vous remettra d'aplomb comme vous n'avez jamais osé l'imaginer. Il vous fera passer à travers un processus complet de régénération, dont j'ai moi-même bénéficié après l'ambassade de Marevan-Tâ.

— Et où se trouve au juste celui que vous appelez l'Observateur?

— Je vous l'ai dit : en Amérique du Nord, à Ymir…

Noam parut soulagé.

— Il n'y a qu'à prendre l'avion, alors! Un coup de fil à Cointrin, et mon jet roule sur la piste.

Se dissoudre, disparaître, mourir pendant une fraction de seconde : Noam n'arrivait pas à l'envisager. Se souvenant de sa propre peur, jadis, Mountain reprit ses explications sur le fil de lumière. Tout en devisant, il prit place sur l'une des tables. Aussitôt le recenseur se mit en mode actif, prêt à recevoir les atomes du voyageur. Un battement de cils plus tard, Mountain avait disparu. Hébété, Noam fixait la table vide, ne sachant quelle attitude adopter. Au bout d'une dizaine de minutes, le recenseur s'activa de nouveau et l'Indien réapparut, une gerbe de fleurs sauvages à la main.

Souriant, il descendit de la table et l'offrit à son compagnon.

— Vous pouvez vérifier dans toutes les flores. Le pipsissewa ne pousse que dans l'Ouest américain. J'en reviens et l'air y est très doux.

Malgré ces assurances, Noam accepta volontiers la main tendue de l'Indien, allongé à ses côtés. Son cœur battait à tout rompre. Pourtant, son premier voyage-éclair se déroula sans anicroche.

Depuis la reprise officielle de la mission humaine sur ◊-GVH-18327-Γ, Nohog ne chômait pas. Mais il lui fallut d'abord s'attaquer au plus urgent et réparer l'organisme de la frêle créature introduite par Mountain. Même en se découvrant entier sur la table de réintégration, l'humain Frenkl ne cessa de se tâter, incrédule. Il y avait de quoi. Il était dans un état si délabré que la moindre secousse pouvait l'emporter.

Sans tarder, Nohog l'examina. L'activité cérébrale se situait encore à un niveau acceptable, selon des critères humains. Mais le cœur était fragilisé par des lésions. Le tissu épidermique était dans un état lamentable. Toutes les articulations avaient besoin d'être assouplies.

Le sort de l'humain Mountain était plus satisfaisant, grâce à l'action antérieure de l'Aliment, dont il avait repris l'absorption dès son retour à la vie active. Malgré tout, sur cet organisme aussi une régénération en profondeur s'était imposée dès la reprise des activités.

Sous l'œil attentif de Mountain commentant à mesure, le Ventorxe se mit au travail par sondine interposée. Et en dépit de la voix rassurante de l'aîné, le dégoût se lisait chez Noam Frenkl chaque fois qu'il posait les yeux sur la repoussante pâtée verte. Il grimaçait, fermait les yeux, prenait une bouchée. Il avait quatre ans. Il avalait de l'huile de foie de morue.

ARTÈRES. À la sixième séance, une impression mouillée se ficha simultanément dans le cerveau des deux hommes : Nohog prévenait que l'Aliment, suivant le dosage du jour, contenait des nano-éléments qui allaient s'attaquer aux artères. Mountain avait reconnu le mode d'échange familier, mais, chez Noam, l'inquiétude n'avait fait que s'ajouter au dégoût. D'où lui venait cette pensée sur des artères à réparer? Mountain fournit les explications.

— Au début, c'est déroutant, mais on s'y fait très vite avec un peu d'entraînement.

Noam répliqua qu'il lui faudrait tout un entraînement pour accepter l'idée qu'un paquet de vermicelles doué de raison puisse s'immiscer sous son crâne pour lui faire avaler une potion quelconque. Pourtant, il dut reconnaître que ses démangeaisons avaient pris fin dès la première séance. Étonné, il avait retrouvé le pas souple et vif du jeune stagiaire plein de promesses arrivant à Genève, il y a une cinquantaine d'années. Désormais, tout prenait un sens. La gestion de l'empire Constantinopoulos, l'action philanthropique, chaque intervention passée se laissait voir sous un jour nouveau, comme si d'instinct il avait su s'orienter dans le brouillard et prendre les bonnes décisions. Son compagnon avait approuvé.

— Maintenant, les rôles sont inversés, Noam. C'est moi qui suis votre stagiaire. Je suis resté sur la touche trop longtemps.

Dès lors les allers-retours entre Genève et la Pennsylvanie se multiplièrent. Toutes peurs vaincues, Noam empruntait couramment le fil de lumière. Les deux hommes convinrent d'installer leur quartier général dans la loge-relais que Mountain avait fait réassembler au ranch, tandis que l'appartement de Genève devint leur base européenne. C'est là que, occupés à établir un premier bilan de leurs recherches, ils durent reconnaître que le choix des Contactés se révélait plus ardu qu'il n'y paraissait.

42

Fidèle à son habitude, Renu Chandaray fut la première au rendez-vous de Scandal Point. Autour, quelques grappes de promeneurs, rien à voir avec les foules de la belle saison.

La jeune femme, qui n'était pas revenue à Simla depuis la mort de son père, s'étonnait de trouver les lieux semblables à son souvenir. Certes la Maison du Vice-Roi était devenue un Institut de recherche, mais l'oiseleur, sur la place, tenait toujours boutique.

Pendant quatre ans, le temps d'un chantier, l'ingénieur Chandaray avait vécu ici, avec sa famille, pour diriger le chantier de réfection de la voie ferrée Kalka-Simla, ses huit cents ponts, sa centaine de tunnels. Les jours de congé, l'ingénieur entraînait sa famille jusqu'à Koti ou jusqu'à Kandaghat, d'où il leur montrait plusieurs points blancs dans la falaise, semblables à des rayures d'ongles. Les ponts!

— C'est votre père qui les répare, triomphait-il.

Et grand-mère Priyanka bénissait le savoir-faire de son fils.

Que restait-il de sa famille? Rien. Des cendres au vent. Renu avait huit ans à leur arrivée. Son père était mort quelques années après la fin du chantier, emporté dans la force de l'âge, et sa mère, bien qu'elle fût sa cadette, en avait fait autant, de chagrin, peu de temps après. La vieille Priyanka avait fini par s'éteindre. Et Renu était sans nouvelles de ses deux frères depuis qu'ils étaient rentrés d'Angleterre.

Comment ce noyau d'êtres unis avait-il pu se défaire aussi aisément? La jeune femme n'avait pas la réponse. Après la joie du souvenir venait la mélancolie. Renu avait quarante-quatre ans et il lui arrivait de se croire vieille, même si elle ne faisait pas son âge. Mais aujourd'hui l'esprit des lieux agissait : elle se sentait aussi solide que la voie ferrée de son père, aussi résistante que ses ponts, aussi entreprenante qu'avait pu l'être le jeune ingénieur à sa sortie de l'École de génie civil.

Quand le grand patron avait évoqué un rendez-vous pour discuter de projets importants – mais retrouvons-nous dans un lieu différent, voulez-vous? ça nous changera des bureaux de Delhi –, Renu avait tout de suite pensé à l'endroit. Noam, qui ne connaissait pas l'Himachal Pradesh, avait rétorqué qu'il découvrirait l'Himalaya avec joie. Rendez-vous fut pris pour ce jeudi 12 septembre 1996, 13 heures, à Scandal Point, au cœur du site. Tout en devisant, ils suivraient l'un ou l'autre des nombreux sentiers de randonnée qui desservaient les sept collines entourant la ville. Cadre somptueux, discrétion assurée grâce au mouvement. Bien sûr, pensa Renu, ils prendraient tout leur temps, car la santé affichée ces derniers temps par le patron ne devait pas faire oublier son âge. Ils gagneraient le restaurant du Woodville à l'heure du thé, et ainsi se terminerait la journée.

Du coin de l'œil, Renu guettait les quelques visiteurs venant du Ridge. Une heure trente. Noam Frenkl se faisait attendre. Ce n'était pas dans ses manières.

Elle n'avait pas pensé à regarder en bas, du côté du marché tibétain, où un petit escalier de bois serpentait sur la paroi à l'intention des marcheurs aguerris. C'est de là pourtant qu'il surgit soudain, détendu. Faisant glisser sur son épaule la courroie du havresac, il lui tendit la main.

— Heureux de vous retrouver ici, Renu. Mais dites-moi, arriverons-nous à travailler dans un cadre pareil?

Noam, sûr de son effet, se laissa examiner par sa collaboratrice. Comment faisait-il? En juin, devant l'assemblée des actionnaires de Hong Kong, il les avait éblouis avec sa verve, sa résistance physique et sa maîtrise du dossier de la rétrocession. En trois heures non-stop, il avait répondu à leurs questions, prévenu toutes les objections, réalisé une synthèse parfaite de la progression des actifs depuis cinq ans et rassuré les investisseurs quant au futur changement de statut de la colonie britannique. Au final, les experts de Deloitte Touche Tohmatsu s'étaient sentis inutiles.

— Alors, où allons-nous?

De la main, Renu indiqua l'ouest.

— On pourrait commencer par Prospect Hill.

Au début, elle adopta un rythme lent, avant d'oublier toute retenue, emportée par la discussion. Ils allaient bon train, mais comme nul ne semblait s'en plaindre, l'allure fut maintenue jusqu'au temple Kamna Devi. On continue? demanda Noam, en s'engageant d'un pas décidé dans le sentier qui menait à Jutogh, une boucle de cinq kilomètres, précisait l'écriteau. Ce n'était pas vraiment une question.

Tout en marchant, Noam faisait le bilan des activités du groupe en Asie. Il me raconte ce que je sais déjà, pensait Renu. Il aurait oublié le conseil du mois dernier?

— Renu, vous avez entendu parler de Copperfield Geological?

On y venait.

— Une des plus importantes transactions jamais enregistrées, récita la jeune femme. Des actifs de plusieurs dizaines de milliards de dollars. Les investisseurs ont profité du prix exceptionnel du cuivre sur les marchés internationaux. Mais on ne sait toujours pas qui est derrière l'opération.

— C'est moi.

Il insista.

— Je suis cet homme.

Renu demeura sans voix. Et quasi muette, elle le fut aussi pendant les deux heures suivantes, au cours desquelles Noam, avec minutie, donna la mesure de l'empire Constantinopoulos, à l'édification duquel, comprit-elle, elle contribuait depuis vingt ans sur ce continent. Son ampleur était tout simplement inimaginable. Et sa complexité telle que la voie ferréc serpentant jusqu'à Simla, en comparaison, paraissait une ligne droite.

— À travers ces sept sociétés, conclut le patron, nous contrôlons la moitié de la production de l'or canadien.

Pourquoi cet étalage de richesses et de puissance? Voulait-il l'impressionner? Lui témoigner son exceptionnelle confiance? Confuse, elle l'écoutait maintenant disserter sur les réalisations humanitaires et philanthropiques du cartel. Là aussi, c'était énorme.

— Même la Fondation Minghely? Je la croyais pourtant indépendante.

— Quatre-vingt-dix pour cent de ses subsides proviennent de nos groupes.

Les explications se poursuivirent pendant deux autres sentiers, au bout desquels Renu Chandaray se déclara fatiguée. L'après-midi tirait à sa fin. Mon royaume pour une tasse de thé brûlant, ironisa-t-elle, pour cacher sa stupéfaction. Noam acquiesça.

Ils avaient monté et descendu une quinzaine de kilomètres en un peu plus de trois heures. Soudain, Renu fut frappée par l'évidence : depuis quelques minutes, son patron lui parlait en hindi! Avec l'anglais et le bengali, c'était la langue apprise dans son enfance, aussi lui avait-elle donné la réplique le moment venu, sans y penser. Mais pourquoi Noam Frenkl lui avait-il caché de telles compétences? Vocabulaire, voyelles courtes et longues : la maîtrise était totale. La situation devenait invraisemblable.

La silhouette massive du Woodville était en vue. Noam tendit à sa collaboratrice un bras amical, qu'elle accepta, ébranlée.

— Vous allez prendre froid à rester immobile, chère Renu. Entrons, je ne vous ai pas dit l'essentiel.

Dans la verrière du palace, le serveur s'empressa, et bientôt les scones firent leur apparition sur la nappe blanche de l'alcôve discrètement réservée par Noam. Du cake, des fruits, des sandwichs au concombre : Renu avait besoin de reprendre des forces.

Noam la laissa se servir, et ce n'est qu'après qu'elle eut repris du thé qu'il voulut entrer dans le vif du sujet. La jeune femme ne lui en laissa pas le temps.

— Où avez-vous appris cette langue, monsieur Frenkl? Et quand? Je ne vous savais pas aussi doué, et avec autant de loisirs.

Ce n'était pas encore le moment d'évoquer l'imprégnation linguistique du Ventorxe.

— Votre père a joué un rôle important dans l'entretien de la voie ferrée, non? Tous ces ponts ont quelque chose d'élégant qui me plaît beaucoup.

Renu revint à l'anglais.

— Mon père estimait que les ingénieurs devaient avoir le sens de l'esthétique.

Noam réfléchit. Les Anglais, longtemps maîtres des mers, avaient été d'infatigables explorateurs, fascinés par l'étrangeté des peuples. La langue de James Cook et de Sir Burton était peut-être celle qui convenait dans les circonstances. Il inspira profondément et se lança.

À deux reprises, le serveur changea la théière, mais par la suite il se contenta d'observer le couple de loin, sans oser le déranger. Des amants, sûrement. Sans doute en train de rompre, ou de s'expliquer sur des sujets d'importance, comme le bébé que voudrait bien avoir la demoiselle, alors que lui se trouvait trop vieux pour être père à nouveau. Mais pourquoi le regardait-elle avec autant d'effroi? Il était peut-être méchant avec elle, ou simplement dur avec son entourage, sans pitié. Un monstre. Elle venait de l'apprendre. Et lui se défendait. Il lui parlait posément, presque à voix basse. C'était inutile. Elle ne le croyait pas. Plus jamais elle ne croirait ce qu'il dirait. Elle secouait la tête avec vigueur, et alors il devait fournir des preuves de sa bonne foi.

Plusieurs vagues de clients se succédèrent dans le salon de thé de l'hôtel Woodville. Le soleil déclina. La demoiselle se leva la première, et l'homme fit signe au serveur. Déférent, ce dernier s'approcha avec l'addition. Vu de près, le visage de la jeune dame semblait avoir retrouvé quelque sérénité.

Elle n'allait pas jusqu'à sourire, non, elle semblait plutôt absorbée dans ses pensées, mais le pli qui barrait son front n'avait plus rien de soucieux. Brave petite. Elle l'aurait, son bébé. Et l'argent ne poserait pas de problème, à en juger par le pourboire laissé par l'homme.

43

Noam vint au rapport. Et de deux, dit-il sobrement. Mountain éclata d'un rire joyeux. Comme à leur habitude, ils s'étaient enfermés dans la loge-relais du ranch, à l'abri de la curiosité d'Isaura. Pourtant, Mountain ne regrettait pas sa présence au ranch. N'était-ce pas lui qui avait proposé qu'elle s'installe aux États-Unis et vienne vivre avec lui?

— Je vous appellerai grand-p'pa? avait-elle demandé malicieusement.

Une nouvelle vie avait commencé pour l'institutrice, qui ignorait tout du retour de Mountain à sa mission. D'expérience, celui-ci savait pourtant quels déchirements attendaient les futurs Contactés si des liens trop forts les retenaient au monde extérieur. Aussi Noam et Mountain en avaient-ils fait un critère de sélection : le futur Contacté devrait vivre seul. N'était-ce pas là aussi le signe d'une force de caractère de bon augure? Il n'empêche que le problème restait entier. Que faire d'Isaura Fonseca? Mountain n'avait pas la réponse. Mais il se savait incapable de rompre ce lien.

Peu de temps après le recrutement de Renu Chandaray, Noam vint au ranch. Mountain le présenta comme un vieil associé de Genève, du temps où il était dans les affaires. La jeune femme fit bonne impression, en particulier quand Mountain évoqua son travail à La Zone – vaste maison au centre-ville de Philadelphie où les jeunes de la rue pouvaient apprendre à lire et à écrire, trouver un abri, voire un métier. Noam parut très intéressé.

Le lendemain, il entraîna Mountain dans la loge-relais. Et si on la recrutait? L'Indien resta silencieux.

Noam plaida. Plusieurs fois, ils avaient tenté de préciser la composition idéale du groupe de Contactés, dont l'efficacité, estimaient-ils, dépendrait de la diversité des savoir-faire, des intérêts et des origines de ses membres. L'éducation était au cœur de leur entreprise. Le profil d'Isaura Fonseca, sa personnalité, son action au Nicaragua, et maintenant dans ce refuge pour jeunes, correspondaient à l'objectif. Pourquoi chercher midi à quatorze heures quand ils avaient sous la main la personne qu'il fallait?

— Elle te connaît, insista Noam, en hésitant sur le tutoiement encore récent. Elle acceptera plus volontiers nos explications et sera sûrement de bon conseil pour la suite du recrutement. Et puis ça nous simplifiera la vie au ranch.

Il attendit.

Mountain se leva, fit quelques pas.

— D'accord, concéda-t-il.

Au fond, il était soulagé.

Noam exultait. Et de trois.

Passé un premier mouvement de colère, Mountain se rangea à l'avis d'Isaura et de Noam. Le problème Carlingua avait certes une ampleur galactique – le Ventorxe avait été très clair là-dessus –, mais on pouvait le régler de la meilleure façon possible. Sans plus tarder. Mountain et Isaura partirent pour Philadelphie.

Il y a longtemps que le privé n'avait pas ressenti une telle frayeur. Elle lui griffait les entrailles, lui ensablait la bouche, et elle l'obligea à s'asseoir à la vue des intrus qui avaient poussé sa porte sans ménagement. La pièce était en désordre. Sur une table basse, des feuillets épars, des livres, une bouteille de champagne dans un seau à glace. Non loin, une coupe vide, comme posée en toute hâte. Blême, le privé regarda le vieil Indien penché sur lui.

— Il n'en est pas question. Je refuse de vous suivre. Sortez d'ici!

Il jeta un regard noir à Isaura. Mountain se tourna vers la jeune femme.

— Tu arriveras à le calmer? Sinon, on ne va pas pouvoir discuter.

Isaura fit quelques pas.

— Carlos, écoute-moi.

Un mouvement de recul lui répondit.

— Ce n'est pas ce que tu penses, protesta-t-elle.

Mountain se replia au fond de la pièce pour permettre au couple de s'expliquer. Car un couple, voilà bien ce qu'ils formaient. Il fallait s'y résigner. Cela se voyait aux regards échangés, au geste apaisant de la jeune femme, en entrant. Un colt automatique attendait sur la commode. Carlingua semblait avoir renoncé à s'en servir, mais il n'allait pas s'interdire de hurler. Un couple, pensa Mountain : impossible d'en douter. Jusque dans les cris. Celui qu'il avait formé avec Jennifer était une exception.

Mountain leur tourna le dos, tandis que les braillements diminuaient, laminés par le murmure caressant d'Isaura. Quel idiot il avait été de croire que le privé s'en retournerait à New York, sa «livraison» faite. En 89, après avoir appris la mort de Sam, quand il avait vu la voiture tourner dans l'allée du ranch et qu'en était sorti un homme bigarré le regardant d'un drôle d'air, Mountain ne s'était pas attardé sur les circonstances du voyage ni sur la personnalité du guide, tout à sa joie de voir l'étrangère saine et sauve.

Plus tard, Isaura n'avait rien caché des circonstances entourant le périple du retour : l'enlèvement, le trajet dans le camion, la séquestration à la *finca*. Rendu furieux par le procédé, Mountain avait menacé d'aller s'expliquer à New York. Comment cet imbécile avait-il pu? Ses ordres ne disaient rien de tel. Les gens ne sont pas des colis.

La voix posée d'Isaura parvenait jusqu'à Mountain, au fond de la pièce – la même, à l'époque, qui avait su le dissuader de régler ses comptes avec le privé. Mais là il y avait de quoi être en colère. Noam et lui pensaient avoir trouvé une troisième recrue. En prime, ils se retrouvaient avec un espion sur les bras, de surcroît amoureux!

— Pendant tout ce temps, ce fouille-merde est donc resté dans les parages? avait hurlé Mountain en l'apprenant.

Hochement de tête d'Isaura. Le privé avait loué une chambre à Philadelphie, ils s'étaient revus.

— Il n'est pas celui que vous pensez, *abuelo*. Vous vous faites des idées fausses à son sujet.

Non sans mal, ils s'étaient résignés à en faire leur quatrième recrue. Curieux, débrouillard, cultivé, à l'aise dans tous les milieux, malgré quelques excentricités vestimentaires. Le souvenir de Vignol s'était rappelé à Mountain, tandis qu'il écoutait les arguments de Noam pour étayer l'hypothèse

Carlingua. Le côté pittoresque est aussi un atout, avait ajouté Noam, comme s'il avait lu dans ses pensées.

Le couple s'avança vers l'Indien. Le conciliabule avait porté ses fruits. Apaisé, le privé semblait dévoré de curiosité. Loin de le satisfaire, les bribes d'explications fournies par Isaura n'avaient fait qu'ouvrir les portes d'une demeure fabuleuse où son imagination s'engouffrait à toute vitesse. Il n'avait donc pas eu la berlue! Ce n'était pas faute, ces dernières années, d'avoir voulu obtenir des éclaircissements sur l'impossible créature entrevue un jour, au ranch. À plusieurs reprises, Carlingua avait interrogé sa petite amie sur les fréquentations du vieil homme. En vain – et pour cause, le Contact d'Isaura remontait à deux mois seulement. Le privé attaqua.

— D'abord une précision, Mr. Williamson : c'est vrai que je vous ai espionné. Mais je vais vous dire pourquoi. Je suis détective. Imaginez un chien de chasse à l'arrêt quand il flaire une piste. Ou, mieux, une sonnette qui tinterait sous mon crâne dès qu'un élément ne cadre pas avec le décor. Quand je vous ai vu, la première fois, ce sont les bourdons de dix cathédrales qui se sont mis à carillonner. Un Indien milliardaire! Ça ne pouvait pas être vrai. Ç'a été plus fort que moi, j'ai voulu en savoir plus.

Carlingua sentit une légère pression sur son bras. Ce n'était pas la peine de s'attarder là-dessus. Il n'insista pas.

— Maintenant, parlons, dit Mountain, résolu, en tirant à lui une chaise.

D'un geste, il invita Isaura à prendre place sur l'unique fauteuil de la pièce. Le privé resta debout, mais une heure plus tard il avait changé d'avis. Bien assis en face de Mountain, et avec force tapes sur l'épaule, il bombardait ses interlocuteurs de questions. Toutes obtinrent une réponse.

Au soleil fixé par l'Ordrun, alors que Linavotic, le Spherit, et Tor, le Vigana, étaient entendus par le Protectoire en vue d'invalider le recrutement, la fréquence de mise en garde résonna sur l'Aire de l'Unicité. Vodr! jura le Vigana en prenant connaissance du dernier rapport transmis depuis ◊-GVH-18327-Γ. Sur la planète folle, la situation venait encore une fois de changer. Le témoin sauvage avait été contacté. L'argument de l'intrusion d'un tiers ne tenait plus. Des volutes serrées s'échappèrent du Spherit.

44

— Déjà le président de l'Organisation de l'unité africaine montre de l'intérêt pour l'adoption d'une résolution qui engagerait les pays membres. Au train où vont les choses, on peut penser que plusieurs pays l'appuieront, d'autant que la pression internationale ne va pas se relâcher. Mais l'abolition de l'excision ne peut se faire que si le terrain est bien préparé, et c'est précisément le cas au Burkina. Ce griot était très fort, M. Frenkl.

— Était?

— Il s'est retiré du circuit à la mort de sa sœur, il y a quatre ans. Il vit maintenant à Dakar.

— Occupation?

— Journaliste. Pour l'Agence panafricaine de presse. Certains de ses articles ont été repris dans la presse occidentale. Et pas seulement sur le sujet de l'excision.

— Dites-moi, M. Volpone, n'est-ce pas étonnant qu'un si grand défenseur de la tradition orale soit passé si facilement à l'écrit?

— En fait, Seydou Bissiri a étudié le journalisme en France, dans les années 1970, avant de retourner au Burkina pour reprendre la tradition familiale. Son père était griot.

Le patron de l'empire Constantinopoulos remercia le directeur de la Fondation Minghely pour l'Afrique, mais ce dernier ne semblait pas disposé à partir. Enfin il se jeta à l'eau.

— Allez-vous investir massivement dans le microcrédit, M. Frenkl?

Noam fit la grimace. C'était chaque fois la même chose. Dès qu'il montrait de l'intérêt dans un secteur, on se mettait à spéculer. La richesse faussait tout.

Sur la place, Seydou retrouva Mathurin au volant de la Peugeot. Le chauffeur se sentait en verve.

— Cette fois, ça y est, on est partis. Voici le programme. On roule jusqu'à Kaolack, et là on s'arrête pour manger. Je connais une dibiterie qui fait des grillades, mmm! je ne te dis que ça.

Seydou restait silencieux.

— Tu veux qu'on s'arrête tout de suite?

— Allez, roule, ordonna-t-il en riant.

Mathurin était le compagnon idéal. D'abord, parce qu'il était Diola, ce qui faciliterait les choses une fois arrivés à destination. Mais aussi parce qu'il était bavard, ce qui évitait l'ennui. L'agence n'avait fait aucune difficulté pour l'allocation. Mais le directeur avait mis en garde Seydou. Pas de risques. Ne rien faire pour se rendre intéressant. Décrire. Raconter. Ce que tu vois, Seydou. Pas ce que tu voudrais voir. Et ce que tu ne peux pas voir, tu laisses tomber.

Le journaliste avait rétorqué que les bons papiers ne se trouvaient pas le long de la route. Les cadavres, si, avait rappelé le directeur.

À Kaolack, la cuisse de mouton fut comme l'avait prédit Mathurin, grillée à point, et servie avec de la bière bien fraîche – une rareté à l'intérieur des terres. Ils firent honneur aux plats, mais en revenant vers la voiture, Mathurin ne put s'empêcher de jeter un coup d'œil à la ronde.

— Tu as vu quelque chose? s'inquiéta le journaliste.

— Je cherche un endroit à l'ombre. Juste un petit bout de sieste, et on repart, c'est promis.

Seydou n'avait pas vécu en France pour rien. Il fut intraitable : pas de sieste.

— Il faut qu'on soit en Gambie avant la tombée de la nuit.

— Et pourquoi ça, je te prie?

— Parce que je veux être en Basse-Casamance demain. Ta sieste, tu la feras un autre jour.

— Va au diable, fit Mathurin en mettant le contact.

La route de Mansa Konko était sèche et droite et, contrairement à celle de Banjul, en assez bon état. Des enfants les saluèrent en poussant leurs chèvres. Le conducteur évita un chien jaune et efflanqué qui traversait la route d'un pas lent. Plus loin, ce furent des poules. Vers quatre heures de l'après-midi, ils traversèrent Nioro du Rip sans s'arrêter.

Seydou était préoccupé. Qu'allaient-ils trouver là-bas? Le soulèvement de l'armée en Guinée-Bissau avait mis la Casamance en ébullition. Avant de partir, le journaliste avait tenté une approche auprès d'un ancien correspondant à Ziguinchor, mais la réponse n'était pas venue aussi clairement qu'il l'avait espéré. Au moins avait-il appris que la région n'était pas encore bouclée. Ses démarches n'avaient pas été vaines.

Et il y avait cette cassette reçue une semaine avant son départ. Rien qu'une cassette, sans identification, sans mot d'accompagnement, sans nom d'expéditeur. Seydou l'avait insérée dans le magnétophone. Des rythmes lents en étaient sortis. Psalmodiés. Des voix étranges, évoluant sur un registre grave et poignant. Des instruments méconnaissables. Il avait poussé un cri de joie. Avec les années, le journaliste était devenu un collectionneur averti. Son appartement à Dakar croulait sous les cassettes de musique, plus particulièrement de centaines d'enregistrements de voix du monde – sa passion. Mais là, Seydou n'avait jamais rien entendu de tel. Au total, une douzaine de séquences, toutes plus insolites et incompréhensibles les unes que les autres. Intrigué, séduit, il avait écouté l'énigmatique enregistrement plusieurs fois. De frustration, il avait ensuite fourré la cassette dans un tiroir de son bureau. Du bidouillage électronique, c'était sûr, mais tout à fait inédit, et du grand art. Pourquoi anonyme? Il verrait cela à son retour de mission.

— Tu racontes encore des histoires, dis? demanda Mathurin en étouffant un bâillement. J'en aurais bien besoin pour me tenir éveillé, moi.

Seydou lui tendit du chewing-gum.

— Les histoires, maintenant, je les écris pour l'agence, qui me prend tout mon temps.

— Ah! mais écrire et raconter ce n'est pas du tout la même chose, répliqua Mathurin. Allez, sors-m'en une de ton sac, juste une.

— J'ai oublié. Maintenant je dois tout noter, sinon ma tête est vide.

Seydou ne dit pas le fond de sa pensée : toutes ces années de lutte contre le couteau des vieilles lui avaient pompé l'imagination, voilà la vérité.

— Juste une, suppliait Mathurin.

— Merde.

Ils étaient arrivés au poste-frontière de Farafenni.

— Voilà le public, railla Mathurin, en freinant brusquement. Et il sera Gambien. Cette fois, monsieur le griot voudra peut-être faire un effort.

Le douanier balaya du regard l'intérieur de la Peugeot d'un air méfiant.

— Vous allez où?

— En Casamance. On ne fait que traverser.

— Vos papiers.

Le douanier s'éloigna de la voiture et amorça un conciliabule avec les soldats restés à l'écart. Devant la barrière, les deux gardes n'avaient pas bougé, la mitraillette pointée vers le sol, comme agitée en permanence du tremblement qui précède la mise à feu. Dans l'attente des ordres, les deux hommes en treillis semblaient fixer un point sur l'horizon, sans un regard pour la Peugeot immobilisée à quelques mètres.

— Combien, crois-tu? murmura Seydou.

Mathurin haussa les épaules. Il avait envie de se dégourdir les jambes, mais sortir du véhicule ne lui paraissait pas exactement une bonne idée.

— Une histoire, je te dis. Rien de mieux pour apprivoiser les bêtes.

— Arrête tes conneries.

Non loin, le conciliabule s'était transformé en palabres. Pour Seydou, ces discussions n'auguraient rien de bon. Il y a deux ans, au Libéria, il était tombé sur un barrage. Les hommes s'énervent vite dans ces moments-là. Le plus vieux n'avait pas dix-huit ans, ça se voyait à ses joues rondes. Celui qui avait contrôlé ses papiers les tenait à l'envers et les examinait d'un air pénétré. Tous avaient le regard vitreux. La tension était montée jusqu'au moment où étaient apparus les billets.

Ici, à Farafenni, les choses semblaient plus calmes, trop calmes. Ils attendaient depuis deux heures, comme Seydou put le vérifier à sa montre. Mathurin profitait, façon de parler, de la sieste impromptue qui lui était accordée.

Soudain, une luxueuse Mercedes ML noire fit son apparition. Un Blanc en descendit. Volpone! Ici!

— Seydou, comment vas-tu? Désolé de t'avoir fait attendre. Laisse-moi te présenter un ami.

Seydou, abasourdi, se laissa entraîner vers la Mercedes, avec un signe de tête rassurant à l'intention de Mathurin. Le directeur de la Fondation Minghely le fit asseoir à l'avant, où se trouvait déjà un personnage engoncé dans une veste à carreaux jaunes et orange.

— Seydou Bissiri, voici Carlos Carlos Carlingua.

Et Volpone ressortit aussitôt, les laissant seuls. La climatisation était en marche. Le journaliste frissonna.

— Monsieur Bissiri, j'aimerais d'abord vous faire écouter un peu de musique.

L'homme parlait un français sans accent. Il introduisit un CD sous le tableau de bord. Aussitôt, Seydou reconnut la bizarre mélopée.

— Génial, commenta-t-il, sobrement. C'est vous qui avez conçu les arrangements?

— Monsieur Bissiri, ces voix n'ont subi aucune altération. Et si vous m'accompagnez au Canada, je vous montrerai les artistes derrière ces chants.

— Au Canada?

— Un avion nous attend à Banjul. Ainsi que le consul canadien, pour votre visa.

— Maintenant? Comme ça? C'est que j'ai...

— Votre reportage? Figurez-vous que, ce matin, plus d'un millier de soldats sénégalais ont pénétré en Guinée-Bissau. De toute façon, vous arriverez trop tard, monsieur Bissiri.

Seydou digéra l'information.

— Qui êtes-vous? Une barbouze?

L'homme rit.

— Même si je suis tenu à la discrétion par mon employeur, je vous assure que je n'appartiens aux services secrets d'aucun pays. Et au Canada, vous aurez droit à toutes les explications voulues.

Les chants aigus des maîtres d'ondes Arkam s'élevaient dans la Mercedes.

— Je saurai vraiment qui chante ces... trilles?

— Vous avez ma parole, monsieur Bissiri.

Et de cinq, pensait Carlingua.

45

En Pennsylvanie, l'été 1998 fut particulièrement étouffant, même à la campagne. Au ranch, à la nuit tombée, les fenêtres du salon laissaient entrer le chant des grillons. Mais leur musique n'était audible que lorsque les quatre compagnons faisaient silence, ce qui n'arrivait pas souvent. La plus volubile était Isaura, qui anticipait les stratégies à concevoir, les assauts à donner – de grandes sociétés vacillant sur leur base, les marges de profit indécentes mises à mal. Isaura s'emballait comme aux beaux jours révolutionnaires. Indulgent, Mountain devait rappeler l'objectif et, au passage, que l'argent n'était pas toujours haïssable. L'immense, l'incroyable fortune de Constantinopoulos était leur meilleur atout. Avec l'argent, ils réussiraient là où tant d'idéalistes s'étaient cassé le nez. Mais le plus urgent était d'en finir avec le recrutement des Contactés. Dans son fauteuil, Carlos Carlos Carlingua, qui rêvait encore à l'Afrique, approuva.

Le pari relevé avait été le bon. À l'usage, le privé se révélait un excellent choix, même Mountain devait le reconnaître. Avec l'accord du groupe, Carlingua avait donc fermé boutique pour s'installer à demeure au ranch, où, tout naturellement, il s'était chargé de la sécurité, préconisant le déménagement des employés dans de nouveaux bâtiments, plus éloignés, l'instauration d'horaires stricts pour le personnel de maintenance et le percement d'un tunnel reliant le corps de logis à la loge-relais, afin d'éviter les va-et-vient en surface. Et quand, dans la phase délicate du recrutement, il fallait aller voir le candidat de plus près, Carlingua répondait présent en sautant dans un avion, un train ou une voiture, de préférence flamboyante.

Il n'empêche. Vu les délais, Mountain avait cru bon de rappeler au privé l'existence de la technique du voyage-éclair. Mais un tel air de mépris avait accueilli l'exposé de ces merveilles que Mountain n'avait pas insisté. C'était du reste en voiture que le privé avait rallié la Pennsylvanie, après avoir conduit l'Africain à la caverne, au-dessus de l'antre de Nohog.

— Vous avez lu les journaux ? demanda Noam. Au Luxembourg, l'Assemblée parlementaire du Conseil de l'Europe vient de se doter d'un code de conduite en matière d'exportation d'armements.

Isaura se fit sarcastique.

— La France et l'Angleterre sont parmi les plus importants fabricants d'armes au monde. Vous croyez vraiment que Matra ou GEC vont s'encombrer d'un bout de papier signé par quelques députés bien-pensants ?

— Sans doute pas, mais le principe est maintenant posé, répliqua Noam. Avouez que c'était loin d'être le cas il y a vingt ans.

— Au prix de quels compromis, reprit Isaura. Je vois ça d'ici. Chaque virgule négociée, les omissions, les reculs, les tractations autour de martinis pour faire passer des mesures bien timides...

— Mais au prix de quelles avancées du droit! Les mentalités évoluent, Mountain peut en témoigner.

— Où voulez-vous en venir, monsieur Frenkl? interrogea la jeune femme. Qu'il faudrait associer l'auteur de ce document à notre affaire?

Noam sourit. Une énergie émanait de toute sa personne, qui lui faisait avancer ses pions avec assurance.

— L'auteur? Dites plutôt l'équipe de scribouilleurs. Vous n'y pensez pas, ma chère. Des fonctionnaires qui n'auront fait que traduire en mots une volonté politique. Mais demandons-nous plutôt qui s'est trouvé derrière cette volonté, qui aura réussi à faire s'accorder les idéaux de quelques ONG et la réalité du commerce international.

Un silence accueillit ces paroles.

— Elle s'appelle Léa Ilyukhin, commença Noam.

Le lendemain soir, le privé prenait l'avion pour Bruxelles en partance de Boston.

Installé dans un café de la rue Richard-Vandevelde, en face de l'immeuble où habitait la candidate, il observa ses allées et venues pendant quelques jours. Sa démarche, sa façon de sortir dans l'air frais du matin, d'attraper le journal à l'étal d'un kiosque et de tendre la monnaie au marchand, de répondre à ses salutations, de rentrer le soir, à des heures plus ou moins tardives : rien ne remplaçait le contact humain.

Carlos Carlos Carlingua demeura à l'affût pendant plus d'une semaine. À la suite de quoi, il sollicita un rendez-vous auprès du délégué aux affaires sociales de la représentation belge au Conseil de l'Europe. C'est par son entremise que Noam avait entendu parler des qualités exceptionnelles d'une certaine Léa Ilyukhin, responsable de projet à Bruxelles. Cela se passait à Francfort, lors de la cérémonie d'inauguration de la Banque centrale européenne. À Bruxelles, ce matin-là, le privé n'eut aucun mal à contrefaire l'accent new-yorkais pour adopter celui de Yonge Street, et le délégué Louis Cloetens se montra tout à fait disposé à répondre aux questions de l'enquêteur canadien mandaté par le Forum des politiques publiques pour faire un portrait des artisans de la nouvelle Europe.

Le dossier Léa Ilyukhin s'étoffa. Doctorat d'État en sociologie, grâce à une thèse sur les transferts identitaires entre les classes paysanne et ouvrière en Flandre au milieu du xxᵉ siècle ; licence de psychologie. Carlingua, qui n'avait aucun diplôme à exhiber, était impressionné. Léa Ilyukhin s'était d'abord fait connaître dans le dossier de la revitalisation de la commune de Schaerbeek, à Bruxelles. En 1996, elle avait été recrutée par la toute récente commission du Conseil de l'Europe qui cherchait à se doter d'un code de conduite en matière d'exportation d'armes. Deux années d'âpres discussions entre gouvernements et ONG avaient suivi. Mais si aujourd'hui certains députés européens pouvaient se donner le beau rôle de vouloir introduire des règles éthiques dans le commerce des armes, c'est à la jeune Belge qu'ils le devaient, précisa le délégué Cloetens.

Au bout d'une heure, Carlos Carlos Carlingua prit congé, en promettant d'envoyer à son interlocuteur une copie du rapport lorsqu'il serait rendu public. Il restait un point à vérifier. Quelques jours d'observation supplémentaires suffirent au privé pour obtenir le renseignement que l'holoviv ne pouvait lui donner clairement : Léa Ilyukhin vivait seule, était sans enfant ni petit ami.

La veille de son départ, Carlingua assista à un déjeuner familial au café-restaurant Les Amis, avenue Princesse-Élisabeth. Depuis la table qu'on lui avait assignée, il reconnut les propriétaires, Jeanne Ilyukhin, née Dussart, et Dobromir Ilyukhin. Arrivée avec un peu de retard, la jeune femme embrassa ses parents avec chaleur et, sans plus attendre, la mère apporta les entrées, en gardant un œil sur la petite salle de clients où une employée assurait le service.

Exceptionnellement, le privé dédaigna le champagne et choisit un muscadet bien frais pour accompagner le hareng. Attablée au fond, la famille Ilyukhin fêtait des retrouvailles rythmées par la porte battante de la cuisine, tandis que la mère grondait gentiment sa fille. On ne peut pas dire que tu viens nous voir souvent. Et nous habitons la même ville.

Au ranch, le privé fit son rapport. Son absence avait duré deux semaines. Et de six, résuma Mountain. Noam et Isaura approuvèrent.

46

Un soir qu'ils étaient à Genève, Noam prit un air mystérieux.

— J'ai reçu un message il y a quelques jours.

— Quoi donc? répondit Mountain en levant les yeux de la carte du monde étalée sur la table.

Et Noam se mit à lire le feuillet sorti de l'imprimante.

Son compagnon l'écouta sans l'interrompre, même si le sujet le laissait dubitatif. Qu'avait donc fait cette Chinoise de si exceptionnel? Mountain n'entendait pas grand-chose à l'informatique, dont l'essor avait coïncidé avec ses années de réclusion au ranch, mais il en avait vite compris l'importance, en renouant avec sa mission et en fréquentant Noam. Dans cette même pièce, un jour, n'avait-il pas examiné avec amusement l'ordinateur personnel de son ami? À en croire Noam, l'objet avait beau être le modèle le plus performant, le plus compact et le plus perfectionné qui soit, il apparaissait à Mountain, passé directement des signaux de fumée à l'holoviv et au fil de lumière, comme une étape provisoire et imparfaite où l'utilisateur s'enivrait de la vitesse, au lieu d'y voir une simple variable.

Quant aux explications de Noam sur le processus d'informatisation auquel avaient dû se soumettre, dans les années quatre-vingt, chacune des composantes de l'empire financier, elles avaient laissé Mountain de marbre. Quelle misère technique! Le coopteur, voilà qui était bien plus utile.

Noam lut.

— «Et c'est bien parce que la fondation Van Dort a permis à l'orpheline que je suis de faire des études que j'ai voulu vous remercier de cette façon. Votre système informatique est très vulnérable, j'ai compté quatorze contrôles d'accès défaillants, et les ai tous franchis sans effort. En fichier joint, les correctifs.»

Il leva un regard admiratif vers Mountain.

— «Ci-dessous les coordonnées de votre dévouée, dans l'attente respectueuse, etc.» Et c'est signé Li Mei Fei. Vraiment, cette Chinoise m'impressionne, dit-il en repliant le feuillet.

— Ce piratage me donne raison au moins sur un point. La belle affaire qu'un système informatique infiltré par la première venue.

— Justement : elle n'est pas la première venue. J'ai fait mon enquête. Cette Li Mei Fei collectionne les diplômes : ingénieur, mathématicienne, informaticienne, avec en prime une licence en lettres classiques, spécialité grec ancien, grâce à un mémoire sur les *Odes* de Pindare. Une Chinoise, tu te rends compte !

La curiosité de Mountain était piquée.

— Ce n'est pas tout. Veuve Ching, ça te dit quelque chose ? C'est son nom de pirate. Elle a inventé plusieurs programmes de dérivation pour contourner la censure des serveurs chinois. À l'heure qu'il est, Veuve Ching est la hantise du Bureau de sécurité de l'État.

— Et je suppose que c'est pour énerver les dirigeants chinois que ta Li Mei Fei a infiltré le Groupe Van Dort ? On peut dire qu'elle a réussi : les Chinois doivent être très vexés à l'heure qu'il est.

— Tu cesseras d'ironiser quand tu sauras que les expertises extérieures ont confirmé les évaluations internes que j'ai commandées à une équipe d'urgence à la suite de ce courriel : toutes les mesures de débogage prises par mademoiselle Fei sont appropriées. Elles sont même parfois de véritables trouvailles.

Au mot débogage, Mountain n'avait pu s'empêcher de faire la grimace. La réaction n'échappa pas à Noam.

— Je reconnais que le vocabulaire informatique manque de finesse. C'est qu'il est élaboré par des gens qui n'ont jamais lu un vers de Pindare. Je suis sûr que notre Li Mei Fei aurait trouvé un terme plus harmonieux, mais passons. Outre le renforcement de la sécurité générale de nos systèmes, il s'agit maintenant de savoir si la catastrophe informatique qu'on nous promet pour l'an 2000 aura vraiment lieu. La Chinoise pense que non. Mais je reconnais que tu m'as appris un usage du mot catastrophe qui tempère considérablement mon jugement en la matière. En attendant, cette jeune personne aura fait gagner beaucoup de temps à nos filiales. Pour ne rien dire de l'argent.

Mountain réfléchit.

— Façon élégante de dire merci, c'est vrai. Et désintéressée, avec ça. Mais es-tu bien sûr de ses intentions ? À tout moment, elle aurait pu en profiter pour détourner des fonds.

Noam secoua la tête. Ni un centime ni un cent ni un centavo ni un million.

— Alors tu as raison. Nous tenons peut-être notre septième recrue.

— Les choses avancent, commenta joyeusement Noam, qui se rembrunit à la vue de la portion d'Aliment que Mountain venait de déposer dans son assiette.

Encore! Malgré tous les bienfaits ressentis, Noam n'arrivait pas à se faire à l'immonde pâtée. À Genève, il était entendu qu'il pouvait faire honneur aux petits plats que la cuisinière laissait dans le frigo, comme autant d'offrandes au maître des lieux. Il en allait autrement au ranch où s'arrêtaient les frontières de son domaine. Or Nohog, récemment, avait dû revoir à la hausse les rations du récalcitrant. Il fallait donc y passer, même à Genève. Et toi, alors? demanda-t-il à son compagnon. Tout cela était puéril, il le savait.

47

Heureusement, oui, qu'il y a le jardin, pensa Mizuki, en poussant avec satisfaction la porte donnant sur la courette. Au fond, les skimmias dessinaient une masse rosée au-dessus du bassin mangé par la mousse et les lentilles d'eau. Le tout couvrait à peine quatre mètres carrés : un royaume. Chaque matin, la vieille dame y voyait le jour se lever, bruyant, affairé, tandis qu'un brouillard se déposait sur toutes choses, de l'autre côté du rideau de verdure tissé par un demi-siècle de présence et d'attention.

Madame Imajiro voudra-t-elle examiner le rapport de l'Institut Riken? Bien droit, Kazue, son collaborateur, attendait une réponse de la directrice du laboratoire, tandis que, telles des ombres, passaient les silhouettes des stagiaires, inclinant la tête devant la sommité. Le professeur Watanabe attend d'être reçu. Madame ira-t-elle à l'université aujourd'hui? Le secrétariat du recteur a téléphoné pour faire savoir qu'il attend Madame à 19 heures, dans le petit bureau d'angle.

Mizuki soupira de contentement. Une autre journée commençait, semblable à toutes celles qui l'avaient précédée, et pourtant différente. Une goutte d'eau dans un bassin des ans déjà bien rempli, où la vieille dame s'étonnait de pouvoir ajouter une autre goutte, une autre, et encore une autre, pourvu que chacune fût précédée d'un peu de solitude dans la courette, au matin.

Écolière, elle avait rêvé sur les planches anatomiques et les tableaux somptueux du règne animal disséminés dans les manuels. Tout en bas : les unicellulaires, à partir desquels, par paliers, on s'élevait jusqu'aux mammifères supérieurs, où l'homme figurait en majesté. Les couleurs étaient vives et les dessins d'une grande minutie, même si cette hiérarchie anthropocentrique la faisait aujourd'hui sourire par son caractère obsolète qui ne résistait pas à la nouvelle classification du vivant issue de la biologie et de la génétique.

Où va l'humanité? Vous le savez, vous, monsieur le recteur de l'université de Hanovre, qui me faites l'honneur d'entendre ma leçon inaugurale à titre de professeur invité au cours de ce semestre? D'ignorance, le recteur ouvrait les bras. La question n'était pas pure rhétorique. Chaque fois qu'elle en avait l'occasion, le professeur Imajiro Mizuki ne manquait pas de déplorer la cécité humaine. Nous avançons à tâtons, enseignait-elle. Tout notre savoir, toutes nos machines n'empêchent pas cette lentille d'eau de croître dans cette direction et pas dans cette autre, où l'humidité lui serait tout aussi favorable. Pourquoi? L'existence de Mizuki s'était organisée autour de cette question, dont elle n'attendait pas forcément une réponse. L'observation des formes aléatoires de la vie était l'aiguillon de son intelligence. Pourquoi aurait-elle voulu s'en priver?

La vieille dame se pencha sur le bassin pour nourrir les poissons. Depuis hier, ils n'étaient plus que cinq, mais les survivants ne semblaient pas le regretter. Il est vrai que la cuvette, étroite, ne favorisait guère l'esprit de groupe. Derrière le feuillage, la rumeur de la ville montait. Son voisin, invisible, s'activait, bruits de pas, seau renversé, et le chuintement du tuyau d'arrosage. Sur la gauche, une voix de femme lui dit de rentrer.

Dans la courette, le jour s'était levé. À son tour, Mizuki devait rentrer, tourner le dos à la verdure, retrouver son laboratoire, mais elle n'arrivait pas à s'y résoudre. Avec un soupir, elle leva les yeux sur la terrasse de son voisin, où elle aperçut une fillette, si près d'elle qu'il suffisait d'étendre le bras pour la toucher. De nouveaux locataires sans doute. Comme à un double lointain, l'enfant lui adressa un sourire. Mizuki allait lui répondre quand elle aperçut dans sa main une enveloppe orangée.

Incompréhensible. La vie pouvait suivre plusieurs méandres, elle n'en obéissait pas moins à une chaîne de causes et d'effets. Les lettres d'un ministre ou d'un recteur : explication. Des lettres intrigantes : explication. Mais l'enfant inconnue ne fournissait aucune explication. Elle se contentait d'étendre le bras pour lui remettre la lettre.

Esprit d'ailleurs, parleras-tu? L'enfant avait déjà disparu quand Mizuki décacheta l'enveloppe.

Un certain monsieur Frenkl, directeur d'un laboratoire à Genève, la prévenait de l'arrivée, le soir même, d'un colis adressé à son laboratoire de Kitakyushu et l'incitait à examiner quelques cellules qui allaient bouleverser sa conception de la biologie cellulaire. Intriguée malgré tout, le professeur Imajiro Mizuki se demanda si elle n'était pas la cible d'une mauvaise campagne publicitaire et chassa l'épisode de son esprit.

Arrivée au laboratoire à huit heures, elle se mit à pied d'œuvre aussitôt. À dix heures quinze, on posa un plateau sur sa table de travail, avec une théière et un bol. Le travail reprit. Les derniers rapports permettaient d'être optimistes. Les traces de rejet avaient disparu. Une nouvelle génération de tissus cicatriciels venait peut-être de naître.

Vers 21 heures, comme il allait partir, Kazue vint avertir la directrice qu'il y avait à l'entrée un *gaijin*, mais qui parlait bien le japonais. Il avait avec lui un contenant isotherme et demandait à être reçu par la patronne du labo.

Un invraisemblable personnage, portant une veste aux couleurs criardes et des lunettes fumées, fit son apparition avec, dans ses mains, un emballage métallique étiqueté «azote liquide». Après les salutations d'usage, l'homme lui tint un petit discours d'où il ressortait que le contenu du colis était strictement confidentiel, ne s'adressait qu'à elle, Imajiro Mizuki, qu'il y veillerait personnellement et repartirait avec les échantillons après qu'elle les aurait examinés.

— Je suis fatiguée, monsieur. La journée a été longue…

— Je ne veux pas m'imposer, excusez-moi. Je peux revenir demain si vous voulez.

— Non, réglons ça tout de suite. De quoi s'agit-il?

Son interlocuteur reprit ses explications. Il ajouta que les conditions optimales d'observation des cellules se situaient à −60 °C. Après quelques instants d'hésitation, Mizuki invita le personnage à s'asseoir et entreprit de régler l'un des microscopes électroniques.

Bizarre. Tout était bizarre. Durant les deux heures écoulées, Mizuki fit passer aux cellules les tests usuels, PCR, chromatographies, électrophorèse : tous affichèrent des résultats déconcertants. De temps à autre, elle jetait un coup d'œil à l'étranger, assis dans un fauteuil, à l'autre bout du labo. Plongé dans un livre, il l'ignorait superbement.

Et maintenant, ça! À température ambiante, les cellules se desséchaient presque instantanément, avec une légère émission gazeuse. Du jamais vu. Mizuki entreprit une nouvelle coupe dans le matériel congelé puis soumit l'échantillon à une élévation graduelle de température. À −33 °C, elle constata que le liquide intracellulaire s'évaporait. Moins trente-trois degrés, n'était-ce pas le point d'ébullition de l'ammoniac? Impossible. Toutes les cellules du vivant avaient un même solvant : l'eau. Et pourtant, ce qu'elle avait sous les yeux démontrait le contraire. La molécule d'ammoniac avait des propriétés électromagnétiques assez voisines de l'eau, mais elle n'était liquide qu'entre −78 et −33 °C. À supposer qu'elles puissent se produire, les réactions chimiques dans un tel solvant seraient beaucoup plus lentes que dans l'eau, mais qu'elles soient seulement possibles, voilà qui dépassait l'entendement. C'était pourtant bien réel. La biologiste leva la tête, fouilla dans sa poche à la recherche de la carte de visite remise par le visiteur à son arrivée.

— Monsieur Carlingua, s'il vous plaît, d'où proviennent ces cellules?

D'un bond, le privé se leva. Il sourit en songeant au filament dont Nohog de Ventorx s'était départi.

— Mon patron, monsieur Frenkl, serait ravi de pouvoir en discuter avec vous, madame Imajiro, répondit-il, tandis que le chiffre huit se dessinait dans son esprit.

48

Léa Ilyukhin n'avait pu réprimer un cri quand sa main avait disparu dans le rocher. Elle avait réclamé des preuves? Elle était servie.

Avec un frisson, elle revit défiler les dernières vingt-quatre heures. Déjà le voyage l'avait menée d'étonnement en étonnement, même si, en acceptant l'étrange invitation et les billets d'avion qui l'accompagnaient, elle savait bien qu'elle se lançait dans l'inconnu. Mais elle n'avait fait qu'obéir à son instinct, lequel lui avait fait traverser l'Atlantique, parcourir des kilomètres dans la forêt canadienne avec un personnage aussi aimable que bigarré, qui lui avait raconté une invraisemblable histoire. Au bout d'un certain temps, ils avaient quitté la route, puis la piste, et immobilisé la camionnette dans une clairière. C'est là qu'elle avait fait la connaissance de celui que son extravagant mentor appelait le Patron. Un Indien tout droit sorti d'un roman de Fenimore Cooper. Mais à peine Léa avait-elle eu le temps d'assimiler cette dernière nouveauté que l'Indien s'était présenté sous le nom de Mountain. Il la regardait avec amitié et bienveillance et, comme le silence se prolongeait, il fit un pas vers elle.

Léa n'avait pas peur, trop intriguée par la tournure des événements.

— Je crois qu'il serait utile, mademoiselle Ilyukhin, de vous fournir quelques explications sur la configuration des lieux. Cela nous servira d'entrée en matière. Ce buisson épineux, ici, et celui-là sont réels. Les autres, en arrière, ainsi que la paroi rocheuse sont en réalité une image, un hologramme. Approchez-vous, et essayez de toucher la pierre.

Les aspérités, le grain même, étaient une illusion. Léa frissonna.

— Entrons, dit l'Indien. Il fera plus chaud à l'intérieur.

Et il disparut, comme happé par le rocher.

— Avancez un peu la tête, lui suggéra le guide.

Léa découvrit le tunnel, rectiligne, poli et luminescent. Elle s'avança dans la galerie et appuya une paume contre la paroi, bien réelle celle-là.

— Du roc tout ce qu'il y a de plus naturel, précisa l'Indien qu'elle retrouva bientôt.

— Mais pourquoi toute cette mise en scène?

— Ce n'est pas une mise en scène, mademoiselle. Ceci est notre demeure pour un certain temps, et ce sera la vôtre, si vous acceptez notre proposition. Regardez bien ce mur.

Léa distingua le tracé d'une porte, aussi fin qu'un trait de plume.

— De l'autre côté, vous trouverez tout un complexe de pièces aux fonctions diverses, où lire, discuter, étudier, manger, dormir, se détendre – en un mot : vivre. Certaines personnes ont déjà investi les lieux et ont commencé leur formation. D'autres viendront nous rejoindre à mesure que nous serons fixés sur leur compte. Il nous faut dix recrues en tout – onze avec moi. Vous êtes la sixième. Si vous acceptez, bien sûr.

Léa scruta son hôte avec attention. Sa méfiance n'avait pas faibli. Pourquoi devrait-elle gober tout ça?

Mountain lut dans ses pensées.

— Je vous propose un petit tour d'horizon qui, je l'espère, achèvera de vous convaincre.

Comme il parlait, une porte s'ouvrit sur une salle abritant une douzaine de terminaux d'ordinateurs.

— Le meilleur des deux mondes, claironna-t-il. Nous n'avons pas voulu vous dépayser.

Léa ne comprenait pas.

— Les consoles, à votre gauche, sont reliées à l'holoviv de notre bonne vieille planète – monsieur Carlingua vous aura parlé du procédé, je présume? Celles de droite, au Fichier central de Xall. Si tout se passe comme nous le souhaitons, vous pourrez bientôt interroger librement ces deux sources. Les portes situées à côté des terminaux ouvrent sur des cabines de visionnement où vous verrez les segments commandés. Quant aux postes du fond, ils sont plus conventionnels et vous permettront d'examiner la structure de l'empire financier mis au service de notre tâche, empire tout ce qu'il y a d'humain, comme vous le constaterez. Tout est à votre disposition, mademoiselle Ilyukhin, et dans la plus totale transparence. Il n'y a qu'à demander.

Un second vieillard s'avança, surgi de nulle part.

— Je vous présente mon adjoint, monsieur Noam Frenkl, qui se fera un plaisir de répondre à vos questions.

Une gérontocratie d'opérette, pensa-t-elle. Bien conservés, les vieux, mais vieux tout de même.

Une jeune femme fit son entrée, radieuse, et lui tendit la main.

— Bonjour! Je m'appelle Isaura Fonseca. Contente de vous savoir parmi nous. Je suis institutrice.

49

Ça n'avait l'air de rien, mais tourner ce genre de trucs pour la télé posait des tas de problèmes. Prenez l'actrice. Bon, d'accord, il ne s'était pas facilité la tâche avec Wahida Jalid, qui connaissait sa valeur sur le marché et n'entendait pas s'en laisser conter, et encore moins par le réalisateur. Le spot, sidi Habani, tu le fais exprès ou quoi? et sur mon mauvais profil, en plus!

On modifiait l'éclairage. Mais ça repartait sur autre chose. La robe. Pourquoi ce vert affreux qui ne me va pas au teint? Et ma vieille mère qui n'a pas reçu son colis ce matin! Le contrat était pourtant clair. Wahida Jalid rapportait gros, Chérif Habani n'en doutait pas une seconde, et c'était encore vrai aujourd'hui, après plus de cinquante films où elle avait tenu l'affiche. Quant aux petits rôles, ils appartenaient à une époque révolue que Wahida préférait oublier. Leur nombre, quoi qu'il en soit, ne faisait qu'ajouter à l'aura de la star.

— J'ai vérifié. Ta mère l'a reçu il y a une heure, t'inquiète. Reprenons. Tu fais deux pas vers Omar, tu t'arrêtes et tu commences à pleurer. On y va? Moteur!

Wahida pleura. Omar resta de marbre, la mâchoire crispée, puis regagna son lit d'hôpital, comme le voulait son destin.

Soudain, Chérif Habani se sentit las, rattrapé par le temps, la taille épaisse, le cheveu rare, avec la première incisive, en bas à droite, expliquait son dentiste, qui se déchaussait sans raison. Chérif Habani frisait la cinquantaine. Sophia, lasse de lui réclamer le mariage, avait rompu un mois plus tôt. Il aurait dû le regretter, il n'y arrivait pas. Le cinéma était tout ce qui comptait. Mais les kilomètres de pellicule avaient beau s'accumuler sur la table de montage, le réalisateur se défendait mal contre l'impression d'étrangeté ressentie en présence du type empâté et couvert de gloire qui avait succédé au petit jeune homme de Moscou.

— Changement de décor. L'hôpital. Et vite! On reprend dans une demi-heure.

Les techniciens s'affairèrent. Avec un dernier regard dédaigneux sur le plateau, Wahida Jalid se réfugia dans sa loge, suivie de l'habilleuse, qui avait jeté un châle sur ses épaules. Le troisième assistant s'approcha pour servir le thé, mais le maître restait pensif. L'assistant posa le verre sur la table basse et s'éloigna.

À Moscou, le jeune Chérif Habani avait écrit les premières répliques du scénario qu'il entendait tourner dès son retour en Égypte, aussitôt trouvé le financement – et même sans argent il ferait son film. Une histoire toute simple mais hautement symbolique. Dans le désert, le chef d'une tribu de Bédouins recueillait un enfant amnésique, abandonné par les siens dans des circonstances non précisées. Tout le film reposait sur le couple formé par le Bédouin et l'enfant, formidable duo d'acteurs, à n'en pas douter.

Pendant plusieurs mois, l'étudiant s'était trituré les méninges pour en extraire les premières scènes. Puis il avait fallu songer aux examens, et le scénario avait été mis de côté. Tous avaient été réussis. Chérif était rentré au pays. Sadate avait succédé à Nasser, et le changement de régime avait insufflé à l'Égypte un esprit nouveau. La censure reculait. Dans un pays qui se targuait de posséder un cinéma rayonnant dans tout le monde arabe, le talent de Chérif Habani ne pouvait passer inaperçu.

Ses espoirs se concrétisèrent. Le jeune cinéaste avait une façon de s'adresser aux gens qui plaisait au peuple comme à la bourgeoisie et aux intellectuels. Rare, cette aptitude avait fait tomber une pluie de crédits sur ses projets. Après l'État, les producteurs, les commanditaires et même les donateurs étrangers, comme le Centre de recherche pour le développement international ou la Fondation Minghely, s'y étaient mis. Cette fois, c'était avec la télé. Depuis, il enchaînait les séries : des *soaps* à saveur pédagogique, dont le dernier venait d'être acheté par Dubaï TV. Chérif Habani gâchait son talent, murmurait la critique.

Le décor de l'hôpital achevait d'être monté. On disposait les brancards dans le couloir quand le troisième assistant réapparut aux côtés du maître. Wahida Jalid avait la migraine et se déclarait incapable de reprendre le tournage. Elle allait se reposer. Il n'y avait qu'à tourner les scènes où elle n'apparaissait pas.

Chérif Habani sentit monter la colère. Ces femmes! Toutes les mêmes! Et les stars étaient les pires!

Le troisième assistant, prudemment, ne releva pas la faille dans le raisonnement.

— Qu'on me donne une Faten Hamama, hurlait le réalisateur, une Hind Rostom, et que cette dinde aille au diable!

— On a laissé ceci pour toi, Habani.

— Qui ça, on? demanda-t-il en regardant avec méfiance le paquet que lui tendait son assistant.

Papier kraft, ficelle, carton à peine plus grand qu'une boîte à chaussures. Et le nom de Chérif Habani écrit en belles lettres coufiques.

— Qui a apporté ça? répéta le cinéaste.

— Je cours demander à Habiba, monsieur.

— Pose ça là.

Le troisième assistant disparut.

Chérif Habani voulut être seul. D'un geste, il congédia les techniciens et resta immobile dans son fauteuil, le dos voûté. Il jeta par terre sa casquette des Giants de New York, se passa plusieurs fois la main sur le crâne, grimaça. Enfin, il saisit le carton et le posa sur ses genoux.

Il coupa la ficelle. Une caisse en bois léger apparut, au couvercle fermé par un loquet. À l'intérieur, Chérif Habani trouva un cône réalisé dans le plus étrange matériau qui soit, comme de la pâte de verre à moitié durcie et froide au toucher. Le plus étonnant restait à venir. Le cinéaste regarda dans la visière découpée à mi-hauteur.

Ce qu'il vit le stupéfia. Les premières scènes de *Lumières sur le souk*, son film préféré. Mais chacun des plans, tout en étant parfaitement reconnaissable, lui parvenait entouré d'une aura d'étrangeté, comme si les personnages, les lieux et jusqu'aux paroles et aux mimiques avaient subi un traitement hyperréaliste. Enfant, Chérif Habani avait été émerveillé par des lunettes 3D offertes un jour par son oncle Salim. Pourtant, le gadget n'avait rien à voir avec ce cône aux images tout à la fois plus proches, plus vraies, plus vivantes. Et la taille réduite des personnages ne changeait rien à l'affaire. Chérif Habani avait l'impression de pouvoir les retrouver dans un instant ou qu'eux-mêmes allaient jaillir du cône pour le rejoindre sur le plateau. Hoda avouait à son fils qu'il avait un frère mort en bas âge, né de père inconnu. Les aveux se faisaient sous le regard bienveillant d'un marchand de tissus. Et cette soie ondoyant comme une vague. Chérif Habani, qui n'avait pas le souvenir d'avoir soigné à ce point les détails, savait qu'il avait dû se rabattre sur la seule pellicule alors à sa disposition, une Anscochrome hyper-granuleuse. Mais où était le grain? D'où venait ce réalisme surnaturel? Et cet appareil bizarre. Quel nom lui donner? À quelle technique faisait-il appel?

— Hassan!

Le troisième assistant accourut. Un Occidental avait déposé le colis à la réception. Il était toujours là et semblait attendre. Il était vêtu d'un invraisemblable costume à carreaux qui faisait bien rire Habiba et les autres filles. Chérif Habani se leva avec fébrilité et se dirigea vers l'entrée.

Il revint une heure plus tard.

— Je pars, annonça-t-il. Le tournage est suspendu jusqu'à nouvel ordre. Débrouillez-vous avec la production. À chacun ses caprices.

50

Le vol Air China Pékin-Vancouver partit avec deux heures de retard, en raison des manœuvres de déglaçage qu'il fallut exécuter sur l'Airbus. Li Mei Fei dut subir les longues explications de son voisin – homme d'affaires albertain – sur les hivers de Vancouver qui vous épargnaient ce genre de désagréments. Toute une vie pour apprendre à se taire, songea-t-elle. Poliment, l'informaticienne esquissa un sourire et s'absorba dans la contemplation du verglas qui fouettait le hublot.

À l'aéroport de Vancouver, elle dut attendre la correspondance avec Castelgar, mais ce délai fut en partie occupé par les formalités de douane. Quand le petit De Havilland décolla, une pluie fine tombait sur Vancouver. Mais très vite les nuages s'estompèrent et Li Mei Fei put contempler l'alternance des vallées et des chaînes montagneuses pendant l'heure de vol qui la menait à destination. Je vais rencontrer le philanthrope le plus fortuné au monde, se répétait-elle. La piste pour remonter jusqu'à lui avait été compliquée. D'abord, la consultation de vieux dossiers à l'orphelinat de Chi-nan, où elle avait grandi, puis les archives provinciales de Shan-Tung, qui lui avaient permis d'établir le lien entre la Fondation luxembourgeoise d'aide à l'enfance et l'orphelinat. C'est à ce moment que ses talents informatiques lui avaient servi, jusqu'à la mener à la Fondation Van Dort, à partir de laquelle, contournant les coupe-feu, investissant le réseau, elle avait découvert l'inconcevable empire de Genève.

L'avion rasait la montagne et s'apprêtait à atterrir.

Li Mei Fei plissa les yeux en empruntant la sortie des voyageurs. De loin, sans ses lunettes restées au fond de son sac, elle n'y voyait rien. Et elle avait sommeil, malgré quelques heures de répit volées à son encombrant voisin. Vêtu d'un costume coloré, un petit homme brandissait un écriteau en caractères chinois. À ses côtés, un autre homme, visiblement dans la soixantaine, à la mine avenante. Elle se dirigea vers eux.

— Soyez la bienvenue au Canada, Miss Fei. C'est une grande joie de pouvoir vous rencontrer, lui dit Noam Frenkl dans un mandarin parfait.

Ils étaient neuf et la situation ne semblait pas devoir évoluer. Mountain trouverait-il jamais une dixième recrue? Noam commençait à en douter, et Isaura ne cachait pas son impatience. Le privé haussait les épaules. Donnons-lui le temps. Le Patron sait ce qu'il fait.

Fuyant leurs reproches, Mountain avait gagné New York. Un peu de solitude l'aiderait à y voir plus clair. À Ymir, dans la caverne aménagée par Nohog, la formation des Contactés s'effectuait déjà depuis une dizaine d'années. N'ayant jusqu'à présent essuyé aucun refus, Mountain et Noam pouvaient croire qu'ils avaient bien travaillé, même si le monde continuait de courir vers l'abîme.

L'Indien retrouva New York dans l'agitation qui précède la torpeur estivale. Il n'y était pas retourné depuis plusieurs années et, mis à part les tours anéanties, rien n'avait changé. Une foule compacte envahissait les rues, mélange de touristes, de congressistes, d'immigrés et de gens vaquant à leurs affaires, avec sur le visage le masque d'indifférence qui rend aveugle.

Ainsi quel passant aurait pu remarquer l'ouverture pratiquée dans le mur tagué bordant la 117e Rue, non loin du boulevard Frederick Douglass? La porte surgissait d'un coup, comme crachée par les mâchoires puissantes d'un profil peint à la bombe. Seul l'œil averti pouvait la distinguer.

Ce jour-là, dans la 117e Rue, un gamin marchait d'un bon pas. À la hauteur de la porte, il ralentit, jeta un coup d'œil à la ronde et poussa le panneau du pied. L'instant d'après, il avait disparu.

Au premier abord, on aurait dit un immense terrain vague. De l'herbe mouillée, des roches qui affleuraient, des blocs de ciment, certains munis d'anneaux en métal, comme les bittes d'amarrage de ce drôle de port – un havre, à l'écart de la vague de réhabilitation qui transformait le quartier de Central Harlem. Le gamin leva la main; des bras lointains répondirent à son salut. Comme il regagnait son repaire, il vit qu'on avait déposé des ordures dans le cercle de métal servant de foyer. Il eut une pensée pour le bienfaiteur inconnu. La Comtesse, peut-être. Plus tard, il irait traîner devant sa cabane afin d'en savoir plus, même si la Comtesse n'était guère bavarde. Pour l'instant, il avait à faire.

À l'intérieur de l'abri, le gamin souleva le carton glissé sous le matelas et sélectionna la marchandise du jour : deux montres, une gourmette, un bracelet en cuir. Chaque objet fut épinglé sur un morceau de velours, lequel fut roulé et glissé dans la poche intérieure de son blouson. Avec un peu de chance, il aurait tout vendu avant six heures du soir.

— Hé, Lester! aboya une voix vers l'est, là où le soleil était déjà haut. Tu vas où, aujourd'hui?

L'enfant leva la tête. Lord ne s'aventurait jamais hors des limites du Sanctuaire. Trop risqué. Trop loin. La ville, répétait-il, était remplie de cinglés et de brutes capables de tuer pour un bout de trottoir. Sous-traiter : voilà la chose à faire.

— Tu me prends quelque chose?

Sans jamais sortir du Sanctuaire, Lord avait le chic de dégoter la meilleure marchandise. Ce portefeuille, par exemple. Pur croco, rien qu'à le voir. Lester accepta le dépôt. Il lui fallait se dépêcher. La journée ne faisait que commencer, mais il avait hâte d'en avoir fini. La nuit prochaine, il dormirait dans sa résidence secondaire du Bronx. Lord se mit à rire.

Lester réapparut sur la 116ᵉ Rue. Un instant, il avait pensé se diriger du côté de Central Park, mais ses pas l'entraînèrent vers l'est, jusqu'au boulevard Malcolm X. Il salua Pike, guitare en bandoulière, à son poste devant la mosquée, et s'engouffra dans le métro. Sur le quai, il débusqua une proie de choix parmi la foule de badauds attendant la prochaine rame. Ce n'était pas compliqué. Un seul était tourné vers la peinture murale Jazz de la station. Lester frôla le touriste et se mit à l'écart pour évaluer le butin.

Un gros poisson. Six cent vingt-cinq dollars, pas de carte de crédit. Le portefeuille était de belle facture, supérieure à la meilleure marchandise de Lord. Aussi, de la paperasse et quelques photos. Lester verrait ça chez lui, là où il enterrait son butin à l'abri des regards.

Quand Mountain comprit qu'il s'était fait détrousser comme le dernier des péquenots, il était trop tard. L'argent importait peu, les papiers, si. Tournant en rond dans sa chambre d'hôtel, l'Indien était agacé. Il avait envoyé un message à la sonde et surveillait la fenêtre entrouverte. Toujours rien. Soudain, un léger vrombissement attira son attention vers la penderie. La sondine était là, le coopteur déjà à l'œuvre. De la taille d'un pamplemousse, elle disparaissait en ne s'imprimant que brièvement sur sa rétine. À côté du véloce appareil, sur la petite table, un cône se matérialisait. D'abord transparent, il prenait lentement consistance. Après quelques minutes, la sondine sembla ralentir. Elle devint floue, puis très nette, immobile, en attente.

Mountain, satisfait, s'assit à la table, devant le cône de visionnement, et commanda à la sondine :

— Holoviv terrestre, New York City, aujourd'hui, 11 heures 30, ligne de métro 2-3, station de la 116ᵉ Rue.

Se faire plumer comme un banal touriste ! De son amour-propre bafoué ou de la colère de s'être fait ravir un pan d'intimité, Mountain ne savait pas ce qui alimentait le plus sa détermination à retrouver son voleur. La scène s'anima enfin.

Le gamin ressortit du métro et glissa au musicien, en passant, un billet de vingt dollars.

— Yo, Lester, le petit nègre qui tire plus vite que son ombre.

Des attentions comme celle-là lui avaient valu une réputation dans le quartier, ainsi qu'une certaine protection. Et tout le monde savait que le gamin avait une bonne étoile. En deux ans d'activités, il ne s'était pas fait gauler une seule fois. Et quand les flics avaient investi le Sanctuaire, l'automne passé, il était le seul à leur avoir filé entre les pattes.

Il se rendit sur la 125ᵉ, où il fit quelques emplettes, sans oublier les huîtres fumées pour la Comtesse. Une fois achevée la distribution au Sanctuaire, il passa l'après-midi à flâner, remontant tranquillement Lennox vers le nord. Arrivé à l'angle de la 136ᵉ, il hésita. Il restait deux bonnes heures avant que les vraies parties ne commencent dans le parc du Colonel. Avec son nouveau sweat-shirt des Knicks, il était sûr de faire impression. Lester décida de tuer le temps à la bibliothèque Countee Cullen. Au 2ᵉ étage, avec une bourrade affectueuse, Big Martha l'installa devant un écran d'ordinateur.

Plus tard, rassasié de basket, et alors que la nuit tombait, le gamin quitta le parc et franchit le pont de la 145ᵉ Rue, sur Harlem River. Mountain était intrigué. Où le garçon habitait-il? Arrivé dans le Bronx, il continua vers le nord, passant devant le Yankee Stadium, puis sous le pont Macombs Dam. Longeant toujours Harlem River, coincé entre la ligne ferroviaire de l'Hudson et l'autoroute Major Deegan, il atteignit le vieux pont désaffecté. Il grimpa alors sur un talus et se tint coi pendant une dizaine de minutes, à l'affût d'un bruit, d'une odeur, de quelque rougeoiement de cigarette. Les gangs de Freeman Street et de St. James avaient beau se tenir plus au sud, on n'était jamais trop prudent. La voie était libre. Il souleva le grillage, descendit sur la voie ferrée, contourna les wagonnets rouillés et s'engouffra sous la végétation comme un animal dans son terrier.

Les yeux rivés au cône, Mountain fut arrêté par le voile gris jeté sur l'intérieur du vieux poste d'aiguillage, et l'évidence s'imposa : là était la maison du gamin. Aussi ne put-il voir Lester refermer la porte de la petite cabine de brique enfouie sous la verdure, où seul un enfant tenait à l'aise. Ni le voir allumer les chandelles qui éclairèrent ses trésors : un poster de Dikembe Mutombo dans l'uniforme des Knicks, une vue de Notre-Dame depuis le Pont-Neuf, des timbres du Pérou, de Monaco et de la Côte d'Ivoire, avec leurs enveloppes, de même que toute une collection d'étiquettes publicitaires aux couleurs vives. Ses préférées : la petite Hollandaise en sabots qui chassait la saleté à coups de bâton sur une boîte de poudre à récurer ; la servante noire sur la bouteille de sirop de maïs ; le quaker du gruau avec son chapeau à grande boucle ; la femme de l'amiral sur le paquet de tabac. S'ajoutaient ici et là des échantillons de ses larcins, pièces d'identité, photos d'inconnus et même une lettre d'amour. Toute une humanité trouvait refuge dans le ventre du poste d'aiguillage et lui tenait compagnie.

Mountain renonça à l'holoviv. Il savait quoi faire.

Quand Lester ouvrit les yeux, le lendemain, le ballet des trains de banlieue avait commencé depuis une bonne heure et la rumeur autoroutière, au-dessus de lui, était au plus fort. Il poussa la porte, replia sommairement ses couvertures et ingurgita une demi-pinte de lait au chocolat. En face, au-dessus du parc High Bridge, le ciel était bleu. Belle journée en perspective. Le garçon se faufila dans le boyau de végétation, attendit qu'un train s'éloigne pour sortir, mais brusquement se figea. Un vieil homme était assis à quelques mètres sur sa gauche, adossé à un wagonnet. *Shit!* Lester aurait pu rester ainsi pendant des heures, si le vieillard ne s'était mis à parler.

— Tu n'as rien à craindre. Tout ce que je veux, c'est mon portefeuille.

Shit, shit. Et il ne détalait pas.

— L'argent est pour toi, bien sûr.

Le voleur écarquilla les yeux, se ressaisit.

— Les vieux, c'est pas mon truc. Les jeunes non plus. Pour ça, il faudra aller ailleurs.

— Tu as faim ?

— Pas de ça, j'ai dit.

— J'ai compris. Moi, je ne veux rien d'autre que mon portefeuille, avec mes papiers dedans. Si en plus tu veux bien me dire ton nom, ce sera parfait.

Le gamin reprit confiance. Chacun déclina son identité.

— Mountain, c'est pas un vrai nom.

— Si, pourtant. C'est mon grand-père qui me l'a donné, il y a très longtemps.

— Les vieux ont un grand-père ? Impossible.

Mountain se sentit rapetisser à vue d'œil ; dans l'herbe, autour, des colonies entières de lapins s'agitaient. Avec

335

excitation, en guettant l'enfant un peu plus tôt, il avait retrouvé les gestes du chasseur attendant sa proie. Alors l'animal était sorti du terrier... Il observa l'agilité du gamin qui disait une vie à la dure.

— Tu veux un sandwich?

Lester s'approcha et rendit son portefeuille au vieil homme qui n'eut aucun mal à repérer l'enveloppe à l'encre bleue postée du Nicaragua quinze ans plus tôt.

— Ça, on n'y touche pas, tonna-t-il.

Et ce regard. Comme s'il avait menacé de s'en prendre à ses trésors de gamin aux quatre vents.

— Tu vis seul? reprit le vieillard.

— Ça dépend des jours. C'est sûr qu'à plusieurs on est plus forts, lâcha Lester avec un clin d'œil. Mais toi, t'es vraiment un Indien?

Devant la réponse affirmative, un sourire épanouit le visage du garçon. Il n'avait pas perdu la main. Seul un Indien avait pu lire les signes et remonter la piste jusqu'à lui.

Mountain, quant à lui, se sentit traversé par un espoir.

51

Teddy Tarasoff affichait un embonpoint affligeant pour un jeune homme qui venait tout juste de fêter son vingt-huitième anniversaire. Heureusement, son statut de journaliste-photographe-météorologue-nécrologue au *Castelgar Citizen* lui conférait une aura certaine aux yeux de ses amis, des femmes qui le faisaient flipper, voire du simple quidam.

Soumis aux horaires capricieux de sa profession, Teddy Tarasoff avait réglé le problème de la nourriture grâce à un ballet quotidien de livreurs de pizza, de poulet frit, de spaghettis à la sauce tomate, de double cheeseburger avec frites, de fish'n chips et de club-sandwich. Tous plats livrés dans cet ordre. Telle était la semaine de Teddy Tarasoff, et tant pis si ailleurs la réalité comptait sept jours.

En ce jour de cheeseburger, le soleil de mai brillait sur la ville. En principe, Teddy Tarasoff couvrait les réunions du conseil municipal et les audiences du Palais de justice.

Mais il ne boudait pas non plus un match des Rebels quand l'équipe jouait en ville et, grâce à ses articles, nul n'ignorait les différends qui opposaient le président de la Chambre de commerce à celui du Club Rotary.

Aujourd'hui, il était sur un gros coup. Adam, son informateur à Nelson, avait été formel. Le Prestige Lakeside Resort au complet, y compris la marina, avait été réservé pour les trois prochaines semaines.

Va Bene Production. Même pas un faux nom. Ces Californiens nous prennent vraiment pour des ploucs!

À l'aéroport, grande fut la déconfiture de Teddy Tarasoff en voyant qu'on l'avait précédé. Une camionnette de la BCTV était garée à proximité et, au milieu des voyageurs et des badauds, il reconnut le journaliste du *Vancouver Sun*, qui avait droit à sa photo dans son journal, lui.

Dans les airs, le luxueux Challenger 800 en provenance de Los Angeles dut céder le passage au vol régulier d'Air Canada, et les deux avions se posèrent à quelques minutes d'intervalle. Les journalistes faisaient les cent pas dans le hall de l'aéroport régional. Un jeune homme apparut enfin. Fausse alerte. Il fut suivi d'une femme sans âge, engoncée dans un sac-manteau, et de deux jeunes filles aux cheveux verts. Le flot de passagers diminua. Il y eut ensuite un vieil Indien, suivi d'un jeune Noir et d'un type boudiné dans une veste à carreaux, l'air vaguement latino. Pendant un instant, et tout en commençant à mitrailler, Teddy Tarasoff se demanda si ces trois-là ne faisaient pas partie du casting, comme la bonne conscience d'Hollywood en matière de minorités visibles. Un instant seulement, parce que, juste derrière eux, Tom Cruise en personne venait de faire son apparition, tout sourire. Aussitôt, Teddy Tarasoff se fondit dans la petite troupe de journalistes, qui disparut sur les talons de la star.

— Bien content d'être arrivé, soupira Carlos Carlos en empoignant la mallette du dernier recruté.

Le gamin bondit. Faites gaffe, c'est son trésor, prévint Mountain. Le privé se fit rassurant.

Tandis que Tom Cruise s'enfonçait dans les grandes étendues sauvages à la rencontre de son nouveau rôle, la camionnette grimpait la côte de la Highway N-3 en direction de Ymir. Carlos Carlos Carlingua et Mountain avaient déjà oublié la cohue *people* de l'aéroport. Mais leur jeune compagnon, le nez collé sur la vitre, était toujours aussi excité – cette fois, par le fleuve Columbia aperçu en contrebas, par le chevreuil qui traversait la route, par le faucon qui s'envolait.

Une heure plus tard, son excitation se changea en hurlements de joie quand ils passèrent l'holoviv-camouflage à l'entrée du tunnel.

Le petit groupe progressa dans le boyau. Et les deux adultes avaient du mal à s'ajuster aux bonds de chèvre de l'enfant, qui trottait, courait, tâtait la paroi dont il cherchait déjà à détacher le morceau qui irait grossir les trésors de sa valise. Mountain calma les ardeurs du petit vandale.

— On est presque arrivés. Et je te promets un caillou unique au monde si tu veux bien marcher au lieu de courir.

Comme d'habitude, Carlingua fermait la marche. Toute cette exubérance le réjouissait et il leva le pouce en direction du groupe invisible qui devait s'être massé devant l'holoviv dès les premiers signaux d'approche.

— Un enfant! s'exclama Léa Ilyukhin, en se faisant l'écho de l'étonnement général.

— Bien vu, ironisa Chérif Habani.

Isaura éclata de rire. Elle se tourna vers Noam Frenkl qui balançait entre soulagement et appréhension. Certes le dixième Contact avait eu lieu et le groupe était maintenant complet, mais le dernier Contacté s'annonçait remuant et imprévisible. Encombrant, peut-être. Noam s'en voulait d'avoir pressé Mountain. Avec plus de temps à sa disposition, il aurait peut-être trouvé une meilleure recrue. Un gamin!

— L'idée me plaît, rétorqua l'institutrice, et Noam sut qu'il avait réfléchi à voix haute.

Le petit groupe se resserra.

— Les voici, murmura Mizuki d'une voix fluette.

Huit paires d'yeux fixèrent la porte qui s'ouvrit dans un chuintement bientôt couvert par la voix de l'enfant : Tom Cruise, à côté de ça, c'était du pipeau.

52

— Seydou, je ne vous comprends pas. Le temps nous presse. Nous avons beaucoup de choses à apprendre, et à faire encore bien plus. Mais vous revenez sans cesse à ces voix.

Vous êtes ensorcelé, ma parole! Vous devriez vous ressaisir, élargir un peu votre palette. Seydou?

— Je vous écoute, madame.

— Nous nous égarons, interrompit Léa. Je suis désolée, Mizuki, mais on s'en fout, de sa musique. Ce matin, la moitié de la planète est en pleine déprime. Bush réélu! C'est inconcevable.

— Il va bien falloir s'en accommoder, répliqua le cinéaste. Et je ne vois pas en quoi nos plans sont compromis par la situation présente. Vous avez vu comme moi l'ampleur des manifestations.

— Avec quel résultat!

— Chérif a raison, toutes ces foules qui veulent la paix sont le terreau de notre action, intervint Li Mei Fei. Voilà qui devrait nous encourager.

— Ce qui m'inquiète vraiment, continua Léa, c'est ce principe de guerre préventive. C'est un net recul du droit international. J'ai peur que l'ONU n'y survive pas.

— La couverture de la guerre par les médias occidentaux a été d'une telle médiocrité, renchérit Seydou.

Mountain intervint. Certes, la situation internationale était préoccupante. Mais l'était-elle plus qu'au moment de l'assassinat de l'archiduc François-Ferdinand à Sarajevo, de l'incendie du Reichstag à Berlin ou de la crise des missiles à Cuba? L'actualité rend aveugle. En réalité, les mentalités avaient évolué depuis le temps où les pacifistes étaient traités de tire-au-flanc par une opinion publique montée contre l'ennemi. Lui-même avait vu cela. Aujourd'hui, les pacifistes défilaient dans les rues et ralliaient les foules. Encore un effort, et toute l'espèce humaine souscrirait à un idéal de paix. L'Éthique Une n'était pas si loin. Les aléas de l'histoire immédiate étaient une chose. Leur mission en était une autre. On pouvait être optimiste. N'étaient-ils pas onze à pousser à la roue, désormais?

Au fond, Mountain était loin d'être aussi confiant. Le dernier état général de la planète commandé à la sonde était préoccupant. Outre la politique étrangère des États-Unis, le gouvernement de Khartoum armait en catimini des milices arabes pour mater la rébellion dans l'une de ses provinces. De plus, à la date précise fixée par les instruments de Nohog, le pergélisol arctique avait commencé à fondre en libérant des tonnes de méthane dans l'atmosphère. Aucun répit à venir de ce côté.

Des pires situations naissent aussi des moments de grâce, conclut à voix haute Mountain, avec un œil sur le tableau qui trônait sur la paroi de la salle de réunion : *La mouette sanglante*, l'unique œuvre d'art jamais réalisée par un Jebase.

— Ce tableau suinte l'angoisse, commenta Mizuki, à qui ce regard n'avait pas échappé. La mort et la violence humaines vues par un artiste appartenant à un peuple qui les a dépassées. C'est aussi fascinant qu'effrayant.

— Elle ne vous fait pas peur, à vous, la nature humaine? interrogea doucement Li Mei Fei à la ronde.

— J'ai surtout peur du gouffre habité où nous avons été jetés, répondit Léa.

Ils se regardèrent.

— Ces derniers jours ont été éprouvants, concéda Mountain. Et si on oubliait le planning de la journée?

À vrai dire, la présence du gamin leur manquait, même si, les premières semaines, Lester avait passé presque tout son temps dans l'holoviv. En position allongée, les bras tendus devant lui, la vitesse de défilement au maximum, Superman avait fait des milliers de fois le tour de la Terre. Mountain se leva, prêt à partir.

— Et comment se comporte notre jeune élève dans son nouvel environnement?

En l'absence d'Isaura, chargée de son éducation, Li Mei Fei commenta.

— Il est curieux, et sa capacité d'apprendre est phénoménale. Une éponge. Il est surtout très libre – de pensée, de manières, de préjugés. C'est un formidable atout pour apprendre. Pour s'adapter à la vie d'un collège huppé du Massachusetts, c'est autre chose. Il devra apprendre à se brider pour mieux être libre. Là sera la vraie difficulté, mais il réussira, j'en suis sûre. Et puis nous n'allons pas l'oublier entre les murs dorés de son pensionnat.

Mountain songea aux autres absents. Noam s'affairait à écouler l'or de l'empire sur les marchés officiels de Londres et de Zurich avec l'institutrice du peuple, tandis que Renu, aidée par Carlos Carlos, en faisait autant sur les marchés clandestins d'Asie. Quant à Lester, ce que serait son action au juste, nul n'en savait rien pour le moment. Telle était la jeunesse : un réservoir de possibilités. À plusieurs on est plus forts, avait-il dit à New York. L'Indien demeura silencieux.

Peu à peu le réservoir se vide, et que reste-t-il alors? *Avec mon frère, j'irai chasser le lapin dans la grande prairie verte. Et ma mère, confiante, nous laissera partir sous les rayons de Àan qui voit tout. L'or secret brille au fond des rivières que personne ne connaît. Les lapins sont lents. Les Blancs sont loin. Je ne m'appelle pas Mountain. Je ne porterai jamais ce nom, peut-être. Je suis Pàtu. Qui serai-je? Tout est possible. Tout aura lieu.*

III

En avant

1

J'ai eu une enfance sans histoire, pensait le gardien, tandis que la nuit déversait son encre sur toutes choses, faisant luire cependant la rangée de fenêtres, et même le grand corridor flanqué de couffins. C'était un gardien sans âge qui s'étonnait parfois des pensées qui lui tombaient dessus sans raison. Celle-ci, par exemple : «J'ai eu une enfance sans histoire»; il ne s'expliquait pas sa présence, sinon peut-être à se dire que cinquante-quatre petiots endormis – fidèle à son habitude, il avait pris son service au moment du comptage effectué par nurse Mary-Ann – ne peuvent que vous renvoyer à votre enfance.

Il s'appelait Gene et portait l'uniforme de gardien de nuit depuis cinq ans. Sa loge n'était pas très grande, les écrans de surveillance en occupaient la moitié, qu'importe : il y trônait de dix à six, roi d'un royaume minuscule peuplé de vagissements, de langues roses, de bruits de succion, il avait remarqué, tous les bébés font ce bruit avec leur langue, même sans téter. Pourtant il ne s'aventurait pas souvent dans le dortoir, car alors nurse Mary-Ann exigeait de lui des gestes compliqués, modernes, comme se laver les mains, porter un masque, au fond il aimait mieux le laisser-aller d'autrefois, sans oser le dire aussi net devant la nurse. À Ida, sa femme, cependant, il racontait tout.

— Il est arrivé une petite Ruth aujourd'hui. Sa mère est venue tout droit de Jinja pour accoucher à l'hôpital. Ils ont pourtant des maternités à Jinja. Pourquoi venir à Kampala?

Ida triait les ballots de laine qui jonchaient la pièce commune, sur fond de rumeur *evi*. Mauvaise habitude venue des Blancs, même si, Gene en convenait, on apprenait des choses avec l'*evi*. Ses pensées bizarres lui venaient sans doute de là. Comme une succession d'images et de gens, un grand désordre sous son crâne, et il fallait toute l'épaisseur de la nuit pour en venir à bout.

Il arrivait à la maternité un peu avant dix heures du soir, alors que nurse Mary-Ann comptait les bébés. Ce qui avait été une précaution était maintenant un règlement dans tous les hôpitaux et les maternités d'Afrique centrale. L'affaire Chancey avait au moins servi à cela.

— Bonsoir, papa Gene, disait la nurse, rituellement. Qu'est-ce que t'as encore vu, aujourd'hui?

Gene regagnait sa loge, allumait les écrans. Son collègue de jour étant astreint aux rondes à heures fixes, les écrans restaient alors inutilisés. Mais un autre type de surveillance s'imposait lorsque la Reine du sommeil fermait les yeux des bébés pour qu'ils voguent sans heurt sur la mer des rêves, avec un bruit de succion. Vous imaginez le pas lourd du gardien Gene entre les couffins de verre? Il ne ferait que troubler les rêves de la Reine envoyés aux petits têtards. Papa Gene restait donc dans sa loge, à rêvasser, l'œil à peine distrait par des écrans où il ne se passe rien.

Soudain, il se penche, il n'est pas sûr d'avoir bien vu. On aurait dit une ombre, comme celles qui rôdaient jadis près des bouches d'égout, avant que les autorités sanitaires ne s'en mêlent. Et alors ce n'étaient pas seulement les rats qui avaient disparu de nos villes, mais les mulots, les souris, toute espèce de rongeurs, s'inquiétaient certains jours les gens qui parlaient dans l'*evi*. Non, vieux Gene, te laisse pas distraire. T'as vu quelque chose, mais quoi? Ça s'est passé sur le mur de l'aile est. Une ombre furtive, comme si quelqu'un avait voulu entrer dans l'hôpital Mulago par les cuisines.

Gene scruta les écrans. Son œil inquiet allait de l'un à l'autre, cherchant en vain l'anomalie.

Son arme était un taser qui n'avait encore jamais servi, les maternités sont des lieux paisibles. L'arme, c'était juste au cas où, le règlement l'exigeait.

Soudain, l'ombre prit forme à côté de lui. Gene sursauta, puis fut rassuré : un gamin, dix ans, pas plus. Qui avait dû faire une bêtise dehors. Qui voulait se cacher. On allait discuter. Il le ramènerait à sa famille. Aïe. Un gardien ne peut pas déserter son poste. Il le garderait donc à ses côtés jusqu'à la relève de six heures.

L'enfant ne parlait pas. Son regard avait la fixité de celui des démons. Autre pensée bizarre. Gene la chassa.

Mais elle revint en force à la minute suivante, avec tout un affolement de questions. Car voilà que Gene se vit immobilisé, ligoté sur sa chaise par des liens inexplicables mais réels, et qui résistaient, tandis qu'il voyait défiler toute une armée de l'ombre, gamins, gamins toujours, une dizaine peut-être – il était trop fasciné pour les compter. De plus, le gosse l'avait rendu muet. Quelle saleté lui avait-il injecté? Car Gene se souvenait maintenant d'avoir éprouvé la sensation d'une piqûre minuscule sur la cuisse. Il avait cru à quelque bestiole, il y avait vraiment cru.

Le gardien Gene était au supplice. Que faisaient les gamins maintenant? Le dortoir restait silencieux, mais peut-être avait-il perdu l'ouïe en perdant la parole et la liberté de mouvements? Il ne savait plus qu'une chose : il devait bouger. Il se tortilla si bien sur sa chaise que les écrans se rallumèrent. Ce qu'il vit lui scia les entrailles.

L'enfant parlait peu, mais il parlait bien. On l'appelait M'Bemba. Il était le chef. Il expliqua. La première fois, les autres le regarderaient faire, après ils feraient pareil. Pas aussi bien, mais enfin ils s'appliqueraient. Lui était un maître. Chacun sait que les maîtres sont doués, qu'ils ne connaissent pas l'effort.

— Fille ou garçon, pas de différence, dit M'Bemba, en regardant le visage fripé qui se découpait dans les langes au fond du couffin.

Un visage comme une lune-jouet. Cette pensée amusa l'enfant un instant. Autour on approuva : O.K., pas de différence. Par intervalles, un bref claquement signalait le mécanisme enclenché d'une arme. On était prêts. L'ordre n'avait qu'à tomber. Les claquements se multipliaient. M'Bemba y mit fin.

— Attendez.

Tournant le dos à la forme étendue près de la porte, il s'avança vers un autre visage-lune. Derrière, la nurse de nuit gigota. L'enfant-chef sentait des yeux furieux posés sur lui, mais il se savait tout à fait maître de la situation. Pour immobiliser un adulte, le mitalone était imbattable.

— Celui-ci? et avec son arme, il pointa un deuxième nourrisson.

Un garçon : le jaune de la couverture ne trompait pas. Les enfants approuvèrent. M'Bemba eut un rire bref.

— J'ai une idée.

Reculant d'un pas, il s'installa à bonne distance et déplaça un couffin. Ainsi alignés, trois bébés dormaient paisiblement. Trois d'un coup, ce n'était pas rien. Essayez pour voir. Alors M'Bemba leva son arme.

Il opérait avec lenteur, amoureusement. La MP 5, c'était sa fierté. Dire que les gros Dicks avaient voulu les garder pour eux. C'était injuste. De belles mitraillettes 10 mm, avec silencieux intégral et visée nocturne. Les Allemands savaient y faire quand ils s'y mettaient. Les hommes-enfants se groupèrent. Près de la porte, la forme gémit. Ne traînons pas, le mitalone perd de son effet.

Il tira. Trois visages-lunes éclatèrent simultanément, en jetant de grandes éclaboussures rouges sur les couvertures jaunes, et aussi sur la verte – M'Bemba avait ajouté une fille au lot pour faire bonne mesure –, sur les parois de verre des couffins, sur le carrelage. C'était la nuit, et pourtant le rouge se voyait distinctement partout. À la première salve, pas un cri ne se fit entendre. Ils étaient des pros. Mais on ne pouvait être sûr de la suite. C'est comme à la chambrée, se dit M'Bemba. Il en suffit d'un qui ronfle ou qui pète pour que tout le monde se mette à brailler. Vite, ordonna-t-il.

Les gamins s'activèrent. Sur le bel uniforme de Gene Obore, des ruisseaux de vomi s'étalaient en traînées irrégulières. Avec un homme, toujours prévoir un dosage plus fort. Les gros Dicks leur avaient au moins appris ça. M'Bemba-le-chef, ne sois pas injuste. Les Dicks vous ont appris beaucoup, et pas seulement à doser le mitalone. Et d'abord où le trouver. Peut-être. N'empêche qu'ils n'ont pas le droit de garder le meilleur pour eux. Ce n'est pas juste. M'Bemba visa les yeux. C'est insupportable des yeux de bébés, on dirait deux lacs profonds, il aurait pu y plonger si la vie avait seulement voulu semer des lacs profonds le long de sa route, au lieu de nuages de poussière et une faim jamais assouvie. À l'entraînement, les premiers jours, les gros Dicks distribuaient le plantain à volonté, et même du pain. Ils ricanaient. Du pain on en trouve partout, maintenant, et ceux-là se battent quand même. Des hyènes, pas des gamins. Les gros Dicks leur apprenaient à se battre et les frappaient quand ils n'apprenaient pas assez vite. Alors ils apprenaient. Ils ne disaient pas encore : les gros Dicks. Ça, c'est venu plus tard, comme un code entre ceux sur qui pleuvaient les coups, le pain, la sniff et la nuit.

La bile – à la fin Gene ne vomissait plus que de la bile –, ce n'est pas comme du sang. Une fois séchée, elle tombe en poussière si on la gratte avec l'ongle et ne laisse pas de traces. Reste l'odeur. Il faut s'en débarrasser. C'était faisable, ça aussi, moyennant une bonne lessive à l'eau de Javel. Dans les jours qui suivirent, Ida fut si occupée à frotter et à frotter l'uniforme de son mari qu'elle n'entendait plus ce qui sortait de l'*evi*. Les ballots de laine s'accumulèrent. À la coopérative, on comprenait. Tout le monde savait ce qui s'était passé à Mulago, et on se doutait bien que la femme du gardien avait fort à faire maintenant. Pour la chose même, on ne comprenait pas. Gene ne comprenait pas non plus. Il restait là, prostré, devant l'*evi*, devant sa femme, devant le monde tel qu'il va. Nul gémissement ne s'échappait de ses lèvres, et ce silence était bien le plus inquiétant. Les pensées bizarres ne surgissent pas sans raison, les chasser ne suffit pas. Certaines s'incrustent et finissent par devenir réelles. Gene ferma les yeux devant les images ressassées à l'écran. Mais sa femme ne pouvait en détacher le regard.

Les cadavres des gamins avaient été alignés sur le sol. Les restes des bébés gisaient épars. Et les images transmises n'étaient plus celles, grisâtres, des caméras de sécurité de la maternité, mais celles, impitoyablement nettes, de la SWAT. Les policiers, lourdement harnachés, tournaient autour des enfants monstres comme des insectes flairant l'aubaine. Ils n'allaient pas les dévorer, on pouvait être tranquille, il leur suffisait de les avoir abattus. Pour la SWAT, donner l'assaut n'est jamais une partie de plaisir. On n'est pas au cinéma, expliquait le capitaine, à l'*evi*, tandis qu'au bas de l'écran s'affichait le menu interactif. Ida Obore se retint de réagir. Elle avait eu sa dose de célébrité quand les journalistes avaient fait le siège de la maison pour parler à son mari.

À la dérobée, elle le regarda. Il n'avait toujours pas ouvert les yeux. Les mains posées à plat sur ses cuisses, il restait assis bien droit, une veine agitée de tics sous l'œil gauche. Il n'avait reçu aucune blessure, ni pendant le massacre, ni durant l'assaut. Et c'était pire. Elle s'approcha du clavier.

— Tu veux que je change?

Pas même un haussement d'épaules n'agita le grand corps pétrifié. L'épouse brossa l'uniforme et entreprit de le plier.

Archives. Le mot clignota dans le coin inférieur droit de l'écran pendant le reportage. Il s'agit de comprendre ce qui s'est passé, expliquait la présentatrice. Ida Obore aimait bien cette Brigitte Diop, posée, à l'œil intelligent, qui ne lisait pas, ça se voyait, mais semblait apprendre, présenter et commenter les informations d'un même élan. Mais cette fois, la présentatrice paraissait secouée. Le reportage sur les racines du massacre fut précédé des réactions internationales. Tous les pays de la planète avaient retransmis les terribles images de Kampala. Ce n'étaient pas les droits de l'enfant qui étaient bafoués par ce geste inconcevable, expliquait Brigitte Diop. L'enjeu se situait au-delà, dans la part d'humanité qui aurait dû subsister en tout être humain, fussent-ils des gamins-soldats incultes et pervertis.

Car la perversité de ces enfants perdus avait une origine, et peut-être plus d'une, ajoutait la présentatrice en introduisant les documents d'archives.

— Clac, dit Gene.

L'épouse se retourna. Son homme avait ouvert les yeux et faisait mine de tourner un bouton à l'ancienne manière.

— Clac.

— Gene, que dis-tu ?

Il écarquillait les yeux et désignait l'écran du menton en prenant un air indigné.

— Tu veux que j'éteigne ?

Il secoua la tête.

— Clac. Les fusils faisaient clac juste avant.

Son visage se détendit. Il voulait parler. La psychologue l'avait prévenue.

— Oui… dit-elle, prudemment.

— C'est une chance, ces systèmes d'alarme intégrés.

— Oui. Et aussi que tu aies pu rallumer les écrans, en bougeant. Ça n'a pas dû être facile. Du mitalone !

— Après… j'ai tout vu.

— Oui.

Sous l'œil de Gene, la veine tressaillait, comme un voyant lumineux.

— Leur chef, il expliquait avant de tirer.

— Il leur disait quoi faire ?

— Pas seulement. Il disait aussi pourquoi. Qu'ils n'auraient jamais dû leur reprendre les armes.

— Qui ça ?

— Leurs chefs à eux : les gros Dicks. Eux aussi, ils les ont massacrés.

— Ils en ont parlé hier, à l'*evi*, sur les images des couffins.

Gene se tourna vers l'écran. Les archives montraient l'assemblée de l'ONU lors du vote de 2018. Une femme – juriste, précisait la voix off – expliquait comment on avait fait pour convaincre les pays de recycler leurs mercenaires, une fois les conflits réglés. C'étaient des enfants. En s'y prenant bien, on pouvait encore assurer un avenir à quelques-uns. L'évolution des mentalités, des lois sévères, des contrôles efficaces avaient fait le reste.

— Mais ceux-là… soupira la femme du gardien.

— Le gamin-chef, j'ai vu ses yeux quand il s'est approché, au début. Les yeux du diable. Il a été le premier à se tirer dessus, plus tard.

— Quand la SWAT est arrivée?

— Oui.

Sur les genoux de l'épouse, l'uniforme du gardien formait un tas insignifiant.

2

Il est un moment, entre le réveil et le lever, où l'esprit bat la campagne, léger, libre. Où la nonne pouvait dire à cette montagne qui se dressait sur son chemin «déplace-toi», et la montagne se déplaçait. Où la religieuse n'avait pas encore revêtu ses habits et, bien que frissonnante entre les draps rêches, se découvrait brûlante d'une vie secrète. Derrière la croisée, la nuit étendait encore sa croûte de givre sur les labours, mais les étoiles avaient commencé à perdre leur éclat. D'un geste net, l'abbesse se tira du châlit et fit monter une première oraison. Après quoi, elle sortit de sa cellule et rejoignit les silhouettes silencieuses qui se dirigeaient vers la chapelle.

— Regardez, Savoda-terce, c'est elle!

Excité, le jeune kar vit la nonne émerger de la grisaille du tabou et faire son entrée dans la chapelle.

L'archevêque de Mayence avait précédé tout le monde. Et lui aussi priait dans le chœur, tourné vers le tabernacle et la lampe, même si son admiration semblait aller plutôt au grand vitrail, tout en haut, en raison de la beauté de ses lignes, de ses couleurs nocturnes, rouge sang, bleu cobalt, et de son liséré de plomb en forme d'arabesque.

Étant donné l'importance du visiteur, le grand vicaire assistait également à l'office, accompagné de son secrétaire. Depuis leurs stalles, les deux ecclésiastiques saluèrent la mère abbesse d'un imperceptible signe de tête, auquel elle répondit avec la même discrétion, sans toutefois y mettre toute l'humilité attendue de la part d'une religieuse.

L'image inaugurale se fixa, dans l'attente de la suite. Savoda-terce émit un bref son de contentement et promena son regard dans la Sphère où avaient pris place les dignitaires et les invités, peu à peu rejoints par les membres de l'Unité commémorative et le peuple karianide.

— Que penseront-ils de la musique humaine? s'interrogea-t-il à voix haute.

À ses côtés, Sheba-prim recourba la lèvre supérieure en signe de perplexité.

— C'était pourtant votre idée, ce récital. Vous regrettez ce choix?

— Jeune kar, vous avez étudié la civilisation humaine à l'Utéro. Vous savez donc que les êtres de ce monastère ignorent la notion de spectacle. Il ne s'agit pas d'un récital, mais d'un rite appelé office.

Sheba-prim intégra la nuance.

— Une fois décidée la Synchronie avec ◊-GVH-18327-Γ, y avait-il d'autres possibilités que ce rite?

Savoda-terce orienta une pupille vers le jeune curieux.

— Divers événements nous faisaient signe sur la planète le jour où notre peuple est devenu Un. La fête des trouvères sur les terres du comte d'Alençon, le banquet philosophique du gouverneur Zhu Xi ou le mariage du Génois Balbi à Constantinople. L'Unité commémorative a tranché. C'est en raison de ses chants que la cérémonie du monastère de Rupertsberg a été retenue pour la VIIIᵉ Synchronie. La beauté élève l'esprit, Sheba-prim, celui des humains comme celui des peuples Uns, et nous la verrons bientôt à l'œuvre.

Il s'interrompit en voyant le Contacté qui le cherchait. Pour l'humain, tous les Karianide devaient se ressembler. Savoda-terce lui envoya un signe sur son lingal et l'étranger s'avança. Les appendices se frôlèrent.

— Humain, je suis honoré de vous accueillir dans la Sphère karianide. Voici Sheba-prim. J'appartiens à sa hiérarchie. Jeune kar, voici le Contacté Mountain.

Tous deux s'inclinèrent. Mountain prit place et lut sur son relayeur : Synchronie du 27 novembre 1161 au lieudit Rhénanie, tandis que Savoda-terce se penchait sur le chœur et admirait les nuques courbées.

— Les Karianide sont les derniers à être sortis du rang antéUn, et les humains seront peut-être le prochain peuple à y accéder. Notre choix veut aussi dire cela.

— Que les Karianide aient choisi un événement de la Terre pour cette VIIIe édition est un grand honneur, répondit Mountain.

Savoda-terce se tourna vers le jeune kar. À la scène inaugurale succédait maintenant la scène préambule avec son jeu d'échos anciens.

— L'humaine Hildegarde de Rupertsberg a elle-même composé ces chants, le saviez-vous?

Hildegarde entra dans la stalle du chœur réservée à l'abbesse, et ses compagnes se répartirent dans la nef, à l'exception de la maîtresse des novices et de la mère économe, qui prirent place de chaque côté de leur supérieure. L'abbesse fit signe à une jeune nonne de les rejoindre.

De nouveau, la scène s'immobilisa. Mountain avait un peu de mal avec toutes ces interruptions, mais il s'arma de patience. Sheba-prim se mit en phase et le nom de la religieuse apparut sur son relayeur : sœur Othilie. Savoda-terce précisa.

— Elle module les chants. Une voix exceptionnelle.

L'Un-Soi fit son entrée, l'Unité commémorative était donc au complet. Chacun se positionna dans l'holoviv et guetta l'éclair annonciateur de la scène principale.

L'éclair eut lieu.

Dans la nef, un froissement de tissus lui répondit, comme si les nonnes s'étaient animées d'un seul tenant à la vue de sœur Othilie qui s'était levée et avait gagné l'avant du chœur. L'abbesse la rejoignit et se tint près du grand cierge. Un geste blanc de la main stria l'air. Souffle du Paraclet, donne à toute créature son axe, chantait sœur Othilie. Élève-nous, répondait le chœur.

Savoda-terce se positionna plus près de l'abbesse et aperçut le grain de la peau, les cils pâles. Il pouvait presque sentir l'odeur légèrement poivrée émanant des habits, mélange de bois brûlant dans l'âtre, d'espaces secrets et de corps vivant. Qu'importe qu'il eût visionné la Synchronie plusieurs fois auparavant. Il en prenait maintenant toute la mesure.

Les chants étaient entrecoupés de silence. Pour les auditeurs, ces pauses résonnaient comme un exil. Pour les nonnes, elles étaient le point d'appui d'où rebondir, toutes forces retrouvées, vers le chant suivant.

Le Contacté avait choisi de se jucher sous la voûte où les sons vibraient un instant avant de se dissiper dans l'air froid. C'est alors qu'il fut attiré par une silhouette, immobile, dehors, dans la lueur de l'aube. La chapelle était intégrée au corps de bâtiments, mais son mur extérieur était percé de grandes fenêtres à ogives, ornées de carreaux de couleur, à l'exception de la rangée inférieure, laissée en transparence. Mountain s'approcha de la silhouette.

Un gueux.

Lui aussi avait entendu les chants et souriait d'un air extatique. Ses mains noueuses ne tapaient pas au carreau pour qu'on le fît entrer. Elles ne cherchaient pas à tâtons le sac et le bâton jetés dans l'herbe, de l'autre côté du fossé. Le mendiant restait immobile. Mais ses traits rougis par le vent, le froid et la faim étaient transfigurés, comme si un pinceau délicat les eut remodelés.

À l'intérieur, bien qu'il n'en montrât rien, l'émotion avait aussi gagné l'archevêque. Il s'étonnait de renouer avec la douceur de chants rappelant le lait des nourrices et la simplicité des cœurs. Pourtant, l'abbesse était savante, sa réputation, méritée, s'étendait bien au-delà du Rhin. Comment faisait-elle pour émouvoir en mêlant l'épure et la complexité?

L'office prit fin. Comme une couleuvre, le gueux disparut dans l'herbe. Sœur Othilie, qui avait cessé de brûler dans l'enceinte de pierre, frissonna. Hildegarde jeta sur ses épaules un manteau de laine et les deux religieuses regagnèrent leurs bancs pour une ultime méditation.

En procession, les nonnes sortirent de la chapelle. Devant le baptistère, Hildegarde retrouva l'archevêque de Mayence.

— Ma mère, la beauté de vos chants nous transporte au-delà du langage humain.

La religieuse hocha la tête, ce qui pouvait vouloir dire acquiescement ou protestation, selon les jours.

— Quel dommage que nous ayons été si peu nombreux à les entendre, se désola l'homme d'Église.

L'abbesse méprisait le pouvoir, ses représentants, leurs avis, opinions, mises en garde et encouragements. Pourtant, l'admiration du prélat paraissait sincère. La religieuse se composa un air modeste, loin de l'esprit malicieux qui lui dictait une réponse.

— En êtes-vous sûr, monseigneur? Que faites-vous de là-haut?

3

L'enveloppe du courrier urgent clignotait sur tous les moniteurs de la rédaction, et le premier à en prendre connaissance avait été Norbert Spen. Le rédacteur en chef n'avait pas apprécié d'être traité comme un stagiaire à peine sorti de l'école. À lui comme aux autres, Seydou Bissiri expliquait la situation, sans dissimuler sa mauvaise humeur.

— Il va nous dire comment travailler, maintenant? et Spen jeta le message à la poubelle.

Depuis l'entrée de l'Agence panafricaine de presse dans le Groupe PACE, il y a dix ans, le grand patron n'avait fait que de brèves apparitions dans la salle de rédaction, au grand étonnement du staff. La première, c'était en 21, quand ils avaient obtenu le Nobel. Il est vrai que les agences du Groupe n'avaient pas mis beaucoup de temps à s'imposer sur la planète comme une alternative crédible en matière d'information. La dernière, c'était il y a deux ans, juste après l'attentat de Davos, quand la rédaction était encore sous le choc. Le discours du patron avait alors été reçu comme un réconfort, l'expression d'une volonté réaffirmée d'aller de l'avant.

Là, c'était autre chose. Ils avaient gaffé. Le patron était furieux.

Que disait son message, déjà? Norbert Spen retourna dans la poubelle. L'APP n'est pas un clone de CNN, d'Al-Nour ou de Chine Nouvelle. En toutes circonstances, quelle que soit la gravité de l'événement, l'importance des acteurs impliqués ou les enjeux, la règle de l'intelligence, celle des faits, celle du public, doit l'emporter sur l'émotion et sur les intérêts. Dans le massacre de Kampala, vous avez laissé toute la place à l'émotion. Cette façon de faire est inacceptable dans une agence comme la nôtre. L'ensemble de la rédaction est convoquée à 17 heures aujourd'hui, heure de Dakar, au siège social.

Norbert Spen ne faisait pas ses cinquante-trois ans. D'un grand-père magyar, il avait gardé un port de tête altier et une volonté de fer que de longues études aux États-Unis n'avaient pas émoussée. Et il respectait Seydou Bissiri. Il ne fit ni une ni deux et gagna le vingt-cinquième étage, celui des décisions.

Il trouva un patron plutôt calme et n'eut pas besoin de s'annoncer. Mauvais signe, se dit le visiteur. À l'entrée, derrière son bureau, le secrétaire lui fit signe d'entrer.

Norbert Spen retrouva la grande pièce lumineuse et ses carrés de lin brodés sur les murs. Il reconnut le motif de l'antilope et celui des enfants sous le cèdre. Assis sur le sofa, Seydou Bissiri l'invita à le rejoindre.

— Vous n'auriez pas dû diffuser ces images, dit-il sans préambule. C'est ce que je dirai à tout le monde, tout à l'heure. Pourquoi avoir fait dans le sensationnel?

— Les images n'étaient pas sensationnelles, répliqua le rédacteur en chef, piqué au vif. Elles étaient exceptionnelles. Nous avons fait une exception.

— Vous avez fait une erreur. Et vous avez entraîné l'Agence dans vos errements.

— C'était sur toutes les chaînes et dans tous les formats. Des enfants qui tuent des bébés, c'est inconcevable!

Seydou ne l'écoutait plus. Il pensait à Léa, à sa fierté quand elle leur avait présenté le texte de la résolution proposée à l'ONU. Ses juristes avaient bien travaillé, et elle-même n'avait pas ménagé sa peine. Deux années d'enquête dans l'holoviv et sur le terrain, à inventorier les réseaux, à remonter les filières, à étudier les conditions d'existence des gamins et des adultes qui les utilisaient. À l'origine circonscrite à l'Afrique, avait-elle expliqué aux Contactés, la réalité des enfants-soldats s'est depuis étendue à d'autres régions du globe. Mountain, présent ce jour-là, avait admiré le travail.

— Il faudrait mettre une actrice sur le coup, avait suggéré Chérif Habani. Après les mines antipersonnel, les enfants-soldats.

Le public marcherait, et les gouvernements n'auraient plus qu'à suivre.

Léa l'avait regardé gravement.

— C'est un peu plus compliqué que ça. D'abord il faut repérer ceux qui ont des intérêts dans l'affaire. La mobilité, la docilité, la résistance de ces enfants sont bien supérieures à celles exigées d'une armée régulière. Et les coûts d'entretien sont dix fois moindres. Pour un pays pauvre, cela fait toute la différence. Surtout, il faut régler le conflit à l'origine de leur mobilisation, sinon on n'avance à rien.

— Il n'empêche qu'une actrice sensibiliserait les gens, s'entêtait Chérif.

— Sans doute, mais il faudra du temps. Avons-nous le temps?

— Et que se passera-t-il avec les gamins, une fois les réseaux démantelés? s'était inquiétée Isaura.

Léa n'avait pas caché ses craintes. En agissant avec méthode et fermeté, en identifiant bien les causes, en pulvérisant les intérêts des groupes concernés, on pouvait régler l'avenir. Restait l'héritage : des enfants foutus.

— Ils sont combien, au fait? avait alors demandé Seydou.

Elle avait respiré profondément. Ce n'était jamais sans un pincement au cœur qu'elle précisait le nombre, martelé dans tous les rapports : trois cent mille. En provenance de l'Ouganda, du Liberia, du Soudan et d'autres pays africains. Des enfants mercenaires étaient aussi utilisés au Sri Lanka, en Colombie. Quand je vous disais que la formule avait fait recette.

Dans le grand bureau ensoleillé du 25e étage, Seydou Bissiri laissa traîner son regard au mur, sur l'une des pièces brodées. Celle des enfants sous le cèdre avait naturellement sa préférence; elle lui donna une idée. Il se pencha sur l'*evi*.

— Appelez-moi madame Davies, du département Fiction, dit-il à l'intention de son secrétaire.

Devant le regard étonné du visiteur, il précisa :

— Je vais demander à nos gens de plancher sur le sujet. Peut-être un film d'animation qui raconterait l'histoire de ces gamins. Je le répète, le Groupe PACE n'a pas été formé pour faire de l'information comme tout le monde.

— Je sais, monsieur.

— Je considère l'incident comme une bavure. Du côté de la rédaction, j'attends une enquête fouillée sur le chemin parcouru par ces mômes, sur leur folie. Je veux l'histoire de leur chef.

— Le gamin!

Il y avait du dégoût dans la voix de Norbert Spen. Sa petite amie venait d'accoucher. Ces derniers jours, il n'y avait pas d'autre sujet à la maison.

En y réfléchissant, le rédacteur en chef trouvait l'idée intéressante, mais il demeurait inquiet.

— Et que direz-vous aux journalistes, tout à l'heure?

— Ce que je viens de vous dire, ni plus ni moins. À ceci près : vous êtes viré.

4

Les années ne comptaient pas, ni l'asséchante routine. Chaque fois, le vieux Bob se levait à l'aurore avec un égal bonheur. En été, il aimait particulièrement la rosée, et ses diamants déposés sur chaque brin d'herbe. Il aimait les oiseaux du matin, ceux qui jacassaient avant la barre du jour, comme pour annoncer au monde un nouveau sursis. À soixante ans passés, Bob aurait pu se sentir vieux. C'était le contraire. Il coulait dans ses veines une vigueur d'arbrisseau et chaque journée lui apportait son lot de tâches qu'il saisissait à bras-le-corps. Il avait vu naître et mourir des dizaines de chevaux palouses, et le troupeau faire l'envie des éleveurs jusqu'au Wyoming. Il avait pris épouse. Il se plaisait au ranch et ne se voyait pas en train de louer ses bras ailleurs. Et la jeune dame Williamson semblait contente de lui. Était-ce parce qu'elle ne s'était jamais remariée? Bob McPherson continuait de voir en Isaura la petite-fille du très vieux Williamson, qui avait fini par disparaître un jour, on avait oublié quand. Au fil des années, le régisseur avait appris des bribes de l'histoire de sa patronne : le mari mort là-bas, un truc avec la révolution, quelle importance, puisqu'elle n'avait pas l'intention de partir ni de vendre.

Bob enfila ses bottes et sortit par la cave, comme d'habitude. La saison était avancée. Ce n'était pas la rosée qui brillait dans l'herbe, à cette heure matinale, mais le sucre glace des premières gelées. Le régisseur boutonna sa veste et se dirigea vers l'enclos.

Seules quelques juments avec leurs poulains du printemps y passaient la nuit. Le reste du troupeau broutait dans la prairie. Des Appaloosa, les meilleurs chevaux d'Amérique. Bob McPherson était un régisseur heureux.

Il compta les poulains de l'enclos. Il aimait l'air vif dans ses poumons quand il relevait la tête. Et le soleil derrière le rideau d'arbres. Il rentrait à petits pas, sans se presser. Lynn avait sûrement fait du café. Cette odeur aussi le mettait en joie.

Il était encore près du poulailler quand la porte de la maison s'ouvrit brusquement sur un garçon affolé, Chris, son fils, né sur le tard, fils unique, par conséquent. Certains jours, Bob le regrettait.

— Hé, qu'est-ce qui se passe, ici?

Il saisit l'enfant par la manche.

— Il est là! obtint-il pour toute réponse.

Bob éclata de rire.

— Holà, s'exclama-t-il, comme on parle à un cheval emballé. T'arrêtes de gigoter, dis? Qui est là?

— Le shérif.

L'enfant revit l'uniforme noir, les insignes qui brillaient, le chapeau aux larges bords, les bottes et, surtout, l'arme qui battait sur le flanc droit. Il n'en avait jamais vu d'aussi près. Dans WindRiders, il n'y avait pas d'armes.

— Ta mère lui a parlé?

— Oui, mais c'est toi qu'il veut voir.

À la maison, ils trouvèrent le shérif devant un café fumant. Une appétissante odeur de bacon flottait dans la cuisine. À la vue du régisseur, le shérif se leva.

— Salut, McPherson.

— Le shérif Dividoff avait faim, dit l'épouse avec un sourire entendu.

— Je ne sais pas si nous aurons le temps de manger un morceau, madame, s'excusa Dividoff. Mais le café est excellent.

L'homme avala la dernière gorgée en levant bien haut la tasse. Il sortit avec le régisseur, l'enfant sur les talons.

— Et vous allez où comme ça? interrogea la mère. Je vais avec vous.

— Vous avez vu le *Chronicle* de ce matin? dit le shérif, comme ils sortaient.

— Tu l'as vu, toi?

— Pas eu le temps, répondit Lynn.

— Vous auriez dû. Ça vous aurait intéressés. Et toi, mon garçon, redis-nous un peu ce que t'as raconté au journaliste.

L'enfant se troubla.

— J'ai rien dit.

Le père fronça les sourcils.

— C'est Antony qui a eu l'idée, protesta le garçon. D'abord je lui ai montré à lui. Et c'est lui qui a appelé le journal. Après, quand le type est venu nous voir, on n'a eu qu'à lui montrer aussi.

— Mais qu'est-ce que c'est que cette histoire, s'énerva Bob. Je n'y comprends rien. On va où, au fait?

— On va par là, répondit le shérif en montrant la prairie, vers la droite.

Ces derniers temps, le soir, on pouvait apercevoir depuis le ranch des pans de banlieues qui clignotaient. C'était pire depuis l'arrivée du centre commercial, il y a trois ans. Bob détestait les nouveaux développements.

— Et plus tard, poursuivit le shérif, en tâtant la poche de son blouson, on va se faire une petite séance de cinéma.

Le garçon blêmit.

— Qui vous a donné le clip?

— Y a eu qu'à demander. Les journalistes doivent obéir aux lois comme tout le monde.

— On n'a rien fait de mal, p'pa, je te jure.

Tout en suivant le shérif, Chris reprit son récit. Avant-hier, il était avec Antony et ils avaient prévu de jouer au WindRiders dans le champ, là-bas, après l'école. Vers cinq heures, Antony avait décidé de rentrer à la maison.

— Où est le problème? s'étonna le père.

— Le problème, c'est les chevaux.

Ils étaient arrivés près de la butte. De plus en plus pelée, ne put s'empêcher de penser le régisseur, comme ils grimpaient.

En plus de vingt années passées au ranch, Bob McPherson avait vu la nature changer, autour. Ça ne faisait pas de lui pour autant un adepte des écologistes de tous bords qui proliféraient dans le pays. Celui qui voit le soleil se lever tous les matins ne peut se laisser gagner par la psychose ambiante. C'est tout à fait réglé, un soleil. Et on ne voit pas pourquoi la Terre cesserait de l'être.

— Voilà, c'est ici, dit le shérif en s'arrêtant.

Le vent faisait frémir les cornouillers. Bob McPherson aperçut des arbres morts sur la droite, encore debout. Trois bouleaux, maintenant desséchés. Il faudrait les abattre et les débiter en bois de chauffage. Il y verrait un de ces jours.

— Dans le temps, c'était beaucoup plus touffu, commenta le régisseur. On ne voyait ni la ville par là, ni le ranch par ici.

Lynn les avait rejoints avec Casta. Portée de chiots ou non, la chienne ne ratait jamais une occasion de gambader.

— Mère indigne, murmura Lynn en lui tapotant le crâne avec affection.

La chienne s'écrasa, repartit, revint ; elle décrivait de grands cercles désordonnés. Chris paraissait inquiet.

— Où sont les chevaux ? demanda-t-il.

— Du côté de la rivière sans doute. Pourquoi ?

— Raconte ce que tu as vu, mon garçon, ordonna le shérif.

— J'arrivais de là-bas, expliqua l'enfant en faisant des gestes avec les bras. Et là – il montra l'autre côté de la butte –, j'ai vu la moitié de cheval.

— Quoi ?

La mère rappela la chienne qui se coucha au pied.

— C'est comme je dis. Le cheval broutait, il s'avançait, et j'ai vu sa tête et tout le devant qui ont disparu.

Bob McPherson ne voyait pas du tout.

— Le cheval était mort ?

— Non. Il broutait.

— Mais si le devant a disparu, il ne broutait pas.

— Il broutait juste avant de disparaître, et après je voyais encore l'arrière-train qui remuait. Les pattes arrière bougeaient un peu. Le cheval ne faisait rien de spécial, sauf qu'il était à moitié effacé.

— Ce garçon est fou, soupira le père.

— Il n'est pas fou.

Le shérif sortit un *evi* de sa poche et déplia l'écran. Les trois adultes se penchèrent pour voir les images prises par la caméra du WindRiders. Chris n'osait regarder, tandis que la chienne Casta faisait des bonds perplexes au centre du groupe.

*

Le signal de réception se fit entendre. Isaura leva un sourcil étonné. On attend quelque chose?

— Merde, fit-elle, à l'intérieur de la cabine de visionnement.

Dans l'holoviv, la scène tournait à la confusion. Une dizaine de reporters de la presse nationale étaient postés devant la maison de Bob McPherson. Sa femme en sortait, tenant leur fils par la main, et tous deux gagnaient péniblement la camionnette familiale, mitraillés par les objectifs des caméras. Mon fils doit se rendre à l'école. Laissez-nous passer. Où ces images ont-elles été prises, madame? À qui sont ces chevaux?

— J'y vais, dit Isaura, résolue.

— Où ça? fit Chérif, qui jonglait avec le montage de son dernier film.

Un film parlant de paix. Une production grandiose. Des moyens financiers illimités. Une cause en béton. Enfin un sujet à la mesure de son talent. D'une oreille distraite, il entendit Isaura exposer son plan. Carlingua la retint.

— J'envoie un message à Nohog. Le temps qu'il réagisse, ça devrait prendre cinq à six heures. Pendant ce temps, personne ne doit approcher de la loge. Tu t'en occupes?

— Comment une telle brèche a-t-elle pu se produire? demanda Mizuki alors qu'Isaura disparaissait. La loge est censée résister à toute forme d'intrusion humaine.

— Oui, mais Xall ne connaît pas assez bien les chevaux, railla Carlingua.

Voilà une trentaine d'années que l'accès d'origine n'était plus utilisé, à vrai dire depuis qu'il avait procédé à la sécurisation du ranch. C'était devenu indispensable, car les va-et-vient de Mountain et des recrutés autour de la butte auraient fini par attirer l'attention des locaux. Simple, discret, l'accès souterrain avait été salué comme la solution.

— Ça n'explique pas comment le cheval a pu franchir le camouflage holoviv. Peut-être l'ouragan d'il y a deux ans. En tout cas, un passage a été dégagé, et suffisamment large pour qu'un cheval y pénètre. C'est ma faute, j'aurais dû contrôler.

— Ne nous inquiétons pas trop, répliqua Mizuki. Les hommes s'agitent, mais ils sont oublieux. Ils oublieront ça aussi.

— Tout de même. Le gamin en a fait des images. Son film est dans tous les *e*vis, à l'heure qu'il est.

— Et après? La plupart des gens croiront à des effets spéciaux. On fait ce qu'on veut avec les images maintenant, pas vrai, Chérif? On n'a qu'à lancer l'idée.

La perspective d'une jolie petite campagne de désinformation réjouit Carlingua. Il en toucherait un mot à Seydou.

— Il vaudrait mieux détruire la loge de Pennsylvanie, suggéra-t-il. De toute façon, il n'y a plus qu'Isaura qui s'en sert. Ça fait un bail que Mountain ne voit plus son troupeau que dans l'holoviv. Au fait, quand rentre-t-il?

— La semaine prochaine, je crois. Il est increvable. Il est passé de la Sphère karianide à Bruisse. Et c'est vrai qu'il y a beaucoup à voir sur la planète-musée. Le grand hémicycle de Gammar, les maisons-lunes, la passerelle des trois mondes… Quand on pense que c'est au milieu de toutes ces merveilles qu'une œuvre architecturale humaine prendra place bientôt. Les voyages de Mountain servent à quelque chose, conclut Mizuki, comme si quelqu'un en doutait.

5

La note hautaine était tombée sur le bureau de Jovan Olach. Je vous attends mercredi 14 mai 2031, 16 heures, suite Lastman, au Ritz-Carlton de Toronto. Venez seul. Soyez ponctuel. Bien à vous, Noam Frenkl.

Jovan Olach n'avait rien à se reprocher. Malgré tout, son instinct lui disait d'être sur ses gardes. Le ton de la lettre ne lui plaisait pas. On le convoquait comme un domestique, lui, le président-directeur général de Galley Investments. Il regarda la vaste salle qui devait bien abriter une trentaine de voitures. Sur le sol en marbre clair, les chariots de rafraîchissements roulaient sans bruit, poussés par un personnel en livrée, attentif et stylé.

Ça n'allait pas, rien ne lui plaisait ici. Il devait être ce soir à Toronto, c'est entendu, mais il avait encore le temps de prendre l'hélico pour Hamilton et d'aller voir de près les bagnoles de la vraie caverne d'Ali Baba. Là seulement il arrêterait son choix. Il avait le temps. Il avait l'hélico. Il en avait envie. Pourquoi se priver?

Le Ritz, il n'avait rien contre, mais le ton, il n'aimait pas. Ce n'est pas l'impression que lui avait laissée Noam Frenkl il y a trente ans. Question voitures, ces derniers temps, Jovan Olach penchait pour la Lamborghini 840. La version Roadster était particulièrement séduisante avec *e*vis intégrés, les portes en élytres et l'habillage intérieur. C'étaient là des détails auxquels Fiona était sensible. Le plus important à ses yeux demeurait le moteur. Un 840 chevaux qu'on pouvait maintenant pousser à 400 kilomètres/heure. De quoi laisser loin toutes ces chiottes à hydrogène. 400 kilomètres/heure ! C'est bien ce que lui avait dit le vendeur quand il était passé l'autre jour, après avoir reçu la lettre du Club.

Que Jovan Olach soit membre du Club Lamborghini, qui aurait cru la chose possible il y a trente ans ? Même sa mère, qui voyait grand pour son fils, n'aurait pu imaginer le quart des délices qui composaient son ordinaire actuel. À l'époque, elle voyait surtout les lessives à recommencer, les fournitures scolaires à renouveler, les chaussures à ressemeler – rien que des « re », toute une vie à refaire, cela s'appelle faire du surplace, Jovan Olach l'avait vite compris. Plus tard aussi, il avait compris qu'on pouvait recommencer sa vie à zéro. Premier Rom diplômé de la London School of Economics. Pfft ! Ça ne compte pas. Rom, il voulait dire. L'École, elle, était un sésame.

« Je reviendrai », dit-il, cassant, au vendeur qui s'approchait, tout sourire. Dans le parking, un valet obséquieux lui rendit ses clés de voiture. Jovan Olach se sentit un petit creux. Il fit un détour par le Libanais de la rue Kennedy et, le plus démocratiquement du monde, avala un sandwich debout, accoudé au comptoir qui donnait sur la rue animée à cette heure. Quand il ne resta plus qu'une feuille de menthe, quelques oignons et un peu de sauce au fond du sachet, un café fit inopinément son apparition à ses côtés, apporté par le bras velu du patron. En deux gorgées, Jovan l'expédia et sortit en laissant le pourboire habituel.

Il n'aimait pas le ton. Il n'aimait pas le procédé. Pourquoi pas un texto pendant qu'on y était ? Pourtant, il lui avait bien fallu accuser réception de la note de Genève. Ces gens se manifestaient trop peu souvent pour qu'on pût les ignorer quand ils le faisaient. Et puis, il se souvenait très bien de Noam Frenkl. Comment aurait-il pu oublier Noam Frenkl ? Leur premier et unique entretien n'avait duré qu'une petite heure, mais il avait suffi à changer le cours de son existence.

Jovan Olach sourit à l'évocation du jeune homme qu'il était. À l'époque, il lissait ses cheveux vers l'arrière, en dégageant bien le front. Il portait une chevalière à l'auriculaire gauche, une cravate étroite, et le pli de son pantalon était impeccable. Imbécile. Il ne connaissait ni le négligé chic, ni l'art de la conversation désinvolte, ni le second degré : tous ces signes de réussite qui vous distinguent de l'élève besogneux.

En trente ans, le Rom économiste avait mis les bouchées doubles, et il faut reconnaître que Noam Frenkl s'était montré clairvoyant, puisque le diplômé mal dégrossi allait se révéler le gestionnaire de pointe dont avait besoin Galley Investments.

Jovan Olach retrouva sans peine sa place réservée dans le parking de l'héliport et, aussitôt le moteur éteint, vit s'avancer l'hôtesse qui allait le conduire jusqu'à la machine. Jolies jambes, pensa-t-il, mais pas assez de seins. Qu'est-ce qu'elles avaient toutes, aujourd'hui, à ne montrer que deux renflements misérables dont pas un bébé ne voudrait ! Il avait passé l'âge des tétées, ce qui ne l'empêchait pas d'aimer les vraies femmes avec de vraies poitrines. Comme Fiona.

Ils trouvèrent l'hélico prêt à partir. L'hôtesse, qui n'avait pas dit trois mots depuis leur rencontre, se contenta d'afficher un large sourire en lui tendant ses papiers d'atterrissage. Toronto ne plaisantait pas avec les contrôles, il le savait pour avoir goûté un jour à la médecine des interrogatoires et des papiers manquants. Quelle humiliation ! Lui ! Jovan Olach ! Être traité comme un vulgaire terroriste ! Car tous les terroristes sont vulgaires, voilà ce qu'il pensait. Ils n'avaient qu'à faire du commerce au lieu de faire exploser les gens. Ils y trouveraient tout de suite leur profit, et celle de leur cause itou. Fiona n'aimait pas quand il tenait ce genre de discours en société, en particulier autour d'olives, où se nouent les relations qui comptent. Elle le faisait taire d'une caresse furtive. Il se taisait, il n'en pensait pas moins.

Dans le cabinet de toilette, la glace lui renvoya une image parfaite. Bronzé, détendu, des comptes irréprochables, des colonnes bien nettes, avec tout en bas, sous la ligne fatidique, de jolies sommes qui faisaient sourire d'aise les administrateurs quand ils se réunissaient dans la grande salle aux boiseries. Au bas de la note envoyée, le grand patron ne s'était même pas donné la peine de décliner ses titres et fonctions. C'était un comble. Même entre collègues, il faut savoir mettre les formes. Que lui voulait-on? Le président-directeur général de Galley Investments redessina la raie de ses cheveux, en prenant soin de laisser une mèche dépasser. Il se versa un second scotch, regarda le dernier bilan financier relié sur son bureau. Fallait-il le prendre avec lui comme aide-mémoire, même si le document avait déjà été envoyé à Genève par ses soins et approuvé par le conseil d'administration? Réflexion faite, il ne le prendrait pas. Mais il n'allait tout de même pas se présenter les mains vides à ce rendez-vous. La lettre ne précisait rien sur ce point. C'était énervant. Près de l'*evi*, l'heure clignotait avec indifférence. La date, il la connaissait déjà : aujourd'hui on était mercredi 14. Mais il n'était que trois heures de l'après-midi. Il résolut de tuer le temps en faisant un tour dans le quartier.

Il se promena si bien qu'il avait les mollets endoloris quand il se présenta, l'air aussi détendu que possible, au pied de la grande silhouette de verre de l'hôtel. Dans le lobby, Jovan choisit l'ascenseur. En plus des mollets douloureux, il n'allait pas se donner le ridicule d'être à bout de souffle.

La suite Lastman se trouvait au vingtième. Quand il frappa à la porte, une voix énergique lui dit d'entrer. Le gestionnaire obéit, mais s'arrêta à la vue de l'homme qui venait à sa rencontre. Olach reconnut l'élégante silhouette, la profondeur du regard, la pointe d'accent germanique perçant sous l'anglais châtié, pourtant il se défendait mal contre un sentiment d'étrangeté. Il s'attendait à trouver une vieille baderne à quoi opposer sa soixantaine dynamique – un atout, se disait-il, au plus fort de l'inquiétude –, ce n'était que logique après toutes ces années. Mais voilà qu'un Noam Frenkl à la forme resplendissante s'avançait vers lui. Il y avait de quoi être dérouté.

— Asseyez-vous, dit le jeune vieillard. Je vous remercie d'être venu.

Comme s'il avait eu le choix. Pour l'instant, le seul choix qui s'offrait à lui était entre la causeuse Louis XV ou le fauteuil de même style. Le gestionnaire choisit la causeuse. Il serait plus à l'aise.

— Eau minérale? scotch? café?

La voix était précise. Le ton, celui de la note de convocation.

— Scotch, s'il vous plaît.

Noam Frenkl prépara les boissons. Il se versa un jus de fruits. Jovan Olach regretta d'avoir opté pour le scotch. Trop tard. Il allait y tremper les lèvres quand l'autre, en face, leva imperceptiblement son verre. Confus, le gestionnaire leva aussi le sien.

— J'ai vu que vous avez bien travaillé, attaqua Noam.

Le compliment n'avait rien pour le rassurer. Une feinte? Fiona, dis-moi quelque chose, n'importe quoi. Il eut un sourire crispé.

— La production est en constante augmentation, poursuivit l'homme de Genève. Je pense en particulier au gisement de Red Lake et de Kemess South. Il a fallu fermer Hoyle Pond, mais le filon s'épuisait. C'était la chose à faire.

Était-ce l'alcool? Il se détendit.

— Galley Investments a dégagé des bénéfices records l'année dernière, mais l'historique indique un rendement de 19 pour cent en moyenne au cours des dix dernières années. Ce qui est tout à fait correct.

Finalement, il avait bien fait de ne pas prendre les états financiers. On aurait cru qu'il voulait se faire bien voir. Le patron savait tout. Un patron sait tout. Le patron? C'était lui, le patron de Galley Investments. Personne n'en doutait ici. Qu'allait-il se passer maintenant? Le sentiment de soulagement n'avait été qu'un répit.

— Des bénéfices, seuls 2,5 milliards ont été reversés aux actionnaires sous forme de dividendes. Le reste a été réinvesti dans la prospection, dans l'exploitation des sables bitumineux et dans l'acquisition des gisements de LaRonde.

— À l'époque, c'est ce qui m'avait paru...

— Les actionnaires ont été pleinement satisfaits, l'interrompit Noam Frenkl.

Manifestement, il était jugé sur les résultats, non sur les raisonnements ayant présidé à ses décisions. Au moins le jugement lui était-il favorable. Car il l'était, n'est-ce pas? Ça se voyait au regard clair que l'homme de Genève posait maintenant sur lui. Ce regard ne cillait pas. C'était tout de même un peu inquiétant, non? L'homme de Galley Investments chassa cette pensée.

— Tout cela appartient au passé, monsieur Olach.

L'intéressé avala sa salive.

— L'économie mondiale offre d'autres opportunités, et nous avons décidé d'en profiter.

Nous? Qui ça, nous? Venait-on le consulter? Genève lui devait bien ça.

— Je vous sers un autre scotch?

— Non merci.

C'était un préambule. On venait lui parler restructuration, synergie, rationalisation. Jovan Olach connaissait le lexique et n'avait jamais hésité à y piocher lorsque les chiffres l'exigeaient. Il l'avait fait sans en tirer une fierté particulière ni faire de vagues sur la place publique. Une société d'investissements n'a pas à s'encombrer de la mission sociale que certaines usines se font mettre sur le dos. Que pèse le petit personnel quand il en va de la santé financière du Groupe? On sacrifie quelques postes, on exige plus de rendement, on offre des séminaires de formation s'il le faut, et basta. Que pouvait-on lui reprocher? Rien. Aucune malversation, aucun délit d'initié, pas le moindre boursicotage. Ce n'est pas comme ces grands patrons véreux qui se retrouvaient derrière les barreaux. Jovan Olach était honnête. Sa vieille mère n'avait pas deux jupons à elle, mais s'il est une chose qu'elle lui avait apprise, c'est bien d'être réglo en affaires. Ses chiffres étaient limpides, ses livres grand ouverts. En fait, il ne craignait qu'un mot : fusion. Noam Frenkl l'avait-il prononcé? Pas encore. En sortant d'ici, quoi qu'il arrive, il irait faire un grand tour avec la Porsche, le pied au plancher. Après, ça irait mieux. Et puis cet air de jeunesse! Selon ses calculs, le type devait frôler les cent ans. Comment faisait-il, bon sang?

— L'or, c'est fini. Vous allez faire deux parts des avoirs de Galley Investments. Dans un premier temps, et qui s'échelonnera sur les trois prochaines années, vous céderez la moitié de nos actions aux rendements les plus élevés. Comme la tendance est à la hausse, vous en obtiendrez un bon prix et vous investirez cet argent frais dans les différentes sociétés dont je vous ai dressé la liste.

Noam Frenkl sortit une enveloppe de la serviette posée à ses pieds et que l'homme de Galley Investments, tout à son trouble, n'avait pas remarquée.

— Dans trois ans, vous en ferez autant avec l'autre moitié de nos actions.

Il a dit : nos actions. Mais lui-même avait si peu à voir là-dedans. Jovan Olach ne reconnaissait pas sa voix.

— Puis-je ouvrir l'enveloppe maintenant, monsieur?

Un hochement de tête lui répondit. Ce qu'il y avait de bien, avec l'or, c'était le mot même. Il était si chargé de sens qu'il entourait d'un halo de magie les austères livres comptables de Jovan Olach. Même un esprit raisonnable comme le sien ne pouvait s'empêcher, certains jours, de voir se profiler derrière les colonnes de chiffres des paysages de moraines désolées, des chariots brinquebalants s'enfonçant dans le roc, des lingots luisants au fond des coffres-forts, voire des chercheurs d'or à salopette et vieille pétoire, enfin toutes ces images d'Épinal qui parsèment les livres d'histoire. Il ne s'y attardait pas, ce n'était pas dans son tempérament. Mais il aimait. C'est comme les Porsche et les Lamborghini. Le but, c'était de descendre seul, au garage, certains soirs, et là, dans la pénombre, de s'accorder des plaisirs de petit garçon, dans la pure contemplation. L'enveloppe, quand il la déchira, fit un bruit assourdissant. Stoïque, il accomplit le geste jusqu'au bout, sortit le feuillet et lut, dans le silence enfin retrouvé. Northrup Grumman, des actions de première catégorie, à hauteur de 3 p. cent; Lockheed Martin, des actions de première catégorie à hauteur de 3 p. cent, de même que des actions sans droit de vote, à hauteur de 8 p. cent; Dassault, à hauteur de 3 p. cent, des actions de première catégorie; BAE Systems, Raytheon et General Dynamics à hauteur de 4 p. cent, des actions de première catégorie. La liste remplissait le feuillet aux deux tiers.

Jovan Olach ne s'y trompa pas : tous les principaux fabricants d'armes de la planète se trouvaient là. Le changement de cap était radical. Après tout, pourquoi pas? Ça ne ferait que de plus beaux chiffres encore.

— Je commence quand?

— Maintenant.

Il était soulagé. Le mot fusion avait été évité. Le mot destitution n'avait pas été prononcé. Et pas davantage le mot désaveu. En somme, tous ces mots en «dé» comme dégringolade. Il était sauf. Sain et sauf.

— Agissez sans faire de coups d'éclat. Veillez à toujours espacer vos transactions, afin de ne pas éveiller les soupçons. Privilégiez les actions de première catégorie, comme je l'ai indiqué, mais en cas de résistance, ne dédaignez pas les actions de classe B, qui vous serviront de cheval de Troie. Vous les convertirez plus tard.

Une question lui brûlait les lèvres : pourquoi? Dans sa position, elle serait malvenue. Il se retint.

— Bien, monsieur Frenkl.

— Bien, monsieur Olach. Vous pouvez disposer maintenant. Et poursuivez votre bon travail.

— Monsieur...

Noam Frenkl parut agacé. La fatigue du voyage, sans doute. Il n'allait pas l'importuner longtemps. Tout de même, ça le tarabustait, cette histoire.

— C'est que, monsieur, jamais je n'oublierai notre première rencontre. Vous m'avez donné ma chance, et pour cette raison je vous serai toujours reconnaissant.

Le patron leva une main-couperet. Jovan Olach accéléra le débit.

— C'était en 2003. Et maintenant...

— Oui?

— Monsieur, excusez mon audace, mais comment faites-vous pour avoir l'air si jeune? Vous êtes drôlement bien conservé, on a dû déjà vous le dire. Moi, c'est la musculation et le jogging. Et vous?

Après tout, ils allaient se revoir. Des collaborateurs, comme qui dirait. Un silence glacial coupa court à cette camaraderie à sens unique.

— Vous avez peut-être un médecin spécial, balbutia l'homme de Galley Investments. J'ai lu quelque part qu'il y a des cliniques en Suisse...

Le patron se leva, signifiant par là que l'entretien était terminé.

— Monsieur Olach, pourquoi des gens vivent vieux et d'autres pas, pourquoi on naît, pourquoi on meurt, ce sont des questions passionnantes. Mais leur examen approfondi suppose un loisir qui n'est guère compatible avec vos responsabilités officielles au sein de Galley Investments. À moins que vous ne souhaitiez disposer de plus de temps pour vous adonner à la philosophie, je vous suggère de laisser tomber.

Ils étaient arrivés à la porte. L'instant d'après, elle se refermait. Jovan Olach tenait l'enveloppe contre sa poitrine, comme un viatique.

6

Bien engagée, l'action des Contactés aurait pu se poursuivre avec profit sur le seul versant terrestre, mais Mountain refusait de négliger cette vaste et imprévisible entité qu'était la galaxie. Sur ce plan aussi, insistait-il, le front devait demeurer actif. Il se revit sur Bruisse, figure minuscule écrasée par les dimensions monumentales du portique. Les bases des colonnes du temple étaient sculptées. Et il devait lever la tête pour examiner le détail des chimères se déployant tout en haut du premier tambour. L'Artemesion d'Éphèse. Tel que Mithridate l'avait vu. Là précisément où le roi d'Orient avait voulu honorer la déesse. Là où il était tombé, après avoir été vaincu et trahi. Nohog avait été bien inspiré d'en faire une copie moléculaire avant l'arrivée des Goths.

Au moment de partir vers d'autres mondes, le Contacté ne manquait jamais de se renseigner sur les usages des peuples visités. Voilà pourquoi ce jour-là, sur Xall, il sut qu'avec le temps le personnage qui se trouvait maintenant en face de lui était devenu encore plus considérable. Cela se voyait au fil rouge qui serpentait en haut de son pelage.

Le Tsumaton Lucelnabr accueillit les salutations du Contacté avec froideur.

— Les humains sont encore loin du but, furent les premières paroles de l'hôte répercutées dans le lingal du visiteur, après le bref salut d'usage.

Non loin, le Thijj ondulait doucement tandis que le Structasensi demeurait impassible. Sa présence aux côtés d'un humain n'allait pas de soi, et il avait fallu au Contacté beaucoup de patience et de diplomatie pour en arriver là.

— Un-Soi Lucelnabr, nous réussirons, bien que notre histoire ne fasse guère le poids à côté de la vôtre. Je me sens âgé, alors que vous l'êtes un million de fois plus. Loin du but, dites-vous? J'espère que vous avez relativisé les termes.

Lucelnabr parut réfléchir. Il était si vieux que la moindre expression sur ses traits pouvait être interprétée de diverses manières. Ainsi, que voulait dire, en ce moment, ces plissements du menton? Était-il désolé d'avoir quitté les archives? La visite de l'humain l'ennuyait-elle? Au bout d'un temps qui parut infiniment long, un frémissement d'approbation émana du lingal. Mountain s'inclina devant le dignitaire et répéta le geste à l'intention de sa suite et des tribunes.

— Au nom de tous les humains, je suis venu vous exprimer notre gratitude, Un-Soi Lucelnabr, ainsi qu'à l'Un-Soi Elphr, le Thijj, et à l'Un-Soi Ogi-Ub, le Structasensi, ici représentés par leurs honorables successeurs. Il y a un quart d'année galactique, vous avez choisi d'épargner notre planète. Votre décision nous a donné la vie.

— Propos excessifs, protesta l'antique créature.

Les tribunes furent secouées de bruits divers. Au préalable, Mountain avait veillé à publiciser son périple dont le temps fort était les remerciements officiels présentés au seul Un-Soi du Protectoire de l'époque encore vivant après soixante-cinq millions d'années. L'événement avait attiré une petite foule bigarrée. De tels échanges, bien qu'informels et souvent non traduits, étaient indispensables sur le plan diplomatique. Et Mountain s'adonnait à cet aspect de sa mission avec la même aisance et la même curiosité qu'il avait mises à connaître les autres tribus indiennes à l'époque de ses pérégrinations avec Two Moon.

Le Contacté humain salua son hôte une dernière fois avant de quitter la tribune et en prenant soin de se conformer aux arrêts prévus en présence de dignitaires de haut rang. Enfin, le Tsumaton se leva, marquant la fin de la période protocolaire, et la foule se répandit sur la Place du Lien. Le Structasensi, qui restait méfiant à l'endroit des humains, prit congé rapidement. Des petits groupes se formaient, se défaisaient pour ensuite se recombiner, et Mountain, satisfait, allait de l'un à l'autre. Le passage ouvert il y a un siècle et demi n'allait pas se refermer de sitôt.

Mais tout occupé à ces manœuvres, pouvait-il soupçonner ce qui couvait maintenant sur Terre? Bien sûr il y avait les trucs habituels. La Suisse ne voulait toujours pas entendre parler de l'Union européenne. C'était la Biélorussie qui fournissait le réseau Kirchnev en uranium enrichi. Et Panama venait de protester officiellement devant l'ONU contre l'ouverture du passage du nord, on savait pourquoi. Léa, pour sa part, avait tout de suite flairé le danger en découvrant la scène dans l'holoviv, et Carlingua, appelé en toute hâte, vit qu'elle n'avait pas sous-estimé le problème.

— Parlant des pôles, commenta-t-elle, il y a plus grave encore que la disparition de la calotte glaciaire, enfin c'est mon avis. Antarctique. Base Deepfinder. Tu connais?

Le conteneur radio était petit, mais tout à fait confortable. Quelqu'un avait punaisé au mur une carte postale reproduisant la Joconde. Pour un peu, et le choix de la dame mis à part, on aurait pu croire au casier d'un joueur ou à celui d'un élève dans quelque pensionnat anglais, et non à celui d'un des membres d'une équipe scientifique lâchée dans l'immensité polaire. Lâchés? Pour tout dire, ils demeuraient arrimés à une base dont chaque sortie était réglée avec soin, chaque tâche planifiée et supervisée, y compris les communications privées, dont la durée hebdomadaire, pour chaque membre, avait été fixée à vingt-quatre minutes. Pourquoi pas vingt-cinq? avait plaisanté Sonia Moulin quand on lui avait expliqué les règles, à son arrivée.

Après une vingtaine de sonneries, la géophysicienne renonça à joindre son fils et regagna le laboratoire.

— Vous tombez bien, dit le Russe dans un anglais parfait. Nous venons tout juste de recevoir les relevés de six heures.

— Et alors? demanda Sonia Moulin, tout en procédant aux relevés sismométriques.

— L'interprétation des données a dû être retardée. Une histoire de zéros et de point décimal. Rien de grave. Ellison et Manzoni sont en train de refaire les calculs.

— Quand aurons-nous les données révisées?

Le chef adjoint Pietr Mazarof, d'un doigt léger, effleura l'icône de réception.

— À l'instant. Ils ont fait vite.

Quelques minutes plus tard, la porte du sas s'ouvrit, laissant entrer Harriet Ellison et Guido Manzoni. L'excitation se lisait sur leurs visages. Le groupe se pressa autour des documents fraîchement imprimés, tandis que le Russe pointait du doigt un tableau et puis un autre.

— Vous vous rendez compte de ce que cela signifie?

Harriet Ellison le regarda. Elle avait perdu son flegme habituel. C'était une femme de petite taille. Une fossette sur le menton adoucissait les traits d'un visage par ailleurs carré, et une dizaine de fils gris se frayaient un chemin dans la chevelure noire.

— Nous nous rendons parfaitement compte, dit-elle d'une voix hachée.

— C'est bien pourquoi nous avons refait les calculs, renchérit l'Italien.

— Alors il faudra les refaire une autre fois.

Mazarof ne plaisantait pas. En l'état, le volume de ce gisement de gaz naturel s'élevait à cent mille milliards de mètres cubes. Du jamais vu, même en Sibérie. Dix fois celui du Qatar. C'était tout simplement prodigieux.

— Cela paraît incroyable, reprit le professeur Ellison, mais les relevés du navire ont tous été vérifiés deux fois. Depuis huit mois qu'on est ici, on était loin de soupçonner la présence d'un tel anticlinal.

— Et que s'est-il passé pour qu'on tombe dessus?

Sofian Djedra, qui venait d'entrer, avait réagi aux derniers mots. Guido Manzoni récapitula les données à voix haute, comme pour leur donner plus de poids.

— Les relevés de six heures ont permis de boucler le quadrilatère s'étendant jusqu'au 64° de latitude sud. Soit précisément là où surgit l'immense anticlinal qui nous a alertés sur la carte des isobathes. Les réflexions sismiques ont révélé les structures diapiriques et nous ont incités à descendre plus en profondeur. Voilà.

— C'est insensé, dit le Russe, qui ne voyait plus que le tracé du gisement extrapolé par l'*evi* central.

Le gisement étendait ses ramifications dans la mer de Bellingshausen, entre la côte Eights et le 64° sud. Les premiers examens laissaient supposer un gisement de gaz sec.

— Où est Dandrieu?

Harriet Ellison avait parlé. Elle paraissait ennuyée.

— Il devrait déjà être là. Vous avez vu l'heure?

Mazarof excusa son chef.

— Parti faire fondre de la neige avec Moshe. Ils ne vont pas tarder à rentrer. La bonne nouvelle lui sera communiquée dès son retour. Avec les données revérifiées, bien sûr.

— C'est extraordinaire, dit encore quelqu'un.

Le chef adjoint garda pour lui le fond de sa pensée.

Carlingua éteignit le cône de visionnement. Léa avait raison. Les emmerdes commençaient.

7

Un crissement de pneus sur le gravier, et la Rolls fit son entrée, affichant tous les signes officiels de l'État birman avant de s'immobiliser devant la façade du 28, Thalar Waddy. À vrai dire, l'adresse comptait peu, car la nouvelle demeure de monsieur Than Tun était reconnaissable entre toutes à son grand bassin, devant la maison, et son dragon jaillissant de l'onde. Sur la bordure, sur les parois et tout au fond du bassin, des morceaux de jade piqués dans le marbre jetaient un éclat vif dans le soleil du matin.

Le chauffeur fit le tour de la voiture et ouvrit la portière à ses occupants. Deux femmes s'avancèrent à leur rencontre.

— Souris un peu, murmura Léa.

Pour Isaura, qui marchait devant, c'était tout réfléchi : elle serait polie, sans être aimable. N'était-ce pas le comportement attendu d'un chef d'entreprise de son rang? Léa, pour sa part, mettrait des formes à la transaction.

— Monsieur Than Tun! s'exclama-t-elle. Vous êtes la ponctualité même.

Le nouveau maître des lieux s'extirpait de la voiture, tandis que son secrétaire, sorti le premier, l'attendait, debout, immobile. La portière se referma. Le chauffeur alla garer la voiture un peu plus loin. Il s'assit sur l'herbe et sortit de sa poche un jeu de man-jo.

Monsieur Than Tun, agacé, ne pouvait détourner la tête du tintement électronique.

— Et si nous entrions? suggéra le secrétaire.

— Bien sûr, dit Léa. Après tout, cette maison vous appartient, maintenant.

Monsieur Than Tun ne se fit pas prier pour admirer chacune des vingt-deux pièces de la demeure. On n'était que le premier jour, mais il voulut tout voir : l'autel des nats et le Bouddha, la chambre à coucher du maître, le cellier à la mode occidentale, le fumoir, les cuisines, la salle de réception, les suites d'hôtes. Il ne se lassait pas d'en découvrir les beautés. Chaque fois que Léa ouvrait une porte, il poussait un petit cri d'admiration avant de vérifier, d'un œil exercé, si le dragon s'y trouvait. Les deux femmes n'avaient oublié aucun endroit. Parfois, l'ornement était minuscule mais placé bien en vue sur le mur principal de la pièce. Parfois, il n'y avait que la tête, incrustée dans un vase, ou reprise comme un motif sur une frise, au plafond. Dans la buanderie, on ne voyait que les naseaux fumants, et le futur propriétaire éclata de rire.

La fin de la visite les réunit dans le grand salon. Monsieur Than Tun invita les deux étrangères à prendre place sur les coussins moelleux du divan.

Quant à lui, modeste, il choisit le trône de l'empereur, ainsi nommé par le décorateur en raison de l'impressionnant dragon qui courait sur le mur, derrière. Par son ampleur, la fresque parut effrayer le secrétaire, qui se contenta d'un coussin, en retrait.

— Je suis très touché par votre présent, mesdames. Je ne sais comment vous remercier, ajouta le fonctionnaire – même si nul dans cette pièce et pas davantage à des kilomètres à la ronde ne se serait risqué à le désigner sous ce vocable.

— En cinq ans, les activités de Kiddo International en Birmanie se sont déroulées sans encombre, fit remarquer Isaura, caustique. C'est déjà beaucoup.

Sur le visage de monsieur Than Tun, le sourire de contentement disparut. Il n'était pas sûr d'avoir saisi l'allusion. Les étrangers sont parfois déroutants. Léa voulut réparer.

— Il est normal que madame Fonseca se préoccupe du bon déroulement de nos affaires en Asie. Kiddo International est présent dans chacun des pays du continent. Grâce à la Chine, notre partenaire de la première heure…

— Je sais tout ça, l'interrompit monsieur Than Tun, ennuyé.

La migraine le reprenait. Sur son coussin, le secrétaire sentait venir l'orage. Imperturbable, Léa reprit.

— Il ne manquait que la Birmanie. À partir d'aujourd'hui, l'Asie sera entièrement couverte.

— Grâce à votre concours ajouta Isaura, qui, cette fois, s'était obligée à sourire.

— Votre technologie coûte très cher, grimaça monsieur Than Tun. Notre pays n'a pas les moyens des pays d'Europe ou d'Amérique.

Léa sortit de sa serviette une chemise aux couleurs de la société et se fit rassurante. Il va de soi qu'on n'allait pas demander à l'État birman d'assumer le coût d'une mise à niveau de son réseau de communication dictée par des circonstances extérieures, sans parler des nouvelles structures à prévoir. Kiddo assumait la totalité de la prise en charge technique. De la construction des nouveaux studios de Yangon jusqu'au lancement prochain en Guyane du satellite. Aucun investissement, aucune dépense ordinaire ou extraordinaire n'étaient requis de l'État birman. Restait la main-d'œuvre : locale, bien sûr, et à tous les échelons. Les programmes de formation mis en place il y a cinq ans commençaient à produire leurs premiers contingents de diplômés. Sans compter le personnel d'expérience à débaucher. Vraiment, le recrutement ne poscrait pas de problème.

La nuque raide sous le flot de paroles, monsieur Than Tun résistait.

Il aimait l'idée d'avoir incité la PDG de Kiddo International en personne, cette madame Fonseca, à faire le déplacement. Avec une collègue haut placée à l'ONU, lui avaient soufflé les hommes du Renseignement. Si ces deux personnalités se donnaient tant de mal, c'était bien parce que lui-même était une figure importante. Ça ne l'empêchait pas de s'interroger sur le fonctionnement de la chaîne, sur ses visées véritables. Ce dédain, ce refus presque, du profit, ce n'est pas normal. Qui nous dit que Kiddo International n'est pas une façade pour disséminer des nids d'espions dans tous les pays d'Asie?

— Et les programmes? Elle aura l'air de quoi, la chaîne birmane de Kiddo?

Monsieur Than Tun avait un faible pour les feuilletons indiens. Il aimait aussi la musique militaire les jours de fête. Bien entendu, il aurait son mot à dire sur la direction des programmes. Il n'exigeait pas de tout contrôler, mais on pouvait tout de même tenir compte de son avis de temps à autre.

Isaura réprima mal un frisson de dégoût. Tout prenait tellement de temps à s'implanter. Elle avait beau mettre les bouchées doubles, il faudrait des années avant que l'action éducative de Kiddo ne donne des résultats. Cependant, les projections permettaient d'être optimistes. Même sans violence, les programmes plaisaient aux enfants. Ils auraient peut-être un effet sur leur comportement futur, qui sait? Mais de quel avenir parlait-on? Chaque jour les rapprochait de l'échéance ultime. Pouvaient-ils s'offrir le luxe de compter avec le temps? Léa intervint.

— Vous avez sûrement eu l'occasion de regarder ce que nous faisons ailleurs dans le monde. Vous n'êtes pas sans savoir que nos unités de programmes sont spécifiques de chaque pays et tout à fait indépendantes, ce qui fait leur succès.

— Le peuple birman n'acceptera pas n'importe quoi des étrangers, prévint-il.

Léa ne souriait plus. Quelques longues secondes s'écoulèrent.

— Il va de soi qu'une maison comme celle-ci exige un certain train de vie, reconnut-elle.

Le secrétaire fixait le motif du parquet en bois de teck. Très joli.

— Le cahier des charges de Kiddo en Birmanie est arrêté. Le budget de fonctionnement est alloué. Des équipes de production...

— Birmanes, précisa Isaura.

— ... sont déjà au travail. La chaîne commencera à diffuser le 1er septembre 2035, soit dans six mois. Comme nous avions obtenu votre accord de principe au sommet du Laos, et comme nous sommes convaincues que les quelques éclaircissements d'aujourd'hui auront balayé les doutes exprimés par le président Myint, nous n'avons pas traîné.

Léa sortit un autre document. Il faisait un feuillet.

— Simple formalité, ajouta-t-elle. Voici le numéro de votre compte à Zurich. Il sera crédité dès que l'arrêté ministériel sera signé.

Par la fenêtre ouverte, on n'entendait plus que le tintement du man-jo.

8

Une étrangère. Renu Chanderay savait bien qu'elle ne passerait pas inaperçue dans ce patelin. Alors aussi bien enfoncer le clou. Elle choisit un tailleur jaune vif, noua un carré de soie sur ses épaules, chaussa ses escarpins. Pas mal, se dit-elle, en s'examinant une dernière fois dans la glace. Parfait, ce tailleur était parfait. Elle détacha ses cheveux pour la touche décontractée. Dehors, devant le quartier général de Genève, le chauffeur l'attendait. Ils mirent le cap sur Aproz.

La loge était pavoisée aux couleurs du Valais. Les bancs étaient confortables, la buvette proche. Renu s'installa et admira le spectacle. *Vindovindovindovaiiin!* Une à une, les vaches étaient emmenées à la pesée. Elles suivaient avec avidité les mains pleines de sel qui les guidaient. D'autres mains, celles-là pleines de peinture blanche, traçaient des chiffres sur les flancs des bêtes, qui n'étaient pas des vaches ordinaires. C'étaient des Hérens, c'étaient des reines. En bas, le spectacle ne manquait pas d'intérêt non plus, mais c'était encore la tribune centrale qui offrait les meilleures places, la meilleure vue, les meilleurs voisins. Des huiles pour la plupart, chancelière, conseillers, maires, notables.

Le banquier Michellod, directeur général de l'Union des banques suisses, avait troqué le costume-cravate pour une veste marron à côtes. Arrivé de Zurich, il gagna sa place juste à temps pour apercevoir le docteur Magnin, propriétaire de Mouche, reine cantonale en titre. Pour rien au monde le banquier Michellod n'aurait raté ce week-end de combats. Loin des evis, entre aficionados, on discutait certificat de gestation, encornure, chanfrein, aplombs, combats anciens et reines d'alpage, et les heures passaient rapidement.

Un premier lot de vaches fut introduit dans l'arène. Courtaudes et massives à la fois, les bêtes s'épiaient, jaugeant les forces en présence. Le banquier Michellod aimait ces préliminaires faits de mugissements et de raclements de sabots. L'année dernière, il avait acheté Hirondelle au prix fort, et si, cette année, elle pouvait se rendre jusqu'en quart de finale, il s'estimerait content. Quant au titre de Reine des reines, Reine du Valais, on pouvait toujours rêver.

Un mouvement se fit brusquement. Le premier combat. Aussitôt, deux rabatteurs se postèrent de part et d'autre des vaches en lutte, évitant de justesse qu'une troisième ne vienne les piquer au flanc. Le banquier Michellod n'eut pas besoin du commentateur pour savoir que l'une des vaches à Magnin bataillait. Jambes écartées, casquette enfoncée sur le crâne, Magnin insultait les rabatteurs pour une histoire de corne coincée sous la sonnette.

Dans la tribune centrale, toutes les places étaient prises, et il commençait à faire chaud. Bien que fils du pays, Jacques Michellod l'avait quitté depuis suffisamment longtemps pour se voir maintenant entouré d'inconnus. Ce mélange de familiarité, de traditions et de nouveaux visages n'était pas pour lui déplaire, car il le changeait des conventions de la banque. C'est alors qu'il remarqua l'étrangère à l'autre bout de la tribune.

Fasciné, le banquier Michellod la suivit du regard tandis qu'elle gravissait l'escalier, escortée par un molosse qui semblait être son garde du corps.

À la fascination succéda la surprise de repérer son vis-à-vis de l'UBP, plus haut dans les gradins. Même s'il était plausible, après tout, de trouver ici Helmut Braun, la famille de sa femme ayant un troupeau à Évolène, le banquier Michellod ne comprenait pas du tout pourquoi l'inconnue se dirigeait maintenant vers le directeur général de l'Union Bancaire Privée, le molosse sur les talons.

Comme escapade galante, c'était réussi. Braun cachait bien son jeu. Erreur. Helmut Braun n'avait pas du tout l'air content d'être abordé par l'inconnue. Il eut un mouvement de recul ; l'étrangère insista. Elle voulut lui tendre la main, cela se voyait à sa façon de récupérer la serviette qu'elle avait coincée sous son aisselle. Une serviette mince, garnie de vrais documents. La femme en extirpa une chemise bleue qu'elle s'apprêtait à lui remettre. Pour l'instant, la tête penchée, elle lui parlait, et bien malin qui aurait pu savoir ce qu'elle disait. Braun consultait sa montre, montrait les reines butées l'une contre l'autre, en bas. Insensible à ces arguments, l'inconnue lui remit le dossier.

Alors le banquier Braun fit un geste invraisemblable en ce lieu. Week-end ou non, combats de reines ou non, il se mit à lire les documents ! Combien de documents ? De quelle nature ? C'est à ce moment que les applaudissements montèrent de la foule et que la reine de l'heure fut reconduite à son enclos. Le commentateur annonçait déjà les futures combattantes, leurs titres et leurs propriétaires, et Jacques Michellod reconnut la belle-famille de Braun dans le lot. Le banquier Michellod savait peu de chose de la vie rurale une fois sorti de son bureau et confronté à des usages dont la maîtrise lui échappait pour moitié, mais il savait au moins ceci : un homme qui s'est donné la peine de venir ici, à Aproz, à la finale cantonale, ne va pas rater le combat de sa reine. À quoi cela sert-il de s'inscrire sur une liste, d'entretenir à grands frais un troupeau et des mayens, d'en régaler les bergers à coups de caisses de bordeaux, si on doit se désintéresser du combat?

Helmut Braun s'en fichait complètement. Il étudiait les documents.

Il fallait poser le problème autrement. Qu'y avait-il dans cette chemise pour le retenir à ce point? Le banquier Michellod tira un mouchoir de sa poche et s'épongea le front. Quand il posa de nouveau son regard de l'autre côté de la tribune centrale, le directeur général de l'UBP était seul, le visage fermé. Lui parler? D'abord boire un verre.

Gamay, fendant, bière, le choix à la buvette n'était guère compliqué. Le banquier Michellod sentit qu'on lui effleurait l'épaule. Une main petite et brune, il le jurerait. Il se retourna. Vue de près, l'étrangère lui fit une plus vive impression encore, et il lui trouva un air sportif.

— Monsieur Michellod.

Il tenait son vin blanc d'une main. D'une rasade, il l'avala. Faillit s'étouffer. Helmut Braun, en haut de la tribune, le fixait avec attention.

— Madame.

Légère inclinaison de la tête.

— Je crois que nous gênons.

Rapide coup d'œil sur les jambes de l'étrangère, tandis qu'ils se déplaçaient. Sur un signe, le molosse tendit la serviette à sa patronne.

Le directeur général d'une banque suisse est homme à en voir de toutes les couleurs. Pendant un instant, Jacques Michellod crut à une tentative de blanchiment d'argent, à la restitution tardive d'un Rembrandt volé par les nazis, à un coup d'État en Afrique, et toutes ces possibilités dansaient une sarabande dans son esprit, alors que son corps se forçait à la retenue.

L'inconnue avait appelé le banquier Michellod par son nom, pourtant elle ne faisait pas mine de vouloir se présenter. À la place, elle lui tendit une chemise beige. Michellod comprit le message et se mit à lire.

Les premières liasses, jaunies, étaient constituées d'actes notariés d'une étude parisienne, Dumontier et Fournel. Fin XIXe, début XXe. Intéressant – mais seulement pour un collectionneur. Beaucoup de vieilleries, qui ne voulaient pas dire grand-chose en pratique, sauf peut-être ce récapitulatif des avoirs, à la fin. Impressionnant. Le banquier Michellod se pencha un peu plus. Venaient ensuite des relevés de transaction liant des banques suisses telles la Kreditbank Winterthur, le Crédit foncier suisse, la Schweiznationalbank, la Zürcherdepositenbank, avec des sociétés ayant pour noms Norutex, Constantinopoulos Import-Export ou Mineor Trade. Si le banquier ne connaissait pas ces sociétés, il connaissait les institutions bancaires. Certaines, à travers une série de fusions, alliances et rachats, faisaient même partie de l'Union des banques suisses, son groupe.

Autour, on leur décocha des regards curieux ; debout dans l'encoignure, le banquier n'y prêtait garde. Il continua de tourner les feuillets, avançant dans le temps, reconnaissant au passage certains de ses meilleurs clients comme le Van Dort Gruppen ou Galley Investments.

Peu à peu, il vit se dessiner un organigramme où les noms des sociétés allaient s'insérer comme les pièces d'un puzzle. Et malgré le déploiement résolument international de l'ensemble, la diversité des activités et des époques en cause, les variations dans le rendement et jusque dans le régime juridique des entreprises, une logique imparable les poussaient toutes dans un étroit goulot menant à une direction unique : Noam Frenkl, lequel, à en juger par ce dernier feuillet, avait cédé les rênes, cinq ans plus tôt, à une certaine Renu Chandaray.

L'étrangère, qui n'avait pas quitté des yeux son interlocuteur, comprit qu'il avait progressé dans l'intelligence de la situation. D'ailleurs, il avait levé la tête et la regardait. Elle lut de l'incrédulité dans ce regard.

— Maintenant que vous savez qui je suis, monsieur Michellod, je vais peut-être pouvoir vous entretenir d'un sujet qui me tient à cœur.

Un rapide calcul mental laissa le banquier pantois. À elle seule, cette femme devait posséder pas loin du quart des avoirs représentés par l'Union des banques suisses. Vous entretenir d'un sujet ? En cet instant, son bureau lui manqua, et c'est comme un poisson hors de l'eau qu'il se força à respirer et à sourire.

— Rassurez-vous, monsieur Michellod, je ne suis pas venue vous dire que je vous retirais ma confiance. La gestion de mon Groupe me tient trop occupée pour que j'aie envie de modifier sans raison nos liens bancaires.

Elle avait dit : sans raison.

— Toutefois, je ne peux ignorer l'évolution de la situation politique et je suis bien obligée de réévaluer chaque fois la conjoncture en fonction des intérêts du Groupe. Depuis une dizaine d'années, ceux-ci sont résolument tournés vers l'Europe.

Le banquier Michellod isola mentalement quelques pièces du puzzle. Elle disait vrai.

— La Suisse jouit d'une stabilité à toute épreuve, madame.

Il parlait comme un prospectus de Chambre de commerce.

À son tour, l'étrangère sourit, et il vit un couteau capable de lui trancher les veines d'un coup sec. Elle parla.

— Je sais. Mais il faut aussi tenir compte de l'avenir. Dans six mois, les Suisses voteront par référendum sur leur entrée ou non dans l'Europe.

Pour un peu, Jacques Michellod en aurait été vexé.

— L'UBS ne fait pas de politique, madame. D'ailleurs, je ne pense pas que la Suisse, contrairement à la Turquie et à l'Ukraine...

Le couteau se fit tranchant, la voix posée. Le mélange était tout à fait déconcertant.

— Libre à ce pays de continuer de faire cavalier seul s'il le désire. Notre chemin à nous est tout choisi, c'est celui de l'Union européenne. Par conséquent, si la Suisse décide de tourner le dos à l'Union, nous serons bien obligés de tirer les conclusions qui s'imposent en ce qui concerne nos avoirs dans votre pays. Croyez bien que je le regretterais, monsieur Michellod. Nous n'avons aucune raison de nous plaindre de vos services.

— C'est que notre système bancaire a aussi ses bons côtés, madame. Ce que vous m'avez fait lire à l'instant en est la preuve éloquente.

Impossible de savoir s'il avait fait mouche. Cette femme avait une maîtrise de soi à toute épreuve. Il n'empêche qu'elle n'aurait jamais pu donner à son Groupe sa structure actuelle sans le coup de pouce du secret bancaire tel qu'on le concevait en Suisse.

Il aurait dû lui offrir quelque chose à boire. D'un geste leste, Renu Chandaray récupéra le dossier que le molosse glissa dans la serviette. Avec une gaieté nouvelle, elle balaya la tribune du regard.

— La banque et la politique sont deux réalités distinctes, bien sûr, bien sûr. Au revoir, monsieur Michellod. Ne me raccompagnez pas, ce n'est pas la peine. J'ai été très contente de découvrir cela.

La main gracieuse montrait les combats qui continuaient de tenir la foule en haleine.

La haute silhouette du garde du corps, aperçue de dos, domina les lieux encore un instant. En se penchant sur la rambarde de la tribune, Jacques Michellod vit une Mercedes garée sur l'herbe, non loin, et le molosse qui en faisait le tour d'un pas régulier, sa passagère confortablement assise à l'intérieur.

Le banquier tâta la poche de sa veste. Pendant une fraction de seconde, l'absence d'*evi* l'inquiéta. Puis il se souvint où il était. Avait-elle tenu le même discours à Helmut Braun? Braun ne parlerait pas de ce qui s'était passé. Michellod le chercha des yeux dans la tribune, au cas où. Toute cette fortune donnait le vertige. Se pouvait-il qu'une Suisse neutre et isolée n'offre pas les meilleures garanties? La 117, Diamant, reine de l'alpage de la Marlenaz, veut en découdre, crachait le haut-parleur. Une vache, jusque-là immobile, avait défoncé son enclos et voulait pénétrer dans l'arène. Il y avait les bâtons des rabatteurs. Il y avait Magnin qui emporta le titre cette année-là encore. On pouvait dire que la vie continuait comme avant.

9

Ciel bleu. Nuages légers. En apparence, le *Jorge Edwards* de maintenant n'était guère différent de celui qui avait quitté le port de Punta Arenas trois jours plus tôt. En réalité, la frégate était portée par une vague de gloire. À terre, le type de la liaison radio était emballé : toutes les chaînes ne parlaient plus que de l'épreuve de force au large des Malouines. Sur les quais, une foule attendait déjà le commandant et son équipage. En termes militaires comme en termes civils, cela s'appelait tout bonnement une victoire, même si Carlingua était loin d'être de cet avis. Six ans auparavant, Léa avait vu juste avec ses sombres pronostics. L'Antarctique, terre ouverte à toutes les nations, était devenu objet de convoitise.

Le commandant Fabio Ugarte était né dans la pièce la plus sombre d'un rez-de-chaussée donnant sur une cour à Valparaiso. Comment il avait pu être admis à l'École navale quinze ans plus tôt, en sortir parmi les premiers de sa promotion, faire carrière dans la Marine nationale du Chili, d'abord comme aspirant, puis très vite avec le grade d'enseigne, et puis lieutenant, et capitaine de corvette depuis six mois, toute cette trajectoire, lui-même ne se l'expliquait pas autrement que grâce à sa bonne étoile. Pour sa mère, les choses étaient plus simples. Son fils était le meilleur. Il était le plus beau de tous dans son uniforme noir. Le père approuvait. Et aujourd'hui tous deux seraient sans doute présents parmi la foule.

Le commandant regarda sa montre. La vitesse de trente nœuds était maintenue depuis plus de huit heures, et on venait d'entrer dans le détroit de Magellan. Le port serait en vue dans une heure et demie.

Sur la passerelle, il trouva le second Paredes, penché sur une carte du secteur et très absorbé. Par effleurements successifs, l'homme en modifiait l'échelle. Ses lèvres remuaient, en laissant échapper quelques sons ténus, la plupart du temps inaudibles. Au vol, le commandant Ugarte entendit les mots «côtes», «plate-forme», «moratoire». Il comprit que le second répétait le laïus prévu devant les journalistes. Cela lui plut, car à cet égard les deux hommes s'étaient réparti le travail. Au commandant, le récit de la manœuvre; au second, le rappel des circonstances. Dernier briefing, claironna-t-il en entrant. Le second leva les yeux de l'écran et salua en claquant des talons. Il lui arrivait de faire un peu de zèle.

— Commandant.

— Avez-vous pensé à tout, monsieur Paredes?

— Je crois que oui, commandant.

— À toutes les questions possibles, monsieur Paredes?

Le second prit un air entendu.

— Rien de compliqué, je pense.

— On vous demandera pourquoi nous sommes intervenus.

— J'expliquerai que, depuis le début, le Chili s'est opposé à l'installation de la plate-forme *Americas*. Que sa construction s'est faite en violation du *Traité de l'Antarctique* de 1959 et du *Protocole de Madrid* de 1991. Qu'à plusieurs reprises, nous avons fait valoir notre point de vue devant l'ONU.

— Continuez.

— Que la découverte d'un gisement important de gaz naturel dans la région ne change rien à cet état de fait. Que les besoins énergétiques des États-Unis d'Amérique ne peuvent justifier la construction d'un port méthanier en eaux internationales, en violation de tous les traités.

— Vous vous égarez, monsieur Paredes. À supposer qu'on reconnaisse aux États-Unis le droit de dénoncer le *Traité sur l'Antarctique,* ce sont les revendications de souveraineté antérieure à 59 qui prévaudraient alors. Suivant ce scénario, cette partie de la mer de Bellinghausen appartient au Chili. Ne parlez surtout pas de zone internationale.

— Entendu, commandant.

— Notez qu'ils ont aussi enfreint la *Convention internationale sur les fonds marins.* Dans tous les cas de figure, les Américains sont dans leur tort. Maintenant, la manœuvre. Interrogez-moi, monsieur Paredes.

Décontenancé, le second bredouilla.

— Heure, commandant?

— Le mercredi 12 janvier 2039, à 1 h 10 du matin, la frégate *Jorge Edwards* de la Marine chilienne, dont j'assure le commandement, a arrêté le superméthanier *Avenir* qui se dirigeait vers la plate-forme *Americas.*

— Lieu, commandant?

— Venu de Corpus Christi, au Texas, le méthanier avançait à la vitesse de 12 nœuds en suivant une route au 190. Nous l'avons intercepté au nord-est des îles Malouines, à un point situé au 56° de longitude ouest et 50° de latitude sud. La communication radio avec l'*Avenir* a été établie. Au nom du gouvernement chilien et de l'amiral Diaz, chef des Forces armées chiliennes, j'ai ordonné au capitaine de faire demi-tour. Refus de l'*Avenir* qui a exigé de pouvoir poursuivre sa route. Premier coup de semonce. Second refus américain; autre coup de semonce. Suivi de quatorze minutes de silence. Le bras-de-fer a pris fin quand l'*Avenir* a commencé à faire demi-tour. À 1 h 33, heure du Chili, il avait rebroussé chemin vers son port d'attache. L'incident n'a fait ni morts ni blessés. Bon sang, quel culot! s'exclama le commandant, débordant de fierté.

Le lieutenant de vaisseau Paredes ne se laissa pas distraire.

— Le premier méthanier à vouloir gagner la base *Americas* a dû rentrer bredouille, commenta-t-il. C'est un grand jour pour le Chili.

Le commandant Ugarte se ressaisit.

— C'est aux journalistes d'interpréter les faits, lieutenant. Vous avez des cartes à leur montrer?

— La plus éloquente, la voici, commandant.

Soudain une grande agitation secoua le pont, et tous purent voir que des milliers de Chiliens acclamaient le navire le long des quais. Laissant le second à la manœuvre, le commandant quitta la passerelle.

Une heure plus tôt, à une altitude de 40 kilomètres, le moteur à hydrogène du Falcon III s'était éteint. L'ascension balistique s'était poursuivie jusqu'à son apogée, puis le drone hypersonique avait piqué du nez et commencé à planer. Au cours de la descente, quand l'air s'était fait plus dense, le statoréacteur s'était remis en marche, amorçant une série de mouvements ascendants et descendants au-dessus du continent. Après quelques ricochets en haute atmosphère, le Falcon III avait plongé pour de bon et libéré le missile.

— Dans trente, dit le contrôleur californien.

Son voisin, le sergent de section Malinevich, leva les yeux vers les images transmises par le satellite.

— Ça va pas, la cible devrait être en mouvement!

— Dans quinze.

Le contrôleur ne pensait à rien. Il avait appris à faire le vide dans ces moments-là.

— Dans cinq.

Il n'entre rien dans cinq trottinements d'une aiguille. Pas même un doute.

Au dernier moment, allez savoir pourquoi, une vieille, dans la foule, leva la tête.

Sur l'écran géant de l'*evi*, les images parlaient d'elles-mêmes. Au point 0 de l'impact, il ne subsistait rien de la frégate *Jorge Edwards*, des bittes d'amarrage, des bateaux de pêche voisins et de la capitainerie.

Au point 100 de l'impact, les chairs brûlaient, en dégageant une odeur âcre. Il y avait des bouts de jambes et des bras sans corps. Un enfant curieusement entier, mais calciné. Parfois, juste à côté des bouillies humaines, et suivant les caprices du hasard, une bouche respirait encore avec bruit.

Au point 300 de l'impact, ce n'était plus que hurlements. Des corps se traînaient parmi diverses substances blanchâtres, rougeâtres, verdâtres, les couleurs n'avaient plus d'importance. Les couleurs n'existaient plus.

À la Maison-Blanche, dans le bureau ovale, le président Mancini blêmit dès les premiers rapports. Les images du port sinistré n'arrangèrent rien.

— On a l'air de quoi? hurla-t-il à l'intention du général Cauley, stoïque. D'une bande d'assassins? Éteignez-moi ça!

— Il y a une explication, monsieur le Président, dit le secrétaire à la Défense, qui d'un geste fit virer l'écran au noir.

— J'en ai plein le cul de vos explications! Vous avez un tiers du budget national, vous avez la technologie la plus avancée, vous avez les meilleurs cerveaux, et vous n'êtes pas fichus de viser juste!

Ce n'était pas tout à fait ça.

— La cible était cette frégate, non? On peut donc dire que la cible a été atteinte, monsieur le Président. Quant au port... peut-être un problème de timing, en effet...

Le général Cauley n'eut pas le temps de terminer. Le président Mancini se leva et alla se planter sous son nez.

— Cauley, vous nous avez mis dans la merde, avec votre oiseau de malheur.

Le président postillonnait. Il avait peine à retenir son poing. Et les élections qui approchaient. Il respira profondément.

— Cauley, vous allez jouer au golf ou vous allez broder des mouchoirs, mais vous sortez de ce bureau. Thompson?

Le conseiller s'avança.

— Convoquez la presse pour 17 heures.

10

Elles se serrèrent la main sur le tarmac, tandis que l'hélicoptère rugissait. Ce fut la secrétaire générale de l'ONU qui parla la première.

— Contente de vous revoir, madame Ilyukhin.

D'un signe de tête, Léa salua également le garde du corps.

— Ce constat sera certainement très utile, madame Archane.

— Alors partons.

Léa reconnaissait là sa manière abrupte de se saisir d'un problème. Depuis deux ans qu'elle avait été nommée à la tête de l'ONU, Amel Archane en avait secoué la bureaucratie comme nul autre secrétaire général ne l'avait fait auparavant. Ce n'était pas la révolution; à Fez, où elle était née, on n'aimait pas les révolutions, mais on aimait les discussions et que les choses bougent. Amel Archane avait étudié l'histoire, elle n'avait pas étudié l'immobilisme. En apprenant la nomination de la Marocaine, plusieurs avaient applaudi au coup de jeunesse que prendrait l'organisation, ce n'était pas trop tôt. Cependant, très vite la nouvelle secrétaire générale avait pris la mesure des lourdeurs de la maison, même si elle savait pouvoir compter sur quelques fonctionnaires allumés. Léa Ilyukhin en faisait partie.

Les écouteurs furent branchés, et la collaboratrice fit son rapport, alors que l'hélicoptère s'élevait du sol.

— Nous survolerons Zwolle dans cinquante minutes. Les digues submergées sont à quarante kilomètres de là, au nord-ouest.

— Combien de digues?

— Trois. Les dégâts sont énormes. Les terres sont complètement inondées.

— D'autres morts?

— Les dernières estimations parlent de 700 personnes et presque autant portées disparues. Le ministère de l'Intérieur est débordé et on ne connaîtra le nombre exact de victimes que dans quelques jours. Heureusement, la tempête s'est calmée dans la nuit. Les secours ont pu s'organiser.

D'un geste sûr, Amel Archane coupa le son dans la cabine de pilotage.

— Que fait le premier ministre Van Haegen?

— Il se montre à la hauteur. Il a décrété l'état d'urgence, tous les hôpitaux du pays sont mobilisés. Il a accepté l'aide de l'Allemagne et de la France. L'évacuation est pratiquement terminée.

On approchait de Zwolle. En bas s'étalait un paysage désolé, couvert d'un voile gris. Les rues étaient détrempées et vides pour la plupart. L'hélico ne s'attarda pas et décrivit une courbe vers l'ouest.

— Ces dix dernières années, poursuivit Léa, les Pays-Bas ont battu des records de précipitations. Vous voyez, là? Ce sont les polders érigés juste après la grande inondation de 1953. Ils ont tenu bon. Les inondés étaient de construction plus récente.

— C'est une explication?

— À en croire le ministre de l'Intérieur, non. Les vagues étaient portées par des vents du Nord soufflant à 250 kilomètres à l'heure. Elles ont emprunté un corridor précis et tout emporté sur leur passage.

Tout en parlant, Léa avait ouvert le dossier sur ses genoux. Elle en tira une carte, qu'elle tendit à sa supérieure.

— Affaire d'orientation.

Le regard d'Amel Archane allait des papiers aux hublots. De ce qui avait été le village d'Emmeloord, seules quelques arêtes de toitures signalaient désormais la présence. Des carcasses de voitures s'empilaient par endroits. Une vache, gonflée, dérivait au fil de l'eau, avant de donner contre le sommet d'un arbre où elle ne bougea plus, empêtrée dans les frondaisons.

De la masse silencieuse du garde du corps s'échappaient des effluves de citron et de poivre qui se répandirent dans la cabine. L'homme portait une gourmette. Ses cheveux étaient lustrés et frisottés sur la nuque. Une sorte d'animal domestiqué, sûr de sa force, pensa la secrétaire générale, avant de revenir au sujet de l'heure. À vrai dire, elle était remuée au plus profond, même si elle n'en était pas à sa première catastrophe. À Karachi aussi, Amel Archane avait tenu à constater personnellement les dégâts. Et à Miami, à Cancún, à Osaka. Si elle faisait presque chaque fois le déplacement officiel, elle n'arrivait pas à être blindée. Et ne le voulait pas. La brusquerie était un masque commode.

— Il y a du nouveau, dit lentement la secrétaire générale.

Léa se méprit. Elle pensait : c'est vrai, pour la première fois, une tempête de ce genre frappe au cœur de l'Europe. Pas au bout du monde, mais ici. La tempête avait ravagé les côtes de l'Angleterre, avant de s'abattre sur les polders. Les déferlantes s'étaient acharnées pendant plusieurs heures avec une force inouïe, et les maisons flottantes n'avaient été d'aucun secours.

La collaboratrice fut détrompée.

— Les États-Unis veulent doubler leur contribution au Fonds d'aide pour les pays touchés par les dérèglements climatiques, annonça Amel Archane. C'est une victoire.

Léa la regarda sans trop y croire. Après bientôt dix ans de représentations, ce n'était pas trop tôt.

— Disons que c'est un début. Vous l'avez appris quand?

— Le week-end dernier. Le président Mancini m'a appelée en personne. Les choses ont trop traîné, a-t-il dit. Je suis sûre que la rencontre de Boston y est pour quelque chose.

— Je ne crois pas que Boston ait compté, madame. D'autres raisons ont dû l'emporter, par exemple une opinion publique favorable. Les Américains en ont assez de toute cette météo déglinguée et des cyclones à répétition. Vous savez ce que je pense? Washington essaie tout bonnement de faire avaler la pilule de l'Antarctique. Le double! C'est le quintuple que devraient payer ces malpropres.

— Inutile d'élever la voix, madame Ilyukhin. Je connais le topo aussi bien que vous. Simplement, je suis obligée, moi, de faire marcher la boutique, tout en avançant dans la bonne direction.

L'air indifférent, le garde du corps regardait par la vitre. Il y a longtemps qu'il avait appris à ne pas avoir d'oreilles. Mais les yeux, il les gardait bien ouverts. Dans une foule ou en groupe restreint, aucun geste ne lui échappait. Léa Ilyukhin restait sanglée sur son siège. Elle était une fidèle collaboratrice de la secrétaire générale. Rien à craindre de ce côté.

— Et qu'ont-ils décidé au sujet des Casques verts? Le président vous en a parlé? Le projet fait l'unanimité dans la communauté internationale. Rapidité, efficacité, autonomie, moyens. Qu'attendent-ils pour donner leur accord?

— Pourquoi vous entêter? Madame Ilyukhin. Vous et moi savons très bien que la mise sur pied d'une force d'intervention efficace et rapide en cas de catastrophes naturelles pourrait servir de modèle à une réforme des Casques bleus. Et ça, les Américains n'en veulent pas.

— Évidemment, persifla Léa.

— Regardez, dit soudain la Marocaine, la voix troublée.

Dans la cabine, on se pencha vers le hublot. Une tête d'épingle était apparue sur la toiture d'une maison. Et cette tête bougeait.

— Un type avec son chien, dit le garde du corps, sortant de sa réserve. Qu'est-ce qu'il fout là, bon sang?

— À votre avis? dit la secrétaire générale.

Elle regarda Léa.

— On ne va quand même pas le survoler sans rien faire.

Elle rétablit la communication générale. Le pilote avait déjà son idée sur la situation.

— Bien vu, madame la secrétaire générale. On descend?

— Vous avez un filin? interrogea Léa.

— Ce n'est pas prévu pour ce genre de vols. Mais je peux me rapprocher au maximum et me mettre en stationnaire. Après, il n'y aura plus qu'à le cueillir.

Léa examina le garde du corps. Un mètre quatre-vingts. Cent kilos de muscles, au bas mot. Les battoirs bien en vue sur les cuisses.

— Le plus près possible, ça veut dire quoi? demanda Amel Archane au pilote.

— Cinquante centimètres, on va dire.

— C'est dangereux?

— Pas du tout. La manœuvre est facile. Après, c'est la force physique qui compte.

La secrétaire générale se tourna vers son garde du corps.

— Mark?

— Madame, répondit-il en détachant sa ceinture.

Déjà le pilote avait amorcé la descente. L'air mouillé s'engouffra dans l'habitacle quand l'hélicoptère s'immobilisa au-dessus de la toiture, portes ouvertes. Le vent transporta les jappements du chien.

C'était un vieil homme. Au premier grondement dans le ciel, il avait agité les bras en l'air. Depuis, il voyait s'approcher l'hélico avec un mélange de soulagement et d'appréhension. D'une main, le garde du corps empoigna la ceinture de sécurité et se pencha au-dessus de l'eau limoneuse. Le chien pourrait sans doute nager un moment. Pas le vieux. Mark tendit l'autre main. Le futur rescapé restait immobile.

— N'ayez pas peur, monsieur, cria le garde du corps en se penchant un peu plus.

— Faites attention, dit la secrétaire générale, tout en s'en voulant de sa prudence.

— Le chien d'abord, cria le vieil homme.

Pas le temps de discuter. L'animal fut empoigné et hissé à bord. Léa le retint par le collier.

Un vieillard frêle, à peine plus lourd que son chien, et complètement trempé. Cela compliquait le problème, sans le rendre insoluble. Dans son village, en Silésie, Mark Svoboda pouvait tirer seul une charrette remplie de foin. Il s'arc-bouta.

Le rescapé s'appelait Jan Bodaert. Le professeur Jan Bodaert. Un quart d'heure plus tard, un plaid sur les épaules et malgré sa fatigue, il se présentait dans les formes. Après un détour par l'hôpital AMC d'Amsterdam, l'hélicoptère rentra à Bruxelles. Léa pestait. Il semble bien que le projet des Casques verts devrait attendre encore un peu.

11

L'idée d'un gouvernement mondial avait commencé par une boutade entre amis. C'est vrai, quoi, pas besoin de chercher midi à quatorze heures : l'ONU existait déjà, nantie d'une charte, d'un budget, d'une histoire et d'un but. Pourquoi faire du neuf quand l'ancien n'avait pas donné tous ses fruits? L'international, ils connaissaient bien, ces hommes et ces femmes en vue dans leur milieu, surpris par la nuit à discuter devant des bouteilles vides, aussitôt remplacées. Fonctionnaires à Bruxelles, interprètes de conférence, directeurs de programme à l'UNESCO, attachés culturels, correspondants de guerre, ils exerçaient leur influence tous azimuts et ne rataient pas une occasion de propager leur vision des choses : créer une communauté globale, capable d'assurer à chacun, sans distinction, la dignité et le respect, de permettre un monde sans guerres et de résoudre les problèmes transnationaux liés à l'environnement. Leur club ne se voulait pas sélect, et pourtant il l'était – une trentaine de personnes en tout, les jours où tout le monde était présent.

Le raisonnement était le suivant : l'ONU ayant fait ses preuves, le modèle pouvait s'épanouir jusqu'à devenir le GNU, le Gouvernement des Nations Unies, qui n'était que l'aboutissement logique de la première. D'autant que l'Europe avait pavé le chemin. Et voilà comment, d'esprit onusien, on devenait génusien.

Sur le but, les amis étaient d'accord. Sur les moyens, fédéralisme ou centralisme, les avis différaient, et c'est bien pour cette raison que les bouteilles s'accumulaient sur la table et qu'il pleuvait des messages dans les messageries.

Après deux années de palabres vint le temps de passer à l'action, et une première conférence fut organisée au Prince Charles Institute, à Londres, sur le thème de la paix participative. Trois cent quatre-vingt-quatre personnes y assistèrent. Ce n'était pas un succès, ce n'était pas non plus un échec. Les génusiens poursuivirent leur réflexion. Auteur mondialement primé, Fouad Gashan écrivait en anglais des livres pour enfants pour le compte d'un éditeur danois, et sa naïveté assumée lui conférait un ascendant sur le groupe. C'est donc lui qui persuada la bande de se lancer dans une deuxième opération avec l'économiste Michel Panofsky. Le conférencier n'avait plus besoin de présentation. Cette fois, c'était du gâteau.

Deux cent vingt-cinq personnes firent le déplacement à Bilbao, dans l'auditorium du musée Guggenheim loué à prix d'amis.

— On a un problème, commenta Teresa qui avait négocié le tarif depuis son bureau à l'UNESCO, à Paris.

— Non, non, répliqua Fouad, sur sa messagerie. Il faut juste compter sur le temps. On est des précurseurs. L'idée du GNU fera son chemin. Tu seras à Mumbay samedi? C'est l'anniversaire de Tom, n'oublie pas.

De conférences en croisières culturelles, de lettres ouvertes en colloques d'automne ou de printemps, deux autres années s'écoulèrent sans que les génusiens aient réussi à toucher plus de cinq mille personnes. Une goutte d'eau à l'échelle de la planète, mais ceux-là croyaient aux gouttes d'eau aussi fermement que leurs grands-parents avaient cru à l'effet papillon. Surtout, ils croyaient en leur idée de gouvernement mondial. Elle correspondait à la sensibilité de l'époque, ils en parlaient volontiers autour d'eux, et c'est ainsi que l'initiative vint aux oreilles de Renu Chandaray, alors en déplacement à Singapour. Quelques semaines plus tard, un représentant de la Fondation Minghely se faisait connaître du groupe, ravi de cette manne inespérée. Visiblement, leurs activités ne s'inscrivaient pas tout à fait dans le désert. Cependant, la question du public restait posée. Pourquoi un projet aussi emballant ne trouvait-il qu'inertie sur son chemin?

— Ce n'est pas vrai, protestait Fouad. Tout simplement les gens ne sont pas au courant. Sinon, ils se déplaceraient.

— Nous avons la bougeotte, nous, mais la mobilité n'est pas donnée à tout le monde, fit observer Teresa, qui lui donnait souvent la réplique au niveau de l'organisation. Beaucoup de gens restent dans leur coin de pays faute de temps ou d'argent, parce que le boulot ou la famille les retient, ou encore, pour les plus militants, par refus des déplacements qui polluent.

Or tous en convenaient : c'était maintenant que les débats devaient avoir lieu pour que le GNU ait quelque chance de se concrétiser dans un avenir prochain. La situation était bloquée.

Samedi 13 octobre 2040, rentrant d'un reportage au Brésil, Anton Kervan passa une semaine à dormir dans son appartement de Lisbonne, sans effleurer une touche ni poser les yeux sur un écran. Ce qu'il avait vu là-bas l'avait brouillé avec ce siècle et il ne rêvait plus que d'œufs à cueillir tout chauds sous le cul d'une poule et autres fantaisies de citadin blasé. Quand il renoua avec l'evi, ce fut pour prendre connaissance de la dernière idée de Fouad lancée sur la messagerie collective et il dut reconnaître qu'elle ne manquait pas de panache.

Projet MAGNUS (Mouvement pour l'Avènement d'un Gouvernement des Nations Unies Solidaires), écrivait-il en guise de préambule. La formule des conférences en amphi avait vécu. Faire se déplacer les gens tenait de la prouesse, sauf pour la musique. Et on n'allait pas se mettre à organiser un autre de ces concerts mégatrash à la mode. Mais on pouvait être inventif. Une rencontre planétaire virtuelle, voilà la chose à faire. On allait donc mettre sur pied des clubs de réflexion dans différentes villes de la planète, lesquels formeraient un réseau d'instances régionales, à leur tour réunies en groupes supranationaux, selon un découpage entièrement inédit, faisant un pied de nez aux frontières actuelles. Tout ceci culminant dans un Forum planétaire de discussions vingt-quatre heures non-stop qui réunirait des sommités dans différents domaines, celles-ci étant invitées à débattre entre elles et avec le public du thème suivant : Le gouvernement mondial est-il pour demain? Personne n'aurait à se déplacer. Ni les conférenciers ni le public. Mais tout le monde pourrait participer de plain-pied à la discussion, images et son à l'appui. Conclusion : si on travaille bien la pub en amont, on créera l'événement. Des millions de gens voudront, comme on va le leur demander, se connecter simultanément au nouvel espace virtuel génusien. Ils vivront une expérience unique. On n'a pas fini d'en entendre parler, croyez-moi.

Le journaliste réfléchit. À Renu, sa copine femme d'affaires, il avait déjà touché un mot du GNU. Elle ne lui avait pas ri au nez. Et s'il testait auprès d'elle la dernière idée de Fouad?

Sur le principe, Renu se montra emballée. En pratique, il fallait que tout soit réglé au quart de poil, car ces choses-là fonctionnent quand la technique fonctionne, ajouta-t-elle, à dessein sentencieuse.

Ils s'étaient donné rendez-vous à Bruxelles, à son retour d'Asie. Dehors, sur la Grand-Place, les premières hordes de touristes avaient commencé à affluer, mais la rue des Bouchers était encore fréquentable.

— Tu sais que tu ne changes pas, dit le journaliste, en s'emparant de sa main. Comment fais-tu?

Renu se dégagea doucement. Leur histoire était ancienne, mais de temps à autre, Anton y repensait avec nostalgie. Il est vrai qu'elle n'avait pas laissé que de mauvais souvenirs.

— Pas de baratin, monsieur le grand reporter. Mais pour en revenir à votre idée, je connais quelqu'un qui pourrait vous aider, question réseau.

Anton Kervan n'insista pas. Élégante, racée, cinglante parfois, mais une forteresse imprenable, même à l'époque. Il plongea le nez dans son demi.

— Je parierais que tu as déjà entendu parler d'elle.

Le journaliste releva la tête.

— Elle?

— Veuve Ching deuxième génération. Mais il faudra être discret sur son passé. Depuis qu'elle fait dans la sécurisation de systèmes, elle n'aime plus tellement qu'on le lui rappelle.

— Tu connais Veuve Ching? La terreur des sociétés *offshore*, des États aux comptes pas très nets! Mais elle a aussi pas mal pillé à ses débuts. Tu fais donc dans le banditisme informatique, maintenant?

— Idiot. Puisque je te dis qu'elle s'est recyclée. Il y a quelques années, notre système à Genève a été infiltré et il a fallu revoir les protections. C'est à ce moment que j'ai fait sa connaissance. On est devenues amies, et puis voilà.

— Jeune?

Sourire moqueur.

— Question indiscrète. Disons qu'elle est comme moi. Rassuré?

Renu avait fini son verre. Elle empoigna son sac et se leva.

— Florence, samedi, 21 heures, ça te dit?

— O.K.

— Villa San Michele.

— D'accord, mais c'est quoi au juste?

— Un ancien monastère. Je m'occupe des réservations.

Et Renu disparut dans une ruelle.

Son vrai nom était Li Mei Fei. Le journaliste n'osait croire à son bonheur. Ses cheveux étaient rouge vif, elle était vêtue de noir et elle dînait avec lui dans un palace florentin. La vie vous fait parfois de ces cadeaux. Renu regardait son copain d'un air narquois, sûre de l'effet. Le maître d'hôtel s'avança. Les femmes choisirent un Brunello di Montalcino bien charpenté pour accompagner les antipasti. Docile, Anton Kervan consentait à boire n'importe quoi, pourvu que la célèbre pirate accepte de lui raconter l'épisode du MIT. Et, si ça ne l'ennuyait pas trop, aussi quand le virus Bélier avait défoncé les portails chinois. Il était un fan de Veuve Ching. Elle devait comprendre.

— Bélier, c'était avec Veuve Ching 1, protesta Li Mei Fei. Vous mélangez tout.

— Mais vous devez bien l'avoir connue, puisque qu'elle vous a cédé son nom.

— Et si on parlait un peu du Forum? intervint Renu. J'ai mis Li Mei au parfum et elle est d'accord pour prendre en charge l'aspect technique, si ça vous arrange. Elle est même très d'accord, n'est-ce pas, Li Mei?

Anton insista.

— Vous vous êtes vraiment retirée des affaires?

Les deux femmes échangèrent un bref regard.

— Écoutez, puisque vous êtes un ami de Renu, je peux bien vous le dire, à vous, et oublier que vous êtes journaliste.

L'homme frémit.

— «Le peuple américain a choisi la sécurité.» Vous connaissez la rengaine?

Confiant, il attendit la suite.

— Le *New Patriot Act*, ça vous inquiète?

Comme tout le monde, et même un peu plus. À l'époque, il avait écrit là-dessus une série de papiers pour le *Times*.

— Le fichage des bibliothèques est une mesure odieuse, on est bien d'accord? poursuivit la Chinoise en piquant un calamar avec sa fourchette.

Il opina, toujours en silence. Mais aux premiers mots du récit, un éclat de rire sonore monta jusqu'aux lustres, tandis que Renu approuvait l'initiative en hochant la tête. Devant leurs réactions, Li Mei Fei se risqua à donner des détails. Les dirigeants américains se croyaient forts avec leur obsession sécuritaire? On allait voir ça. Aux USA, le fichier des abonnés des bibliothèques devait bien faire dans les trente millions d'entrées. Pour repérer les lecteurs suspects, les enquêteurs avaient dressé une courte liste de mots-clefs : Terrorisme, Complot, Bombe, Président, Latino, Écolo, Manifestations. Ils avaient aussi établi une liste d'ouvrages compromettants sur les mêmes sujets. Chaque fois qu'un lecteur consultait le catalogue d'une bibliothèque et utilisait l'un des mots incriminants, la requête était aussitôt redirigée en parallèle vers un serveur du Pentagone. Pour Veuve Ching 2, c'était là bâcler le travail. Le pays était menacé, oui ou merde? Heureusement qu'elle veillait au grain. La courte liste s'allongea : Cuisine, Bricolage, Décoration intérieure, Généalogie, Jardinage. Celle des titres aussi, jusqu'à inclure le classique *What's simmering in the pot?* de Jonathan Ferrano. Les lecteurs suspects devinrent légion. Il était facile d'imaginer la suite. Quand tout le monde est fiché, plus personne ne l'est.

— Que je sache, l'histoire n'est jamais sortie dans le public, commenta le journaliste, la mine réjouie.

Li Mei Fei reprit du vin.

— Ils n'allaient pas s'en vanter, vous pensez bien. En plus c'est récent. Ils sont encore en train de réparer les dégâts.

Anton n'eut aucune hésitation. Il n'avait rien promis à Veuve Ching et Renu le connaissait assez pour savoir qu'un journaliste ne retient jamais un scoop très longtemps. Pour autant, il ne perdit pas la tête et, de retour chez lui, fit d'abord son rapport à ses amis génusiens. On pouvait être tranquille. Côté technique, le Forum serait un succès.

Au jour dit, à la seconde dite, Renu et Li Mei Fei se trouvaient dans le bureau de Teresa, à Paris, en compagnie d'Anton, de Fouad et de Tom qui avait déserté son ambassade pour quelques jours. Si Renu continuait de leur paraître lointaine, sauf à Anton, mais on savait pourquoi, elle n'avait pas ménagé sa peine ni lésiné sur son carnet d'adresses pour aider les génusiens à mettre en place un réseau d'appuis, et cela seul comptait à leurs yeux. En revanche, avec la Chinoise, presque une amie maintenant, ils avaient tout de suite sympathisé. Résultat : la situation se présentait bien et tous étaient optimistes. La structure virtuelle du Forum était un modèle d'efficacité et de convivialité. La brochette de conférenciers confirmés était impressionnante. Voilà plus d'une semaine que l'information était relayée aux endroits stratégiques du réseau. Les génusiens ne voyaient pas pourquoi plusieurs centaines de milliers de personnes rechigneraient à se connecter maintenant au Forum, ne serait-ce que pour dire : j'en étais.

Li Mei Fei avait conçu un processus de validation en boucle pour régler l'ordre des conférenciers et des discussions : chaque nouvelle tranche de 50 000 connectés mettait en branle le processus de sons et d'images animant le site. Pendant la conférence, la carte du monde affichée dans un coin de l'écran était redessinée à mesure que le Forum prenait de l'ampleur.

— C'est très impressionnant, les images en cascade, dit Teresa à Li Mei Fei. Pourvu qu'elles s'enchaînent aussi bien que lors des tests. Ton programme est sûrement au point, mais je crains toujours un pépin de dernière minute.

Anton fit un clin d'œil complice à Li Mei Fei. Elle ne semblait pas trop lui en vouloir pour ses articles sur la dernière initiative de Veuve Ching 2. Il est vrai qu'elle n'avait rien à craindre : il veillait toujours à protéger ses sources.

Fouad morigéna l'anxieuse.

— Teresa, ma chère, la face du monde va être changée dans un instant, et tu nous parles de pépins?

Sur l'écran maître, les conférenciers attendaient dans leurs cases, tandis que le logo de MAGNUS s'affichait sur les evis. Li Mei Fei dessina dans l'air un compte à rebours silencieux avant de pointer un index sur l'animateur. Bonjour à tous, citoyens de la Terre! L'appel de Fouad s'étrangla dans une exclamation consternée. Certes, quelques connexions s'établirent. Le compteur afficha 43 208 entrées : les éternels habitués de l'agenda génusien et des curieux. Rien à voir avec les masses attendues. De quoi pleurer.

— Qu'est-ce qu'on fait? demanda Anton, décomposé. Merde. Je n'arrive pas y croire.

— On attend, ordonna Fouad. Non. On commence avec ce qu'on a. Les retardataires nous rejoindront en cours de route.

— Impossible, dit Li Mei Fei. Les connexions ne sont pas suffisantes pour activer le système.

Ils la regardèrent.

— Ne vous inquiétez pas. Je vais simuler les seuils minima, et ça devrait marcher.

Quelques manipulations et de nouveau l'index désignait l'animateur.

Dans les cases, les sommités se redressèrent sur leur fauteuil, rassemblant leurs notes, se sachant visibles. Fouad prit une grande respiration et s'adressa au premier orateur.

— Professeur Blain, bonjour. Merci d'avoir accepté notre invitation.

Jamais vingt-quatre heures de débats ne furent aussi longues. Aucune foule ne vint grossir le noyau initial et seuls les premiers rangs des amphis virtuels furent occupés. À la fin, pour éviter de laisser les participants sur un sentiment d'échec, les images du bouquet final de Li Mei Fei furent tout de même envoyées sur le réseau. Des torrents d'eau faisant verdir les déserts, des aurores boréales inouïes, des forêts entières se reconstituant. Mauvaise idée. On aurait dit un feu d'artifices pour grands dépressifs. La voix de Teresa tremblait quand tout fut fini. Le coup était dur.

— Il va falloir qu'on s'interroge plus sérieusement sur nos méthodes, je pense.

— Qu'est-ce que tu veux dire? répliqua un Fouad sur la défensive. L'idée du Forum était excellente, je le maintiens.

— Trop vaste, diagnostiqua Teresa en éteignant l'écran.

— Trop abstraite, corrigea le journaliste. Notre projet est encore à l'état de principe, et comme tous les principes, il est désincarné.

— L'idée d'un gouvernement mondial n'est même pas lancée sérieusement, et tu voudrais déjà présenter un parlement au peuple, railla un Tom pourtant peu bavard.

— Pas des élus, fit le journaliste. Disons, un porte-parole, un être humain en chair et en os.

Fouad réfléchissait.

— Pas si bête. Il faudra bien le choisir. Moi, je le verrais plutôt jeune. Le GNU, c'est l'avenir.

— Au contraire, rebondit Teresa. Une figure de la maturité aurait quelque chose de rassurant. Et puis on est un peu revenu du jeunisme, si tu veux mon avis. Il faudrait aussi un intellectuel doublé d'un homme d'action.

— Qui sache se battre. Verbalement, je veux dire, se reprit Tom.

— Oh! il pourrait aussi savoir cogner, ça ne nuirait pas à son image.

— Polyglotte, bien sûr, ajouta le journaliste. Qui sache parler arabe, russe, chinois, anglais, français, espagnol et *tutti quanti.*

Renu et Li Mei Fei se regardèrent à la dérobée.

— Homme? Femme? Qu'en dites-vous?

— Quelle importance? Ce qui importe, c'est le charisme. Nous avons besoin d'un porte-parole qui fascine les gens, les électrise, les séduise.

— T'emballe pas, Fouad. On ne veut pas d'un chef, mais d'un porte-étendard. Il y a aussi le problème de la nationalité. Dans l'état actuel des choses, il ou elle sera bien obligé d'être de quelque part. Et alors ses origines pourraient être un boulet.

— Tout, sauf Américain, ricana Fouad.

— Ça dépend, poursuivit Teresa, on pourrait imaginer un Américain qui ne soit pas qu'Américain.

Anton protesta.

— Te rends-tu compte de l'isolement dans lequel ce pays s'est lui-même enfermé depuis un bout de temps? Ce n'est pas réaliste, ce que tu dis.

— Justement. Le symbole n'en serait que plus fort.

— Mais qu'entends-tu par «qui ne soit pas qu'Américain»? Un immigré? Ils le sont tous.

Li Mei Fei restait silencieuse. Renu Chandaray crut bon d'intervenir.

— Un porte-parole, c'est exactement ce qu'il vous manque, confirma-t-elle, en enfilant le manteau tendu par Tom. Quelqu'un qui donnerait à vos idées une assise populaire, sans rien concéder sur le fond. Quelqu'un qui inspire confiance. Qu'on a envie de croire sur parole mais dont toutes les actions disent aussi qu'on a raison de croire ce qu'il dit.

— Pas facile, conclut Anton, surtout à notre époque. Bon, moi je rentre. On fera un bilan dans trois semaines, d'accord?

— Merci quand même à vous deux, dit Tom, dépité, au nom du groupe.

Où dénicher l'oiseau rare? Ils n'en savaient fichtrement rien.

12

Cela faisait au moins une semaine que le portail de la demeure située au 16, Al-Urûba, à l'est du Caire, n'avait pas été ouvert. À Héliopolis, les voisins étaient tout sauf curieux et ils habitaient trop loin les uns des autres pour que le fait soit remarqué. Chérif Habani comptait bien profiter de cet isolement grâce à sa notoriété et à l'aura d'excentricité entourant les gens célèbres qui le protégeaient des questions indiscrètes. Comment s'étonner qu'un cinéaste de son importance ait offert des vacances impromptues à ses domestiques? Des provisions en quantité, du calme – il ne répondait plus aux vibrations de l'*evi* –, le courrier livré chaque matin et abandonné tel quel, sur la table du salon. Chérif Habani se concentrait sur son nouveau film, et le reste du monde n'en savait rien.

Au début était l'hydrogène. Un gaz, le plus simple des gaz. Non. Au début était l'espace omniprésent et glacé. Pour que des astronautes y survivent, il avait bien fallu... Non. Ça n'allait pas non plus. Il voulait vraiment remonter au tout début de l'histoire. Le désir, maître de tout, était-il là aussi à l'œuvre? Tout objet naît d'un besoin, en clair d'un désir. Quel était ce désir?

Volonté de puissance? Curiosité devant l'inconnu? Inconscience? Orgueil? Soif de richesses ou de gloire? C'était trop de mobiles. Il fallait choisir. Et comment montrer les multiples noms du désir sans montrer d'emblée l'objet du film? Chérif reprit du café.

Inexplicablement, une image s'imposa, celle d'un ruisseau clair, et puis tari. Peu à peu, il en remonta le fil. Ainsi procède l'esprit de l'homme, se disait-il. D'abord il dévale des montagnes. Il désaltère, fait verdir le sol, rassemble les vivants. L'homme est libre alors, et ne le sait pas. Mais quand la terre a bu toute l'eau, l'homme se révolte. Le souvenir de l'eau fraîche devient insupportable. L'homme se met à la recherche d'un autre ruisseau. Il en trouve un, et fatalement d'autres hommes sont installés sur ses rives. Et tu fais quoi avec ta petite fable, monsieur le cinéaste? Ton homme assoiffé se fabrique un lance-pierre? Il aurait pu inventer le langage et partager le ruisseau. D'ailleurs, le langage aussi, il l'a inventé.

Va pour le ruisseau, se dit Chérif, que l'autodérision ne stimulait pas longtemps. Maintenant, lequel? Il interrogea l'holoviv et n'eut aucun mal à trouver une vingtaine de spécimens intéressants, tous plus miroitants les uns que les autres. Chérif repéra le ruisseau qui lui plaisait et, sans attendre, entreprit de le filmer en mettant à l'épreuve une nouvelle technique qu'il savait délicate.

Chérif avait le tournis quand, plus tard, toujours sanglé sur sa planche, il releva la tête. Mais il avait apprivoisé le ruisseau. Pris sous tous les angles imaginables, le cours d'eau avait livré ses mystères. Le bras télescopique, qui démultipliait la mobilité propre à l'holoviv, était une trouvaille. Chérif descendit de l'installation et commença à visionner les rushs. C'était fascinant. Des plans comme ceux-là auraient été impossibles à reproduire à l'extérieur. Pourtant, ce n'était pas encore ça. Ce n'était toujours pas ça.

À ce stade, un seul être pouvait lui venir en aide. Mais pourquoi diable le Ventorxe se montrait-il aussi peu coopératif? Chérif maîtrisait la technique d'appel, ce n'était pas là le problème, et jusqu'à présent il avait toujours su composer avec les délais. Or ces derniers temps l'attente se prolongeait au-delà du raisonnable; l'anomalie n'avait échappé à aucun des Dix. Depuis quand, au fait? Chérif avait fait part à Noam de sa perplexité.

— Depuis Bornéo, peut-être?

Ça lui revenait : quand Nohog de Ventorx avait repéré la mutation génétique, vous savez bien, le truc qui les empêchait de se reproduire.

— Le sauvetage des orangs-outans, précisa Noam. Peut-être bien, en effet. Et c'est vrai qu'il n'a pas eu d'autre initiative depuis. Pas que je sache du moins. Ce n'est pas normal.

HOLOVIV. Nohog répondait. Ce n'est pas trop tôt. Chérif regarda le morceau d'onyx posé sur ses notes et soupira. Pourvu que cette fois fût la bonne.

Pour tout dire, son trouble, ses doutes, sa paralysie – Chérif se refusait à employer ce mot depuis l'échec cuisant de son dernier film –, sa fascination devant la perfection technique de l'holoviv, tout cela remontait à très loin. Dès le moment où Carlingua, drôle de type, resté le même celui-là, avait débarqué sur un certain plateau de tournage pour lui remettre des images magnifiées, éblouissantes, de *Lumières sur le souk*. Comment évoquer tant de transparence, tant de pureté, sans les réduire à de pauvres mots? Comme si le réel et sa représentation n'avaient plus fait qu'un. Toute sa vie, Chérif n'avait fait que poursuivre un fantôme, il en avait maintenant la certitude. Il s'emparait de pans de réel, en agençait les morceaux suivant la vision qu'il croyait la bonne, mais le résultat demeurait une traduction, il n'était pas le réel même, puissant, volatil, complexe. La déception de Chérif par rapport à son art n'avait pas commencé ce jour-là, et il était trop lucide pour ne pas mesurer la place occupée par cet aiguillon dans son œuvre. Mais dès le moment où il avait pu regarder dans le cône de visionnement, l'idéal avait porté un nom : holoviv. A priori, cet idéal n'avait rien d'inaccessible. Une surprise agréable au cours de son apprentissage dans la caverne avait d'ailleurs été d'apprendre avec quelle liberté il pouvait désormais interroger la perfection. C'était une illusion. La perfection lui échappait, les images de l'holoviv gardaient leur secret et ne le confiaient qu'à des maîtres comme Alvan, pas à des tâcherons terrestres comme lui. Pour le cinéaste, cette résistance était une souffrance. Un seul être, oui, pouvait peut-être en venir à bout.

Nohog. Il était en train de l'oublier. Chérif prit connaissance du message envoyé par le Ventorxe.

Il était devenu fou ou quoi? Je lui en ferai voir, moi, des lignes de pensées encombrées! Et d'abord qu'est-ce que ça voulait dire, au juste, cette expression idiote? C'était la seconde fois que Nohog lui faisait le coup. La question était pourtant du ressort du premier Ventorxe venu – Chérif aimait se montrer désinvolte avec les réalités hors du commun. Deux semaines auparavant, sa question avait porté sur la coordination des faisceaux hologrammes. Hier, il avait voulu savoir s'il existait une sorte de fichier-source de l'holoviv, avec lequel interagir. C'étaient là des questions légitimes, quand on faisait ce métier. Et les réponses ne coûtaient rien au Ventorxe. Pourquoi le faire attendre aussi longtemps pour finalement le rembarrer? Tant pis. Pour le film, il se débrouillerait autrement. Nohog de Ventorx n'était qu'un vieil imbécile. Scientifique, mon œil!

Dans son énervement, Chérif avait perdu toute concentration. Enfui, le ruisseau. Tari, peut-être. Même la piscine le laissait maintenant indifférent. Une heure plus tard, il en sortait sans être allé jusqu'au bout des quinze longueurs quotidiennes qu'il s'imposait. Sur son bureau, le cône de visionnement demeurait éteint, comme un rappel de son insignifiance.

13

À Saint-Pétersbourg, un soir de mai 2042, au chic restaurant Na zdorovie, l'ambiance était morose. La patronne n'était pas dans son assiette, et chacun, du premier assistant au tournebroche, du sommelier à la lingère, savait pourquoi. La patronne aurait voulu être à Paris avec le grand chef cuisinier Viktor Dimitriev, son époux. Dans Bolchoï Prospekt sous la pluie, les voitures passaient avec un chuintement qui allait se perdre devant l'Académie des sciences. Une petite gourde, pensait madame Dimitrieva, qui va le mettre dans l'embarras une fois sur deux. Pourquoi elle et pas moi? Les touristes, qui commençaient à arriver, la sortirent de sa rumination d'épouse trompée. Tous les touristes, dans toutes les villes du monde, dînent tôt, sans doute parce qu'ils s'ennuient. Et il lui fallut bien sourire.

Tout l'art de la sauce bordelaise tient au choix du vin et au tour de main. Le chef le plus doué n'arrivera à rien s'il ne choisit pas au départ une bonne bouteille. Un Saint-Julien, par exemple, s'il a bien vieilli, ou un Côte de Bourg 2035 ou 2036, les deux années sont excellentes. À éviter : les vins du Danemark, encore trop jeunes. J'espère que mes compatriotes m'excuseront, ajouta le chef, en adressant un clin d'œil moqueur au parterre de profanes.

C'était une bonne idée, ces *master classes*. Faute de temps, Lars Henriksen n'avait jamais eu l'occasion d'en donner en quelque trente années de carrière. Il appréciait la formule, sa position en surplomb sur l'estrade, les visages admiratifs qui buvaient ses paroles, les ustensiles et les plats posés devant lui dans un savant désordre. Il goûtait en particulier le moment où il fallait nommer les ingrédients. Il prononçait le nom, une trappe s'ouvrait, jamais au même endroit, et bientôt une coupelle de beurre apparaissait, ou un fond de volaille dans une jolie casserole de cuivre, ou une botte d'herbes fraîches. Il appelait les choses par leur nom, et les choses répondaient. Le sentiment de puissance était tout simplement prodigieux. Le bruit léger du convoyeur émergeant de la trappe accompagnait la démonstration comme une présence familière censée contrer le caractère solennel des lieux.

Car tout était un brin solennel, ici. L'hôtel Meurice n'avait rien perdu de son charme depuis la Belle Époque, ni sa table démérité des quatre toques d'or attribuées, deux ans plus tôt, par l'Académie internationale des beaux-arts culinaires, à l'étonnement de tous. Nombreux, en effet, étaient les établissements qui auraient pu prétendre à la distinction rarissime depuis que la grande cuisine proliférait au rythme où celle de tous les jours perdait du terrain. Outre le cachet faramineux, c'est en partie pour cette raison que le chef Henriksen s'était laissé tenter par l'extravagante initiative des Sauces Vendôme. Redonner au public le goût des vraies saveurs, quoi de plus noble ? Les quelques gratifications liées à sa présence n'étaient qu'un hommage à son talent. D'ailleurs, très vite, devant l'importance de l'aréopage rassemblé, l'idée des *master classes* s'était ajoutée, comme une épice culturelle introduite dans une opération commerciale. Le public se bousculait.

Les derniers grands chefs arrivèrent à l'heure du petit déjeuner, le lendemain matin, avec force rires et sarcasmes. Des récalcitrants, des mauvais coucheurs, des sceptiques, il s'en trouvait sûrement aussi parmi les animateurs des *master classes* de la veille, mais ceux-là avaient eu la politesse de ne pas le montrer. Ce n'était pas le cas de ceux qui débarquaient maintenant. Pour commencer, Babette Londag avait choisi d'arriver avec un retard soigneusement calculé, en décidant à la dernière minute, à l'aéroport, de prendre le vol suivant. Et grande avait été la satisfaction de Babette Londag en voyant la mine soulagée du type des relations publiques venu l'accueillir à Roissy. L'idiot, vêtu d'une veste aux couleurs des Sauces Vendôme, était assiégé par les caméras *evi*. La voici! s'exclamèrent les mouches d'une seule voix.

Chacun reconnut la tignasse grise en bataille, le nez épaté – quels arômes, quels fumets ce nez n'avait-il pas humés en cuisine? –, la silhouette ronde, courte sur pattes, le fameux châle : rien ne manquait.

Les questions se bousculèrent. Chef Londag, vous comptez rester jusqu'à la fin? Vous aviez entendu parler des Sauces Vendôme avant aujourd'hui, chef Londag? Que pensez-vous de la cuisine sans sauce? Que répondez-vous à M. Picquet?

À ce nom, les yeux de la Gorgone étincelèrent.

— Picquet? Connais pas.

— Mais si! Le chef cuisinier du président!

— J'invite ce Picquet à faire le voyage jusqu'à Los Angeles, dans mon restaurant. Il verra que le génie de la grande cuisine française a émigré dans les mégalopoles, là où les choses se passent. Au fait, messieurs-dames, dites-moi : la fonction de goûteur existe-t-elle toujours à l'Élisée?

Les mouches éclatèrent de rire. Elles aimaient rire.

La harpie se fit aimable.

— La société Vendôme? Disons qu'elle soigne ses cartons d'invitation.

— Mais vous la connaissiez avant?

Le type des relations publiques intervint.

— Je vous rappelle que la société anonyme les Sauces Vendôme a été créée il y a deux ans par un trio de gens d'affaires pourvus d'une longue expérience dans l'agro-alimentaire. La nouvelle gamme de sauces qui sera lancée dans les jours prochains marquera le début d'une ère nouvelle en matière de goût, nous en sommes convaincus. Voilà pourquoi nous avons organisé le petit cérémonial de cet après-midi. J'espère que tout le monde ici présent a reçu son accréditation.

— Cause toujours, mon mignon. Je ne suis pas à vendre, moi. Je monte toutes mes sauces moi-même en cuisine, au dernier moment. Il en faudra beaucoup pour m'impressionner.

Prévenu du caractère de la dame, le relationniste tenait toute prête une réplique sur l'honneur qu'elle faisait à la société Vendôme, etc. Les mouches ne lui donnèrent pas le temps de la sortir du sac.

— Alors pourquoi avoir accepté, chef Londag?

— Intuition d'artiste. Ça ne s'explique pas. Ah, et puis laissez-moi! Je suis fatiguée.

La veste Vendôme s'avança, prévenant. Le dernier chef arrivait de Rio à 11 heures. Il y avait de la marge. L'important était de pouvoir réunir tout le monde dans la salle à manger du Meurice à 13 heures, alors que commencerait la dégustation. Depuis le temps qu'on concoctait le scénario, pas question de prendre du retard.

Les motards de la Gendarmerie nationale leur ouvrirent la voie dans Paris, ce qui amusa un instant le chef Londag, qui crut à un traitement de faveur.

Si elle savait, pensait le relationniste, assis à l'avant avec le chauffeur. Depuis deux jours, le ballet des motards dans la capitale n'avait pas cessé. Et il n'y avait qu'à voir le cordon de policiers déployé en permanence devant l'hôtel pour comprendre que les autorités municipales avaient collaboré au-delà de toute espérance. Les badauds s'agglutinaient jusque sur le trottoir d'en face. Au train où allaient les choses, il faudrait peut-être fermer à la circulation la rue de Rivoli entre le Louvre et la Concorde. Et toute cette agitation pour quelques sauces, répondant certes aux doux noms de Burgonde, Grand-Deuil et Béchir, sans compter la Firenzine et l'Arabie heureuse. Il n'empêche que tout ce tapage n'aurait pas été concevable sans une opération marketing bien montée.

Qui le premier, au sein de la jeune entreprise, avait eu l'idée de réunir les meilleures toques de la planète pour une dégustation au chic Meurice récemment distingué? De frapper un grand coup, avec fanfreluches et tout le tralala? Comme toutes les idées de génie, celle-ci était restée sans auteur véritable, mais la boîte de communications choisie par Vendôme s'en était emparée avec enthousiasme. Une marque capable de déplacer quarante-deux chefs parmi les plus grands au monde ne pouvait pas être ordinaire. Elle avait aussi les moyens de ses ambitions, à en juger par le dédommagement généreusement offert à la direction pour la réquisition de l'hôtel et l'hébergement des chefs, avec leur escorte.

Car tous venaient accompagnés. Babette Londag faisait exception, comme d'habitude.

— Nous sommes arrivés, madame.

C'est une petite fille éblouie qui s'extirpa de la voiture, accepta la main tendue du relationniste et gravit les trois marches du Meurice, sous les vivats d'un public affamé de glamour et de paillettes. La matinée était très avancée. Des sandwichs circulaient discrètement.

Le maître de cérémonie ouvrit la bouche à 13 heures 15 et la referma trois minutes plus tard, après avoir dit l'essentiel. Le règlement était exposé noir sur blanc dans la pochette que chacun avait sans doute trouvée dans sa chambre. Il allait tout de même le rappeler brièvement. Les interprètes ajustèrent leurs micros-cravates.

— Afin de ne pas distraire vos papilles gustatives, distingués invités, chaque pièce de viande, de volaille ou de poisson est découpée à l'identique, sous la forme d'un pavé de 3 cm de largeur, 7 cm de longueur et 2 cm d'épaisseur. Vous aurez choisi au préalable le mode de cuisson : braisé, grillé, à l'étuvée ou en papillote. Les pavés, nappés des diverses sauces Vendôme, vous seront présentés quelques instants plus tard. Vous noterez vos impressions sur l'*evi* incrusté à côté de votre couvert. Vous n'êtes pas obligés de terminer les plats. Mais vous n'avez pas le droit d'échanger un mot avec quiconque, ni de vous faire une réflexion à voix haute. Me suis-je bien fait comprendre?

Des raclements de gorge lui répondirent du côté des fenêtres. «On nous prend pour des moutons, ou quoi?» gronda une voix. Le maître de cérémonie fit mine de ne pas avoir entendu, et les agapes commencèrent.

Assis derrière une vitre insonorisée et faisant face à la tablée d'experts, les journalistes ne rataient aucune mimique, épiaient le moindre claquement de langue. Ils devaient être une trentaine, en provenance de plusieurs pays. Les fenêtres de la grande salle à dîner étaient fermées aux bruits de la rue. La climatisation était inaudible. Les parquets enduits d'une cire spéciale anti-craquements, tout comme les semelles des serveurs, ceux-ci uniformément vêtus de noir. Rien, absolument rien, ne devait détourner les participants de leur mission gustative. C'est un bien étrange repas que celui-ci pris en silence, sans faim à assouvir, dans un solipsisme soupçonneux. Et passé un premier mouvement de fronde, même les plus rétifs finirent par se soumettre.

Toute une rangée de frigos soigneusement identifiés : veau, bœuf, poulet, gibier, cabillaud. Des marmites de sauce sur les réchauds, avec les étiquettes devant. Il régnait dans la pièce la plus scrupuleuse propreté. Le garçon fut impressionné. Tout au fond, le responsable des cuisines était occupé à régler d'ultimes détails avec ses assistants. La brigade avait le dos tourné. C'était le moment. Le garçon glissa la main sous sa blouse blanche et sortit l'*e*viseur au réglage intégré. Il eut le temps de stocker plusieurs images avant de faire disparaître subrepticement l'appareil dans sa poche et de s'avancer vers le chef.

— L'intérimaire, enfin! Ramène-toi. Le deuxième service est commencé.

Les plats arrivaient sur des plateaux en argent ciselé et étaient posés après une virevolte discrète. La dextérité des serveurs, leurs visages absents, leurs hautes silhouettes noires évoquaient une nuée de corbeaux au service de cochonnets roses et gras pour la plupart. Les viandes avaient belle apparence, la chair du cabillaud se détachait aisément à la fourchette, et les sauces qui se déclinaient en des tons et des textures diverses formaient un tableau fumant tout au long de la table, lequel tempérait quelque peu la rigidité de la présentation.

Le chef Sun Chou-Lin prit une bouchée minuscule de son veau-sauce madera et leva vers le ciel un regard dubitatif. Les journalistes avaient un faible pour le visage fragile de cette femme qu'on imaginait toujours au bord des larmes. Mais ils savaient y lire aussi une grande détermination. C'est le chef Sun Chou-Lin qui avait nourri les dirigeants du G-25 réunis à Shanghai l'année dernière. Plus exactement, c'étaient eux qui avaient réclamé cette faveur à la «grande dame des fourneaux», étant donné sa réputation. Les journalistes prirent note de l'air inspiré, sans pouvoir le décrypter.

— À mon avis, rien ne vaut un steak-frites avec moutarde, tu ne crois pas? interrogea le motard de la gendarmerie, histoire de rompre leur ennui, après trois heures de garde.

Son collègue regarda la façade du Meurice et haussa les épaules. À l'ombre des ormes, ils étaient un peu mieux.

— Tu trouves que c'est normal? répliqua-t-il, après un long silence.

— Quoi?

— Toi et moi, on a toujours fait la paire. On était là pour cueillir le Baron dans son trou, après sa cavale, et la fois de l'attentat aux Filles-du-Calvaire, on était là aussi, ensemble.

— Oui, et alors?

— On a été sur plusieurs gros coups, et maintenant on se retrouve aux Tuileries, par cette chaleur, à parler de sauces comme deux rombières. La vie est moche.

Le motard éclata de rire, c'était une bonne nature.

— Au moins on n'est pas les seuls.

Le chef David tapait furieusement sur son evi. Les journalistes notèrent le fait. Le chef Rajiv Ahmed était vêtu à l'orientale. Ils le notèrent. L'anodin le disputa au sublime jusque vers 18 heures, quand la dégustation arriva à son terme. Quinze sauces avaient été goûtées, à partir d'une multitude de combinaisons possibles entre viandes, poissons et modes de cuisson. Les visages des grands chefs accusaient la fatigue. Le champagne et le vin aidant, quelques-uns s'étaient abandonnés à une sieste aussi discrète qu'irrésistible.

Le maître de cérémonie fit signe qu'il reprenait la parole.

— Distingués invités, je vous remercie de cette performance exceptionnelle. Vous avez tous mérité un peu de repos. Aussi rendez-vous dans deux heures, au bar Fontainebleau, pour la dernière étape du questionnaire.

Les chefs réprimèrent mal leur mauvaise humeur. D'accord pour le fric à tire-larigot, les cadeaux, le billet d'avion ouvert, et les vacances à Tamanrasset ou à Chamonix, ils prenaient aussi, mais là, c'était trop. On ne pouvait pas leur ficher un peu la paix? Même Babette Londag ne rêvait plus que d'un radis rose, juste un, à la croque-au-sel, sur sa terrasse de Malibu, devant le soleil couchant.

— Vous n'aurez rien à écrire, rassurez-vous. Il suffira de répondre aux questions de nos enquêteurs en toute franchise. Après, vous serez libres, c'est promis.

C'était mal parti. Vingt mille, qu'il s'était dit d'abord, pas un euro de moins. Les images le valaient bien. Et voilà que le chef de rubrique faisait la moue.

— Des cuisines! Faut quand même pas charrier.

— Mais j'ai aussi le type de Vendôme, protesta le gamin, quand il a plongé le doigt dans la marmite.

Dédaigneux, le directeur photo fit défiler les images. Soudain, il s'arrêta. Le chef Sun Chou-Lin, un pan de sa jupe retroussé par mégarde, dévoilant des bas sexy et même un peu plus. Très bon. Il échangea un regard entendu avec le pupitre.

— Cinq mille, concéda le journaliste au garçon. Et c'est bien parce que t'as une tête sympathique.

Le directeur photo signa le bon de paiement et le journaliste grimpa à l'étage.

— À la une? Tu as perdu la tête ou quoi?

Le reporter, *evi* modèle dernier cri à la main, se tenait debout dans l'embrasure de la porte. Ne s'assoit pas qui veut dans le bureau du rédacteur en chef.

— C'est juteux, patron, regardez la photo.

Le rédacteur en chef hésitait. Des *people* de la toque, on veut bien, mais de là à faire la pub de Vendôme. Il n'empêche que Sun Chou-Lin était bandante.

— J'ai aussi parlé à Françoise de la pub. Si le sujet passe à la une, il y aura des retombées.

— J'attends ton papier. On verra ça après la conférence de rédaction.

Le journaliste gardait l'argument massue pour la fin.

— Forrester, du *Times*, est formel : c'est leur une.

Le lendemain matin, *Le Monde* titrait en rez-de-chaussée, avec une photo inédite de la madone chinoise : «Révolution dans le goût!»

Trois jours plus tard, le ton empreint d'une colère blanche, le chef David accorda un entretien à France 24.

— Ce qu'on nous a fait goûter, madame, comment le qualifier? Sachez d'abord que j'avais pris l'invitation au sérieux, j'étais même allé jusqu'à jeûner la veille. Avouez que pour un homme comme moi, ce n'était pas évident.

La présentatrice eut un petit sourire. Ne pas l'interrompre. La caméra 2 zooma sur le tour de taille vertigineux. Une masse de chair, un goût exquis et inventif, tout le monde croyait connaître le chef David.

— La sauce s'est gâtée, si je puis dire, dès le premier service. Une colle indéfinissable, nommée pompeusement sauce Béchir, avec des grumeaux, en plus. L'Arabie heureuse n'était guère mieux. Les tomates avaient un goût de fer-blanc, la conserve, tout ce qu'on voudra, mais pas la tomate. Les piments, n'en parlons pas.

Les commentaires à chaud commencèrent à défiler au bas de l'écran. De l'indignation, de la sympathie, mais l'hystérie ne régnait pas encore. Vingt minutes plus tard, l'audimat explosa, et le magazine *Action* écrasa toutes les chaînes concurrentes avec 20 millions de Français devant leur poste. Les chiffres compilés de l'*e*vision planétaire, avec les déclinaisons arabe et anglaise de la chaîne, n'étaient pas en reste : le spectacle était tout simplement formidable.

— C'était dégueulasse. Du vomi de chat, madame. Et pas la moindre feuille d'épinard dans la sauce Firenzine. Ce n'est pas tout.

Dans son bureau, Victorin de Saint-Preux, directeur des com. des Sauces Vendôme, était aux anges.

L'évolution du goût, au cours des siècles, est certainement l'aspect le plus imprévisible de la nature humaine. Les tétines de truie farcies aux oursins étaient un mets fort prisé à l'époque romaine, le saviez-vous? Pourtant, la recette qu'en donne Apicius dans son ouvrage bien connu n'a rien d'appétissant.

Il pérore, pensait son vis-à-vis, le professeur Albertini, spécialiste des médias de réputation internationale, qui se forçait à prendre un air attentif : on ne sait jamais quand la caméra vous regarde sur un plateau d'*e*vision.

Bien sûr, à notre époque, les méthodes de cuisson de masse, la multiplication des laboratoires verts, s'ajoutant aux nécessités du marché du travail, ont considérablement modifié le goût.

— Professeur Harrington, l'interrompit le meneur du débat, que pensez-vous des Sauces Vendôme?

L'universitaire se troubla.

— Je ne peux pas vous répondre sans y avoir un peu réfléchi, Hans.

Il s'était forcé pour prononcer la dernière syllabe, qui résonnait comme un jappement ridicule. Cette manie d'appeler les inconnus par leur prénom. Dire qu'il en était là. Pourtant, la conseillère en relations publiques de l'université avait été formelle. Plus question d'avoir l'air guindé quand on représentait Cambridge devant les journalistes.

— Y avez-vous seulement goûté? coupa le médialogue.

— Non. Comme aucun d'entre nous d'ailleurs. Là n'est pas la question.

— Nous y sommes! Hans, mon vieux, le professeur Harrington est la preuve d'une opération marketing parfaitement réussie.

L'animateur parut très intéressé.

— Je m'explique. En cette époque d'abondance, l'uniformité nous guette. Chaque jour, nous pataugeons dans la même boue sans voir qu'elle pourrait se transformer en sables mouvants.

Le modérateur se mit à rire.

— Seriez-vous pessimiste, professeur Albertini?

— Pas du tout. Je dis simplement ce qui pourrait advenir si l'*Homo economicus* ne faisait mentir toutes les prévisions par sa fantaisie lorsqu'il s'agit de s'adonner au commerce. Les Sauces Vendôme révolutionneront peut-être le goût, seul l'avenir le dira. Mais ce qu'on peut affirmer dès maintenant, c'est que cette entreprise a bouleversé les règles de mise en marché. Le-mar-ke-ting, mon cher Hans. Le *must* de toute entreprise commerciale, aujourd'hui comme hier. Maintenant, mesurez l'effet Vendôme. Le monde va mal, le climat se déglingue, il y a le terrorisme, le chômage, les tueurs fous, et de quoi parle-t-on dans toutes les chaumières, de Lisbonne à Vladivostok?

— De la Terre de Feu au pôle Nord? hasarda l'animateur, amusé.

— Très juste, Hans, et vous faites bien de nous le rappeler. Donc, de quoi parle-t-on en tous lieux? D'une gamme de sauces encore inconnues il y a deux semaines, et que personne n'a même goûtées, hormis un club sélect de grands chefs cuisiniers qui sont en train de brûler sur la place publique ce qu'ils ont adoré hier à huis clos. Même la presse intello s'est mise de la partie. Une semaine après la dégustation du Meurice, le *New York Times* a consacré au sujet le cahier «Styles» de son édition dominicale. «V comme Vendôme», qu'ils ont titré, sans se gêner, au-dessus de la fameuse photo de Winston Churchill. À ce degré d'engouement, ce n'est plus de la mise en marché, mais un véritable phénomène de société. Je vous fais remarquer en passant que la presse du Groupe PACE s'est montrée perspicace depuis le début, en choisissant de traiter avec sérieux un événement en apparence *people*. En apparence seulement. Avouez qu'il y a de quoi être admiratif.

— Et comment expliquez-vous ce succès?

— Explique-t-on le génie, mon cher Hans?

Le professeur Harrington se sentait largué. Sûr que demain le recteur lui demanderait des comptes.

14

Se verser un scotch bien tassé, ne plus penser à rien, difficile dans les circonstances. Le directeur des com. des Sauces Vendôme, pour une fois, rêvait d'une soirée tranquille dans son appartement. Sans célébrités, sans fausses effusions, sans tous ces regards posés sur lui. La vibration de l'*evi* le rappela à l'ordre. Sur la ligne prioritaire, en plus.

— Tropos Communications.

— Ça va, ma biche, c'est moi. Pas la peine de faire ton numéro.

— Gab! Tu as su les dernières nouvelles?

Tout en parlant, le directeur des com. avait pris place dans le fauteuil, près de l'appareil, et retiré avec nonchalance un fil sur son pyjama de soie.

— Le prince Grimaldi? Je reconnais qu'il a bien parlé, concéda son interlocuteur. Pour la suite, attendons de voir la réaction de la rue.

— Je l'avais dit, à la réunion, qu'il faudrait aussi exploiter le filon politique. Avoue que des déclarations d'amour comme celle-là, ça rééquilibre un peu notre image dans l'opinion. Je trouve qu'ils y vont un peu fort, les cuistots, depuis la sortie de David. Mais, bon, on ne peut pas tout contrôler. Je fais déjà le maximum.

— Je viens de parler aux patrons.

— Ce n'est pas trop tôt. Tu sais, au début, j'étais d'accord avec l'idée de créer une attente. C'est même moi qui l'avais lancée, tu te souviens? Mais là on tarde trop, alors que c'est maintenant qu'il faudrait frapper, profiter de la vague avant qu'elle ne retombe.

— Pas tout de suite, les patrons sont formels.

Le directeur des com. s'était levé et marchait de long en large.

— Je ne comprends pas leur stratégie, Gab. Les entrepôts sont pleins, tu m'as dit. Pourquoi est-ce qu'on ne me fait pas confiance dans cette maison? Je ne peux même pas discuter directement avec les patrons. Ça te plaît, à toi, de faire l'estafette?

— T'énerve pas, ma poule, c'est la règle. Tu le savais depuis le début.

Il n'allait pas lui dire que la règle s'appliquait à lui aussi, qu'il recevait ses ordres chaque matin par courrier *e*vi, comme un domestique.

— Des couvertures de presse comme celle que j'orchestre en ce moment, vous essaierez d'en obtenir avec d'autres, poursuivit la diva. Ça mérite un peu de considération.

— Je comprends ton inquiétude. En deux semaines, l'opinion s'est retournée comme un gant. Que veux-tu, les toques sont des ingrats, on n'y peut rien. Quel besoin avait cette dinde de Londag de déchirer sa chemise sur la place publique? Elle n'a pas craché sur le cachet offert, que je sache. Et Dimitriev, assassiné peu de temps après son retour à Saint-Pétersbourg. Au moins, pendant ce temps, le public s'amuse.

Le directeur des com. se rassit.

— Et il achète quand, le public?

— Ça s'en vient. Pour le moment, une grande mise au point s'impose, c'est ce que pensent les patrons. Avec des précisions, des révélations, tout le bazar. Conférence de presse à Londres, après-demain. Tu es libre?

Mine renfrognée du directeur des com.

— On aurait pu au moins me consulter.

— Mieux. Tu vas y prendre la parole. Au nom des Sauces Vendôme. En *e*vision directe. Tu pourras assumer?

Le directeur des com. croisa la jambe droite, contempla en silence le pli de son pyjama.

— On a prévu des invités spéciaux, poursuivit son interlocuteur dans l'*e*vi. Le public découvrira l'incroyable épopée des Sauces Vendôme.

— On me briefe demain?

— Pas besoin. On veut ta réaction en direct.

Déception du directeur des com.

— Tu mèneras le jeu, ma gazelle. Les journalistes seront suspendus à tes lèvres. Ils vivront l'aventure à travers toi.

— Mais comment je ferai si je ne sais rien à l'avance?

— Le scénario est prêt. Tu n'as qu'à le suivre, tout ira bien.

Une campagne qui fera date. Un événement. Et en être le centre d'intérêt.

— Puisqu'il le faut, soupira Victorin de Saint-Preux.

Un grondement monta de Kensington Road et un cortège de voitures officielles fit bientôt son apparition. Les unités mobiles des médias étaient sur place depuis un moment, agglutinées autour du Milestone Hotel.

La limousine de tête décrivit un cercle autour du grand bassin et vint se garer au pied de l'escalier. Moteur éteint, portières closes, elle attendit.

Pendant ce temps, le grand hall du Milestone bourdonnait comme un essaim sur le point de s'envoler. Mais aucun de la centaine de journalistes présents n'aurait voulu quitter une place chèrement acquise, de peur de la perdre ou de rater ce qui allait suivre.

Les mains moites, le directeur des com. vivait le plus grand jour de sa vie. Le personnel de l'agence avait revêtu la veste aux couleurs de Vendôme et leur présence égayait une foule par ailleurs houleuse. Plusieurs journalistes n'avaient pas caché leur volonté de réclamer des explications aux dirigeants de Vendôme. Le public avait été floué. Ils allaient le défendre. Ce genre de choses.

Cinquante mètres séparaient le directeur des com. de l'estrade qu'il devait parcourir du pas allègre des gagnants – aussi bien dire un océan. Les lourds battants de la porte d'entrée furent refermés. Tous les spots s'allumèrent en même temps. Il se jeta à l'eau.

C'est tout? Il avait atteint sans encombre la tribune de l'orateur et ne distinguait aucun visage dans la masse houleuse des têtes, pas même celle de Gab.

— Mesdames et messieurs, mon nom est Victorin de Saint-Preux. Je suis le directeur – inspiration profonde – des communications des Sauces Vendôme. D'emblée, laissez-moi vous dire que je suis très content de l'intérêt soulevé par cette conférence de presse.

Son préambule se borna à peu de chose, mais même ce peu parut trop long à certains journalistes qui manifestèrent bruyamment leur impatience.

La rumeur de la foule était insupportable au maître de cérémonie. Stoïque, il releva la tête. L'enveloppe attendait sur le lutrin. Scellée. Quand Gab faisait des mystères, il n'y allait pas avec le dos de la cuillère. Il se croyait à la soirée des Oscars ou quoi?

L'enveloppe.

Il la saisit. Risqua une plaisanterie.

— C'est que, même moi qui vous parle, j'ignore le nom de nos experts.

Avec lenteur, les lourds battants de la porte d'entrée s'ouvrirent de nouveau. Personne ne lui avait dit que les invités spéciaux arriveraient par là.

Le directeur des com. ne se laissa pas troubler.

Aux derniers rangs, les visages intrigués se tournaient vers la grande porte. Sous le soleil voilé, une limousine attendait, entourée d'un halo inquiétant. Claquements de portières. Les policiers de Sa Majesté s'avancèrent en formation et dissimulèrent à la vue des badauds les passagers de la voiture. Le petit groupe monta les marches du Milestone, et sa progression s'accompagna d'un léger désordre parmi les membres de l'assistance assis près de la porte.

La rumeur était sur le point de parvenir jusqu'aux premiers rangs lorsque le maître de cérémonie lâcha les noms inscrits sur le papier. Déjà les caméras avaient pivoté en direction de l'allée centrale.

— J'ai nommé Dame Imajiro Mizuki, prix Nobel de médecine! Et Son Excellence Amel Archane, secrétaire générale de l'ONU!

Le directeur des com. était stupéfait. Comment avait-il eu l'aplomb de proclamer les noms de ce feuillet, glissé dans une enveloppe décachetée fébrilement, il ne savait pas. Le cœur battant, il regarda les deux femmes remonter l'allée. La plus vieille était très vieille, mais l'assaut des caméras ne semblait pas l'importuner. Elle portait un tailleur vert d'eau du plus bel effet. Minuscule, très droite, une longue épingle laquée dans le chignon, seul égard à la tradition,

Dame Imajiro marchait à pas menus, avec un sourire de sphinge. De son côté, la secrétaire générale de l'ONU affichait l'assurance des diplomates. Mais une fierté secrète émanait de sa personne et intriguait ceux qui l'avaient vue agir en d'autres circonstances.

Quand toutes deux eurent rejoint le maître de cérémonie sur la scène, les caméras retrouvèrent leur centre de gravité initial. Le directeur des com. sourit.

— Je cède maintenant la parole à Son Excellence.

Un fauteuil fut discrètement apporté pour Dame Imajiro ; il resta inoccupé.

La diplomate ne s'embarrassa pas de circonlocutions.

— Aujourd'hui est un grand jour auquel Dame Imajiro a personnellement voulu que je sois associée, et je l'en remercie. Dissipons tout de suite un malentendu. Les Sauces Vendôme ne sont pas ce qui nous importe ici.

Dans l'assistance, même les photographes restèrent bouche bée.

— J'ai été comme vous, mesdames et messieurs. Au lieu de regarder la lune, j'ai regardé le doigt qui montrait la lune. Mais voici que la lune apparaît dans tout son éclat. Ces viandes, ces poissons nappés des nouvelles sauces de la gamme Vendôme n'étaient ni viandes ni poissons, du moins pas au sens où nous l'entendons. Deux décennies de recherches dans les laboratoires du docteur Imajiro à Kitakyushu ont permis à celle-ci de mettre au point une viande de synthèse si savoureuse qu'elle a été capable de tromper les palais les plus fins et les plus exigeants recrutés parmi l'élite culinaire de la planète.

Un brouhaha monta de la salle.

— Un peu de patience, mesdames et messieurs. Je répondrai bientôt à toutes vos questions, et Dame Imajiro en fera autant. L'opération Sauces Vendôme n'a pas voulu tromper le public mais le préparer à une véritable révolution. Par ses qualités gustatives et nutritionnelles, par son apparence et, au premier chef, par son mode de production, la viande de synthèse mise au point par Dame Imajiro et son équipe de chercheurs rend caduque l'obligation de tuer pour se nourrir. La chaîne alimentaire est radicalement transformée dans sa composante humaine. L'élevage de volailles en batterie, les parcs d'engraissement pour bovins, les usines-abattoirs, les épidémies alimentaires seront bientôt reléguées au rang de mauvais souvenirs liés à des pratiques désuètes.

Les journalistes commençaient à prendre la mesure de la nouvelle.

— Le docteur Imajiro Mizuki, pour ceux qui l'auraient oublié, a reçu le prix Nobel de médecine en 2027, à l'âge de 90 ans – je vous laisse deviner son âge aujourd'hui –, pour ses recherches sur les tissus régénérateurs utilisés lors des greffes et des brûlures. Dame Imajiro, voulez-vous expliquer votre procédé aux béotiens que nous sommes?

L'ancêtre – quel autre nom donner à la silhouette debout sur le devant de la scène? –, qui avait vu passer, enfant, les derniers palanquins dans les rues de Kokura, parla sans détours. La voix était fluette mais ferme.

— Je tâcherai de n'être pas trop longue. Nos récents travaux découlent directement des recherches en histogenèse qui ont permis la fabrication des tissus cicatriciels. Nous avons mis au point une structure bio-régénératrice incluant une sorte de cœur où est conservé l'ADN, c'est-à-dire les programmes génétiques des tissus à fabriquer, en l'occurrence des muscles. Un ARN messager copie ces programmes comme en négatif. Un système d'enzymes dits *reverse* reproduit ensuite l'ADN initial. À partir de là, le milieu nutritif et enzymatique construit des gels organiques qui pousseront sur un support régulé par des capteurs chimiques. Ce support est enrichi en permanence d'acides aminés, de glucides, de lipides, d'oligo-éléments, de vitamines, de sels minéraux et d'enzymes, le tout contrôlé par un logiciel. Au final, tant par leur composition chimique que par leur texture et leur valeur nutritive, les gels organiques de départ sont devenus de la viande. Ils n'en sont ni un ersatz ni un substitut, nos grands chefs auraient sûrement fait la différence.

Le sourire de la sphinge se mua en franche gaieté.

— Telles sont les grandes lignes. Pour les détails, reportez-vous à notre adresse interactive où vous attend mon premier assistant, le professeur Verain.

Amel Archane rejoignit la scientifique sur le devant de la scène.

— J'ajoute que ces recherches furent entièrement menées grâce à l'argent du prix Nobel et à ses dividendes. Nul gouvernement, nulle entreprise, ni japonais ni autre, ne peut prétendre avoir des droits sur ce procédé révolutionnaire. La viande de synthèse n'appartient pas davantage à son inventeur qui n'a pas voulu breveter sa découverte. Le procédé appartient à l'humanité tout entière, estime le docteur Imajiro, celle qui a faim, comme celle qui est rassasiée. À tous d'en tirer profit.

Le correspondant de l'*Observer* aurait bien voulu être le premier à se lever. Il fut bon troisième, mais très vite ce genre de détails n'eut plus aucune importance. La presse, les badauds, et même le service d'ordre, tous y allèrent d'applaudissements bien sentis. Dame Imajiro, modeste, penchait la tête. Victorin de Saint-Preux, beau joueur, s'inclina devant le tour de force. Le moment était historique. Anonyme dans l'assistance, drapée dans un châle discret lui couvrant la tête et les épaules, Babette Londag retira d'énormes lunettes noires, tapa des mains avec méthode, tout en récrivant en pensée la carte de son restaurant.

15

Au premier abord, rien n'avait changé du paysage familier, et Ymir était encore un village. Mountain chercha des yeux le petit bois de pins où il avait autrefois reçu les premiers soins. Il ne le trouva pas. Et depuis longtemps avait été obstrué le boyau qui l'avait aspiré, à demi mort, dans la caverne. Un engin, léger, inodore, le frôla en vrombissant, avec deux enfants juchés dessus. Mountain baissa les yeux. Le sentier était devenu chemin, puis route.

L'Indien s'immobilisa. Sous ses pieds, à dix kilomètres de profondeur, Nohog s'affairait dans son antre. Du moins pouvait-il le penser.

Noam anxieux, ce n'était pas vraiment une nouveauté. Mais à ce point? Mountain, qui rentrait de Cotonou, l'avait écouté jusqu'au bout, sceptique.

— Ce n'est pas normal, Mountain. Il met beaucoup trop de temps à répondre, même pour un Ventorxe – et encore, quand il répond. Chérif s'est fait éconduire à plusieurs reprises. C'est lui qui m'a alerté.

Ce jour-là, ils avaient fait quelques pas dans le périmètre de verdure aménagé par Carlingua autour de la caverne. Deux petits vieux, à première vue au bord de la tombe. Deux vieillards qu'on aurait pu croire coupés du reste du monde, si Mountain n'avait accepté, il y a quelques mois, sur l'insistance des Dix, de réapparaître en public. Ses conférences données un peu partout sur la planète, pour les génusiens, attiraient des foules considérables. Mountain n'aimait guère jouer au vieux sage, mais il était obligé de se reconnaître un certain charisme, tout en se méfiant de l'engouement des foules pour un chef.

Noam approuvait cette prudence. Dehors, des esprits inquiets interrogeaient chaque jour l'oracle des médias, n'y trouvant que bouleversements et mirages. À toutes les époques, les vieux regrettaient les saisons réglées de leur jeunesse, mais maintenant les plus jeunes aussi entonnaient le couplet des catastrophes. Si, en plus, on ne pouvait plus compter sur Nohog.

Noam s'était arrêté au milieu du sentier.

— Va aux nouvelles, dit-il à Mountain. À toi, il se confiera peut-être.

La perspective d'une bonne conversation comme aux jours anciens lui avait plu. À bien y penser, il avait une autre raison de se laisser convaincre de parler à Nohog, mais il n'en avait soufflé mot à Noam.

Il en était là, à regarder le paysage des environs. Depuis deux cent cinquante mille ans, l'antre n'avait pas changé de place, et le Ventorxe n'en était jamais sorti. Mountain se souvint d'y être entré la première fois en 1887 – ou était-ce en 88? – grâce à l'holoviv et, jeune sot, d'avoir pris peur en voyant la créature. Comme tout cela était loin.

De retour dans la caverne, il se mit à l'écart. L'échange était délicat et exigeait une concentration maximale. Confiant, il se lança et fit éclore le nom de Nohog, suivi d'une première pensée.

Trois ans, j'ai fait le compte, Nohog, trois ans sans s'être donné signe de vie. Mais aujourd'hui, je dois te parler. Que penses-tu de l'idée de Li Mei Fei? Que penses-tu de ces foules à Milan, Hong Kong, Ryad? Moi, elles m'effraient plutôt, et jamais je n'aurais cru susciter un tel enthousiasme. J'aimerais pouvoir me dire que c'est avant tout la perspective d'une paix planétaire qui les emballe, mais je vois bien que le messager les attire aussi. Chaque fois, on veut me toucher, me parler. Ce vedettariat est-il nécessaire, dis-moi? Et qu'en pense Xall?

Il ouvrit les yeux, résista à la tentation de faire autre chose en attendant la réponse du Ventorxe et se souvint que le débat présidentiel, dont Seydou était si fier, aurait lieu le lendemain. Du regard, il suivit les veines qui couraient dans le roc, effaçant à mesure la perception du temps.

Une veste bleu clair, quand les deux autres candidats portaient le complet sombre de rigueur. Ce qui n'empêchait pas Marwan Ramirez, chef du Green Party, candidat à la présidence des États-Unis, d'avoir un programme, des idées, une plate-forme électorale rigoureuse. Et la chance d'être admis dans le cercle étroit des présidentiables. La chance ? Disons surtout de l'entêtement et du travail, comme en témoignait sa participation à l'actuel débat. L'homme-tronc qui le menait fit mine d'écarter les notes qui avaient guidé la discussion jusque-là.

— Le sujet n'étant pas, de leur propre aveu, une préoccupation du président Thorn ni du candidat républicain Cummins, je pose la question au candidat Ramirez. Pourquoi êtes-vous contre la peine de mort quand les États qui la pratiquent en font le moyen le plus efficace de lutter contre une criminalité galopante ?

Dans la régie, le directeur de National American échangea un regard entendu avec son adjoint. La présence de Marwan Ramirez malmenait la règle du bipartisme. On n'allait pas lui faire de cadeaux. « Resserre sur Ramirez », ordonna le régisseur. À cinquante-quatre ans, le troisième candidat représentait le Minnesota au Congrès. Une épouse, avocate senior à St. Paul, deux enfants de quinze et dix-sept ans qu'il avait bien fallu présenter à la presse lors d'un match de baseball. Ramirez n'aimait pas le baseball. Il aimait la musique, avouait un faible pour le xxe siècle, Schnittke, Messiaen, Stockhausen. Il avait publié deux ouvrages à caractère historique, dont un sur la guerre des Boers, encore cité par les spécialistes. La presse avait ressorti le second, en réalité le premier – une thèse soutenue à Harvard et remaniée pour paraître dans une maison d'édition universitaire de troisième ordre –, lorsque sa candidature à la présidence des États-Unis avait commencé à devenir sérieuse. Du titre, en particulier, les journalistes faisaient des gorges chaudes : *Hermine et casques à pointe. Cahiers de doléances dans la Prusse de Frédéric-Guillaume IV.*

Marwan Ramirez était le premier à en rire aussi depuis qu'il avait quitté l'enseignement pour se consacrer au militantisme social, grâce à des subsides familiaux.

La caméra mit en valeur la mâchoire carrée du candidat.

— Je suis contre la peine de mort pour plusieurs raisons. La mort du criminel n'efface pas le crime, elle ne ramène pas la victime à la vie, elle ne prévient pas les crimes et n'a donc aucun effet sur les statistiques que vous évoquez. De plus, elle est irréversible et en contradiction flagrante avec la morale qu'elle est supposée défendre. Elle ne fait qu'assouvir le désir de vengeance des survivants. Tout cela a été dit maintes fois dans le passé, avec succès semble-t-il, puisque aujourd'hui, en 2043, la peine de mort n'est plus pratiquée que dans une poignée de pays. Comme vous le savez, la Chine vient de l'abolir, ce qui concerne le tiers de l'humanité. Pendant ce temps, aux États-Unis, la peine de mort est encore pratiquée dans cinq États. Allons-nous être les derniers à tolérer cet acte indigne?

— Il se débrouille pas mal, commenta le directeur de la chaîne.

— Tu crois vraiment qu'il a des chances d'être élu?

L'adjoint paraissait sceptique.

— Pourquoi pas? Le débat à trois est déjà une révolution. Et jusqu'à présent, Ramirez a su en profiter. Tu as entendu sa sortie contre l'eugénisme en Californie? Courageux.

— Suicidaire, tu veux dire.

— Nuancé, corrigea le directeur. C'est le plus difficile en politique.

À la permanence du Green Party, l'ambiance était électrique.

— Viande de synthèse : *shoote*, ordonna un homme en noir au documentaliste.

Il y en avait encore pour une heure, sans oublier le sac de nœuds de la politique étrangère en dernière partie, mais le débat se présentait bien. Les hommes en noir intégraient le moindre détail sur leur *evi*, les délais de réponse de leur candidat, le battement d'une veine sur ses tempes, tel geste des mains. Surtout ils s'efforçaient d'anticiper les questions pour transmettre au candidat les données pertinentes.

La caméra zooma sur le profil du président Thorn.

— Je fais entièrement confiance à la Food and Drug Administration dans cette affaire. L'idée qu'une organisation fédérale puisse céder aux pressions d'un quelconque lobby agro-alimentaire traditionnel est grotesque. Je ne sais pas d'où vous tenez ces chiffres, monsieur Ramirez. La réalité…

— De l'Organisation mondiale de la santé, monsieur Thorn.

— Le président transpire, dit le régisseur. Caméra 4.

Le président était furibond. Ce peigne-cul le prenait de vitesse et ne lui donnait même pas son titre. Et qu'est-ce qu'il fichait sur ce plateau? Fallait-il donner voix au chapitre à tous les hurluberlus inspirés sous prétexte qu'on était passé au suffrage universel direct?

L'homme-tronc peinait à garder le contrôle de la situation.

— Un à la fois, messieurs.

— Je rappelle des évidences, et c'est mentir? Monsieur le président, vous devrez répondre de vos actes.

Thorn nota que l'enfoiré venait de l'appeler président.

— Je n'accepterai pas de recevoir de leçons d'un rêveur.

Sur sa pupille-lectrice, le candidat Ramirez prit connaissance du fichier qu'on lui expédiait. En face, l'attaque classique était privilégiée.

— Antipatriote!

— Qui d'autre, sinon vous-même, a très patriotiquement décrété le fichage des abonnés de toutes les bibliothèques du pays?

Nul besoin de transfert de données pour contre-attaquer sur un tel sujet.

— Les livres ne sont pas faits pour être suivis pas à pas, mais lus, sauf si les lecteurs vous font peur, monsieur Thorn.

Le candidat Cummins vola au secours du démocrate.

— Querelle futile. Quand l'ennemi assiège, il faut se défendre. Le peuple américain a choisi la sécurité.

Visiblement, la présence de Ramirez énervait les deux bonzes. On pouvait le prendre comme un compliment, cela ne changeait rien à l'âpreté de la lutte.

— Il va lui ressortir l'épisode des photos, prévint un homme en noir.

En juin dernier, Sandra Ramirez s'était un peu oubliée lors de la fête ayant suivi son bal de fin d'études. Les photos de la jeune fille, dansant à moitié nue, comme possédée par un dieu sauvage, s'étaient retrouvées dans tous les *evis* dès l'aube. Papa n'avait pas aimé.

L'instant d'après, il était question d'autorité paternelle. Elle manquait à toute la nation, ajouta Cummins, perfidement. Le président y vit une attaque directe. Et imprévue. Leurs échanges préparatoires avaient pourtant clairement identifié l'ennemi contre lequel faire front.

Ce fut la pagaïe. Marwan Ramirez les laissa s'empoigner, se contentant d'observer la scène d'un air narquois. Plan moyen sur Ramirez, dit le régisseur. Maintenant, retour sur les deux autres.

L'homme-tronc mit fin à la foire d'empoigne. On allait aborder le volet international.

En régie, le directeur de la chaîne se précipita sur les premiers indicateurs d'audience. Le réseau PACE assurait la diffusion planétaire du débat.

— On a dit que le boycottage des produits américains dans le monde était un épiphénomène qui ne durerait pas. Or, quatre ans plus tard, notre balance commerciale reste largement déficitaire. La rupture du *Traité de l'Antarctique* fut non seulement un acte hostile, mais aussi une erreur stratégique. Et bon nombre d'Américains sont de cet avis.

— Ne soyez pas naïf, monsieur Ramirez. Les besoins de l'Amérique en matière d'énergie nous obligent à exploiter un gisement aussi fabuleux. Nos enfants et nos petits-enfants nous auraient reproché de ne pas l'avoir fait.

— L'Antarctique était territoire international.

— Et l'est toujours, répliqua sèchement le président sortant. Ces quelques degrés de latitude en moins ne sont que de l'eau. D'autre part, les traités ne sont pas éternels. Cela s'appelle de la géopolitique. On peut lui préférer la musique, mais alors on n'essaie pas de se faire élire président.

— Punta Arenas, c'était aussi de la géopolitique?

Agacé, le président Thorn leva les yeux au ciel, tandis que Cummins observait un silence tactique.

— Je ne suis pas responsable des décisions de mon prédécesseur. Punta Arenas a été une bavure, tout le monde est d'accord là-dessus. À l'époque, le président Mancini a bien dit qu'il était désolé.

— Je rappelle que vous étiez conseiller dans son gouvernement.

— Dois-je vous rappeler à mon tour que notre administration a parrainé les accords de Damas? Et que, pour son rôle, le président Mancini a été l'un des récipiendaires du Nobel de la paix cette année-là? Il est vrai que votre spécialité en tant qu'historien n'est pas le XXIe siècle, mais des sujets aussi importants que les casques à pointe et les manteaux d'hermine.

Marwan Ramirez mit cinq longues secondes à encaisser le coup. Dans l'oreillette, on hurlait. Le candidat réagit.

— Vous voulez qu'on parle d'histoire, monsieur Thorn? Entendu. Le prix Nobel au président Mancini ne veut rien dire. L'histoire de ce prix montre que ce n'est pas la première fois que les vieilles barbes d'Oslo sont obnubilées par l'actualité. Le général Marshall et Henry Kissinger ont eux aussi été des choix douteux à l'époque.

— Monsieur Ramirez, comment osez-vous médire de nos grands Américains?

Le président dissimula à grand-peine un sourire carnassier.

— Comment osez-vous postuler à l'investiture suprême avec de tels sentiments? Vous ne serez jamais président, monsieur Ramirez.

Dans l'oreillette, le calme plat régnait. Le directeur de la chaîne échangea un regard triomphant avec son adjoint.

— Belle joute. Alors? tu paries sur qui?

Le lendemain matin, à Johannesburg, le soleil dardait ses premiers rayons dans l'appartement de Seydou Bissiri. Assis dans la cuisine, l'homme s'empara de son flexécran où s'affichait la dernière édition du *Washington Post*. La une le mit en joie. «Une leçon de démocratie», titrait-elle. C'était un début.

16

CHARISME. Chez les humains, le charisme est un atout lorsqu'il s'agit de défendre des idées. Tu peux t'exposer sans crainte, ceux qui t'ont connu ont disparu. Cette action est bien orientée. Xall n'a rien à redire, et même l'Un-Soi Shoka-Ub, dans son vaisseau de retour, montre de l'intérêt pour le cours des choses. Cœur brisé est une belle tournure.

Noam a raison, se dit Mountain. Deux jours d'attente pour obtenir une réponse, à la fin tout à fait déconcertante : ça n'allait pas. Le Ventorxe cherchait-il à lui faire comprendre quelque chose? Nohog était peut-être fatigué. Un Observateur a bien le droit à un peu de tranquillité de temps à autre. Et Chérif pouvait être épuisant quand il s'y mettait. Une pensée s'insinua dans son esprit : le Ventorxe était-il arrivé à la conclusion que l'humanité n'avait plus d'avenir? Cœur brisé. Qu'est-ce que cela voulait dire? Il devait tirer cela au clair.

Nohog, je t'ai préparé quelques images mentales, commença l'Indien. Des scènes que, pour ma part, je trouve tout à fait réjouissantes. Tu vois ces hommes en uniforme? Ce ne sont pas des soldats, mais des douaniers. À côté d'eux, ce sont des observateurs de l'ONU. Ce que tu vois là est l'un des postes-frontières du nouvel État palestinien.

Maintenant changeons d'image. Nous sommes trois ans plus tard, lors d'une cérémonie pour souligner les quatre-vingt-dix ans de la création d'Israël. Regarde le mur. Vois son tracé arbitraire. Regarde l'oliveraie coupée en deux, et l'école de l'autre côté de la route. Et tu as vu? Le premier ministre israélien et le président palestinien sont en train d'en démolir un pan. Ce n'est qu'un début. Dans cinq ans, il ne restera rien du mur, c'est prévu dans les accords de Damas signés plus tôt. Et là, parmi la foule des tribunes, tu vois ces hommes et ces femmes? Ce sont les négociateurs dans les deux camps; depuis des dizaines d'années, ils agissaient dans l'ombre. Et là encore, ce sont les représentants des associations pacifistes sur le terrain. Et là, les chefs des différentes formations politiques et des confessions religieuses.

Bien sûr, il y avait eu des signes avant-coureurs, par exemple le suicide public du soldat Eitan. Un simple juif, ni religieux, ni athée, ni extrémiste, ni militant, mais qui en avait tout simplement assez d'une guerre sans issue.

Le geste de Benjamin Eitan a agi comme un révélateur. Un sentiment d'inutilité gagnait les deux peuples de la région, puissants et faibles, riches et pauvres, militaires et civils confondus. À quoi bon tracer la ligne verte ici et non là? À quoi bon les terres fertiles, les hauteurs stratégiques, les colonies, quelle importance une patrie ou le statut d'une ville, pourquoi s'inquiéter d'antériorité ou du droit au retour? Toutes ces questions jusque-là épineuses ne pesaient plus rien devant le néant qui s'emparait des esprits. Les premiers à en prendre la mesure ont été les minorités. Les Israéliens d'origine arabe, les Palestiniens chrétiens, les Arméniens ont tout de suite vu l'impasse.

Pour aggraver la situation, Nohog, pas une seule goutte de pluie n'était tombée cette année-là. La pénurie était gravissime. Le Yarmouk et le Jourdain asséchés, le lac de Tibériade un bourbier, et la mer Morte une croûte de sel. Il fallait trouver de l'eau. Sur place, le rationnement s'est donc organisé, suscitant des solidarités qui n'obéissaient plus aux logiques anciennes. Des terrains d'entente ont été trouvés avec le Liban, la Syrie et la Jordanie. Israéliens et Palestiniens se sont mis d'accord sur le tracé d'un canal entre la Méditerranée et la mer Morte. Et des camions-citernes israéliens sont apparus aux check-points en Cisjordanie et à Gaza.

C'était en 2035, et tout indique, Nohog, qu'il s'agit d'une paix définitive, non d'un cessez-le-feu prolongé. Je me demande ce qui aura été le plus irrationnel dans ce conflit : les raisons de se battre ou le désir de faire la paix? Mais as-tu pensé à ce qui se serait passé si on avait pu réécrire l'histoire? Peut-être qu'un accommodement avec les Palestiniens aurait pu être envisagé dès 1948 si l'ONU, comme le reste du monde, n'avait pas été sous le choc de la Shoah. Et peut-être que les nazis ne seraient pas arrivés au pouvoir s'il n'y avait pas eu l'humiliation de Versailles. Et sans les guerres franco-prussiennes, qui répondaient, avec un demi-siècle d'écart, à l'occupation napoléonienne, sans doute que – Mountain s'interrompit. Et si l'esprit humain avait été autre? Et si Xall n'allait pas s'étonner d'une paix qui tombait sous le sens?

L'Indien mit fin au flux de pensées vers Nohog et choisit d'attendre la réponse à ces deux questions.

Ce qui frappe, d'emblée, c'est la vue panoramique et en surplomb. Le hall de la gare de Chicago devient alors une immense termitière, et le regard du spectateur embrasse ce cadre fixe avant d'en balayer tous les recoins, colonnes, balcons, verrière. À Union Station, nul ne s'arrête. Des milliers de voyageurs passent chaque jour. Ils observent les pulsations sur le tableau des arrivées et des départs, achètent leur billet à une borne, tuent le temps en écoutant de la musique ou en lisant, mangent, rejoignent leur quai. Dans ces lieux de transit, les visages sont fermés, anonymes. Rien ne transparaît de l'histoire des voyageurs, sinon quelques signes ténus. Là, un père avec ses deux enfants qui se chamaillent pendant qu'il consulte les horaires. Ici, une mère qui allaite discrètement son bébé dans un coin.

La caméra de Chérif descend ensuite des hauteurs et avise les employés aux uniformes contrastés. Elle montre les casquettes, les boutons rutilants, les survêtements verts et recompose un kaléidoscope de couleurs, de formes et de textures. Le balayeur mexicain a quadrillé le sol de lignes imaginaires qu'il suit avec sa voiturette. Derrière son comptoir, la vendeuse de café a peut-être un chagrin d'amour, des ennuis d'argent ou un frère en prison; elle n'en continue pas moins de verser le café dans des gobelets de carton, de rendre la monnaie, de sourire en disant «Bon voyage».

Tous ceux présents dans la gare ce jour-là ont l'air vivants. Mais d'où vient leur indifférence à ce qui se prépare ici? Savent-ils d'où viendra leur étonnement?

Soudain, deux faisceaux convergent vers le centre de la salle et font jaillir un écran monumental. Les têtes se lèvent.

— T'as vu? demande le garçon à sa sœur.

Ils ont une dizaine d'années chacun, ce qui revient à dire qu'ils ont tripoté tous les jouets de la Terre, qu'ils ont vu mourir mille fois les méchants, se battre des reines féroces, et que rien ne les étonne. Mais l'irruption du grand écran les prend par surprise.

— Papa, vite, y a un film qui va commencer!

Dans une gare? Le père tient les billets de train d'une main et, de l'autre, son sac de voyage. La caméra de Chérif s'attarde sur son air perplexe.

— De la pub, décide le père, rassurant.

L'écran, étincelant, muet, est juché très haut, comme un défi. Un ballon est lancé contre l'objet, l'atteint, mais se heurte au vide et rebondit plus loin. Un garçon récupère le projectile, avec un regard suspicieux.

L'écran est maintenant parcouru de bandes de couleur. De part et d'autre, des attroupements se sont formés, on aperçoit les têtes, les visages levés. Un murmure monte qui n'évoque pas le brouhaha habituel d'une gare, mais un mélange de joie, de crainte et de surprise. Une vieille dame se tourne vers son voisin. Monsieur, dites-moi… commence-t-elle avant de s'interrompre, stupéfaite.

Les yeux clos, son interlocuteur pousse une note haute et claire. Une voix de soprano, amplifiée par l'écho. Une autre voix s'ajoute vers la droite, déchirante, inquiète, et une autre, de femme, à gauche, et encore là, derrière. La vieille dame se retourne et comprend son erreur. Ce n'est pas un jeu d'échos, mais un ensemble de voix disséminées dans la gare. Les voix sont si fascinantes que les voyageurs en oublient de gagner leur quai. Alors seulement Chérif, en un travelling sinueux, débusque un à un les choristes dans la foule. Un gamin tient son evi à bout de bras et capte des images pour un interlocuteur lointain, tout en commentant.

— Me demande pas ce que c'est, ça vient de commencer. Y a un écran, et dessus je vois le soleil qui se lève. Mais oui, le soleil, que veux-tu que je te dise, et là, t'entends?

— Ce n'est pas vraiment un film, chuchote une femme, ni un concert, alors qu'est-ce que c'est? – le vigile hausse les épaules.

Les commentaires se multiplient.

— Vous croyez qu'ils vont nous demander de l'argent?

— L'adagio de Samuel Barber…

— Je vais rater mon train, et je m'en fous.

La caméra tournoie, fonce sur la joue d'une voyageuse qui pleurait en disant au revoir à son homme, et qui, sans ciller, fixe maintenant l'écran. Un hangar, une porte qui coulisse sur ses rails. Scène précise et pourtant irréelle. D'où vient la qualité du clair-obscur à l'intérieur du bâtiment?

Le balayeur mexicain a coupé le moteur de sa voiturette. Sur sa joue, une cicatrice tressaute. Des missiles en rangs serrés, des drones aux lignes pures attendent dans le hangar. Un tel lieu lui parle de mort, mais le chant l'apaise.

— On dirait la guerre, crie un enfant, pour couvrir les notes de l'adagio qui monte en puissance.

Un voyageur tire une choriste par la manche.

— Madame, je vous en prie, qu'est-ce que tout ça veut dire?

D'un geste, la chanteuse élude la question. La caméra zoome sur le mouvement de la main, remonte jusqu'au visage lumineux, révèle la granule d'or du retour-son dans l'oreille, le mouvement de métronome sur l'iris.

Sur les deux faces de l'écran, les images défilent : le missile va se ficher dans la soute, à l'endroit exact prévu sur les plans des ingénieurs, le drone est tiré sur la piste d'envol.

Un dernier salut militaire, gros plan sur les phalanges de l'homme appuyant sur le bouton.

La caméra de Chérif traverse le hall et s'arrête sur un enfant qui regarde l'avion sans pilote survolant le désert. L'appareil perce la couche de nuages et prend de l'altitude. Derrière, la courbure de la Terre; au-dessus, le ciel de moins en moins bleu. Sa route lui fait survoler un isthme et suivre un moment la balafre d'une chaîne montagneuse.

— La cordillère des Andes! s'exclame quelqu'un.

Son voisin ne répond pas, il entame sa partition – une note si grave qu'une jeune fille, assise sur sa valise, en a les larmes aux yeux.

— Et voici le détroit de Magellan, poursuit l'homme d'un ton professoral.

Il se fige. Il vient de comprendre.

La caméra s'éloigne, embrassant de nouveau le hall dans sa totalité, choristes et voyageurs confondus, tous tournés vers l'écran. Voici Punta Arenas, ses maisons agglutinées autour du port, avec les quartiers neufs, derrière. Voici la frégate à l'amarrage dans le port grouillant d'une foule en liesse. Voici la capitainerie, les bateaux de pêcheurs, des milliers de gens, comme ils se rapprochent, c'est vertigineux, et voici que dans la foule, une vieille, sans raison, lève la tête vers le ciel.

Arrêt sur image.

Dans un lent travelling, la caméra s'approche de l'écran jusqu'à ne plus montrer que les yeux de la vieille où brille fugitivement un reflet de métal, puis transperce l'écran, plonge sur les voyageurs et vient s'échouer sur le visage défait de la vendeuse de café.

Le chœur s'est tu. Dans la gare règne le silence. D'instinct, la mère a couvert les yeux de son nourrisson, tandis que sur l'écran l'éclair de feu a tout dévoré.

Mezza-voce, l'adagio reprend puis s'éteint.

À Potsdamer Platz, les lumières se rallument dans la salle.

— Incroyable, fait remarquer un membre du jury, comme s'éveillant d'un mauvais songe.

— Ça devenait oppressant à la fin, ajoute un critique.

— Magistral, décrète une troisième voix.

Le public de la 94e Berlinale se lève et applaudit longuement l'absent.

17

CONFLIT. La logique de votre espèce échappe à un Ventorxe. Je ne saisis pas ce qui est dans l'ordre des choses pour vous, humains, ou fait exception. Du point de vue de Xall, la fin de ce conflit était une nécessité.

Mountain, qui jetait des notes pour la conférence de Sydney, s'interrompit. Tout ce temps pour se faire servir cette fois une évidence. L'état de Nohog devenait franchement préoccupant. Il se décida. Mieux valait être direct.

— Nohog, tu as vu ceux qui s'appellent les zombs? C'est un vrai souci. Pourquoi le tout-virtuel les attire-t-il autant? Pourquoi renoncent-ils à toute volonté devant les nouveaux mondes? Ils sont jeunes et chaque jour plus nombreux. Ils ne vont plus à l'école, rompent avec leurs familles, ne voient plus leurs amis. Ils squattent des usines désaffectées ou d'anciens abattoirs. Ils n'en sortent que pour recharger leur *evi* à la lumière du soleil. Ils croient vivre mille vies passionnantes sur les champs de bataille ou dans des stades, dans l'espace ou au fond des océans; ils croient étreindre des corps parfaits, respirer le parfum du jasmin en appuyant sur une touche «odorat». Ils ne savent même pas qui les gouverne et décidera de leur sort. Et qu'ils mourront un jour. Mais comment pourraient-ils avoir la conscience de la mort s'ils ne connaissent pas la vie?

Nos zombs nous inquiètent, Nohog, et je ne peux m'empêcher d'établir un parallèle avec toi qui ne sors jamais de ton antre et ne vois la réalité qu'à travers l'holoviv. Pour toi aussi je suis inquiet. Ai-je raison?

À Berlin, le jury délibérait comme prévu. Bien sûr, il faut laisser travailler ces gens-là, qui sont sérieux, intègres et ont fait du cinéma le centre de leur vie. Il n'empêche que le matin même, au restaurant de l'hôtel, Pavel Sadar avait donné rendez-vous à l'Autrichien Abi Touré, membre du jury et cinéaste, tout comme lui.

Le café de l'hôtel était insipide, pourtant la première gorgée fut avalée avec plaisir. C'est toujours pareil, dans ce genre de truc, on ne dort pas, on voit trop de films et on fait la fête. Si Pavel Sadar avait accepté la présidence du jury, c'est parce qu'il avait son idée depuis le début. Des mois plus tôt, avant l'ouverture de la Berlinale et devant le comité de sélection, il avait sorti son air des grands jours.

— Chers amis, nous sommes en train de rater un grand petit film que tout le monde s'arrache en ce moment sur le réseau *evi*. *Les yeux de l'Unique*, ça vous dit quelque chose?

Un court métrage dans la sélection? Un film que tout le monde a pu voir déjà en *e*vision? Vrai, ce film ouvrait de nouvelles perspectives, et alors? le prix Alfred Bauer était justement là pour ça. Ce jour-là, les récalcitrants avaient été nombreux au sein du comité de sélection, mais la copie THD découverte sur grand écran les avait éblouis; à la fin, tout le monde était tombé d'accord.

— Je reste ouvert, bien sûr, nuança Pavel Sadar, devant l'air songeur de l'Autrichien. Mais avoue qu'il est difficile de ne pas penser que les jeux sont faits après la projection de l'autre jour.

Abi Touré était un redoutable technicien.

— J'ai dû voir le film au moins cinquante fois. Ce qui me sidère, ce n'est pas la caméra folle, ni l'extraordinaire plan-séquence de la gare. C'est que personne n'ait vu cette caméra. Ni les voyageurs ni les choristes qu'on a interrogés par la suite.

Dans l'assiette, les œufs brouillés avaient refroidi. Pavel Sadar piqua une saucisse avec sa fourchette. Il avait l'habitude de parler la bouche pleine.

— C'est vrai, mais alors comment il a fait?

— Interpolation, je ne vois que ça. Je suppose que Chérif Habani aura truffé la gare de micro-caméras et qu'il l'aura transformée en espace vectoriel. Mais le nombre de quaternions à traiter a dû être faramineux.

— Pardon?

— Des vecteurs à quatre dimensions. Tu n'as jamais utilisé de plan tournant dans une image arrêtée?

— Moi, ce qui m'étonne, reprit Pavel Sadar, c'est ce cinéaste qui s'est couvert de ridicule, il y a vingt ans, en réalisant une guimauve pacifiste. Un film qui a coûté des millions, soit dit en passant, on se demande d'ailleurs d'où venait l'argent. Après, plus rien. Le silence. Au point que tout le monde le croit mort. Arrive ensuite *Les yeux de l'Unique*. Un chef-d'œuvre. Et qu'il balance sur le réseau, comme ça! C'est dingue, non?

Les saucisses étaient devenues aussi froides que les œufs. Avec une moue de dédain, Abi Touré repoussa son assiette.

— Et sans explications, ni aux confrères, ni aux journalistes, pas même à ses fans.

Pavel Sadar leva sa tasse vide.

— Café? Tu as raison, il est infect. Maintenant, soyons clairs. Tu me parles de prouesses techniques et d'espaces à quatre dimensions, mais tu ne me dis pas l'essentiel. Moi, je veux savoir ce que tu penses du dernier film de Chérif Habani.

L'Autrichien esquissa un pâle sourire, jeta au loin sa serviette.

— J'en crève, tellement je suis jaloux.

Une semaine plus tard, quand le lauréat de l'Ours d'or de la 94ᵉ Berlinale fut connu, qu'il devint évident qu'il n'y avait plus un seul individu au monde ou presque qui n'ait vu ou entendu parler des *Yeux de l'Unique* et n'ait un avis sur la question, que de jour en jour le nombre de visionnements en THD explosait dans les salles, une projection singulière eut lieu dans un sous-sol, à Fort Meade, dans le Maryland.

Les militaires du CSS et l'officier de liaison de l'Air Force arrivèrent au même moment et saluèrent les deux techniciens. Chacun prit place dans les fauteuils libres face aux écrans. Le comité étant au complet, on allait pouvoir commencer. Matthew Roland était un civil, mais au sein de la National Security Agency, personne ne s'en inquiétait. L'homme sortit un pointeur.

— Messieurs, vous savez pourquoi nous sommes réunis, alors entrons dans le vif du sujet. Sur l'écran de gauche, vous voyez les images prises par notre satellite Keyhole 24. Sur celui de droite, la dernière séquence transmise par le missile avant d'atteindre l'objectif. Et au centre, le film d'Habani.

L'officier de liaison intervint.

— Le cinéaste peut-il avoir recréé la scène en studio?

— Impossible. Le film a trop de points communs avec la réalité : l'homme, ici, qui fait tournoyer sa veste, les petites filles aux ballons en haut de l'écran et, surtout, la vieille qui regarde en l'air au dernier moment.

Roland posa le pointeur sur la table.

— Comme vous le voyez à gauche, nos images satellite ont été prises avec un angle de 25 degrés par rapport à la verticale. Or les images d'Habani l'ont été avec une parallaxe de 2 degrés. Par conséquent, le Keyhole ne peut pas avoir été piraté.

— Il aurait pu se servir d'un autre satellite, suggéra quelqu'un.

— Impossible. Les trajectoires des satellites européen et indien présents à ce moment-là diffèrent aussi en parallaxe : 22 degrés pour l'indien et 37 degrés pour l'européen. Messieurs, je ne vois qu'une possibilité. Habani a utilisé les images transmises par notre missile. Je vous rappelle que ce dernier s'est abattu sur la cible avec deux degrés d'angle.

Le haut gradé prit la parole.

— Où se trouve l'enregistrement?

— Sur la base de Beale, en Californie. Et la seule copie existante est ici, à la NSA.

Tout avait été dit, mais le militaire ne semblait pas vouloir se lever.

— Bon travail, les gars.

Ils sortirent, le laissant seul. Une fuite. Et à ce niveau. La vieille levait vers lui des yeux menaçants.

ABSENCE. Je ne sais pas dénouer ces fils. Nous sommes trop occupés.

La réponse sibylline de Nohog dérouta tout à fait Mountain et le laissa sans réplique. Était-ce la fin de leur échange? Et pourquoi ce «nous» soudain? Sans doute quelque mauvaise interprétation du langage humain. En attendant, le problème restait entier. L'Observateur n'était plus opérant.

18

La femme rejeta sur l'épaule un pan de son foulard. Malgré la peau mate, les traits étaient occidentaux. Ni jeune ni vieille. Invisible. Le profil qui convenait. Sur le bateau, pas un regard ne fut échangé avec quiconque. La femme avait choisi de faire la traversée sur le pont. Quand le ferry prit de la vitesse, elle se contenta de retenir son foulard d'une main. Du reste, la mer était calme, la météo au beau fixe. La femme s'absorba dans un cumulus léger.

Son esprit demeurait aux aguets. Tout en regardant devant, elle vit apparaître loin, très loin sur la droite, une silhouette empâtée dans l'embrasure de la porte donnant sur le pont. L'homme choisit une place à l'écart. Après la cohue des niveaux inférieurs, ce choix était prévisible.

La femme se leva, alla s'accouder au bastingage et contempla un instant la ligne d'horizon. Quand elle se rassit, elle s'était sensiblement rapprochée du solitaire. Elle laissa encore passer un peu de temps, puis tourna la tête vers la droite, machinalement.

Elle laissa le trouble se lire sur son visage, puis la timidité, la joie devant l'heureux hasard, toutes ces raisons qui vous font aborder un inconnu avec naturel, et dans sa langue.

— Excusez-moi, monsieur, vous êtes bien le cinéaste Chérif Habani?

L'homme parut flatté.

— À qui ai-je l'honneur, madame?

— Ce n'est pas la peine de vous lever, monsieur. Mais si vous me permettez de m'asseoir un instant...

De la main, le cinéaste montra le siège vide, à ses côtés, et Sophia quitta ses pensées sans bruit.

— Jamais je n'aurais rêvé de me retrouver un jour en aussi célèbre compagnie, commença la femme.

Elle parlait un égyptien parfait. Chérif ne s'attarda pas sur le visage un peu long, la bouche ferme, et il oublia son nom aussitôt prononcé. Déjà, la pensée de Sophia l'avait repris. Ce foulard bleu. Elle aussi aimait cette couleur.

Au large des côtes libanaises, les vagues devinrent plus hautes, et le ferry fit des bonds. La femme heurta le cinéaste en riant, mais retrouva bien vite son équilibre. Chérif se massa l'épaule. Il sentit comme une piqûre d'insecte, une fichue bestiole, si ça se trouve, à cette distance des terres. La sensation de brûlure perdurait.

— Vous descendez à Chypre? s'enquit l'étrangère.

— À Antalya. Voyage d'agrément.

De ses années de célébrité, Chérif avait gardé des réflexes d'autoprotection. Ces funérailles ne regardaient que lui.

Et aussi le regret que Chérif n'osait s'avouer : il aurait dû épouser Sophia, à l'époque. Elle aurait installé son cabinet au Caire et l'aurait rendu heureux. Comme si elle avait lu dans ses pensées et compris qu'elle devenait importune, la femme prit congé.

— Bon séjour, alors. Je m'en voudrais de vous déranger plus longtemps, monsieur Habani. J'ai été contente de vous saluer.

La femme s'éloigna à pas lents, tandis que deux hommes s'approchaient du cinéaste. Mais déjà le mitalone commençait à courir dans ses veines, et Chérif, le corps lourd, ne put rien faire d'autre que de regarder les intrus prendre place à ses côtés.

Quand le ferry accosta à Limassol, ses deux gardiens se levèrent, lui saisirent le bras et le portèrent, vieil homme entouré d'égards par des neveux attentionnés et une nièce à foulard bleu, qui suivait derrière. Une limousine, toutes vitres teintées, attendait le groupe au pied du débarcadère.

Dans l'avion aux moteurs ronflants, on ne lui retira pas la cagoule qu'on lui avait enfoncée sur la tête aussitôt entré dans la limousine. Malgré la tournure prise par les événements, Chérif restait calme. Qui étaient ses ravisseurs ? Après Berlin, son film avait fait encore plus de bruit. Dans ce milieu, la concurrence pouvait être rude, mais de là à employer des méthodes aussi musclées. Au fond, ce vol tombait bien. Il lui offrait une parenthèse pour mieux décider de la conduite à suivre.

Chérif, aveugle, sentit la présence d'autres individus autour de lui. Et pour autant que ses quatre sens encore actifs ne l'aient pas trompé, nulle femme dans le groupe. Tant mieux. Il en avait assez des ruses de ce sexe. Les sbires, il ne les aimait guère non plus, mais entre hommes il n'y a jamais de trahison, juste des coups donnés et reçus. Et puis une femme l'aurait empêché de penser. Or il avait impérativement besoin de faire fonctionner son esprit. Sans ménagement, il fut jeté sur un siège. Gorille n° 1 se laissa tomber à ses côtés, suivi de Gorille n° 2, non loin. Chérif entendait leur souffle de cachalot. Ses ravisseurs parlaient anglais sans se gêner, sûrs de leur avantage physique, mais ils n'échangeaient que des banalités. Sous la cagoule, Chérif ferma les yeux.

Il n'était pas spécialement habile dans ce genre de manœuvres, mais il se souvint d'avoir vu faire les autres Contactés, à l'époque, dans la caverne. Commander une sondine pour un transfert n'était pas si difficile. Voyons un peu, par quoi commencer? Chérif puisa dans ses souvenirs de formation, se concentra, oublia ses gardiens, et Sophia, qui bouffait maintenant les pissenlits par la racine, il n'aurait pas dû sortir de chez lui, même pour dire adieu à un amour de jeunesse, ce n'était pas une bonne idée, concentre-toi, se dit-il, en écartant les pensées parasites,

Quand il ouvrit les yeux quelques instants plus tard, il haletait sous l'effort, des taches lumineuses dansaient dans la pénombre, mais nulle sondine. Combien de temps fallait-il? Les gorilles ne s'étaient aperçus de rien. Ni de son appel à l'aide, ni de ses efforts, et sûrement qu'ils n'entendraient pas non plus le signal d'arrivée de l'appareil.

Rien.

Chérif, rendu aussi muet qu'immobile par le mitalone, n'eut pas besoin de réprimer un juron. Qu'est-ce qui la retardait, bon sang? Ça paraissait si simple avec les autres. Avait-il oublié quelque chose?

Le vol avait duré cinq ou six heures. Des bourdonnements dans les oreilles le prévinrent que l'avion perdait de l'altitude. Il l'entendit déployer son train d'atterrissage, se poser sur la piste, et se vit empoigné comme un vulgaire sac de riz. Il sentit un vent chaud sur ses épaules, entendit un bruit assourdissant. Un hélicoptère. Dans ces conditions, impossible de se concentrer pour réitérer l'ordre à la sonde. Il attendrait le moment propice.

Deux minutes après, on l'extirpait de la cabine et le portait on ne sait où. Cette fois, il atterrit sur une chaise dure. La cagoule fut brusquement arrachée et Chérif cligna des yeux dans la blancheur d'une pièce dénudée, hormis cette chaise inconfortable et un miroir devant. Sûr qu'on l'observait de l'autre côté. La sondine n'était toujours pas là. Chérif maudit sa négligence. Il aurait dû s'adresser directement à Nohog dès le début. Ce qu'il aurait fait si cet imbécile de Ventorxe s'était montré plus coopératif, ces derniers temps. Aurait-il maintenant la concentration d'esprit néces-saire à l'acheminement du message? Et Nohog voudrait-il et aurait-il le temps d'y répondre? Comme tout devenait compliqué.

Un homme entra dans la pièce. Il portait une mallette qu'il posa sur son trépied escamotable et ouvrit. Chérif regarda l'objet avec inquiétude.

— Où suis-je? Pourquoi m'avez-vous enlevé?

L'homme était vêtu simplement : denim noir, tee-shirt gris, cheveux ras. Aucun signe distinctif. Il préparait une seringue.

— Ne vous en faites pas, monsieur Habani. Vous êtes ici en pays civilisé. Vous a-t-on infligé la moindre violence jusqu'à présent? Donc faites-moi confiance.

Chérif répéta son mantra : la sondine allait arriver. Au même moment, il sentit la mobilité revenir dans ses membres et un plan se fit jour dans son esprit. Il demanderait la permission d'aller aux toilettes, mettons, n'importe quoi qui l'isole un instant, et aussitôt il ordonnerait à la sondine d'agir sur ses molécules. La tête de ses gardiens quand ils entreraient dans les chiottes et qu'il n'y aurait plus personne! L'instant d'après, Chérif comprenait qu'il avait été naïf. Jamais on ne le laisserait sortir de cette pièce. Jamais la sondine n'arriverait.

L'homme agissait sans hâte. Sa voix était posée.

— Nous aimons les puzzles, monsieur Habani. Certains sont plus complexes que d'autres, mais nous finissons toujours par les reconstituer. Parfois, nous devons nous faire aider. Nous sommes des gens humbles. Demander de l'aide ne nous pose pas de problème. Vous allez nous aider, monsieur Habani.

Dans la seringue, le liquide était couleur ambre.

— Le cinéma est une illusion merveilleuse, monsieur Habani.

— Qui êtes-vous?

— Je suis poli, mais je ne réponds pas aux questions indiscrètes. Maintenant, vous et moi, nous allons coopérer.

L'homme s'approcha, retroussa sa manche et lui fit une piqûre. Chérif sentit la panique le gagner. Sondine de merde.

— Votre petit film, bien sûr je parle des *Yeux de l'Unique*, est criant de vérité, monsieur Habani. Et il a impressionné beaucoup de gens. Maintenant, vous allez m'expliquer votre méthode. Surtout, vous allez me donner vos sources. Où avez-vous pris les images de Punta Arenas, monsieur Habani? Je vous laisse méditer cette question. Je reviendrai chercher la réponse dans quelques minutes, le temps de laisser agir le produit. Voyez-vous, les méthodes anciennes étaient brutales. De nos jours, les interrogatoires sont menés en douceur et ils sont mille fois plus efficaces. On n'arrête pas le progrès, monsieur Habani.

La porte se referma sans bruit.

19

Le message de Nohog trouva Carlingua occupé à classer ses derniers fanzines. *Goddess of the Moon, The War-Nymphs of Venus, Walkyrie from the Void.* Les *Planet Stories*, avec leur héroïne dévêtue en couverture, avaient sa préférence. Ce qu'on pouvait trouver sur le marché de l'ancien. Carlingua se figea. ALERTE. Le message alla s'imprimer dans son cerveau.

— Chérif Habani a été enlevé. Le Contacté a tenté d'obtenir une sondine. Impossibilité. Ne peut apparaître à des préantéUns. La sonde m'a prévenu.

Carlingua repoussa prestement le tas de magazines, tandis qu'Isaura faisait irruption dans la pièce. Tous avaient reçu le message.

— Ça semble grave. Un coup des Yankees, tu veux parier?

— On ne t'a pas dit? La révolution est terminée, railla Carlingua. De toute façon, on sera bientôt fixés avec l'holoviv.

Ils commencèrent par la maison à Héliopolis, la veille.

Chérif en sortait, un bagage léger à la main. Ils le virent monter à bord du car pour Alexandrie, puis embarquer sur le ferry faisant la liaison avec la Turquie. Avant même qu'elle n'engage la conversation avec Chérif, Carlingua comprit tout de suite la manœuvre de la femme au foulard bleu.

— T'as vu? Ils savaient que Chérif ne supporterait pas la foule après toutes ces années de réclusion et qu'il viendrait se réfugier sur le pont. Mais comment ont-ils su qu'il voulait se rendre en Turquie? Il n'en a parlé à personne, pas même à nous.

— Va plus loin, s'impatienta Isaura. C'est où il est maintenant qui importe.

La limousine se dirigeait vers l'aéroport de Larnaka. Elle s'immobilisa au pied d'un petit jet privé qui attendait dans une section à part. Trois hommes et une femme sortirent de la voiture, tandis que le chauffeur restait à l'intérieur. On avait jeté une cagoule sur la tête du prisonnier. Deux hommes descendirent de la passerelle de l'avion, et le cagoulé changea de mains. Il fut hissé à bord, les portes se refermèrent, la passerelle fut enlevée, tandis que la limousine repartait, délestée d'un passager.

— Base militaire de Diego Garcia, précisa Carlingua, qui avait ramené le segment du vol à quelques secondes. Dans l'océan Indien.

— L'île que les Américains refusent de rendre aux Anglais. C'est donc eux! Je le savais!

Après l'avion, le voyage se poursuivait en hélicoptère. Un saut de puce de l'autre côté de l'atoll.

— Il est dans de sales draps, commenta le privé. Et nous aussi.

L'hélicoptère survolait la jungle et se posait dans une clairière. Le cagoulé en sortait sous bonne escorte, avant d'être conduit devant un bâtiment en tôle ondulée. Le groupe entrait à l'intérieur. Le privé sursauta. Chérif était assis sur une chaise, au milieu d'une pièce toute blanche. Un homme se penchait pour lui faire une piqûre. L'aiguille pénétrait sous la peau, le produit coulait dans ses veines. La vitesse de défilement ralentit. La scène était maintenant en direct.

— Merde, dit Isaura.

— Si Chérif déballe tout, on est fichus.

— Alors on fonce?

Elle brûlait d'en découdre.

— Je pars seul, rétorqua le privé. Deux Contactés dans un même lieu, c'est déjà risqué dans des conditions normales. Et, en plus, il faut faire vite.

— Alors je n'ai rien à faire?

Isaura était vexée.

— Si.

Toute une colonie de noddis noirs nichait au sein d'un gigantesque pisonia. Le soleil, qui avait commencé à descendre, allait bientôt disparaître dans le feuillage. Soudain, un bruit mou, au sol, vint troubler la quiétude des lieux et fit s'envoler une nuée jacasseuse. Les oiseaux, perplexes, survolèrent l'intrus, empêtré dans les lianes et qui poussait de petits cris d'impatience vers le ciel. Ils le virent se redresser. Il fit un pas. Dans ses mains, un cône. Flottant au-dessus de lui, une sphère.

Derrière la glace sans tain, un homme s'affairait aux derniers réglages avant l'enregistrement des aveux, et un autre, un peu en retrait, prenait des notes. Un troisième, confortablement assis, les bras croisés, regardait le prisonnier sans mot dire. Debout, derrière eux tous, l'interrogateur attendait.

— On a prévenu Wiener? demanda le chef.

— Pas encore, répondit l'interrogateur.

Insensiblement, il s'était redressé dans une sorte de garde-à-vous.

— On peut, poursuivit le chef. Tout a très bien marché. C'est un vrai plaisir que d'être efficace, vous n'êtes pas de cet avis, Gosiewski?

— Oui, monsieur.

Sans être vu du patron, l'interrogateur agita une main en direction du technicien, et le compte rendu rédigé la veille fut expédié.

— Regardez-le, ricanait le chef. On ne lui a encore rien fait, et il s'effondre.

Le prisonnier avait enfoui son visage entre ses mains.

— C'est bon, on peut y aller. Ça fait plus d'un quart d'heure, il doit être mûr maintenant. À la question, Gosiewski. Qu'on en finisse.

L'interrogateur se dirigea vers la porte qui communiquait avec la salle d'interrogatoire, mais au lieu de l'ouvrir, il leva les yeux, intrigué, vers les néons au plafond. Quelques clignotements encore, et tous se trouvèrent plongés dans l'obscurité la plus complète. Même les machines étaient au point mort.

— Merde, éructa le chef.

Gosiewski, le chef, le technicien et tous les autres militaires et civils présents dans le bâtiment attendirent patiemment dans le noir la relève des groupes électrogènes. Cinq secondes. Dix, tout au plus.

Pendant que la sonde, répondant au signal d'Isaura, s'assurait de donner à la panne l'ampleur voulue, Carlingua se mit au travail. Le synchronisme devait être parfait.

Chérif baissa la tête. L'autre allait revenir. Il devait tenter quelque chose. S'évanouir? Faire le mort? Il n'aurait jamais dû intégrer les images de l'holoviv dans son film. Tout ça pour clamer au monde entier qu'il avait du talent. Par sa faute, maintenant, tout était fichu. Il sentait leur saleté couler dans ses veines. Il ne dirait rien au tondu, bien sûr que non, mais il pourrait au moins lui dire qu'il n'avait pas voulu tout ça, que les Chiliens étaient peut-être dans leur droit, que ça ne se faisait pas de bombarder des civils, que les gens feraient bien de s'interroger sur leurs placements quand ils rapportaient gros, qu'il était un cinéaste, pas un agent secret, que sa mission était de sauver l'humanité, qu'il était un vieil homme démuni, que Sophia aurait compris la situation, elle qui comprenait tout, qu'il était malheureux. Accablé, il enfouit son visage entre ses mains.

Plongé dans son délire, Chérif n'avait pas vu la panne. Quand il rouvrit les yeux, il ne reconnut pas tout de suite le décor de la caverne, et encore moins Carlingua en tenue de camouflage. Quand il comprit où il était, ses nerfs le lâchèrent.

À l'autre bout du signal, le général Wiener rugissait. Et l'image qui apparaissait sur l'écran était bien celle d'un fauve, dont la cage se trouvait à Washington, toutes portes ouvertes.

— Faudrait savoir. D'abord vous m'écrivez que tout va bien, et dix minutes plus tard que le prisonnier s'est volatilisé. Et comment ça, volatilisé?

À Diego Garcia, le chef se fit tout petit.

— C'est comme je vous ai dit, mon général. Il était là, et quand l'électricité est revenue, il n'était plus là.

— Et qu'est-ce que c'est que cette panne qui met sur le cul une base militaire au grand complet? Bande d'amateurs. Fouillez l'île! Il est forcément planqué quelque part.

— On ne fait que ça, fouiller. Rien.

Le visage du général Wiener vira à l'écarlate.

— Comment? Votre confetti fait trois kilomètres carrés, et vous n'êtes pas fichu de retrouver un vieux débris en cavale! En bateau, à la nage, planqué dans un cocotier, réfléchissez, bon sang!

— C'est comme je vous ai dit, mon général. Aucun mouvement de fuite n'a été observé.

Le fauve donna un coup de tête vers la droite, comme étranglé par son col, et l'écran vira au noir.

Le chef se tourna vers l'interrogateur.

— On reprend tout à zéro.

Gosiewski obtempéra et fit un pas en direction de la porte, mais fut arrêté par la tirade inquiète de son chef.

— Aucun membre du personnel n'a quitté l'île, dites-vous. Vous en êtes sûr? Combien d'hommes ici? Vous répondez de chacun? Apportez-moi les vidéos de surveillance des dernières vingt-quatre heures. Je veux les visionner moi-même avant de les envoyer au Pentagone.

Chérif poussa un profond soupir, car l'aveu lui coûtait.

— Je ne savais pas, moi, que mon oncle Salim voulait me faire une surprise. Et j'aimais bien fouiller dans les affaires de ma maman. Ah! ce parfum qui imprégnait toutes ses tuniques! Je ne l'ai jamais retrouvé sur aucune femme. Toujours est-il que, ce jour-là, je suis tombé sur les lunettes 3D et je n'ai pas attendu que mon oncle m'en fasse cadeau. Mais tu aurais dû le voir quand il m'a vu entrer au salon avec les lunettes sur le nez. Jamais je n'oublierai sa déception.

Isaura, consternée, prit Carlingua à part.

— Ça va durer encore longtemps?

— Aucune idée. La dose était normale, mais le stress a tout chamboulé.

— Carlos, tu viens? supplia Chérif. Ne me laisse pas tomber. Vous êtes déçus, vous aussi? Vous avez raison. Il n'y avait rien d'original dans mon film, l'adagio de Barber était dans *Platoon*, j'ai chevauché le missile comme dans *Docteur Folamour*, la gare c'était dans…

— Toutes ces confidences, moi ça me gêne un peu.

— Allez, laisse-nous entre hommes. On a évité le pire. C'est l'essentiel.

— Entendu. Pendant ce temps, je vais jeter un coup d'œil dans l'holoviv. Il y aura sûrement des suites à l'affaire.

Le couple se sépara.

— Ah! fit un Chérif soulagé, en voyant Carlingua qui revenait vers lui. Tu as bien fait d'enlever ta tenue de camouflage, ça me rappelait mon service militaire. Ran, ran,

ran pataplan. Ran pataplan, ran, ran. Des jours et des jours à taper sur un tambour. Ils auraient pu m'apprendre autre chose, tu ne trouves pas ?

20

Samuel Truong. Il y a longtemps qu'on ne lui avait pas fait répéter son nom. Il le répéta.

— Massachusetts ?

— Connecticut.

Le collègue parut satisfait. Truong connaissait bien ce genre de situations. L'enquête piétine, les réguliers ne voient plus rien. Ils ont l'impression d'avoir épluché tous les dossiers, vérifié tous les alibis, scruté des milliers de fois les mêmes images muettes. Alors, pour sauver la face, le patron réclame les services d'un expert, à un niveau plus élevé. Jusque-là, tout va bien. Tout le monde, au sein de la cellule Intervention, connaissait l'existence de son département et en parlait avec respect. Les choses se gâtaient quand on voyait débarquer l'expert. Malgré ses trente-deux ans bien sonnés, Samuel Truong ne pouvait rien faire contre son apparence juvénile, sauf se mettre au travail. Et alors là, plus personne ne pipait.

— On a rassemblé tous les documents dans la salle de visionnement, expliqua le collègue en le toisant de la tête aux pieds. Si tu veux bien me suivre.

Cette familiarité aussi leur paraissait normale. Pas celle, égalitaire, de la camaraderie ou de l'effort partagé, mais celle réservée aux gamins boutonneux, et que la langue anglaise savait marquer en faisant claquer le pronom comme un coup de pistolet. Samuel Truong fit semblant de ne pas avoir remarqué qu'ils avaient sans doute le même âge. Dans la salle de visionnement, ils trouvèrent le chef du service. Léger flottement. L'homme se ressaisit.

— Truong, c'est bien toi ?

Un hochement de tête lui répondit. Garder ses distances, faire ses preuves : la règle d'or pour se faire respecter.

— Alors, je te rappelle le topo. Tu aimes le cinéma ?

— Et vous, vous aimez l'opéra?

Le patron regarda l'expert plus attentivement.

— Il est cinéaste, reprit-il lentement. Il s'appelle Chérif Habani. Il a connu son heure de gloire dans les années quatre-vingt. Ça fait d'ailleurs un bail, quand on y pense. Puis il s'est mis à écrire pour la télé.

— *Leila de la nuit*, primé au Festival du Caire, 1979, rectifia l'expert. La Cinémathèque égyptienne a présenté récemment une rétrospective de ses films. Elle avait intérêt. *Les yeux de l'Unique*, son dernier film, est un véritable phénomène sur toute la planète. Il a bien tourné un autre film après ses années-télé, *La paix du cœur*, c'était le titre, mais ça n'a pas du tout marché.

Le patron avala sa salive.

— Je suppose que je n'ai pas besoin de vous rappeler les raisons que nous avons de nous intéresser à Chérif Habani. Ni le mystère qui entoure son évasion.

Samuel Truong ne lui fit même pas l'aumône d'un signe d'approbation.

— Bon, nous avons fait comme vous l'aviez demandé dans votre message. Vous trouverez ici les images satellite qui couvrent l'archipel des Chagos. Nous avons joint une copie des disques durs où figurent toutes les transmissions précédant la panne. Enfin, nous avons ajouté les vidéos de sécurité du camp et de la base de Diego Garcia prises la veille et le jour même de l'évasion, ainsi que le lendemain. Bien entendu, nous avons enquêté sur chaque visage qui apparaît sur ces images. Tous les militaires et les employés présents étaient en règle.

L'expert retira sa veste.

— Je vais commencer par revoir ces images.

— Elles ont été visionnées des dizaines de fois à notre niveau, et même avant, par nos gens sur place. Vous ne trouverez aucune anomalie de ce côté.

Samuel Truong eut un regard vers le support evi.

— C'est là? Bon, excusez-moi. J'ai du travail.

Les deux hommes s'éclipsèrent.

En réalité, l'expert procéda dans l'ordre d'apparition des documents. L'examen des images satellite ne révéla rien qu'il ne sût déjà, et il apparut que le système d'exploitation de l'ordinateur central s'était contenté de marquer l'épisode de la panne – arrêt à 15 h 12 min 28 s (UTC+6); reprise à

15 h 12 min 37 s (UTC+6) –, sans pouvoir en indiquer la cause. Le camp était raccordé au réseau électrique de la base par des câbles sous-marins qui n'avaient subi aucune avarie. Sans raison particulière, le courant était revenu aussi soudainement qu'il avait été coupé. Samuel Truong commanda un examen approfondi du schéma électrique du camp et, en attendant le rapport, se pencha sur les vidéos de surveillance.

Les images, en effet, n'avaient rien pour attirer l'attention. L'hélicoptère se posait, les deux militaires confiaient leur prisonnier au comité d'accueil et repartaient aussi sec. Une toiture hérissée d'antennes, des baraquements, les allées et venues habituelles, un bout de plage, des cocotiers. Puis survenait la panne qui masquait l'évasion. Les types affolés couraient partout, les patrouilles se formaient, un bateau accostait, les renforts s'organisaient.

L'expert sélectionna ensuite les enregistrements des caméras braquées en permanence sur la jungle autour des bâtiments. Elles livrèrent de pauvres secrets : la plage à l'ouest, des crabes, des palmiers qui ondulaient dans le vent, un fouillis d'arbustes, de grands arbres derrière, une volée d'oiseaux au-dessus. Il arrêta la séquence. Tout au creux de ses entrailles, il reconnut la pointe d'excitation qui précède la découverte : qu'est-ce qui avait fait s'envoler les oiseaux ?

Il reprit la chronologie. Ce n'était pas l'hélico, reparti vingt minutes auparavant. Truong repassa les images plan par plan. Il scruta le feuillage, agrandit les troncs des pisonias qui dessinaient comme un sombre labyrinthe. D'abord il ne vit rien, puis il aperçut, furtivement mais très distinctement, dans l'encoignure d'un des troncs, un visage humain.

L'expert fit un gros plan de l'homme embusqué. De race blanche. Cheveux courts. Sourcils en broussaille. Les caméras étaient sophistiquées. Même grossie, l'image demeurait nette et l'éclair pâle du visage parfaitement utilisable.

On toqua à la porte, un grognement répondit.
— Votre dîner, monsieur.
L'expert se retourna.
— Mais je n'ai rien commandé.
La femme de ménage posa le plateau sur le bureau.
— Quelqu'un l'a fait, puisque les cuisines ont livré ceci. L'aspirateur vous dérange ?

L'enquêteur Truong contempla d'un air hébété les petits pois et la purée de pommes de terre. Il consulta sa montre. Une heure du matin. Et il en avait encore pour plusieurs heures s'il voulait tenir l'objectif fixé pour la journée. Les délais qu'il s'imposait étaient irréalistes, il le savait. Dès le début, les relevés anthropométriques avaient pris beaucoup plus de temps que prévu en raison du caractère lacunaire de l'image. Ce qui n'avait pas empêché le calibrage réussi des traits de l'inconnu. L'affaire Habani avait été classée priorité absolue. Ici, on n'aimait pas les énigmes, surtout quand elles battaient en brèche le meilleur service de renseignement de la planète. Des dizaines d'informaticiens et de physionomistes s'étaient mis au travail. Mais tenter de recouper le visage de l'intrus avec les millions de clichés des bases de données photographiques était une tâche titanesque. Quoi qu'il en soit, chaque jour depuis la découverte du fameux visage, des individus aux traits similaires étaient repérés et, lorsqu'ils présentaient un taux de compatibilité supérieur à 60 pour cent, une enquête était commandée afin d'éliminer l'hypothèse ou de poursuivre la piste plus loin. Besogne de fourmis, qui valait à Samuel Truong d'être confiné dans ce bureau depuis maintenant trois mois et demi, soit à visionner et à trier des images, soit à éplucher les rapports d'enquêtes commandées à ses hommes. Jusqu'à présent, aucune n'avait été concluante.

Vers trois heures du matin, la sauce avait séché au fond de l'assiette vide, et les recherches en étaient au même point. L'expert était fatigué. En finir aujourd'hui avec le fichier nord-américain, tel était l'objectif fixé la veille. Était-ce bien raisonnable? À six heures, tous les fonds civils pour l'Amérique du Nord constitués depuis 2010 avaient été passés au crible, sans résultat probant. Et il restait encore à écumer les fonds étrangers. Truong n'était pas du genre à renoncer facilement, mais il commençait à penser qu'il devrait s'y prendre autrement dans ce dossier.

Une odeur de café frais moulu lui vint aux narines. Alléché, il poussa la porte de la salle de visionnement et tomba sur un rouquin à l'air vaguement familier. Il reconnut le collègue peu amène qui l'avait accueilli à son arrivée. Le jeune homme avançait à pas comptés, en tenant un plateau sur lequel étaient posés un pot de café brûlant, deux tasses, le sucre, le lait. Il avait pensé à tout, même au large sourire.

— Salut. La nuit a été bonne?

Truong lui tint la porte et le second plateau fut posé à côté du précédent. Ça commençait à devenir encombré par ici.

— T'en as marre? dit le rouquin après qu'ils eurent bu leur premier café. Pas facile, hein.

Le garçon se disait très intéressé par les recherches de ce genre. Le côté aiguille dans une botte de foin ne le rebutait pas, au contraire. Et il aimait bien regarder les visages de tous ces gens. Plusieurs étaient sans doute morts depuis. Ça le laissait songeur.

— Tu sais, je t'ai observé ces derniers temps. T'es un sacré pro. Alors voilà, j'ai pensé que tu voudrais peut-être m'apprendre un ou deux trucs. J'aimerais bien me retrouver au département Expertises un de ces jours.

— Et qu'est-ce que je pourrais t'apprendre, puisque je ne trouve rien? répliqua Truong, sarcastique.

— À continuer. Il doit bien se trouver d'autres fonds en Amérique du Nord à fouiller, pas vrai?

Du doigt, le rouquin montrait la liste affichée sur l'écran.

— Trop anciens. Sur l'image, le type peut avoir entre trente et cinquante ans. Même en comptant large, ça ne sert à rien de remonter au-delà de 2020. Malgré tout, j'ai fait jusqu'à 2010. Perte de temps, siffla-t-il entre ses dents.

— Tu me laisses essayer? insista le rouquin. J'aime les vieilles photos, je t'ai dit.

— Si ça t'amuse. Au mieux, tu pourrais peut-être tomber sur son père ou sur un vieil oncle.

S'étant reversé du café, Samuel Truong se désintéressa de l'écran et se laissa envahir par la fatigue. Quand il se redressa sur le lit de camp installé au fond de la pièce, il était midi, et le rouquin était toujours là.

— La récolte a été bonne?

— Le programme a sélectionné quatre photos. Et il y en a une à l'indice-fiabilité de 98 pour cent.

— Quoi!

Samuel Truong se précipita devant l'écran. Le rouquin fit apparaître une photo de presse datant du 28 mai 2004, comme l'indiquait le suffixe du numéro de référence. La légende expliquait que la photo avait été prise à l'arrivée d'une star de cinéma – le nom ne lui disait rien du tout – dans l'ouest du Canada. La scène se passait dans le hall de l'aéroport de Castelgar, en Colombie-Britannique. On voyait l'acteur pris d'assaut par les journalistes, sous les regards fascinés des badauds. Il y avait aussi d'autres voyageurs. Parmi eux, au premier plan, vêtu d'une veste à carreaux, l'intrus. C'était leur homme. Truong aurait pu le jurer.

— Grossis le quart supérieur gauche, ordonna-t-il.

L'homme n'était pas seul. Le regard légèrement tourné vers son voisin, il semblait le prendre à partie en riant. Le voisin non plus n'était pas un inconnu. Truong fouilla dans sa mémoire des visages et, d'instinct, se concentra sur l'actualité récente.

— L'Apache, à côté, c'est qui? demanda le rouquin, comme s'il lisait dans ses pensées. J'ai déjà vu cette tête-là quelque part.

L'expert se rua vers le clavier voisin et pianota quelques mots. Le visage du porte-parole de MAGNUS apparut alors à l'écran. Les génusiens. La photo avait été prise devant une foule immense. Sydney, 20 mars 2044, précisait la référence.

— Il s'appelle Mountain, dit Truong.

Il avait parlé d'une voix si grave que le rouquin se retourna, sûr qu'un fantôme était entré dans la pièce.

21

Comme un félin, le garçon avançait à pas feutrés dans le noir, car à cette distance du centre-ville, il y avait longtemps que les rues n'étaient plus éclairées. Grâce aux indications, il trouva le garage Exxon sans difficulté, mais il ne s'attarda pas devant les pompes à essence plongées dans le noir. Tel que convenu, il contourna le bâtiment et s'arrêta devant les conteneurs à déchets qui baignaient dans la clarté jaune d'une ampoule vissée sur le mur. Lentement, il tira à lui le conteneur du centre, et la porte dérobée apparut. Le garçon frappa deux coups. La porte s'entrebâilla.

Il prononça le mot de passe et fut invité à entrer. Une jeune fille l'accueillit, mais elle ne dit pas son nom et ne lui demanda pas le sien.

— Les autres sont arrivés. Viens.

Ils traversèrent l'atelier et descendirent un escalier conduisant à une sorte d'entrepôt, à en juger par les colonnes de pneus qui s'élevaient çà et là et par la forte odeur d'huile à moteur qui imprégnait les lieux. Au milieu des outils, des pièces d'automobile et des lambeaux de tôle, la jeune fille ne paraissait que plus frêle, sylphide prête à s'évanouir au tournant. Le garçon ne la quittait pas des yeux, mais la pénombre lui rendait la tâche difficile. Encore une porte, au bas de laquelle s'échappait un rai de lumière. Sans plus de façons, la porte fut poussée et le garçon reconnut le visage de son recruteur au fond de la pièce.

— Zack! Tu ne crois pas que t'en fais un peu trop? On se croirait chez la mafia.

Grand, massif, Zack était penché sur un plan déployé sur la table. Deux autres jeunes gens l'encadraient. Ici personne n'avait l'air d'avoir plus de vingt ans.

Tous les regards se tournèrent vers le nouveau venu.

— Je boirais bien quelque chose, dit-il. Toute une course, finalement. Et comme tu m'avais dit de venir à pied.

De l'eau. L'un des garçons lui versait de l'eau. Il n'en croyait pas ses yeux.

Zack fit les présentations.

— Elle, c'est Millie. Eux, c'est Ken et Vigor.

Il montra la recrue.

— Et lui, c'est Francis. Les multipasses volés, c'était lui. Il a fourni les gages qu'il fallait. Il est avec nous. Maintenant, fais voir le détonateur.

Quatre paires d'yeux furent braquées sur ses mains lorsqu'elles fouillèrent sous le sweat-shirt.

Le mécanisme fut déposé sur la table. Zack s'en empara et l'éleva à la lumière.

— Pas mal. Où est le plastic? demanda-t-il en se tournant vers la fille.

Millie disparut et revint avec un paquet ficelé dans un vieux sac à provisions.

— Trouvé ça, hier, dans le conteneur. J'ai bipé le boss aussitôt.

— Bien. Qu'en dit ton vieux?

Francis comprit qu'on lui parlait.

— Il n'a rien vu. Il était avec un fournisseur. Ils se sont installés dans son bureau. Le magasin était vide. J'en ai profité.

Le jeune homme était fier de lui. Avant les cartes volées, il ne se serait jamais cru capable d'une telle audace. Après, tout était devenu plus facile. Il restait que monsieur Steiner était un ami de sa mère et qu'il n'apprécierait pas d'avoir été ainsi mis à contribution. Tant pis. D'ailleurs, le saurait-il un jour? Peu probable. Leurs actions, devait préciser Zack, plus tard, n'étaient chaque fois signées que du Collectif K, suivi du slogan «Kaputt. Résistance superflue». Pas de têtes brûlées ni de vedettes, pas de frimeurs ni d'excités. L'action pure, sans visage, capable de frapper les esprits autant que les bâtiments. Un groupe parti de rien, la tête à Baltimore, des ramifications sur tout le territoire américain, une structure légère, une vision internationale, des sympathisants en Afrique, en Amérique latine, en Europe, partout où la planète était en danger en raison de l'incurie des gouvernements et des puissants. Une action radicale. Comment faire autrement? Ainsi le voulait l'époque. Tous ces gros fumiers qui ne laissaient rien derrière eux. Bons qu'à s'envoyer des bombes sur la gueule. Pendant un siècle, ils n'avaient fait que ça. Piller, détruire, rouler dans des grosses bagnoles, faire décoller des gros avions, couler de gros pétroliers. Prendre et salir. Ne laisser que des déchets derrière eux. Et maintenant, la Terre était kaputt. Il n'y avait rien à faire, sauf à attendre la fin, le nez dans la merde.

— Greenpeace, c'est fini, avait décrété Zack le jour où il avait abordé Francis.

Le hasard l'avait fait entrer dans le café de Pine Avenue où l'étudiant avait ses habitudes entre deux cours. Bien sûr, Zack n'avait pas prononcé le verdict dès les premiers mots. Il savait manœuvrer quand il le fallait. Par exemple, pour présenter un concept au client – Zack bossait dans la pub, du côté des créatifs, ce qui était pratique pour les horaires. Ce jour-là, il s'était contenté de commander un carotte-raisins avec de la glace pilée et de jeter de temps à autre un coup d'œil curieux sur l'écran de son voisin de banquette. Francis, tout au fignolage de son lab de chimie, n'avait rien remarqué.

Mais le fond d'écran n'avait pas trompé Zack sur les engagements de l'étudiant, et quand Francis, le rapport terminé, avait fermé le fichier, son voisin avait tout naturellement engagé la conversation. La phrase assassine sur Greenpeace avait suivi peu de temps après.

Francis n'était pas d'accord. Il est vrai qu'une partie du groupe venait de faire scission, ce qui n'était jamais une bonne nouvelle. Pourtant, il n'arrivait pas à voir ce qu'il y avait de mal, pour des militants écologistes, à être membres du conseil d'administration de Texaco, d'ailleurs en pleine déconfiture en ce moment.

— Fricoter, *man*, moi j'appelle ça fricoter avec l'ennemi. Les autres ont bien fait de se séparer. Pour le coup, ils auraient dû changer d'appellation.

— Ils l'ont fait, avait protesté Francis. Greenaction, ça montre bien qu'ils sont prêts à aller plus loin.

— Plus loin, c'est pas assez loin. J'en connais, moi, qui vont jusqu'au bout.

Ils avaient sympathisé. Pour un morceau de banquise flottant sur un écran *evi* et qui avait attiré son attention, même si Francis n'en savait rien. Pas plus qu'il ne s'était étonné de revoir Zack, trois jours plus tard, dans le même café, attablé devant le même carotte-raisins.

Le soir du rendez-vous, c'est Vigor qui posa la question qui les tarabustait tous. Le garçon était affecté d'un léger bégaiement. Une grande mèche blonde lui retombait sur le front.

— Juste leurs f-foutues machines, p-pas les gens. On est bien d'accord?

Zack fit l'étonné.

— J'ai dit ça, moi?

Avant de prendre un air soucieux.

— Écoute, on le fera pas exprès, et on a dit qu'on visait les gazole, pas les hydro, mais des pourris, c'est pas des gens, c'est des pourris. Faut pas tout confondre non plus. Y a aussi des demi-pourris, comme ton copain garagiste. Mais on est capables de faire la différence, pas vrai?

Lester reposa le cône de visionnement. Ce n'était pas lui qu'on avait visé, c'était au moins ça. Dans sa situation, ç'aurait été plus compliqué à gérer. Il leva la tête à l'arrivée du groupe.

— Regardez, il est revenu, murmura Léa, en se dirigeant vers le rebord de la fenêtre.

Le chat tourna la tête vers les arrivants, mais déjà il se tortillait de contentement sous les caresses précises de Léa : derrière l'oreille, sous la mâchoire. Le chat se renversa sur le côté. De grandes nappes de soleil sur le carrelage rappelaient qu'on était dans les îles Anglo-Normandes, et que la plus isolée d'entre elles n'était pas la moins lumineuse. Seydou gagna le fond de la pièce et se pencha au-dessus de la vasque où les pavés de biopoissons attendaient dans la glace. Misuki, qui rangeait les couteaux sur leur socle, au mur, leur tournait le dos, sûre d'avoir visé juste avec le menu.

— Si je comprends bien, je n'y couperai pas ce soir encore.

Seydou adorait faire griller les poissons, c'était évident. Le chat se laissa tomber sur le sol et sortit à la recherche d'un endroit plus tranquille. Il est vrai que ce jour-là ils étaient six à rentrer de promenade, moulus, bruyamment assoiffés. Pour un peu, ils avaient l'air de vacanciers.

Noam, le premier, sonna la fin de la récréation en disposant sur la grande table les divers objets nécessaires à leur discussion : evi, relayeurs, flexécrans, papier et stylos pour ceux qui le voulaient. Il était aidé de Lester qui les extirpait du coffre à bois, près de la cheminée

Léa n'attendit pas que le pichet de citronnade revînt au centre de la table pour faire part de ses commentaires à la suite des rencontres de travail des derniers jours.

— L'état annuel des lieux préparé par la sonde était instructif, une fois de plus, mais vous savez bien que les chiffres ne disent pas tout.

Que la population mondiale atteignît les dix milliards d'individus ; que le niveau général des océans eût augmenté de 36,7 centimètres au cours des dix dernières années ; que la surface totale des terres cultivables sur la planète eût été réduite de 14 pour cent durant la même période ; que 70 pour cent de la production mondiale de céréales se fît maintenant au nord du 50e parallèle – la sonde montrait des réalités qu'ils ne connaissaient que trop. Mais Léa voulut faire bonne mesure.

— Pour ma part, je vous confirme que l'accord de désarmement global entre l'Europe et l'Organisation de coopération de Shanghai est en voie d'être conclu. Il ne nous reste plus qu'à régler la question du financement et des contrôles par l'ONU.

Deux jours plus tôt, alors que la sonde déversait sur eux des trombes de données diverses, Noam et Renu avaient fait sensation en livrant les détails du krach de l'armement orchestré à partir de la filiale torontoise du Groupe. Léa applaudit. L'émulation qui régnait entre eux était globalement favorable à leur action, même si rien n'était gagné pour autant. Tous les indicateurs d'éducation et d'alphabétisation sont à la hausse, et dans tous les pays, aurait pu ajouter Isaura, qui ne disait rien. Elle pensait au Bengladesh, à Dacca sous les eaux, aux millions de réfugiés. Comme d'habitude, les pays pauvres s'en sortaient plus mal. Et cela, à ses yeux, était une forme d'échec.

— Le nombre de villes nouvelles créées dans la ceinture désertique du Maghreb et de la Libye s'élève à neuf, poursuivit Léa. Plusieurs multinationales ont souscrit au principe de délocalisation constructive. Ce sont ainsi des centaines de milliers d'emplois qui ont été créés dans ces zones sinistrées, tout en permettant de contenir les flux migratoires vers le nord.

Lester n'était pas convaincu. Certes, timidement, une conscience planétaire se mettait en place. Comment ne pas le voir? Et comment ne pas y voir un effet de leur action? Mais le dernier rapport de la sonde faisait aussi état d'une donnée capitale : après les telluriques, les hydrates de méthane océaniques avaient commencé à fondre et à se diffuser dans l'atmosphère. De quoi relativiser la portée de leurs réalisations. Et il restait si peu de temps.

— Je dois rentrer maintenant, prévint-il.

Tout le monde comprenait. Il partit comme le chat entrait.

Aujourd'hui aurait pu être un jour d'affluence normale au restaurant, mais à mille petits signes, Dorothy savait que le temps s'était remis à faire des siennes. Pas besoin d'un baromètre ni de Miss Météo pour se faire expliquer la situation : elle sentait venir la tempête.

— Ça vous a plu, monsieur? demanda-t-elle au client en retirant l'assiette vide sans attendre la réponse.

D'un œil distrait, elle regardait le magnolia frémissant devant la fenêtre.

Quand, son service terminé, elle sortit du Fishermen's Pier, son impression se confirma. Non seulement les clients étaient-ils moins bavards ces jours-là, et le vieux Mike, insupportable devant ses fourneaux, mais régulièrement les feuilles des arbres se retournaient sous un coup de vent subit et les oiseaux cessaient de chanter. Pourtant, le ciel était encore bleu. Hier, le chat du restaurant avait dormi les pattes de devant repliées en manchon. Ça aussi, c'était un signe. Demain, la température allait descendre, le vent se lever. Il n'y avait pas de temps à perdre.

Dorothy arriva à la maison vers deux heures de l'après-midi et trouva son mari en train de faire les paquets. Visiblement, il avait écouté l'oracle de Miss Météo.

— Où sont les enfants?

— Dans leurs chambres, répondit Wilbrod, à préparer leur sac. J'ai fini plus tôt. Comme tout le monde d'ailleurs. Le patron nous a laissé partir à midi. J'ai trouvé les enfants à la maison en rentrant.

Levée depuis l'aube, Dorothy soupira. C'était reparti. Avec un peu de chance, ils seraient dans le Missouri après-demain.

Le lendemain, ils étaient debout à cinq heures. Dorothy avait prévenu de son départ le vieux Mike, qui ne parut pas étonné, juste mécontent. Lui-même partait le jour d'après. Ils se reverraient donc dans quelques mois. Une fois de plus, New Bern allait se vider de la plupart de ses habitants. Et ceux qui restaient n'en mèneraient pas large, terrés dans leur sous-sol en béton, à se rationner de boîtes de conserves, ce qui leur paraissait un sort plus enviable que la fuite. Un peu plus tôt, Wilbrod avait ressorti les planches de pin du garage et muré les fenêtres. Dans l'*evi*, Dorothy avait réservé quatre places à bord d'un des autocars qui faisaient la liaison entre la côte et l'intérieur des terres. Quinze nouveaux départs, apprit-elle, venaient d'être ajoutés en raison de la situation. Par la fenêtre, elle voyait son mari aller et venir autour de la maison peu à peu plongée dans la pénombre. Elle avait choisi le car de sept heures.

Une heure avant le départ, un sac à dos de boissons et de victuailles attendait dans l'entrée, et Costa avait fini par comprendre qu'il ne pouvait pas emporter son Super-Constructor. Sa sœur, le pouce dans la bouche, n'avait rien dit comme d'habitude. Il n'y a qu'au hamster qu'elle consentait à parler. D'ailleurs, la cage était posée à côté de la valise de la gamine et des couinements inquiets en sortaient. En tout, Dorothy compta huit bagages. La famille faisait des progrès à ce chapitre. Dans peu de temps, la navette serait là.

Parti de la gare routière de Raleigh, le car fit halte le soir à Nashville et les enfants adressèrent de grands signes de la main au convoi de caravanes qu'encadraient les guides à cheval de la National Wildlife Federation. Après la distribution de sandwichs, les parents gagnèrent l'arrière du véhicule pour jeter un coup d'œil sur l'*e*vi. Wilbrod pesta contre le soda tiède, mais il se tut bientôt en voyant les images du cyclone qui remontait les côtes de Floride, en laissant une traîne de villes ravagées.

— Il sera dans les Caroline dans deux jours, annonça-t-il, lugubre.

Il ne s'habituait pas à devoir abandonner sa maison durant la saison des ouragans. Jusqu'à présent, le couple s'en était plutôt bien tiré. Une seule fois, il avait fallu reconstruire le toit. C'était il y a sept ans. Mais même alors ils avaient eu de la chance, d'une certaine façon, car c'était l'année où les assureurs avaient renoncé aux vieilles clauses de responsabilité limitée. Moyennant quoi, les Patterson avaient été pleinement indemnisés.

— Tu crois que la maison va tenir le coup? interrogea Dorothy, inquiète, avant de donner de la voix : Pas trop près de la route, les enfants!

Pour eux, ce genre de départs étaient des vacances. En ce moment, c'est la présence des chevaux qui ravissait le frère et la sœur. Le convoi défilait sur l'autoroute, séparée de la halte routière par un terre-plein où une grappe d'enfants avaient pris place comme au théâtre. L'excitation allait croissant, car les chevaux des guides n'étaient pas les seules bêtes à prendre la route de l'Ouest. Ce même jour, la ménagerie du Safari Land de Columbia était elle aussi évacuée, comme en témoignaient la douzaine de camions aux couleurs du parc d'attractions.

Ils repartirent une demi-heure plus tard, leur fatigue entière, malgré l'arrêt. À la hauteur de Poplar Bluff, ils virent le soleil se lever. Wilbrod descendit son sac du porte-bagages et se mit à fouiller à l'intérieur, au grand déplaisir de Dorothy.

— Mais qu'est-ce que tu cherches, à la fin?

— Les papiers. Tu es sûre qu'on n'a rien oublié?

D'une main leste, l'épouse extirpa d'une pochette la carte d'identité familiale et l'ouvrit à la première page, où les quatre puces Patterson attendaient d'être lues.

— Là, t'es rassuré? D'ailleurs, nous y sommes, ajouta-t-elle, comme ils venaient de croiser l'immense panneau HSH.

Les panneaux des Heartland Seasonal Harbours, par dérision, étaient souvent graffités des lettres RIP, comme dans Rest In Peace, même si le repos trouvé là n'avait rien d'éternel et que chacun en repartait aussitôt terminée la saison des ouragans. Le panneau sur la Highway 60 ne faisait pas exception et, tandis que le car poursuivait sa route, Dorothy aperçut dans un éclair les lettres trapues tracées à la bombe. Le Middle West comptait vingt-cinq centres de ce genre, et il était question que l'État fédéral en autorise trois autres dans le Wisconsin, car le sud-est du pays était si atteint que le réseau ne suffisait plus à la tâche. Les Patterson, quant à eux, s'étaient toujours repliés au plus près, dans le Missouri, où ils avaient désormais leurs habitudes.

— Les enfants, réveillez-vous, ordonna la mère.

Des bâillements lui répondirent.

À la guérite, tous les passagers durent sortir pour les formalités d'admission. Dorothy entendit un cri et reconnut Sue McNeil, qui lui adressait de grands signes. Tout en balayant les puces avec son lecteur, la déléguée locale donna les dernières nouvelles : les tranchées des nouvelles canalisations restaient à reboucher, mais la piscine, près de l'école, était terminée. Dorothy laissa promener son regard sur la mer de toiles tendues au soleil. Le havre paraissait aux trois quarts plein, bien que le rideau des arbres fût trompeur. Il était divisé en îlots, qui se ramifiaient eux-mêmes en plusieurs parcelles. Juste à l'entrée, au croisement des premiers sentiers, un garçon désœuvré tournait en rond avec son vélo. Un homme à blouson orange s'approcha et échangea quelques mots avec le gamin, qui repartit dans l'un des sentiers. Comme d'habitude, la sécurité veillait.

— Donc tu es d'accord? conclut l'adjointe volubile.

Dorothy acquiesça distraitement à elle ne savait quoi, et les deux amies se donnèrent rendez-vous pour le lendemain.

Les bagages hissés à bord du fourgon, il restait la tente. Wilbrod se dirigea vers l'hôtel de ville. Avec la tente venaient quelques objets de première nécessité, surnommés kit de survie, ce qui était un peu exagéré, car, une fois arrivé ici, on ne risquait plus rien : une batterie de cuisine, quelques conserves, un réchaud à gaz, des jerricanes pour l'eau potable, des sacs de couchage, au besoin – les Patterson avaient apporté ce qu'il fallait. Chaque pensionnaire – le mot réfugié était systématiquement évité – s'engageait à rendre ces objets en bon état au moment du départ.

Demeurée sur le fourgon avec les enfants, Dorothy observa son mari qui sortait de l'hôtel de ville. Le kit, qui devait bien faire dans les vingt kilos, fut calé contre les bagages. En nage sous l'effort, Wilbrod enleva sa casquette pour s'éponger le front. Pour la première fois, l'épouse remarqua les tempes clairsemées.

Le lendemain, Dorothy retrouva Sue McNeil excitée comme tout. Pensez donc. De hauts fonctionnaires venus de la lointaine Europe et, avec eux, venus de plus loin encore, toute une fournée d'officiels asiatiques. Bien sûr, le gouverneur Gallimore serait du groupe. Les Harbours, c'était son idée après tout.

— Et que faudra-t-il faire? demanda Dorothy, poliment, qui se souvint d'avoir accepté le boulot.

— Jouer aux guides. On les promène, on répond à leurs questions. Comme tout le monde parle anglais, la communication ne posera pas de problèmes. Et pour les cas compliqués, il y aura des interprètes.

Dorothy fit la grimace.

— Je n'aime pas trop ce type, Gallimore. D'abord il est friqué à mort, et puis c'est encore un de ces paranos qui voient des bandes latinos à chaque coin de rue.

— Il n'empêche qu'il a un peu raison. Tous ces champs en flammes, ça fait vraiment peur. Tu as vu dans l'*e*vi?

— On a roulé pendant vingt-quatre heures presque sans arrêt, soupira Dorothy. On n'a eu le temps que de regarder la météo.

— Au moins elle aurait dû te réconcilier avec le gouverneur Gallimore, ironisa l'amie. Tu as oublié comment c'était avant?

— Sue, je t'en prie, changeons de sujet.

Mais Sue était remontée.

— Tu as oublié les gens sur les routes? Les réfugiés parqués? Et les bagarres? les meurtres?

Dorothy se fit conciliante.

— Je sais très bien de quoi tu parles, Sue. Inutile de ressasser ces vieilles histoires. Je suis la première à reconnaître que les choses sont mieux organisées maintenant.

Les deux femmes s'étaient donné rendez-vous sur la place du commerce. Sue avisa une fillette qui vendait des pommes et lui en prit une demi-douzaine.

— Ne nous disputons pas, veux-tu? Et promets-moi d'être polie avec le gouverneur.

Dorothy croqua la pomme acidulée offerte par son amie et ses yeux se remplirent de larmes. Ça ne valait pas un roulé aux fruits, mais c'était mieux que rien.

Ce même jour, en début d'après-midi, les deux femmes accueillaient le cortège de limousines à l'hôtel de ville. Le gouverneur Archibald Gallimore sortit de la première, accompagné d'une armada d'adjoints et de journalistes bardés de caméras evis qui commencèrent à filmer les lieux sous tous les angles. Les délégations asiatiques s'extirpèrent une à une des voitures de tête. Il y en avait cinq : Chine, Vietnam, Birmanie, Inde et Laos, tous pays de la mousson, comme avait expliqué Sue en lui remettant la documentation. Les Européens s'étaient regroupés en fin de convoi.

Le gouverneur Gallimore s'avança vers le groupe d'invités et s'entretint avec les Chinois d'un air important avant de se tourner vers les représentants du Centre.

— Mesdames, messieurs, veuillez approcher pour répondre aux questions de nos invités.

— J'sais pas quoi dire, chuchota Dorothy à l'oreille de Sue.

— Pas grave. Tu ne représentes que les pensionnaires après tout. Reste naturelle et ça ira.

Depuis qu'elle avait trouvé un job à l'hôtel de ville, Sue McNeal avait tendance à prendre les choses de haut. Elle n'était pourtant pas la seule à travailler sur le site, où les occasions ne manquaient pas entre l'école, l'hôtel de ville, les services de voirie, le télé-travail pour les uns et, pour les autres, les contrats d'embauche à l'usine de pièces électroniques, à cinq kilomètres, qui tournait toujours à plein régime durant la saison des ouragans et avait même prévu des navettes à l'intention de ses employés habitant au Centre. Les ministres du culte ne chômaient pas non plus. Ceux qui le voulaient les retrouvaient au temple multiconfessionnel où les offices religieux étaient célébrés à tour de rôle. En clair, les oisifs étaient ici l'exception. Et souvent, c'est parce qu'ils étaient déjà chômeurs avant l'ouragan. C'est du moins ce que disait Sue.

De près, le gouverneur Gallimore fit mauvaise impression à Dorothy. Il n'allait pas jusqu'à se blanchir, comme tous ces Noirs qui avaient réussi, mais une telle assurance émanait de sa personne qu'elle renvoyait Dorothy et son mari Wilbrod à ce qu'ils n'étaient pas : des Noirs ayant réussi. Et ses fameuses idées sur l'ordre à préserver, sur le mal qui rongeait les États-Unis de l'intérieur, sur ses ennemis de l'extérieur, décidément, elle n'arrivait pas à les gober – quand elle arrivait à en comprendre le sens, car le gouverneur Gallimore aimait bien truffer ses discours de mots compliqués. Des mots comme «régénération» ou «protectionnisme». Voire étrangers, comme *Zeitgeist*. C'est le vieux Mr. Schöll, son voisin à New Bern, qui avait dû lui en expliquer le sens, et d'abord en le griffonnant sur un bout de papier. *L'air du temps*. Les États-Unis d'Amérique devaient résister à l'air du temps, proclamait Archibald Gallimore sur toutes les tribunes. Fait de mollesse et de consensus, l'air du temps refusait de trancher entre le bien et le mal. De plus, cet imbécile de Gallimore croyait qu'on pouvait corriger les injustices d'un coup de pied au cul des pauvres. Non, cent fois non. Et dire qu'elle allait maintenant faire sa connaissance. Les pensées de Dorothy revinrent au réseau des Heartland Seasonal Harbours. Ça, au moins, c'était à porter à son crédit.

Chacun se serra la main.

— On va commencer par les parties communes, annonça Sue en gloussant dans son nouveau rôle. Ensuite, je vous ferai l'historique du Harbour du Missouri, et ma collègue vous fera visiter le quartier qu'elle habite avec sa famille.

Mais le délégué vietnamien, reconnaissable à son badge, n'entendait pas perdre de temps. Tout en marchant, il bombarda Sue de questions.

— Vous pouvez me dire quelle est la surface du camp, madame ?

— Nous disons «Havre», monsieur. Il couvre une étendue de huit kilomètres carrés, pour une occupation maximale de 30 000 sites, soit environ 100 000 pensionnaires, selon l'importance des familles.

Dorothy enregistra l'information.

— Et qui en a financé la construction ?

— Le terrain appartient à l'État fédéral. Comme vous le constatez, seuls les bâtiments publics sont en dur. Les frais sont donc limités. L'entretien des lieux est assuré par des pensionnaires rémunérés. L'équipement de base, les tentes et le kit distribués à l'arrivée relèvent d'un mécénat d'entreprise un peu particulier.

— Ah oui? De quoi s'agit-il au juste? s'enquit un délégué européen.

— Le système est collectif. Toute société américaine au capital supérieur à un million de dollars doit verser chaque année sa contribution à un fonds de solidarité géré en fiducie par l'Agence fédérale pour l'environnement, créée il y a dix ans.

Même si elle ne lui apprenait rien, le gouverneur Gallimore écouta l'explication en ne cachant pas sa satisfaction. Au début, les dirigeants des grandes entreprises avaient crié à la trahison, et le gouverneur Gallimore avait dû rassurer sa base électorale. Il n'était pas devenu communiste ni écolo. Simplement, et comme tout le monde, il voulait pouvoir emprunter en toute quiétude les routes américaines. Tous ces gens en détresse, chassés par les intempéries et laissés à eux-mêmes, cela faisait désordre. S'ajoutait la compassion de mise entre êtres humains. Les Heartland Seasonal Harbours n'étaient pas des camps de réfugiés, surtout pas. Ils offraient un havre provisoire où gagner honnêtement son pain, dans la dignité et la sécurité, en attendant que l'orage passe. Regardez-moi ça, ne put s'empêcher d'ajouter le gouverneur Gallimore à voix haute : une vraie petite ville d'Amérique au travail. Pas de drogue, pas de violence, pas de prostitution, une vie en autarcie, comme à l'époque des pionniers. Le modèle de demain, peut-être. Les Heartland Seasonal Harbours étaient la quintessence de la démocratie.

Le délégué vietnamien, interloqué, ne répondit pas tout de suite. Gallimore comprit qu'il était allé trop loin.

Le Vietnamien contempla les toits de toile aux alignements rectilignes.

— Pour notre malheur, dans le passé, nous autres en Asie avons toujours su composer avec la réalité des typhons. Du coup, nous avons mis plus de temps à réagir à la situation présente.

D'un hochement de tête, le délégué laotien savoura l'euphémisme. Une transhumance annuelle de quelques millions d'individus remontant de l'Asie du Sud-Est vers le nord, souvent dans la panique, ce n'était pas une «situation» mais une tragédie. À quoi bon rappeler ces détails aux étrangers? Mieux valait leur soutirer deux ou trois trucs utiles.

Mine de rien, le groupe avait parcouru la distance qui séparait l'hôtel de ville des premiers îlots. Il longea plusieurs rangées de *mobile-homes* posés à l'ombre des arbres, puis un îlot de tentes. Plus loin s'étalait un immense parking. D'un air ravi, le délégué chinois s'immobilisa devant une myriade de *motor-homes* massifs, dont certains avaient le museau encore brûlant des milliers de kilomètres engloutis au compteur. Cependant, les stores fermés, l'eau qui gouttait sous le châssis témoignaient de l'agréable fraîcheur qui devait régner à l'intérieur des mastodontes. Un panonceau décourageait les intrus : Véhicules récréatifs. Espace strictement réservé.

Les guides n'avaient pas spécialement prévu de s'attarder sur cette section du Centre, mais le délégué chinois était fasciné. Pourtant, son admiration était loin de faire école. C'est une honte, lança quelqu'un. Le gouverneur Gallimore se montra tolérant. Il n'avait rien contre les oasis pour richards motorisés, et la présence, juste à côté, d'une aire pour les *motor-homes* à hydrogène disait bien qu'il ne fallait pas généraliser.

— N'empêche que ceux à l'hydrogène sont minoritaires, vous le voyez tout comme moi, l'interpella une déléguée européenne.

— Parce qu'ils coûtent plus cher, mais on y vient. Les havres, chère madame, représentent la société américaine en miniature et dans ce qu'elle a de meilleur. Quiconque frappe à cette porte, riche ou pauvre, à moteur, à pied ou à cheval – d'ailleurs, nous avons même prévu des enclos pour les bêtes – a droit de cité.

Dorothy se pencha vers son amie.

— Tu vois? Toujours les grands mots.

— Des irresponsables, s'entêtait la déléguée. Nos lois à nous sont très claires. Pas question de rouler sur les routes avec ces monstres pollueurs.

Archibald Gallimore réprima sa mauvaise humeur devant la donneuse de leçons.

— Madame, bienvenue en Amérique, terre de liberté, dit-il sèchement.

— Et les menaces proférées par votre gouvernement à l'encontre de l'ONU, c'était sans doute au nom de la liberté?

D'un coup d'œil à la ronde, l'homme s'assura de n'être dans le champ d'aucune caméra et se pencha vers la déléguée européenne.

— Une belle connerie, je l'avoue – puis se redressant –, mais revenons à nos moutons.

Il lui prit le bras. C'est le cœur du Harbour qu'il voulait leur montrer, les bâtiments principaux, l'infrastructure, toutes ces choses qui forçaient l'admiration de l'étranger et lui avaient valu, au pays, la reconnaissance de ses concitoyens. Le groupe se dirigea vers l'allée Kennedy.

Quelques secondes plus tard, le gouverneur faisait admirer aux étrangers les haies d'aubépines en fleur bordant les îlots. Mais l'instant d'après, ses réflexes ne le trompèrent pas : il clouait par terre la déléguée et la couvrait de son corps.

L'explosion projeta au moins deux *motor-homes* dans les airs, et de hautes flammes jaillirent derrière le rideau des arbres. La sécurité s'interposa aussitôt et refoula le groupe vers l'arrière. Sur fond de sirènes hurlantes, des dizaines de fourmis orange convergeaient vers le brasier.

La déléguée européenne s'était relevée et avait promptement repoussé son bouclier humain.

— Les écolos, criait Gallimore. Encore un coup de ces exaltés.

— Qui? hurla le délégué du Vietnam.

— Des terroristes, ajouta le gouverneur. Quelqu'un est blessé?

Le groupe paraissait choqué, sans plus. En face, les premiers corps firent leur apparition, transportés sur des brancards, tandis que les véhicules de secours se frayaient un passage. Serrées l'une contre l'autre, Dorothy et Sue sanglotaient.

Des pionniers, grommela la déléguée, tu parles.

22

Au temps où le Portugal se constituait un empire, alors qu'il disputait à ses rivaux la route des épices et avait réduit les marchands vénitiens à la misère, le *Santa Catarina do Vale* quitta le port de Lagos à destination de Cananor, sur la côte de Malabar, où l'attendaient des ballots de perles noires – le fameux poivre, si prisé du roi Sebastiaõ. Cent cinquante hommes participèrent à l'expédition d'avril 1572. Aucun n'en revint. À quinze milles nautiques de Saõ Tomé, au large de la ville qui s'appelle aujourd'hui Libreville, le *Santa Catarina do Vale* heurta un récif et sombra corps et biens. La caraque ne pesait rien, ni dans la flotte ni dans les ambitions portugaises. Le naufrage ne fut pas une catastrophe, et près de cinq siècles plus tard, tous avaient oublié le navire qui gisait là, par soixante mètres de fond, jusqu'au jour où Arnaud Gallissant, plongeur de son état, fit cette découverte prodigieuse : une épave, une vraie.

L'homme était paumé, mais sensé. Il fallait être paumé pour passer six mois de l'année en mer et vivre d'expédients le reste du temps, dans un hameau de Corrèze, où chacun sait que les perspectives d'emploi sont prodigieuses. Mais, à trente-deux ans, Arnaud Gallissant avait trouvé un équilibre dans ce mode de vie. C'est donc qu'il était sensé. Et il le demeura quand il fit sa découverte. Il ne se prit pas à rêver de trésors enfouis et autres billevesées. Il ne se vit pas davantage en archéologue soutirant à l'épave ses secrets. Il plongea, replongea et l'explora. Cela lui suffit. Il n'en parla à personne. Ne se vanta de rien. Sur le marché de Saõ Tomé, près du port, on le voyait acheter des fruits, comme chaque fois qu'il venait à terre. Il saluait ses potes du café E Campanhia, buvait avec eux le cocktail local, mélange de cognac, d'écorce de pao et de cannelle, payait scrupuleusement ses dettes de jeu quand il en avait, et repartait en direction du port, où était amarré son bateau. Un petit yawl de douze mètres appelé *Sonia Sol*. *Sol*, on savait pourquoi, à voir sa peau tannée de marin. *Sonia*, c'était autre chose. Arnaud n'en parlait jamais. Aussi muet à son sujet qu'il l'était maintenant pour l'épave.

Celle-ci paraissait inépuisable. Le plongeur ne se lassait pas d'en faire le tour, de pénétrer dans les coursives à demi rongées par la pourriture, tapissées de coquilles comme pour une somptueuse parure funèbre. Il tremblait à l'idée d'être suivi, ou que quelqu'un d'autre pût revendiquer sa découverte. Il avait eu de la chance. L'épave gisait au bord du talus continental, dans une dénivellation en partie ensablée, sans parler des coraux qui formaient une barrière devant. Voilà qui expliquait sans doute le bon état de la carène.

Sa découverte remontait à deux mois, et depuis Arnaud avait passé presque tout son temps à croiser au-dessus du site. Ça tombait bien. Il aimait l'endroit, déniché il y a plusieurs années, lors de ses toutes premières escales dans la région. Il le connaissait comme le fond de sa poche.

Ce jour-là, le temps était clair. Il était dix heures du matin quand le plongeur se harnacha et, aussi excité qu'au premier jour, bascula dans les flots.

Que se passait-il? Il ne voyait plus rien. Il agita la main. L'eau était trouble comme si quelque secousse avait remué au fond des sédiments demeurés depuis lors en suspension. Il alluma sa lampe frontale et s'enfonça à la recherche de repères : le rocher aux oursins sur la droite, la table aux murènes plus loin. Il les retrouva, mais non sans peine. Plus bas, il traversa un banc de thonines, qui s'éparpillèrent mollement devant l'intrus, et en quelques coups de palmes se propulsa vers l'épave. Elle s'était ensablée davantage et n'était plus qu'une silhouette. Tout autour un nouveau relief se dessinait.

C'était un leurre. À y regarder de plus près, ce n'était ni les fonds, ni le sable, ni l'épave qui modifiaient le paysage, mais la flotte. Elle n'était plus la même. Le plongeur braqua sa lampe vers sa main et scruta l'eau plus attentivement. Plaçant son gant noir en toile de fond, il aperçut pour la première fois des milliers de bulles minuscules qui remontaient lentement à la surface, comme si tout le secteur n'était plus qu'une cuvette effervescente.

Arnaud remonta à la surface et se hissa à bord du *Sonia Sol*. Retirant son masque de plongée comme s'il lui brûlait la figure, il prit de grandes goulées d'air. Ces bulles, cette eau, il n'aimait pas ça du tout.

Il voulut mesurer l'ampleur du phénomène. Il démarra le moteur et avança de deux encablures vers l'ouest. Il plongea. Au bout d'un quart d'heure, il refit surface, tout aussi inquiet. Il se rendit un demi-mille plus au large, plongea et émergea de l'eau dans le même état d'esprit.

Il ne s'expliquait pas son inquiétude quand la perplexité aurait peut-être suffi. Arnaud Gallissant connaissait suffisamment les fonds marins pour savoir qu'ils n'étaient pas plus immuables que la surface du sol. Mais cette plaine de microbulles ne correspondait à aucune réalité connue. Quelque chose se produisait en ce moment, à l'insu de tous, et qu'il avait entraperçue. Restait à donner un nom au phénomène. Tant pis pour l'épave secrète, il devait en parler à quelqu'un.

Dans l'antre, Mountain regardait Nohog de Ventorx à l'immobilité parfaite, le bâtonnet médian au point mort. Il se concentra. Nohog, pourquoi ne réponds-tu plus à mes messages? J'ai reçu le dernier bilan de la sonde. J'ai réagi. Pas toi. Pourquoi?

Mountain était résigné à attendre le temps qu'il fallait. Et il avait de quoi s'occuper avec les récents segments holoviv acheminés sans commentaires, sans rien. Ça non plus, ce n'était pas dans la manière de Nohog. Au moins, il apprenait des choses.

Il actionna l'*evi*.

— Noam, tu voudrais venir un instant?

— Ça peut attendre? Avec Li Mei Fei, on est sur un bon coup.

Derrière, Mountain reconnut les enseignes des rues de Pékin. Il jeta un regard au Ventorxe.

— Nohog ne répond plus.

Les choreutes, chacun drapé dans un tissu de couleur différente, entonnèrent une plainte.

— Que t'a valu, Pâris, l'amour de la plus belle des mortelles? Que réponds-tu aux Achéens qui campent aux portes de la ville? Et au roi Priam? Est-ce pour voir tomber la jeunesse troyenne qu'il t'a donné le jour? Pourtant, pas un reproche ne franchit ses lèvres aujourd'hui, et Hélène vit au palais comme une fille dans la maison de son père.

Sur la scène du théâtre de l'Académie des beaux-arts de Tirana, Pâris n'était pas le bellâtre dépeint par Homère. Athlétique, il se tenait droit sur scène, son arc et ses flèches jetés au sol. Cheveux courts, pieds nus, il était vêtu d'un jean et d'une tunique chamarrée. Il se tourna vers Hélios :

— Ô Soleil, toi qui vois tout, je te prends à témoin. Hector, mon frère, a choisi de défendre Ilion contre les Achéens vengeurs, mais le guerrier se trompe. Agamemnon se trompe aussi qui a levé ses armées contre nous. Aucun différend entre les hommes ne peut se régler par le fracas des armes, car tous les hommes vivent et croissent sous ton regard, Hélios. Et pour les mortels, rien n'est plus doux que chair de femme, que chair d'enfant. Hector, père d'Astyanax, l'aurait-il oublié?

Quand l'ombre d'Hector apparut, couverte d'un sang plus vrai que nature, un mouvement d'effroi parcourut la salle.

— Vois, Pâris, ce qu'Achille a fait de moi. Trois fois mon corps, attaché à son char, a fait le tour de nos remparts. Mon ombre ne connaîtra jamais les champs Élisées, mais elle te poursuivra de son amertume, frère inconséquent. Quand on ne veut pas se battre, on ne sème pas la guerre.

Jason Malavoy nota l'écart, aussi fugace qu'ait été la traduction anglaise défilant en haut de la scène. Plus justement, l'original disait : Qui dérobe le feu de Zeus doit aussi emporter les braises. Malavoy essaya de se concentrer sur la suite, mais l'approximation restait fichée dans un coin de son cerveau, comme une fausse note. Cependant, quand Pâris, acculé au suicide par l'ombre de son frère, se donna la mort deux heures plus tard, l'Américain, sans hésiter, se leva avec les autres spectateurs et applaudit longuement ce texte admirable qu'il savait désormais par cœur. Et peu lui importait que cette tragédie soit d'Eschyle ou d'Euripide, comme en discutaient encore les spécialistes. Il était bouleversé.

Dans les coulisses, il dut attendre un moment pour accéder au metteur en scène, pour l'heure entouré des comédiens, assailli par les notables et les journalistes. Dès que la cohue fit mine de diminuer, il s'approcha et dut élever la voix pour couvrir le bruit.

— Monsieur Meta, je me présente : Jason Malavoy. Je suis le directeur du Huntington Theater à Boston. Puis-je vous voir un instant?

Petit, le cheveu noir et frisé, le metteur en scène albanais n'impressionnait pas de prime abord. Il en allait autrement si on connaissait son travail.

— Maintenant?

— Bujar! s'exclama une dame un peu forte, empêtrée dans la traîne de sa robe.

Sans façon, elle saisit le visage du metteur en scène et lui administra un baiser énergique sur chaque joue. En retrait, le mari attendait.

— Tu as été formidable, Bujar. Dis, c'est vrai que vous partez en tournée?

Non sans peine, Bujar Meta se libéra de l'admiratrice et du mari qui voulait absolument lui serrer la main.

— Allons dans ma loge, dit-il à l'Américain.

Ils s'engouffrèrent dans un dédale de câbles et de tentures, poursuivis par les voix de la foule. L'étranger, de haute stature, enjambait les obstacles et découvrait avec plaisir les entrailles du vieux théâtre construit sur un caprice de roitelet. Pendant ce temps, il poursuivait son rêve, il le touchait presque.

Car aussitôt connue la découverte, il n'avait eu qu'une envie : faire connaître la pièce au public américain, après celui d'Athènes, d'Ankara, de Londres et de Tirana, la privilégiée, puisque c'était le sol albanais qui avait livré le trésor. À la même époque, Greg, connaissant ses goûts, lui avait demandé de commenter la toute récente tragédie antique dans le cadre d'un numéro spécial du *New Yorker*. On croyait le sous-sol de la planète sans surprises, que pas un site débusqué par satellite n'eût déjà été fouillé s'il en valait la peine, que les artefacts les plus intéressants étaient déjà exposés dans les musées ou avaient disparu aux mains des pilleurs de tombes et des collectionneurs et qu'à moins de travailler pour le cinéma, les archéologues de l'Antiquité n'avaient plus que des tessons à brosser. On se trompait. Près de Durrës, sur le site de l'antique Épidamnos, un papyrus avait été retrouvé dans une jarre. Déchiffré, le texte s'était révélé être les vers d'une tragédie grecque, non seulement complète, mais aussi d'une singulière actualité. Jason Malavoy, directeur du Huntington Theater, bien connu dans les milieux intellectuels pour sa défense d'un art exigeant et qui dérange, pouvait-il commenter l'œuvre exhumée?

Ils étaient arrivés. Sur la porte, aucun nom, mais un *sticker* reproduisant un masque de tragédie. Meta se montra hospitalier.

— Je fais du café? J'ai tout ce qu'il faut, vous savez. Et il est bon.

L'Américain rangea son grand corps sur une chaise droite, à côté de la table de travail, abandonnant le fauteuil au metteur en scène.

— Je veux bien.

L'hôte ouvrit un placard et en sortit l'attirail : cafetière, tasses et une bouteille de cognac. Tournant le dos au directeur de théâtre, il s'affaira.

— Ainsi, vous êtes venu de Boston pour voir cette pièce?

Bien sûr, il avait dit oui à Greg. Il avait même là, dans la poche de sa veste, une copie de l'article paru en juin dans le *New Yorker*. Un chant poignant, avait-il écrit, tout à la fois actuel et intemporel, qui affirmait la grandeur de la vie sur l'absurdité de la guerre et les faiblesses humaines. Dès le ve siècle avant notre ère, un auteur grec avait compris la nécessité d'en finir avec ce moyen brutal de gouverner les passions et les Cités. La découverte de cette tragédie obligeait à relire le mythe. Ce n'était pas pour en jouir égoïstement que Pâris avait jeté son dévolu sur Hélène, mais par amour de la vie. Et pour cette raison encore que, contre la guerre provoquée par son geste, il choisissait la paix. Pâris n'était pas un archer jouisseur et lâche qui préférait courir la campagne plutôt que de se battre. Il était un objecteur de conscience avant la lettre. Une fois de plus, on avait la preuve que les Grecs avaient tout dit, tout pensé, tout conçu en leur temps. *Pâris refusant* était-il une grande pièce? Assurément. Mais comme toutes les grandes œuvres du passé, elle s'adressait aussi aux contemporains. L'époque avait tout à gagner à méditer ce texte. Et tant pis s'ils ne devaient être qu'une poignée d'Américains pour l'apprécier : la pièce viendrait à Boston, dans une distribution américaine, sous la direction du grand metteur en scène Bujar Meta.

Ces derniers mots n'apparaissaient pas dans son article. Il allait les prononcer maintenant.

Éblouissement. Tel est le mot qui décrivit le mieux la réaction de Li Mei Fei, la toute première fois où elle fut mise en présence du catalogue du Bureau des répliques. C'était il y a plus de quarante ans, peu après son introduction dans la caverne. Mountain avait expliqué la mission de l'Observateur et évoqué, au passage, l'existence des copies moléculaires. Li Mei Fei avait alors compris que les œuvres artistiques jugées dignes de duplication par Nohog ne représentaient qu'une infime partie de l'ensemble répertorié par ailleurs, selon des critères semblables. Le catalogue du Bureau des répliques couvrait une palette aussi large que la galaxie. On se sentait écrasé rien que d'y penser.

Li Mei Fei avait imaginé une sorte de fichier rébarbatif qui défilait à l'écran et s'animait de temps à autre à la lecture des descriptifs. Et encore, à condition de s'y connaître et d'être capable de se représenter l'objet. En réalité, sur Xall, le catalogue galactique occupait trois niveaux du sous-continent C. Des murs et des murs tapissés de réglettes où luisaient les pavés des codes, en attente d'activation. Des corridors, des pièces entières, certaines en enfilade, pour les périodes particulièrement fécondes. On trouvait les index en entrant, après avoir montré patte blanche au sévère technicien-barrière qui en contrôlait l'accès. Il y en avait quatre : l'index des noms d'œuvres, celui des peuples et des planètes, celui des périodes historiques et celui des thèmes.

À l'examen, cependant, les index se révélaient fort déroutants pour un esprit humain. Certains peuples, par exemple, pouvaient figurer jusqu'à trois fois, selon le rang – préantéUn, antéUn ou Un – qu'ils occupaient lors de la reproduction de l'œuvre. L'index thématique était établi en fonction des intentions de l'artiste. Le découpage historique était basé sur le calendrier ag, mais aussi sur la chronologie propre à chaque planète, et les titres étaient fixés en fonction de la réception des œuvres.

Du coup, Li Mei Fei avait mis du temps à apprivoiser l'étrange classification. Même si toute recherche pouvait être menée à distance avec l'holoviv, la Contactée avait voulu faire le déplacement sur Xall au moins une fois. Elle en était revenue estomaquée, et les taquineries des Dix ne changeaient rien à son admiration. Grande était la civilisation qui savait se développer sans sacrifier les œuvres du passé. Et le catalogue paraissait inépuisable.

Dès lors, tous ses temps libres y passèrent. Peu à peu, Li Mei Fei avait apprivoisé le processus d'interrogation et de repérage et fait quelques découvertes, comme ces tablettes de la civilisation vinca, qui témoignaient d'une forme de proto-écriture apparue en Europe 7000 ans plus tôt. Car le segment terrestre n'était pas en reste, même si là aussi le mode de classement adopté par l'Observateur semblait très étranger à l'esprit humain. Ainsi Li Mei Fei tomba un jour sur un ensemble de palets en bois. Sur chacun était gravée une rune parée de fines incrustations. Étonnamment, Nohog avait rangé les objets sous la rubrique «Calculs» et non «Alphabets». Pourquoi? La plongée dans l'holoviv terrestre la renseigna quelque peu. Il s'avérait que les commerçants vikings avaient utilisé les palets pour chiffrer leurs échanges. Tout s'éclairait.

Si le classement ventorxe était déroutant, il pouvait aussi réserver d'agréables surprises, comme ce papyrus un jour déniché sous la rubrique «Craintes humaines». À première vue, il s'agissait d'une tragédie grecque. Li Mei Fei reconnut tout de suite la métrique le plus souvent utilisée pour ce genre poétique. Elle reconnut aussi les personnages, Achille, guerrier impétueux, le vieux Priam, Hélène l'infidèle, Hector mort en défendant Troie et le berger Pâris, son frère, à l'origine de la plus fameuse guerre de l'Antiquité. Mais alors pourquoi ce classement? Li Mei Fei se souvint de la fonction attribuée par Aristote à la tragédie : susciter l'effroi et la pitié pour détourner l'homme de ses pulsions néfastes. Nohog en avait retenu le premier terme. Tout s'expliquait, une fois de plus.

Mais la Contactée demeurait perplexe sur le fond. Pour autant qu'elle sache, Pâris n'était le sujet d'aucune tragédie dans le corpus antique existant. Et était-ce bien là une tragédie? Avec son index, Li Mei Fei parcourut le texte mot à mot. Le découpage, la présence d'un chœur et d'un coryphée ne laissèrent plus de doute sur sa nature.

La lecture du descriptif, que Li Mei Fei gardait toujours pour la fin, vint confirmer cette impression : *Pâris refusant* ; empreinte moléculaire d'un papyrus réalisé sur ◊-GVH-18327-Γ, au 159e microag, 27e milliag de l'an 39 de notre galaxie ; localisation : Épidaure, en Argolide, demeure de l'archonte Hiéroklès ; circonstances : version recueillie lors des jeux donnés en l'honneur du dieu Asclépios.

Nohog avait ajouté le commentaire suivant : Remarquable exemple d'aspiration humaine à la paix.

La Chinoise n'eut aucun mal à renouer avec ses compétences d'helléniste. Par précaution, elle activa tout de même un dictionnaire à l'écran et, sans tarder, le cœur battant, entama sa lecture.

Li Mei Fei ne put s'empêcher d'applaudir en voyant apparaître la réplique moléculaire commandée, et Noam admira l'ouvrage. Le papyrus avait la fraîcheur des commencements. Et il ne faisait pas de doute que le propos de la pièce était dans le droit fil de leur mission.

— C'est une chance que vous soyez tombée sur cette tragédie, Li Mei Fei. Qu'est-ce qu'on fait maintenant?

— Il faut le vieillir. Le papyrus doit être au-dessus de tout soupçon. Dans son état actuel, il est trop pimpant pour convaincre quiconque de son ancienneté.

— Voilà qui est plus délicat.

— Carlingua m'a parlé d'un faussaire fameux, spécialisé dans les papyrus et qui vit en Syrie. Il nous faudra un intermédiaire, bien entendu, mais Léa a déjà tout arrangé avec un directeur de musée de sa connaissance. L'homme est réglo, il ne saura rien des visées finales du travail à accomplir et croira à une demande d'expertise.

— Et après? Comment ferez-vous pour qu'on découvre le document sans éveiller les soupçons?

— Les objets de ce genre se sont beaucoup promenés au cours de l'histoire, s'anima la Chinoise. Je lui ai trouvé un endroit parfait. Bon sang, c'est quand même excitant tout ça, vous ne trouvez pas, Noam?

C'était une façon de voir les choses. Et il est vrai que Li Mei Fei avait l'air de drôlement s'amuser. C'est ce qu'il y a de bien avec les jeunes Contactés. Pendant un instant, on peut croire à un jeu.

23

Dans la ruelle aux chats, derrière la rue Deir ez'zor, une maison basse à la façade aveugle se faisait oublier des passants. Quelle que soit l'heure du jour, personne n'en poussait la porte en bois sculpté. Nul bruit, nulle odeur de cuisine ne filtraient de la cour intérieure. Qui habitait là? On n'en savait rien. Même le mendiant, qui cherchait l'ombre dans la ruelle aux heures les plus chaudes, ne le savait pas.

Comment aurait-il pu? Pour en connaître l'accès, il fallait être agréé du propriétaire des lieux. Et pour parler à ce dernier, il fallait avoir une bonne raison. Joseph Daoud n'avait aucune raison de se mêler à la foule de la rue. Toutes ses affaires, il les menait grâce à l'*evi*. Et quand on en venait à prendre rendez-vous, ses interlocuteurs étaient prévenus du rituel : à la nuit tombée, et par la porte de service donnant sur l'étroit boyau qui prolongeait la ruelle aux chats. On le trouverait dans le vestibule.

Ce jour-là, le visiteur vint seul. Deux jours plus tôt, il avait pris contact sous le nom d'Edward Brandauer en se disant arrivé de Londres, recommandé par un ami commun, le directeur du Victoria and Albert Museum.

Daoud n'avait que de bonnes choses à dire de ce dernier. Une fois n'est pas coutume, il avait donc accepté de recevoir l'Anglais sans savoir de quoi il retournait. Habillé avec élégance, l'homme se tenait maintenant devant lui, un peu raide, et aussitôt entré avait posé par terre le sac de sport qu'il trimballait. Daoud, qui en avait vu d'autres, ne manifesta aucun étonnement.

— Allons dans l'atelier, dit-il simplement.

Une seule lampe éclairait la pièce quand ils y pénétrèrent – au-dessus de la table de travail. Mais quand le Syrien fit de la lumière, Edward Brandauer aperçut le plus beau capharnaüm qu'on puisse voir à Alep.

Sur le mur couraient de longues étagères, garnies de papiers de différentes textures et couleurs. Dans un coin, il aperçut des bacs où flottaient divers parchemins. Une brassée de roseaux était posée contre le mur. Sur l'établi, un entrecroisement de bandes avait été laissé en plan, tandis qu'un assemblage, achevé, reposait sous plusieurs épaisseurs de briques. Dans une pièce adjacente, il aperçut une lampe au xénon braquée sur un vélin jaunâtre. Quel type de lettres portait-il? L'Anglais n'eut pas le temps de le savoir, car Joseph Daoud l'entraîna vers une table couverte de calames et de stylets. Des pots, diverses substances liquides, du sodium, de l'amidon, de l'eau, des cendres dans un caisson, des graisses, du sable, de l'huile, un modèle réduit d'accélérateur de particules, un microscope, un humidificateur, un spectromètre. La panoplie était complète.

Brandauer se dit qu'un peu de flatterie ne nuirait pas à la transaction.

— J'ai pu admirer votre travail récemment, monsieur Daoud. Un collectionneur a voulu me vendre une statuette en provenance d'une tombe à Tarquinia. Ne faites pas l'étonné, je sais très bien que ce n'est pas votre rayon. Mais il m'a aussi montré un papyrus datant de Thoutmôsis III qu'un de ses ancêtres, officier dans l'armée de Napoléon, avait rapporté d'Égypte. J'avoue que j'aurais cru à son histoire, si je n'avais pas été prévenu. Vous êtes très fort, monsieur Daoud.

— Et vous, vous parlez trop.

— Alors je me tais, et je vous laisse admirer ceci.

Un bruit de fermeture éclair, et une pochette en cuir fut tirée du sac de sport. De la pochette jaillit une boîte cylindrique en osier. D'un coup sec, l'Anglais tira sur le couvercle, libérant un carton fort. Les volets furent ouverts, faisant apparaître l'objet. Le Syrien chaussa ses lunettes et examina le papyrus en connaisseur. Le texte était en grec et le support en parfait état. Délicatement, les doigts boudinés retournèrent le document. Un papyrus blanc. Il prit une loupe et scruta l'entrelacement des fibres. Pas de colle. Un travail d'expert. Il siffla entre ses dents.

— Vous vous moquez de moi? Il a l'air neuf.

— C'est bien là le problème. Car il doit être d'époque. Un site exceptionnellement protégé. Pas de lumière, pas d'humidité, pas d'air. Pas de visiteurs intempestifs.

— Grec?

— On ne peut rien vous cacher.

Daoud posa le papyrus sur l'établi, couvé par l'œil vigilant de l'Anglais. Il prit une pince à épiler. Le visiteur s'interposa.

— Pas d'échantillon. Mon client est formel.

— C'est Bassiakos qui a fait le boulot?

— Vous avez dit que je parlais trop.

— Dites-moi au moins ce que ça raconte.

L'Anglais lui retira la pince des mains.

— Mon client est très fier de son acquisition. Malheureusement, il ne peut en escompter aucun bénéfice en l'état. Voilà pourquoi je suis ici. C'est tout ce qui doit vous intéresser.

Daoud haussa les épaules et se pencha sur le document.

— Ça va être difficile. C'est très rare des papiers aussi bien conservés.

Edward Brandauer connaissait le jargon. Tout devait être ramené au temps présent. Avec ces gens-là, l'ionien devenait du grec, les hiéroglyphes, des dessins, les papyrus, des papiers. Comme si ce détour par le familier était nécessaire pour revenir au lointain. Il précisa.

— Le trop bon état du document joue contre lui. L'acheteur y verrait le travail d'un amateur. Vous n'êtes pas un amateur, monsieur Daoud?

— Très difficile, je vous ai dit.

L'homme caressait sa barbe, à l'avance accablé.

— Est-ce que sept cent mille euros vous paraîtraient une somme convenable pour vous mettre au travail?

— Ça prendra du temps. Je devrai faire attendre d'autres clients. J'aurai des frais, beaucoup de frais.

— Disons huit cent mille. Trois cent mille au moment de récupérer l'objet.

La barbe n'en finissait plus d'être lissée.

— Nous connaissons la date de ce papyrus. Il remonte au ve siècle avant Jésus-Christ, pas au iie millénaire. Il ne faudra pas avoir la main trop lourde quand vous fixerez... la datation.

— Un million maintenant. Cinq cent mille à la fin. Et l'affaire est conclue.

C'était un peu moins que la somme qu'on lui avait consentie pour mener l'opération. Brandauer n'hésita pas. Dans la ruelle, l'air sentait le laurier et la cardamome.

La comédienne était en retard. Bujar Meta en profita pour commander un second martini et parcourir les titres du flexécran attrapé en entrant dans le café. Un café, ça? Il n'arrivait pas à le croire. Là d'où il venait, les cafés étaient des lieux où les gens se frottaient les uns aux autres. Des idées, des paroles, de la chaleur, un peu de saleté, la solitude au milieu du bruit pour qui le voulait, des rencontres imprévues, des rendez-vous qui se prolongeaient : voilà ce qu'était un café, en Europe. Sur l'île – comme Malavoy appelait les États-Unis par dérision depuis que le pays s'était retiré de l'ONU –, les cafés étaient forcément branchés, propres et chics. Et plus que jamais à cette heure de l'après-midi, ils étaient déserts, même dans une ville comme Boston. Bien entendu, leur jus n'était pas buvable. Bujar Meta lui préférait les martinis enfilés dès onze heures du matin.

Un titre attira son attention. L'Albanais n'avait lu que la moitié de l'article quand il sentit un regard posé sur lui. Il releva la tête. Lisa-Liz était là. Une femme brune l'accompagnait.

— Patsy, mon agent.

L'imprésario lui serra la main avec vigueur.

— Je suis vraiment enchantée, Bujar. J'espère que vous êtes bien installé. Jason s'est donné beaucoup de mal pour trouver cet appartement. Que lisez-vous là? Garçon, deux mangue-citron, s'il vous plaît.

Le metteur en scène vacilla sous le flot de paroles. Une gorgée de martini lui fit reprendre pied. Il choisit de répondre à la question et d'ignorer le reste.

— C'est une bonne nouvelle, ce traité. Un moment historique, même, je dirais.

L'agent jeta un coup d'œil distrait sur le titre, tout en prenant place.

— C'est intéressant, oui. Reste à savoir s'il sera appliqué.

L'Albanais s'étonna.

— L'Europe et l'Organisation de coopération de Shanghai acceptent le principe d'un désarmement global, et tout ce que vous trouvez à dire, c'est que c'est «intéressant»?

Lisa-Liz pressait son citron. Bujar Meta observa les doigts effilés. Cheveux blond cendré. Elle ferait une Hélène capable d'embraser toute la plaine de Troie. À condition de pouvoir se mettre d'accord sur le contrat. Malavoy l'avait prévenu. En Amérique, ces questions-là se règlent en premier. Surtout en ces temps d'incertitude économique.

— Désarmement global, c'est à voir, poursuivit l'imprésario, qui abordait les sujets les plus graves avec une bonhomie désarmante. Un traité ne veut rien dire. Tant de choses peuvent se produire, les alliances se renverser. D'ailleurs aucun pays un tant soit peu responsable ne voudra se défaire de son arsenal nucléaire et se rendre vulnérable.

Lisa-Liz s'ennuyait.

— Et si on parlait du rôle?

— Tu as raison, ma chérie. Jason nous rejoindra-t-il?

— Impossible aujourd'hui, expliqua le metteur en scène. Il rencontre l'administrateur du Théâtre. Il en a pour la journée. Mais il vous salue, Lisa-Liz, et vous aussi, Mrs. – comment déjà? je n'ai pas retenu votre nom.

— Qu'il est charmant! s'exclama l'imprésario. Patsy Valenstein. Voici ma carte. Ne la perdez pas, car nous aurons sûrement l'occasion de nous revoir pendant votre séjour. Vous assisterez à la première de *My Fair Lady* demain soir? On dit que le président Cummins y sera. On ne le voit pas souvent aux premières, celui-là. Heureusement que la première dame aime la culture.

Un raclement interrompit le discours. Lisa-Liz aspira encore un peu d'air avec sa paille pour montrer sa désapprobation, puis repoussa son verre. On travaillait, oui ou non? La première, l'actrice posa les questions. Elle savait qu'il la voulait pour ce rôle, elle n'avait donc pas besoin de le séduire. Mais l'histoire de la découverte archéologique à l'origine de la pièce était en soi fabuleuse et, comme tout le monde, elle était fascinée.

— Je suppose que vous vous êtes précipité sur le site quand vous avez appris la nouvelle?

Jusque-là Bujar Meta n'avait pas fait attention à sa voix : grave, chaude, étonnante avec ce physique gracile. C'était prometteur.

— Je ne suis pas archéologue, Miss, mais metteur en scène. Il se trouve que les fouilles ont eu lieu en Albanie et que je suis Albanais. Cela m'a valu d'être le premier à porter à la scène ce grand texte. Quand on a trouvé le papyrus, j'étais en Grande-Bretagne, pour tout vous dire. Je répétais une pièce de Heiner Müller que nous devions jouer au Festival d'Édimbourg. Comme vous, sans doute, j'ai appris la découverte par la presse. Dès que j'ai pu, j'ai fait en sorte de me procurer une traduction de la nouvelle tragédie. J'ai dû tout de même attendre deux ans.

— Ah bon? Pourquoi?

La jeune personne ne doutait de rien.

— D'abord, il a bien fallu authentifier le papyrus. Les examens ont révélé qu'il s'agissait d'un original datant de l'époque classique.

Elle fit la moue.

— C'est-à-dire.

— Les historiens divisent l'histoire de la Grèce antique en trois périodes : archaïque, classique et hellénistique. La période classique couvre en gros les Ve et IVe siècles avant notre ère.

Discrètement, l'agent consulta sa montre et nota l'heure sur son carnet.

— Je croyais que tous les papyrus étaient égyptiens, Cléopâtre et tout ça.

— C'était un support courant dans l'Antiquité, et pas seulement dans l'Égypte ancienne. La question à se poser est plutôt comment une tragédie d'Eschyle – selon l'hypothèse la plus défendable – a pu aboutir à Épidamnos.

Le visage de l'actrice ne montra aucune curiosité. Le metteur en scène corrigea le tir.

— Vous aurez un grand rôle dans une grande pièce, Lisa-Liz.

— Avez-vous les droits pour le cinéma? l'interrompit l'agent.

Meta ne resta désarçonné que quelques secondes.

— Je fais du théâtre, madame, pas du cinéma. Et quant aux droits, l'auteur, comme vous le savez, est mort depuis longtemps.

— Dommage pour le cinéma. Lisa-Liz a déjà auditionné pour Montero, qui l'aurait retenue, si le film s'était fait. Mais les tournages en Chine sont devenus hors de prix maintenant, avec le cours du yuan.

Vous verrez, l'avait prévenu Malavoy, dans un long monologue amer, quand ils s'étaient revus en ville au lendemain de la représentation à Tirana. L'ambiance là-bas n'est pas terrible en ce moment, et le retrait de l'ONU n'arrange rien. Cette mentalité d'insulaire finira par nous perdre. Vous savez qu'on trouve de tout sur l'île des États-Unis, railla-t-il, et ce qui nous manque, les céréales, le bois et l'eau, notre voisin du nord le fournit. Pour ce qui est de l'énergie, les méthaniers gomment très bien les distances. Du coup, il est tentant, pour nos dirigeants, de jouer la carte protectionniste, d'envoyer paître l'Organisation mondiale du commerce et de soutenir que nous pouvons vivre en autarcie.

Sur le plan culturel, le même raisonnement pervers prévaut en ce moment. Malgré tout, je continue de croire à l'importance de la grande culture – aux États-Unis comme ailleurs. Dans notre histoire, celle-ci s'est souvent nourrie d'apports étrangers. Votre arrivée sera un bol d'air pour ceux qui résistent. On en est là, Meta. Je connais plusieurs Américains de valeur qui ont choisi d'émigrer. C'est une épine dans le pied du président. Comment peut-il faire des États-Unis un modèle de démocratie et de développement économique, quand les meilleurs cerveaux fuient à Montréal, en France ou à Tokyo? Même l'université de Vienne est en train de renaître depuis que le professeur Kulinka s'y est vu confier la chaire de philosophie et qu'il a attiré là-bas la crème des professeurs et des étudiants européens. La réponse de Cummins à cette saignée a été de fermer les frontières. Personne n'entre, personne ne sort. Enfin, j'exagère un peu, puisque je suis confiant de pouvoir vous obtenir un visa sans trop de problèmes. Mais c'est bien parce qu'il y aura une date de retour inscrite dessus, billet d'avion à l'appui.

Malavoy avait repris une gorgée de vin. J'espère que ce tableau pessimiste, loin de vous dissuader de venir présenter la pièce à Boston, vous donnera au contraire envie de le faire. Pour ma part, j'ai décidé depuis un moment de rester aux États-Unis, et je ne suis pas le seul. On peut encore faire des choses dans ce pays, même si c'est devenu de plus en plus compliqué avec le *New Patriot Act*, sans parler du *Morality*

Pact, qui a rétabli le vieux métier de censeur. Si vous saviez le temps que je passe à discuter avec ces gens. Rassurez-vous, ce ne sera pas votre rôle. Vous aurez déjà assez à faire avec le choix des comédiens et les répétitions.

Meta jeta les yeux sur le document que l'imprésario venait de sortir de son sac.

— Ce n'est qu'une proposition, dit la dame, charmante. Mais l'essentiel y est. J'ai pensé qu'on gagnerait du temps de cette façon. Voyez ça avec Jason. N'hésitez pas à modifier ou à ajouter des clauses au besoin. Je relirai le tout avec attention. Lisa-Liz a tellement hâte de répéter son rôle, n'est-ce pas, ma chérie?

La jeune femme, au profil de médaille, regardait droit devant, comme perdue dans ses pensées. Quand ils voyaient Hélène se promener sur les remparts, dit le poète, même les vieillards de Troie pouvaient croire leur vigueur retrouvée.

Tandis que l'automne flamboyait et que la pièce jouissait d'un succès d'estime qui consolait du reste, Bujar Meta fut invité à une réception entre amis, chez Jason Malavoy. En principe, il n'aimait pas trop ce genre de mondanités, peu importe où. À Tirana, on fêtait l'enfant du pays qui avait du succès à l'étranger et, ici, on le regardait comme une bête curieuse. Dans les deux cas, il se sentait inadapté. Mais il accepta l'invitation par égard pour son hôte. C'est ainsi qu'à un moment donné, il se retrouva à partager un canapé avec un grand jeune homme. Mince, racé, ce dernier était le conservateur d'un Musée des civilisations situé quelque part au nord. Tels sont du moins les renseignements que le causeur avait réussi à glisser sur son compte après quelques minutes de conversation. Quand Meta l'entendit parler français avec la directrice artistique du Boston Ballet, il décida de faire plus ample connaissance. Faisant appel à toutes ses réserves d'urbanité, il reprit l'échange.

— Français?

— Si peu. Né Canadien et maintenant Québécois, répliqua le conservateur avec humour.

La réponse l'intrigua. Voilà qui allait le changer du boycott des produits américains. On ne parlait que de cela en ce moment, même dans les cercles cultivés, qui comprenaient la situation tout en en subissant le contrecoup. Depuis son arrivée aux États-Unis, Bujar Meta avait tout entendu à ce sujet. Pour la première fois, cette année, aucun cinéaste américain n'avait été invité à Cannes. Et Jude Masonis avait vu le Nobel de littérature lui passer sous le nez une fois de plus. Le boycott faisait mal, mais que faire? Dès le début, les États-Unis avaient été en porte-à-faux sur la scène internationale. Comment un État pouvait-il répondre à la mobilisation de l'étranger, alors qu'elle était avant tout citoyenne? Quoi qu'il en soit, le retrait du pays des grandes instances internationales n'allait pas arranger les choses, ici, à Boston, tout le monde en était convaincu. Et, à moyen terme, voilà qui donnait raison aux génusiens et à leur projet de gouvernement mondial. Un peu partout dans le monde, en Europe, bien sûr, mais aussi en Inde, et même le Maghreb s'y mettait maintenant, on entendait parler du projet comme d'une solution somme toute réaliste. Il n'y a qu'à penser, disaient ses défenseurs, à ce que le GNU aurait pu faire avec le krach de l'armement, il y a trois ans. Peut-être qu'au départ ses dirigeants n'auraient pas su non plus en repérer les causes. Les mouvements de capitaux sont si imprévisibles et la confiance des investisseurs si fragile. Mais au moins tous les pays auraient agi de concert.

L'effondrement du marché des armes, en particulier, restait un mystère. Pourquoi des groupes comme Galley Investments ou Norutex s'étaient-ils mis à brader leurs titres, créant la panique parmi les gestionnaires de fonds de pension et les petits actionnaires? Et les Bourses de Toronto, New York, Tokyo, Shanghai et Francfort avaient été aspirées dans la tourmente.

Bujar Meta avait suivi le feuilleton avec un mélange d'inquiétude et de joie. L'artiste dans sa tour d'ivoire, très peu pour lui. Son époque le passionnait et l'indignait à la fois, mais il ne la fuyait pas. Il la reconnaissait dans le public qui venait voir ses pièces, dans la fragilité de ses comédiens, dans les préoccupations des directeurs de théâtre qui lui ouvraient leurs portes. Toute sa démarche esthétique consistait donc à la saisir à bras-le-corps pour qu'elle dialogue avec le passé et l'avenir, ce qui lui valait une réputation de metteur en scène engagé auprès d'une critique paresseuse. En réalité, Bujar Meta cherchait un dénominateur commun à l'infinie variété humaine.

Ce Québécois, par exemple, Nord-Américain de langue française. Alliage singulier. C'est tout ce qu'il savait de ce peuple, hormis les soubresauts politiques des derniers temps.

— Mais alors dites-moi, monsieur, je ne suis pas sûr d'avoir bien compris : le Québec est-il indépendant, oui ou non?

Il aperçut Hélène de Troie, tout au fond de la pièce, accompagnée de son cerbère, et Malavoy qui arrêtait un serveur pour offrir aux dames leur mangue-citron. Tout était si différent, ici. Huit mois s'étaient écoulés depuis son arrivée, qui lui paraissait beaucoup plus lointaine. Il est vrai que le directeur du Huntington Theater multipliait les occasions de rencontres et le présentait à des tas de gens. Il avait même été invité à une résidence d'auteur dans un collège du Vermont. Trois jours à parler d'Eschyle avec des étudiants triés sur le volet, dans des bâtiments néo-gothiques fleurant bon l'Angleterre de Byron et de Thackeray. Et pourtant, Meta ne maîtrisait toujours pas les codes. Empêtré dans le bon usage des prénoms et des cravates, il faisait tantôt vieille Europe, tantôt malappris.

Une jeune femme lui tendit un plateau et il opta pour une boule de melon enrobée de prosciutto. Encouragé par son voisin, il prit aussi du saumon fumé.

— On ne fait plus la différence, n'est-ce pas? fit remarquer le Québécois, tandis que Meta faisait un sort aux deux bouchées. Là-bas, au nord, toutes les fermes d'élevage ont été reconverties, et la bioviande est tout à fait entrée dans les mœurs, contrairement à ici. Mais on peut faire confiance à Jason Malavoy pour dénicher les bons fournisseurs.

Le metteur en scène regarda par la fenêtre la nuit qui tombait. Petit garçon, il observait la lune et avait du mal à croire que des hommes s'y étaient posés, y avaient vécu, en avaient exploré les creux et les bosses. Il était trop vieux maintenant pour croire sérieusement à la légende du bonhomme dans la lune, mais il avait grandi avec sa mère et son grand-père, et ce dernier lui avait appris à regarder autrement la réalité. L'aïeul rêveur savait-il qu'il instillait là un goût pour le théâtre? C'est sans doute pourquoi Pâris ne lui était jamais apparu comme une figure mythologique, mais comme un être vivant, capable, à deux mille ans de distance, de parler à d'autres vivants.

Pour en arriver à penser ainsi, il avait dû abandonner un peu de terrain rationnel. L'Olympe, l'Arcadie, la bouche des Enfers : les anciens Grecs savaient exactement où les trouver; ils ne ressentaient pas pour autant le besoin de s'y rendre. Leur curiosité était spéculative, avait-il expliqué aux jeunes gens du Vermont, elle n'avait pas besoin de posséder comme la nôtre, qui broyait tout ce dont elle s'emparait. Après avoir épuisé le mystère de la Lune, on allait maintenant explorer Mars. Certes il se réjouissait de l'initiative, mais il ne pouvait s'empêcher de s'interroger sur les mobiles inavoués d'une telle exploration. Pourquoi la conquête de l'espace se révélerait-elle différente, disons, de la conquête du Nouveau Monde en son temps? Les étudiants l'avaient regardé comme une bête curieuse.

— Vous comprenez, reprit le Québécois bavard, l'alignement de la politique canadienne sur celle des États-Unis a réussi là où un siècle de nationalisme avait échoué. Elle a précipité les Québécois dans l'indépendance politique. Mais tout n'est pas dit car nous devons inventer un modèle d'État-nation, monsieur, tout à fait inédit, je vous assure. Voilà pourquoi la situation peut paraître complexe, vue de l'étranger.

Une demi-heure plus tard, Bujar Meta, moulu, rentrait en taxi. Encore une soirée de perdue en conversations vaines. L'Amérique lui échappait, ce n'était pas plus mal, puisqu'il rentrait après-demain.

24

Grand Clerc de l'Ordrun. Quel Un-Soi ne voyait pas approcher avec fierté le moment où il accéderait à cette haute fonction. Debout, la spirale tournoyante bien en vue au-dessus de lui, il se savait, la durée de quelques soleils, détenteur d'un capital singulier. Arbitre des débats, dépositaire de la règle Une, pivot de tous les échanges, il n'était maître de rien, mais gouvernait tout, durant ce sommet de civilisation qu'incarnaient Xall et l'Unicité.

En principe, la qualité d'Un-Soi, inhérente au statut de représentant sur Xall, rendait chacun éligible au titre. Des quatorze mille cinq cent vingt-trois Un-Soi siégeant dans l'Aire, nul ne pouvait se croire exclu. Il suffisait d'attendre son tour. En pratique, cependant, quelques rares représentants à l'existence sporadique ou dispersée ne pouvaient prétendre à la fonction, pour d'évidentes raisons. Uotwot en faisait partie.

Uotwot, qui, à en croire certains érudits, voulait dire «Je», témoignait en réalité des limites du programme empathique réquisitionné par Exotrad pour établir la communication avec cet être singulier. Uotwot-Je, c'était faute de mieux. Mais l'incertitude ne s'arrêtait pas là. Uotwot, seule créature de son espèce, était tout à la fois peuple, représentant et représenté. Et il était immatériel, même s'il gardait, enfouie au plus profond de son être évanescent, la vague conscience d'avoir, naguère, été matière. De même, et plus diffuse encore, gardait-il la sensation d'avoir été plusieurs. Aucune nostalgie dans ces réminiscences, aucune souffrance, aucun regret. Uotwot ne s'enfermait pas dans sa solitude. Il était la solitude même, fuyant, apparaissant, disparaissant.

Et pourtant vivant. Nul Un-Soi ne pouvait plus en douter lorsqu'il voyait, en de rarissimes occasions, la loge de Uotwot s'animer d'une pâle couleur évoquant la curiosité. La lueur était fugitive, mais bien réelle. Et si, hypothèse tout à fait invraisemblable, il s'était trouvé quelqu'un parmi les quatorze mille cinq cent vingt-trois représentants Uns pour vouloir alors échanger avec Uotwot, il aurait sans doute éprouvé avec trop de force le vide qui poussait ce dernier à hanter sa loge dans ces moments-là, et se serait détourné de l'être, de peur d'en être atteint. Le vide qui aspire, telle était, paradoxalement, la force qui propulsait Uotwot, par intervalles, dans l'existence. Un mouvement, une transition, une esquisse de désir, une velléité de relation avec un «Tu» ou un «Il». Uotwot-Je éprouvait parfois cette impression. Cette fois encore, il se souvint du point «autres», il aperçut le «cercle», et sa loge se teinta d'une couleur incertaine.

Pouvait-il soupçonner ce qui l'attendait? En ce jour du premier mois du cycle de Lod, la mer des loges s'étalait dans l'Aire impatiente. Tous les Un-Soi étaient présents, y compris le voyageur Shoka-Ub, par holoviv. L'Ordrun avait été établi. Rien de notable à ce chapitre. La nécessité d'établir de nouveaux relais-lumière en direction des galaxies naines voisines allait mobiliser une partie des débats. La rumeur de l'Aire enflait, grosse de promesses. Soudain, aussi sec qu'un couperet, elle s'interrompit et un silence de mort accueillit l'arrivée du prochain Grand Clerc de l'Ordrun.

Partie du centre de l'Aire, la créature emprunta le puits de montée qui menait à l'espace arbitral, tous les magnifieurs tournés vers elle. Un murmure balaya l'Aire sur son passage. Il y avait certainement erreur sur la personne. Le Grand Clerc de l'Ordrun ne pouvait être celui-là qui s'avançait. Il n'en avait ni le droit ni les prérogatives. Et pourtant, l'inconcevable se produisit. Après qu'il eut gagné la tribune et salué son prédécesseur d'un bref signe de reconnaissance, le nouveau venu se tint droit, et la spirale emblématique, tout naturellement, se positionna au-dessus de sa tête. Stupeur accrue de la foule. Il était reconnaissable entre mille. Rien ne manquait. Debout, sa longue et blanche chevelure tressée, une parure de fête étalée sur la poitrine, le Premier Contacté humain avait posé une main nonchalante près du bouton de parole et contemplait l'Aire de l'Unicité comme une place conquise.

Le représentant jebase savoura le moment.

L'instant d'après, l'inquiétude le reprit. Son geste allait-il être compris? On y verrait bravade ou plaisanterie, on n'y verrait pas assez l'admiration et les convictions qui en étaient le moteur. Là-bas, sur $\lozenge$-GVH-18327-Γ, un petit groupe de Contactés s'employaient à protéger l'humanité contre elle-même. Réussiraient-ils? Qui s'en souciait, dans l'Aire, passé les débats autour de l'Exception de Nohog, en leur temps? Une péripétie dans l'ordre galactique, et voilà tout. La vie des peuples Uns suivait son cours. L'idée était intenable. La rotation des Un-Soi l'amènerait bientôt à occuper la fonction de Grand Clerc. C'est alors qu'Arnisar avait eu l'idée du stratagème.

Qui n'en était pas vraiment un. Dans un instant, pourvu qu'on le laisse parler, car déjà un tintamarre avait succédé à l'effarement quasi silencieux de son arrivée, il allait tout expliquer. La veste était-elle à la bonne hauteur? le pectoral bien ajusté? Il se tâta. Pas question de se défaire de ses contours humains. Ils incarnaient un principe, ils étaient un aide-mémoire, une arme dirigée contre la bonne conscience Une. Il parla :

— Je suis l'Un-Soi Arnisar, représentant du peuple jebase et Grand Clerc de l'Ordrun durant les sept prochains soleils.

Des exclamations d'étonnement accueillirent la révélation d'une part, tandis que des bourdonnements courroucés se firent entendre ailleurs. Et un peu partout, ce ne furent qu'agitation, trépignements et soupirs réprobateurs. Même la succession de couleurs qui parèrent fugitivement la loge de Uotwot passèrent inaperçus. Arnisar leva une main humaine.

— Jadis, ici même, j'ai exprimé l'admiration que voue mon peuple aux humains. Mais aujourd'hui, alors qu'ils luttent pour leur survie, je refuse de me payer de mots quand je peux faire plus et mieux. Frapper les esprits. Les obliger à réfléchir.

Peu à peu, le silence revenait.

— N'ayez crainte. Je remplirai mes fonctions de Grand Clerc de l'Ordrun avec toute la rigueur que vous pouvez attendre d'un Jebase lorsqu'il évolue sous son vrai jour. Mais voilà plusieurs soleils que je soigne cette apparence et j'ai bien l'intention de ne pas la quitter jusqu'à la fin de mon mandat.

On l'avait écouté. L'avait-on entendu? Arnisar venait à peine de conclure que les cris reprirent. L'Unicité n'avait jamais connu une telle pagaïe. De nombreuses loges étaient allumées, mais personne ne semblait se soucier d'obtenir un ordre de parole avant de se mettre à piailler dans toutes les langues et avec tous les sons possibles. Exotrad était débordée par la tourmente. C'était le chaos.

Au milieu très aléatoire de ce maelström, Uotwot flottait, en quelque sorte. Car celui qui est indifférent à tout se retrouve fatalement au-dessus de la mêlée. Pourtant, «flotter», «au-dessus» n'étaient pas les termes qui convenaient pour décrire l'étrange remous qui s'emparait progressivement de son être. Stimulé par les cris, les ondes, les bruissements, les encouragements, les protestations, les déplacements d'air excédés, l'agitation dans les loges, les pianotages frénétiques sur les boutons de parole, quelque chose d'indéfinissable étendait en lui ses ramifications et lui conférait une assise nouvelle. Expulsée du chaos, la matière intégrait son être. La vie revenait en force. Quand il se perçut comme incontestablement distinct d'autrui, Uotwot comprit que ce moment de conscience n'était qu'une étape. Une ancienne structure se rappelait à sa mémoire. Le processus de régénération était amorcé. Il allait se solidifier, se nourrir, échanger, penser – il allait vivre.

Il exhala un souffle.

Celui-ci avait dû être tonitruant, car l'Aire se figea. La cacophonie prit fin. Les magnifieurs pivotèrent. Incrédules,

les Un-Soi regardèrent la créature se régénérer sous leurs yeux.

— Nous vivons un moment historique, commenta l'Un-Soi Osul, solennel.

La vie. Valeur suprême de l'Éthique Une. Là, concrète, jaillissante. Du reste, la transmutation de Uotwot avait bel et bien lieu, des membranes apparaissaient.

Les voyants de cinq Un-Soi du Protectoire s'allumèrent quasi instantanément. Le Grand Clerc de l'Ordrun comprit qu'il devait reprendre la situation en main.

— La parole est au Structasensi Zvano-Ub, claironna-t-il.

Sobrement, celui-ci fit mine de ne pas avoir remarqué les contours humains du Grand Clerc.

— La régénération d'une espèce est un événement trop rare pour être traité à la légère. À chacun d'en emporter le souvenir dans sa conscience. Et pour cela, il faut silence et solitude. Je propose l'ajournement de la séance, sans fixer le soleil de retour. Nous le déterminerons plus tard.

Arnisar, consterné, vit l'Aire se couvrir de la couleur approbative. On n'allait pas lui enlever une telle chance, aussitôt offerte. Mais les Un-Soi avaient parlé. Il fallait se soumettre.

Par conséquent, il se soumit et ratifia l'ajournement de l'Unicité. Tout n'est pas fini, le consolait une petite voix intérieure, tandis qu'il voyait plusieurs Un-Soi progresser lentement vers la loge de ce Uotwot. Tu ne t'es pas donné ce mal pour rien, reprenait la voix. Tu vas garder ton apparence humaine. D'autres lieux t'attendent. Dehors, sur la Place du Lien, sur l'esplanade des Quatre-Bras, tu rappelleras chaque fois l'action humaine, la grandeur humaine, toutes ces réalités qui participent également de la vie galactique. Par la suite, tu retrouveras ceux de ta délégation pour le commentaire. Ressaisis-toi. Sors. Tu es Mountain. Montre-le à tous.

25

La météo était au beau fixe, ce qui avait mis en joie les génusiens. Tom se tourna vers leur porte-parole qui s'extirpait de la voiture.

— Vous avez l'air remué, monsieur. Ce n'est quand même pas la première fois que vous mettez les pieds dans cette ville?

— Ce n'est pas Washington qui me trouble, protesta Mountain lentement. C'est l'air, le paysage, le ciel très haut. En Amérique, le ciel est beaucoup plus haut qu'ailleurs, vous n'avez jamais remarqué? C'est particulièrement vrai par beau temps.

— Vous allez leur parler de météo, demain? plaisanta le jeune homme, tout en lui retirant sa valise des mains. Si vous voulez, on ira faire quelques pas dans le Mall, une fois enregistrés à l'hôtel.

Mais à peine posé le pied sur la première marche, l'accompagnateur comprit qu'ils étaient dans le pétrin. Ils surgissaient des buissons. Ils accouraient de la piscine. Et Tom pouvait apercevoir leurs têtes à l'intérieur. Prestement, il fit signe au chauffeur, et Mountain réintégra la limousine, tandis que le jeune homme s'engouffrait dans la porte-tambour. Prise d'assaut, la voiture était devenue aussi opaque qu'un morceau de bakélite. Lentement, elle s'éloigna, une nuée de journalistes aggripés à ses flancs. À la réception, Tom échangea un regard complice avec la jeune femme, qui lui remit sa carte-clef. Suite 2341, lut-il, avant de la faire disparaître.

— Ils sont là depuis longtemps?

— Depuis hier.

Imperturbable, elle ajouta :

— Par les jardins intérieurs. Allée des Cerisiers. Vous trouverez la porte après le bassin.

Tom ressortit et attendit la voiture devant l'entrée du parking souterrain. Elle était bien loin l'époque où la présence de cinq cents spectateurs était fêtée au champagne. Avec Mountain comme porte-parole, ce temps était heureusement révolu. Quelle force de conviction chez cet homme. Le gouvernement mondial, martelait-il sur toutes les tribunes, n'est pas un souhait ni une vue de l'esprit. C'est une nécessité. Fouad, Teresa et même Anton, qui avait tout vu et tout entendu dans sa vie de reporter, n'en revenaient pas de la performance. Ils en étaient à gérer les débordements, c'est dire.

La voiture réapparut, allégée de ses poursuivants. Tom activa le code du parking et la limousine entra sous terre, le jeune homme à sa suite. À la guérite, il montra les ascenseurs et leva un index : il les retrouverait dehors. Quelques instants plus tard, le porte-parole de MAGNUS pouvait enfin remonter paisiblement l'allée des Cerisiers.

Sur le bassin, des canards tournaient en rond, mélancoliques. Mountain les observa au passage. Serait-ce là tout ce qu'il verrait du pays natal? Le plan d'eau d'un grand hôtel de Washington? Une foule électrisée demain? Il se sentit las, et le voyage traditionnel qu'il avait dû faire avec Tom n'était pas en cause. La faute en était à cette maudite notoriété, qui lui volait son retour au pays.

À cette heure de la matinée, les jardins étaient déserts, à l'exception du jardinier et de son fils, occupé à nourrir les canards. L'homme leva les yeux. À l'autre bout de l'allée, Tom s'était déjà emparé du bagage, il avait donné un pourboire au chauffeur et se tenait prêt à refermer la porte dès que Mountain l'aurait rejoint. Trop tard. Le gamin s'avançait, poussé par son père, plus impressionné encore.

— Monsieur, dit l'enfant, d'une voix flûtée, tu veux signer ton nom sur mon sac?

Mountain s'exécuta de bonne grâce.

— Ce n'est qu'un enfant, s'excusait le père. Mais moi je connais bien vos idées. Je vous ai suivi partout en *e*vision. J'ai écouté tous vos discours. Il était grand temps que vous veniez ici.

Mountain hocha la tête et retrouva Tom. La suite lui parut trop vaste. Il choisit la seconde chambre, plus petite, et se laissa tomber sur le lit.

Nohog, Noam, Isaura, Mizuki la très vieille et les autres, les ombres amies défilaient à son chevet, tandis qu'il regardait par la fenêtre danser le soleil dans les frondaisons du jardin. De l'air, avait-il protesté en entrant, et Tom, qui savait depuis longtemps quoi faire, avait aussitôt éteint la clim et ouvert la fenêtre. Une brise agitait les rideaux, tandis que l'Observateur et les Dix faisaient barrage autour de son lit pour en chasser les pensées inutiles. Tom s'était éclipsé. Il lui en fut reconnaissant. Le discours de demain serait décisif, il le savait. Mais comment se préparer à ce qui devait couler de source? Tous les ingrédients étaient réunis. Il y avait le message des génusiens, bien connu de lui maintenant. Il y avait les mots qu'il ajoutait, sans le dénaturer. Et il y avait la foule.

— C'est à Smolensk qu'il a employé le mot pour la première fois. On était tous de la même prairie, voilà l'image qu'il a utilisée. Sans barrières, sans barbelés. La vie qui court. Dit comme ça, c'est un peu ridicule, mais je paraphrase. L'exposé, lui, était mémorable. Tu aurais dû être là.

— J'imagine très bien, avait murmuré Renu, ce jour-là, mais Anton avait son regard lointain, et elle n'avait pas insisté.

Mountain croisa les bras sous la nuque. Quand Renu lui avait rapporté la scène, il n'avait pas bronché. Il n'avait pas besoin d'être rassuré sur la force de son verbe. Il voulait juste qu'on le laisse un peu tranquille, qu'il n'en soit pas réduit, certains jours, à soupirer après sa vie d'avant les génusiens.

Un coup discret à la porte. Ce jeune homme était parfait. Il n'y avait rien à lui reprocher, pas même l'entrevue qu'il allait maintenant accorder à Nanina Burgess, puisqu'il avait donné son accord. Il faut dire que Teresa n'avait pas lésiné sur les épithètes et lui avait un peu forcé la main. Le plus grand talk-show américain, une intervieweuse intelligente, une faiseuse de réputations – il s'en fichait –, particulièrement douée pour la communication – et alors? –, dont l'émission jouait un rôle prescripteur – ça, c'était plus intéressant, la conférence n'en serait que plus courue. Et puis c'est eux qui se déplacent, non?

— Ils sont là, monsieur, murmura le jeune homme de l'autre côté de la porte.

Un froissement de tissus le rassura, et Tom retourna auprès de Nanina Burgess, qui refusait pour la seconde fois le café qu'il avait fait monter pour eux.

La porte de la chambre s'ouvrit peu de temps après et le vieil Indien, droit, presque raide, s'avança vers la jeune femme. Les techniciens se figèrent, sous le regard inquiet de l'animatrice. Ils étaient ses baromètres. S'ils étaient captivés par l'interview, c'est qu'elle avait été bien. S'ils opéraient d'un air blasé, c'est qu'ils n'avaient rien compris ou que l'invité avait été verbeux et nul. Mais que penser de techniciens qui se figent avant même que son interlocuteur n'ait ouvert la bouche? Nanina Burgess se confia à sa bonne étoile et se leva pour aller à la rencontre du célébrissime invité.

— Mountain? Mr. Norton? comme sur votre passeport? comment devrais-je vous appeler?

Et elle minauda pendant toute la durée des tests, croyant ainsi venir à bout de son trac. Une heure plus tard, l'interview allait son train, nerveuse, bondissante. Ils en étaient aux villes où le conférencier était passé. Ses fiches, tournées et retournées entre ses mains, donnaient à Nanina Burgess des airs d'écolière.

— Dites-moi, Mountain, dans quelle langue pensez-vous en rédigeant vos discours? Au fait, combien de langues au juste parlez-vous? Dix? Douze? Vous êtes un phénomène, vous savez.

Il retint un mouvement d'impatience. On lui avait parlé de quelque chose de sérieux. Il fut laconique.

— J'ai toujours aimé les langues étrangères.

Elle compta sur ses doigts.

— Il y a l'anglais, l'arabe, le chinois.

— Le cantonais, seulement, protesta-t-il.

L'ironie passa inaperçue.

— L'espagnol, le français, le russe, l'italien, l'hindi. Sans compter une ou deux langues autochtones, je suppose.

Un masque impénétrable lui répondit. La caméra s'en empara. Le masque s'anima.

— Pour ce qui est de la langue des discours, je ne rédige rien, madame, quelques notes tout au plus. Je parle de tête et de cœur. Et je tâche de ne pas perdre le fil. Quant au reste, je fais confiance à mon sujet.

L'intervieweuse refusa la perche tendue. Quelle importance, le rassemblement de demain? Elle s'en fichait. S'il crevait l'écran, s'ils étaient accordés, elle maîtresse du jeu, lui s'abandonnant à la confidence, s'il était le faire-valoir de son talent, si le show était bon et donnait envie au public de prendre d'assaut le forum *evi* de l'émission, voilà ce qu'elle ne perdait pas de vue, sans cesser de scruter le visage raviné, qui la troublait, bien qu'elle en eût vu d'autres. Il émanait de cet Indien un mélange de sagesse et d'humilité qui donnait envie de se taire. Pour qui faisait profession d'interviewer les gens, ce n'était pas souhaitable. Heureusement, l'expérience venait à son secours.

— Vous êtes un Nez-Percé, ai-je lu quelque part. La tribu compte maintenant cinq mille membres et est l'une des plus riches des États-Unis. Que pensez-vous de Pokertown? Est-ce une bonne idée? On est loin du tissage de perles!

Mountain revit le troupeau offert au conseil tribal quand il s'était défait du ranch. Six cents chevaux appaloosa, élevage de choix, cadeau royal. Il eut une pensée pour Teresa, qui s'était réjouie de l'occasion offerte par l'interview. Et il se souvint des conseils d'Anton : «Elle va vouloir vous entraîner sur son terrain. Restez sur le vôtre. Ne cédez pas. Soyez relax.» Demain, il y aurait au moins cent mille personnes dans le National Mall. Il se concentra sur chacune d'entre elles.

— La richesse des Nez-Percés a toujours été les chevaux, madame. Les jeux de hasard n'auront été qu'un hasard, précisément, dans le cours de leur histoire. Mais il y a plus important. Voulez-vous savoir ce qui me préoccupe vraiment?

Les yeux de l'animatrice pétillèrent devant la confidence annoncée, puis s'écarquillèrent d'incompréhension.

— Ça!

Du doigt, il montra les caméras.

— À l'heure qu'il est, partout sur cette planète, dans la moindre cahute, un poste evi déverse un flot continu d'opinions communes, de désirs simultanés, de besoins impérieux, d'indignations partagées. Or la volonté d'instaurer un gouvernement mondial fait appel à l'intelligence de chaque individu, à son sens critique, à sa capacité de réflexion et de discernement, toutes choses que l'evi, lorsqu'il abrutit, n'encourage pas. Pourtant je lui reconnais aussi un grand pouvoir de libération. Mais c'est quand il s'adresse à chacun qu'il a cet effet, pas quand il parle aux masses. L'evi est un outil parmi d'autres, dont s'est dotée l'humanité au cours de son histoire. De cet outil, sans y prendre garde, nous avons fait un rouleau compresseur qui passe et repasse depuis des décennies, sur vous, sur moi, sur nous tous. Un outil qui le plus souvent ne fait que répercuter la rumeur ambiante, sans distance et en la déformant. À quoi riment les catastrophes dont on nous abreuve chaque jour et qui ont lieu, incontestablement? Que pouvons-nous faire? Quel sursaut aurons-nous, et quand? Pour ma part, je ne veux pas ignorer ces questions. Et je ne suis pas le seul : il n'y a qu'à voir tous ceux qui se pressent aux conférences MAGNUS. J'ai parlé de rouleau compresseur. L'image vaut aussi pour ce que je veux dire maintenant, car je nous vois comme l'herbe qui se redresse après son passage. Cinquante mille, cent mille, trois millions, un milliard de brins d'herbe, qui finissent par traduire un formidable élan vers un gouvernement mondial, garant de la paix, à laquelle nous aspirons tous.

Les techniciens se tenaient cois. L'assistant réalisateur hochait la tête. Demande-lui s'il croit encore aux institutions politiques traditionnelles, stridula la réalisatrice dans l'oreille de Burgess, qui s'exécuta. Mountain s'étonna.

— Nationales, vous voulez dire? Vous pensez peut-être qu'un gouvernement mondial les rendrait caduques? Au contraire. C'est parce que chaque pays sera pourvu d'une forte identité culturelle et d'une tradition démocratique qu'il pourra greffer son rameau au tronc commun d'un monde solidaire.

— Parle-lui de l'ONU, s'impatientait la réalisatrice toujours dans son oreille

— Et que faites-vous de l'indépendance d'un pays comme le nôtre?

Le ton était sur la défensive.

— Nul n'est une île, madame. Et franchement, je ne vois pas comment les États-Unis seraient moins indépendants en abandonnant leur arrogance au bénéfice d'une concertation internationale.

Heureusement qu'ils étaient en différé. Un peu de montage et plus rien ne paraîtrait des propos séditieux. Cependant, l'animatrice avait perdu toute assurance. Au lieu de fixer l'intervieweuse à travers leurs objectifs, les cameramen échangeaient des mimiques entre eux, et ce n'était pas sur des questions techniques, ça, elle l'aurait juré. La réalisatrice avait peine à garder le silence, elle aussi. Ce Mountain les avait tous embobinés. Sèchement, Nanina Burgess mit fin à l'entrevue. On avait en boîte ce qu'il fallait.

26

Ils avaient prévu de descendre à l'arrêt devant le Lincoln Memorial, mais le pont Arlington, exceptionnellement, avait été fermé à la circulation, et il leur fallut traverser le Potomac à pied. Le bus repartit avec un bruit de pneumatiques. L'homme se pencha.

— Ça ira, fiston? Et quand tu seras trop fatigué, papa te portera sur ses épaules.

Ils mirent presque une heure à atteindre l'entrée du Mall. Le garçonnet s'était hissé sur les épaules de son père à mi-parcours et, tel un roi, dominait les vagues de têtes qui venaient frapper contre eux. L'enfant était très fier de son tee-shirt à l'effigie de Mountain, mais il n'était visiblement pas le seul. En revanche, qui pouvait se vanter d'avoir la signature de l'Indien sur son sac à dos?

À mesure qu'ils approchaient de la tribune, la foule se fit plus compacte. De plus, on suffoquait. Tout en haut, ça allait toujours, mais à hauteur d'homme il régnait une atmosphère d'étuve, et le soleil de plomb n'arrangeait rien. Le père engloutit la moitié de sa bouteille de soda. L'enfant, qui avait déjà bu, refusa une seconde rasade. Encore cinq cents mètres au moins. Il ne serait pas dit qu'ils s'étaient donné tout ce mal pour suivre la retransmission du discours sur les écrans. Ils se remirent en route.

Dans la caravane mise à sa disposition, non loin de la tribune, une agréable fraîcheur régnait, à l'ombre généreuse des ormes qui bordaient le Mall. Une seconde caravane servait à la logistique. Les deux abris avaient été repérés par la foule, le premier surtout. Mountain, tout à fait calme, observait à travers la baie vitrée la fourmilière venue l'entendre. De temps à autre, un quidam s'écrasait le nez sur la vitre et jetait un regard curieux à l'intérieur. Alors l'Indien, d'un geste souple, se rejetait en arrière.

Tom répéta la leçon.

— Les policiers viendront à quatorze heures. Ils connaissent l'itinéraire. Ils vous escorteront jusqu'à la tribune, qui se trouve à droite, en suivant l'allée latérale.

— Qui sera présent avec moi sur la scène? Pas d'officiels, j'espère. Teresa devait les prévenir.

— Cela a été fait, ne vous inquiétez pas. Pas de flonflons, pas de remerciements ampoulés. Vous serez le seul à prendre la parole. Vous avez deux heures au maximum. L'autorisation ne va pas au-delà. C'est ce qu'on nous a dit au bureau du maire.

— Et la presse?

— On lui a réservé des places devant, mais sur le bas-côté. Vous ne serez pas dérangé.

Tom hésita. Rome, dans un café du Trastevere. Où as-tu pêché ce mec? demandait Fouad, en se frottant les mains. Et Teresa : C'est Li Mei Fei. On est des sacrés veinards. Tom reprit de l'assurance.

— Monsieur?

D'un signe de tête, Mountain l'invita à poursuivre. Tout en rassemblant ses papiers, le jeune homme livra le fond de sa pensée.

— Je voudrais vous dire une chose, monsieur. Une foule aussi dense, c'est assez exceptionnel. Pourtant, avec mon job, j'en ai entendu des discours de chefs d'État. J'étais là quand le premier ministre Ayalon a accueilli les Palestiniens qui rentraient. Et aussi à New York, quand Cummins a coupé les ponts. Mais ici, ce n'est pas seulement le nombre, c'est la ferveur qui me frappe. Avec vous, la cause du gouvernement mondial n'aura jamais été aussi bien servie. Merci, monsieur. Pour nous, génusiens, vous êtes beaucoup plus qu'un porte-parole.

— Vous voilà bien bavard, Tom.

Ce dernier rougit et regarda sa montre.

— Ils devraient déjà être là.

— Alors tenons-nous prêts.

Mountain ajusta son pectoral.

La porte s'ouvrit. Dehors, un frisson parcourut la foule qui ondula en direction de la caravane. Un cri : C'est lui! Aussitôt, un cordon de policiers se déploya devant la porte, mais il eut du mal à contenir la ruée. Tu le vois? criait-on derrière. Accroche-toi, dit quelqu'un. Une vieille dame se mit à pousser en rouspétant.

Un second contingent de policiers entra dans la caravane, mais à leur vue Mountain eut un mouvement de recul. Des tasers, des boucliers, des casques. Tous parés pour l'assaut. Dehors, les cris se poursuivaient. Tom protesta.

— La foule est exubérante mais pacifique. On a l'habitude.

Le chef se présenta.

— Sergent Hutchinson. Pour votre protection, décréta-t-il. La caravane est cernée de contre-manifestants.

— Rangez au moins les tasers, dit Tom. Les boucliers suffiront.

— Vous allez me dire quoi faire, maintenant?

— Sortons, décréta Mountain.

L'Indien s'avança vers le groupe hostile. Il pensait : ils se calmeront quand j'aurai commencé à parler. Autour, on retint son souffle. Les slogans s'affrontèrent. L'Amérique vaincra! Une planète, un gouvernement! Dehors les traîtres, hurla une voix, qui s'attira aussitôt quelques répliques. Les poings se levèrent. Les caméras s'en donnaient à cœur joie. Mountain voulut parler quand soudain un remous se produisit sur la gauche et un policier à cheval fendit les rangs. Dans un claquement pressé, la monture et son cavalier intégrèrent le cercle autour de Mountain. On aurait dit une apparition d'un autre temps, en dépit des circonstances et du policier qui, sanglé dans son uniforme, chaussé de hautes bottes et casqué, paraissait on ne peut plus actuel. Le cheval avait une belle robe brune, bien lustrée. Il s'approcha de Mountain et vint renâcler contre sa manche. Le calme se fit.

L'Indien lui caressa l'encolure, tandis que le policier relâchait la bride.

— Faut pas penser que j'ai des préjugés, monsieur, dit-il en riant, mais on dirait bien qu'un cheval et un Indien, c'est fait pour aller ensemble.

Le cordon de sécurité se referma, déjà moins serré. Troublé, Mountain renouait avec des sensations anciennes. L'animal le fixait d'un air fraternel et il aperçut au fond de l'œil son propre reflet, minuscule. Le cheval croyait-il au pouvoir des mots? L'humanité allait périr. Ce pays était dans une impasse. Et lui, il devait trouver les mots.

Le silence s'était fait autour d'eux. Il faut y aller, murmura Tom. Un dernier tapotement et les sabots claquèrent. Le cordon s'ouvrit. Rendus muets, les contre-manifestants se fondirent dans la foule et virent le cheval, repris par son cavalier, frayer un passage au conférencier jusqu'à la tribune.

27

— Chers amis, commença-t-il, et aussitôt monta de la foule un cri de reconnaissance qui l'effraya, car il lui rappelait qu'à aucun moment il n'avait le droit de déraper. Un coup de vent fit claquer l'auvent derrière. Tous les micros étaient pointés sur lui, dans un bouquet monstrueux.

— Cher amis, vous êtes venus, aussi nombreux que les étoiles dans le ciel, et je vous en remercie. Mais aussi nombreux que nous soyons en ce lieu, nous ne sommes qu'une petite partie de l'humanité, qui n'est elle-même qu'une infime portion du vivant. Aussi gardons-nous de tout triomphe. Notre tâche est loin d'être terminée.

Il avait capté leur attention. Il devait la garder.

— Sur cette tâche ont pesé jusqu'ici les gouvernements, les partis politiques, les ambitions des grandes entreprises, la recherche du pouvoir, tout ce qui nous détourne de l'essentiel. Mais la vie est plus forte que toutes ces pesanteurs. Quelle différence y a-t-il entre un Américain, un Cambodgien ou un Malien quand tous errent sur la route, fuyant les éléments déchaînés ou la sécheresse? Aucune, mes amis. Il n'y a plus que des êtres humains, attachés à la vie de toutes leurs fibres. Mais voilà le paradoxe : l'être humain veut vivre et pourtant il est le premier à mettre en péril la vie.

Le souvenir de Sydney lui traversa l'esprit. Être concret.

— Partout dans le monde, des citoyens, des associations, des gouvernements prennent conscience qu'une nouvelle solidarité est nécessaire pour faire face aux bouleversements climatiques. Prenez l'Australie qui a décidé récemment d'ouvrir ses frontières aux réfugiés d'Asie. Ce geste, c'est le verre d'eau offert au voyageur, c'est une lumière dans la nuit, c'est l'humain qui va à la rencontre de l'humain. L'humanité se tient peut-être au bord du gouffre, comme l'affirment les scientifiques, mais elle réagit, et le gouffre recule.

La foule devenait bruyante. Mountain comprit qu'il devait revenir à l'échelon local. Son regard balaya les arbres, le ciel sans nuages, les gens.

— Je suis né en Amérique et j'y ai vécu la première partie de mon existence – celle qui compte. Je sais que l'Amérique essuie elle aussi les colères de la Nature et qu'ici aussi la mobilisation et l'entraide ont servi de remparts aux cyclones.

L'Indien pointa du doigt le Capitole derrière lui.

— Par ailleurs, j'entends parler de marchés à protéger, de ressources à s'approprier, de frontières à verrouiller, d'avenir à assurer. Mais quel avenir les générations futures seront-elles en droit d'espérer si nous-mêmes, dès maintenant, n'en avons pas?

Les banderoles adverses reprirent leur agitation dans un coin, ponctuée de slogans. Mountain fit comme s'il n'avait rien vu. Il revit son effigie, debout dans l'Aire, la spirale du

Grand Clerc de l'Ordrun oscillant au-dessus de sa tête, et le souvenir du Jebase l'amusa. Même dans les séances les plus houleuses, les représentants au sein de l'Unicité restaient dignes et ne perdaient pas de vue les règles du jeu.

— Ne cédons pas à la colère, mes amis. Ignorons le bruit. Efforçons-nous de comprendre le point de vue de l'adversaire. À quoi sert de se battre quand il faut discuter? À quoi sert de s'isoler quand il faut se concerter? Les États-Unis sont une grande nation, mais ils ne peuvent faire cavalier seul. Partout, je vois des chemins qui convergent. Et ce pays emprunterait un sentier solitaire? Pourquoi a-t-il quitté l'ONU? Pourquoi cette nation en tumulte, quand elle pourrait vivre en paix avec ses voisins et avec les autres nations? La paix, tel fut le but de l'ONU dès sa fondation. La paix, tel sera l'accomplissement du gouvernement mondial.

L'ovation fit taire les contre-manifestants. En cet instant, et même du haut de la tribune, Mountain sentit le sol vibrer sous ses pieds – le sol des ancêtres, de la lignée, de la continuité. Il accueillit l'image et repoussa les autres arguments gardés en réserve.

— Il y a près de deux siècles, des maisons s'élevaient ici, dans ce Mall, où habitaient des familles d'esclaves en fuite. Et devant ces maisons, il y avait des rails de tramway et des voitures tirées par des chevaux. Il y a quatre siècles, des marins débarquèrent de navires hollandais, français ou anglais, et avec eux des pionniers, aventureux ou persécutés, déterminés à s'enrichir ou prêts à renaître. Il y a six siècles, des bisons broutaient l'herbe autour des marécages. La fumée montait des campements nanticoke, powhatan et piscataway, et les enfants indiens couraient dans la prairie, derrière les lapins et les oiseaux. Il y a dix mille ans, des tribus venues du nord bivouaquèrent pour la première fois dans cette contrée. Elles cueillirent des baies, tendirent leurs peaux sur des branchages et, sans cesser d'être nomades, décidèrent de s'établir sur ce territoire immense.

Pas un son ne s'échappait de la foule et ne venait troubler le conte. Mountain inspira profondément.

— Nos ancêtres nous ont inventés, mes amis. Et comment ont-ils fait? Eh bien, ils l'ont fait jour après jour, en cultivant le sol, en maîtrisant la vapeur, en faisant jaillir l'électricité, en jouant avec le feu, en trompant la maladie, en devenant toujours plus forts, toujours plus maîtres de leur destin. Plus arrogants aussi. Plus destructeurs. Ils nous ont inventés, nous leur devons tout, y compris nos problèmes actuels. Mais nous, quels humains inventerons-nous?

Un long ruban de têtes d'épingle se déroulait depuis la tribune jusqu'à l'autre bout du Mall. Mountain frémit.

— Cette chaîne humaine qui court sur plus de deux cent mille ans va-t-elle s'interrompre avec nous?

Des applaudissements fusèrent. Il sentait battre le cœur de la foule, il tenait le fil, le vrai discours allait pouvoir commencer. L'euphorie le gagna. Il était un enfant, il courait et le soleil riait avec lui.

— La vie, qu'est-elle d'autre, sinon…

Alors, délicatement, comme tombe une feuille de chêne en été, Mountain s'effondra.

D'un bond, enjambant les câbles et les fils qui jonchaient les coulisses, Tom fut sur la tribune. Il s'approcha de l'Indien, lui souleva la tête et recueillit le sang chaud sur sa main. Il vit le trou bien net sur la tempe droite, et le cratère béant sur la tempe gauche, d'où s'échappait la cervelle. Il vit les jambes des policiers, allant et venant autour. Il vit les traits de l'Indien, sereins. Il ne semblait pas avoir souffert. Il était parti, ailleurs, loin. Tom sentit monter en lui une boule de sanglots. Brutale, elle lui déchirait les entrailles, lui montait à la tête, elle allait éclater. Parties des premiers rangs, la stupeur puis l'hystérie se répandirent dans le Mall.

28

La voix de l'assistant s'insinua dans la pièce.

— Monsieur Bissiri, on vous demande sur le poste trois. Monsieur Chifire, de Kiddo International. Vous le prenez?

Enfin. Où était-il donc passé, celui-là? Quand Seydou reprit place devant l'*evi*, il sut que la terre venait de trembler et que l'onde de choc serait sans fin.

Hébété, il regardait les images.

Il se leva.

S'approcha de la grande baie vitrée. La nuit tombait sur Johannesburg. Il fit volte-face. Au fond de la pièce, l'écran *e*vi dessinait une bande lumineuse. Il se dirigea vers la porte de son bureau, l'ouvrit. L'assistant, qui allait partir, leva les yeux, étonné. Il ne l'avait jamais vu ainsi.

— Vous désirez, monsieur?

— Faites venir Taj. Dites-lui de se libérer jusqu'à mardi. Qu'il assure l'intérim. Je file à Washington.

Isaura tourna vers Carlingua un regard incrédule. Aussitôt après, elle reconnut en elle le nœud des anciens jours, qui rend insensible. Les yeux secs, elle fixait l'écran *e*vi.

— Les salauds, balbutia le privé. Je les trouverai, où qu'ils soient.

Il esquissa un geste vers la nuque frêle et raide, mais n'osa aller plus loin. Il entendit une voix blanche, presque inhumaine à force de détachement.

— Rendez-vous dans la caverne. C'est la chose à faire. Passe le mot aux autres, veux-tu?

Mizuki fut la première arrivée. Elle trouva un Noam orphelin, qui classait ses souvenirs comme on referme un tiroir en jetant la clé. Les deux vieillards s'étreignirent. Quand ils se séparèrent, Chérif venait d'entrer. Ses yeux étaient rougis. Il prit place sans dire un mot.

Un à un, les Contactés gagnèrent la caverne, et le groupe se reconstitua. Renu arriva la dernière.

— Excusez-moi, j'ai dû attendre le retour de mon adjoint. Je ne pouvais pas partir sans prendre quelques dispositions.

Qui le pouvait? Seydou se souvint de la réaction de son directeur général.

— Je ne comprends pas, monsieur Bissiri. Notre bureau peut très bien faire le boulot sur place. D'ailleurs, ils ont déjà commencé à nous alimenter.

Tout ce qu'il savait, c'est qu'il devait sortir de là. Il n'avait pas réfléchi au prétexte. Le voyage à Washington lui avait paru une bonne idée. Après tout, il était le patron, oui ou non? Taj s'était incliné.

— Qu'est-ce qu'on fait? demanda Léa, quand il devint évident que le silence entre eux ne pouvait plus durer.

À Strasbourg, une minute de recueillement avait été décidée dans l'enceinte du Parlement européen. L'Europe, déclara le président du Conseil, était en deuil d'un visionnaire et d'un allié. Il s'agissait d'honorer sa mémoire en attendant les funérailles.

Carlingua interrompit Léa.

— Tu as bien dit les funérailles?

Il se tourna vers le groupe.

— Surtout qu'aucun d'entre nous ne s'avise de réclamer le corps. Ce serait trop risqué et mettrait les assassins sur notre piste.

— Mais on ne peut pas le laisser à la morgue, protesta Isaura.

La même voix blanche, mais haussée d'un cran. Carlingua se mit à faire les cent pas.

— Les gens de MAGNUS. Ils sauront faire le nécessaire. Renu, tu pourrais voir ça avec eux?

Peu à peu, la nécessité les rejetait dans l'action. De ce point de vue, la récupération du corps n'était qu'un aspect du problème, le plus facile, peut-être.

Le voyant de l'*evi* clignota. Li Mei Fei prit la communication, mais se tourna aussitôt vers Isaura.

— Lester. Il veut te parler.

Tous se regardèrent.

Isaura retrouvait les gestes sûrs. Elle se leva et se mit à l'écart pour s'entretenir avec celui qui avait été son pupille. Au fond de la pièce, sa voix n'était plus qu'un murmure navré.

— Deux principes doivent nous guider, énonça Mizuki, d'un ton qu'elle voulait ferme. Un : personne ne devrait être irremplaçable.

La voix se brisa en prononçant les mots sacrilèges.

— Je suis désolée, poursuivit-elle.

— Je vous en prie, madame.

Renu lui tendit un mouchoir. Mizuki secoua la tête.

— Nous formons une chaîne, ajouta-t-elle, il l'a souvent dit. Le maillon le plus fort de la chaîne vient de casser. Pourtant, il faudra bien la reformer.

Isaura réintégra le cercle à pas lents.

— Il est choqué, mais il tient bon. Il dit qu'il lui devait tout. Qu'il était mieux qu'un père pour lui.

— Et que va-t-il faire? interrogea Carlingua, inquiet.

— Rien. Il est avec nous en pensée. C'est ce qu'il a dit.

Noam se tourna vers la vieille dame.

— Et le second, quel est-il?

CŒUR BRISÉ.

Ils se cabrèrent. Le message les atteignit avec une netteté cruelle.

On veut tuer le Contacté Mountain.

— Merci du renseignement, dit Carlingua, lugubre.

Le message reprit : CŒUR BRISÉ. On veut tuer le Contacté Mountain.

— Il aurait pu se grouiller au lieu de se répéter, dit Chérif.

À l'amertume s'ajoutait l'exaspération.

— Il ne sert à rien de blâmer l'Observateur d'avoir été lui-même, commenta Mizuki.

Ce n'était que bon sens. Le privé jeta un regard en biais à Isaura. Le coup de fil de Lester semblait lui avoir redonné vie. Carlingua lorgna en direction de la salle de visionnement.

— Je pense savoir quel est le second principe auquel vous pensez, madame, dit-il en se levant. Continuer, ne pas perdre de vue l'objectif, c'est ça? Bien. Vous faites ce que vous voulez, mais moi je veux savoir qui l'a tué et pourquoi.

— C'est vrai, insistait Chérif, Nohog aurait dû prévoir le coup et nous avertir à temps.

Li Mei Fei regarda Carlingua.

— Il a raison. Pourquoi la sonde n'a-t-elle rien vu?

Un pot de café attendait sur la table basse du sous-sol, avec un service en porcelaine fleurie. Une bouteille de chardonnay avait été mise à rafraîchir dans le seau à glace, et un rouge, également de la Napa, attendait d'être débouché. Des chips, des cacahuètes, des sandwichs au concombre, des canapés, des olives farcies. Tout était prêt.

Nulle maîtresse de maison en vue, pas davantage de domestiques, et encore moins de gamins dans les jambes. L'après-midi idéal. La cuisinière avait son jour de congé, et Bett était au cinéma avec les enfants.

On sonna à la porte. Paul Wiener grimpa à l'étage.

Fidèle à son habitude, Carla Cornish était en avance. À l'époque où, jeune avocate, elle travaillait pour ce vieux filou de Stevens, elle avait pris en aversion ces réunions nonchalantes, convoquées à neuf heures et qui ne commençaient à s'animer que vers dix heures et demie. À croire qu'au Sénat les dossiers pouvaient attendre. Ce n'était pas vrai. Elle était bien placée pour le savoir maintenant. Avec Wiener, ce genre de situations ne risquait pas de se produire. Leurs tempéraments étaient ajustés. Efficaces, méthodiques, sans fioritures. Sans démonstrations excessives non plus, ils s'appréciaient. C'était rare dans ce milieu.

— Donnez-moi votre manteau, madame la sénatrice. Dewhirst ne va pas tarder lui non plus.

Wiener prit l'objet : framboise, d'une matière crissant sous les doigts. L'élégance de Carla Cornish s'accompagnait parfois d'audace.

— Attendez.

La femme fouilla dans les poches et en sortit un paquet de cigarettes et un briquet. D'un signe de tête, elle montra l'intérieur.

— Je peux?

L'homme haussa les épaules et fit coulisser la porte de la penderie. Elle le vit alors tel qu'il était : tendu, préoccupé. Avec l'uniforme, ces détails se remarquaient moins.

Elle le suivit au sous-sol. Sans attendre, Wiener ouvrit la fenêtre. L'air frais entra dans la pièce.

— Je vous ai obtenu ce que vous vouliez, dit Cornish en allumant une première clope. À vous de jouer maintenant.

Wiener prit le boîtier renfermant la pastille et le fit disparaître dans la poche de sa veste.

— Qui a ordonné la saisie des images?

— Notre bon procureur Garrett. Je n'ai pas eu besoin de m'en mêler directement. Et le musée n'a pas fait de copie, on s'en est assuré.

— Il y a du nouveau, dehors?

Cette façon de s'exprimer, elle l'avait remarquée aussi. Comme s'il y avait la Cellule, et dehors le reste du monde, forcément hostile. C'était plus tranché chez lui depuis les événements, même s'ils ne s'étaient parlé que dans l'evi, sans visuel et en utilisant sa ligne protégée. Trois jours, donc. Quatre, en comptant ce samedi.

— Le G-25 a été interrompu par des manifestations pro-génusiennes. La police allemande est intervenue mollement.

Second coup de sonnette. Wiener s'éclipsa et la sénatrice en profita pour en griller une autre, le nez levé vers l'étroite fenêtre. Elle se retourna quand elle entendit leur pas dans l'escalier. Deux pas d'hommes. Celui de Dewhirst restait le plus lourd. Ils se toisèrent, alliage composite d'intérêts communs. Par où commencer?

— Assoyons-nous, ordonna Wiener. Et servez-vous, ajouta-t-il, en montrant les victuailles.

Il s'empara du tire-bouchon.

— D'abord je parlerai. Ensuite nous discuterons.

La sénatrice accepta un verre de vin blanc. Dewhirst opta pour le café. La porte menant au sous-sol était fermée. Wiener jeta un coup d'œil à la fenêtre. La pelouse faisait un hectare, le parc avec les arbres, deux. Le comté de Montgomery, l'un des plus riches du pays, était aussi l'un des mieux protégés. Il baissa la garde.

— Je vous remercie de vous être libérés et, comme la dernière fois, d'avoir accepté de venir chez moi. Je vous assure qu'il n'y a pas d'endroit plus discret dans tout Washington que ce sous-sol. Maintenant, je rappelle les faits. Depuis notre dernière rencontre, la situation a évolué dans le sens que nous voulions. Un bon Indien est un Indien mort, disait le général Sheridan. Celui-ci est donc de première qualité. Le Bonze a bien travaillé et est retourné sur la touche. Avant de quitter les lieux, il a effacé toute trace, depuis la douille jusqu'au gardien du musée.

— J'ai vu dans l'evi qu'il était mort, dit Dewhirst en recrachant sans façon le noyau d'une olive, tandis que la sénatrice, obligeamment, lui tendait son cendrier. Où en est l'enquête de police?

L'accent n'était pas la seule chose qu'il avait gardée de l'Alaska. Les manières aussi. Wiener ne s'y habituait pas.

— Elle piétine, comme il se doit. Ils ne sont pas aussi malins qu'on le dit, au FBI, alors nous allons les aider un peu, ajouta Wiener sur un ton léger.

Dewhirst ne comprenait pas. Il regarda Wiener sortir le boîtier de la poche de sa veste et insérer la pastille dans le lecteur evi. Aux premières images, il se mit à tempêter.

— C'est quoi ce merdier? Votre fameux Bonze, on voit tout de suite qu'il est un intrus dans le décor. En plus, on le voit carrément descendre le gardien!

— Calmez-vous, Dewhirst. Ce n'est quand même pas la première fois qu'on vous montre des vidéos de surveillance.

La sénatrice lui reversa une goutte de café. De temps à autre, elle ressortait le vieux truc des petits soins. Mais elle ne restait pas longtemps dans un rôle subalterne. Et alors ils prenaient le coup en pleine poire.

— Le type de la jungle, vous vous rappelez?

— Ça n'a rien à voir.

— Si. C'est pareil, Mr. Dewhirst. Ou ça le deviendra bientôt, n'est-ce pas, général Wiener? Il y a des artistes dans votre Département, est-ce que je me trompe?

Wiener jubilait, trop heureux de la laisser faire. Elle savait comment s'y prendre avec ce connard. Pas lui.

— Et quand la vidéo sera rendue publique, reprit la voix caressante, c'est-à-dire dès que nos amis du département Expertises lui auront donné un coup de pinceau, ce qui ne saurait tarder, le monde entier saura qui est l'assassin du grand chef indien. On ne connaît pas son nom, mais nous avons un visage à leur fournir. Un avis de recherche international sera lancé, les polices du monde entier voudront lui mettre le grappin dessus. Vous me suivez, Mr. Dewhirst?

Il était suspendu à ses lèvres.

— Et tôt ou tard, l'homme de la jungle devra sortir de son trou. Alors nous le cueillerons.

— Et ensuite?

— Le reste appartient à l'histoire, mon cher. Nous aurons déjoué le complot qui visait à déstabiliser notre pays. Nous aurons été plus forts que nos ennemis. La patrie nous sera peut-être reconnaissante. Peut-être aussi qu'elle n'en saura rien. Ces choses-là échappent à notre contrôle. Pas le reste, heureusement.

Wiener salua le petit discours. Pourtant, en son for intérieur, il n'aimait pas ce qu'il entendait : et si l'image du type de la jungle était une manœuvre de l'ennemi? L'intox, il connaissait. L'aurait-il gobée à son insu?

— Mais dites-moi, reprit Dewhirst, qui étouffait dans le sous-sol enfumé, si le cinéaste a pu s'enfuir à l'époque, c'est bien parce qu'il y avait des traîtres dans la place. C'était impossible autrement. Le type de la jungle n'était qu'un exécutant.

Nerveux, Wiener se versa du vin.

— Je sais. Mais ne mélangeons pas tout, Dewhirst. L'autre jour, nous avons parlé du cinéaste et de ses complices. Aujourd'hui, ce sont les suites à donner à l'affaire de Washington qui nous occupent. Jusqu'à présent, nous avons agi avec méthode. Poursuivons dans la même voie.

— Vous appelez ça une méthode? Un tireur embusqué?

Wiener passa outre.

— Il n'y a pas que l'évasion du cinéaste qui énerve dans cette histoire.

La sénatrice avait parlé lentement. Wiener la fixa avec attention.

— Poursuivez, madame.

— Vous avez bien examiné leurs visages sur la photo de l'aéroport? Je veux dire, l'Indien et l'autre, à côté? Quarante ans ont passé, et les deux bonshommes n'ont pas pris une ride. Le type de la jungle, sur la vidéo, on est bien d'accord que c'est le même que l'autre, à l'aéroport?

Wiener approuva d'un signe de tête. Il savait ce qu'elle allait dire. Ça le mettait dans tous ses états rien que d'y penser.

— L'Indien aussi, poursuivit la dame, celui de l'aéroport comme celui des génusiens. Il n'a pas changé. Ce n'est pas normal. Même avec la chirurgie plastique, on devrait voir une différence.

— Et devant les caméras! insista Dewhirst, en secouant la tête, réprobateur. Le monde entier l'a vu tomber. Franchement, on aurait pu choisir un meilleur moment.

— Ça vous arrive souvent de récrire l'histoire, Dewhirst?

Il avait été cinglant, tant pis. Où se croyait-il, celui-là, avec son fric pourri?

Ces derniers temps, Wiener avait jonglé avec toutes sortes de scénarios. Dans l'un d'entre eux, un obscur département du Pentagone émergeait du lot et détrônait la cellule Interventions qu'il dirigeait jusque-là comme un fief, sans avoir à rendre des comptes à sa hiérarchie. Les autres scénarios n'étaient guère plus sereins. On l'épiait. Il voyait des infiltrés partout. On cherchait à le piéger. À étaler son incompétence au grand jour. La situation lui échappait. La sécurité du pays était compromise. Mais qu'on se le dise : il n'était pas un incompétent. Il était le général Paul Wiener. Trente années de service dans la boîte, ce n'était pas rien. Il avait bien réfléchi. Armer le Bonze et réduire au silence l'agitateur à plumes étaient la meilleure façon de reprendre l'avantage. Le plan était bon. À l'époque, ils avaient été d'accord pour le suivre. Maintenant, il n'y avait plus qu'à attendre le prochain faux pas de l'ennemi. Et alors, tout deviendrait limpide. On connaîtrait son identité, ses mobiles, ses procédés, même l'âge sur les photos finirait par s'expliquer.

— Combien d'hommes à Paris?

Dewhirst était furieux. Wiener comprit qu'il parlait de la génusienne de l'UNESCO.

— Trois.

— Et à Mumbay? Le freluquet de l'ambassade : il ne va quand même pas nous filer entre les doigts.

— Cinq. C'était son intendant sur le terrain. Il en sait sûrement plus que les autres.

Malgré tout, Wiener n'était pas tranquille.

— Messieurs, dit la sénatrice, ce qui est fait est fait. Et bien fait, je pense.

Un grand fracas se fit entendre au-dessus de leurs têtes. Des galopades, les talons d'une femme sur le parquet de bois, des cris d'enfants. Wiener en fut presque soulagé.

29

— C'est un phénomène très rare chez les Ventorxe. Certains se dédoublent. C'est leur façon à eux de se reproduire.

Noam avait l'impression de régurgiter une leçon d'exobiologie apprise la veille, ce qui était le cas. De nouveau, les Contactés étaient réunis dans la caverne, amphithéâtre qui valait bien toutes les facultés de médecine, en raison des découvertes qu'on y faisait. Léa leva un sourcil étonné.

— Vous voulez dire qu'il existe maintenant deux Nohog de Ventorx?

— Bon sang, qu'allons-nous en faire? rétorqua Chérif tout de go.

La remarque leur arracha un sourire, le premier depuis une semaine.

— Oui, deux Nohog de Ventorx rigoureusement identiques, mais tout jeunes et sans mémoire. Le phénomène s'appelle la scissiparité. Sa rareté, s'ajoutant à la distance et à l'isolement de Nohog dans son antre, a fait en sorte que Xall n'a pas su en détecter les symptômes. Aux premiers âges des Ventorxe, une telle division était généralisée, mais elle a considérablement diminué à mesure que la longévité de l'espèce augmentait. Un équilibre naturel, en somme. Elle touche aujourd'hui un sujet sur vingt mille.

— Et il fallait que ça tombe sur le nôtre, lâcha Seydou.

— Mountain était alerté. Il savait que Nohog n'était pas dans son état normal, mais il hésitait à saisir Xall du problème.

— Où est-il maintenant? je veux dire, où sont-ils? interrogea Mizuki. Ce serait intéressant de les voir de près.

— Rappelés tous deux sur Ventorx. J'ai pu les voir hier dans l'holoviv. Ils ont l'air de bien récupérer, je dirais, mais je ne m'y connais pas autant que…

Noam ne termina pas sa phrase.

— Ils seront blâmés? demanda Li Mei Fei.

— Il est vrai que l'enquête des Uns a démontré une négligence de la part de l'ancien Nohog, mais aucunement imputable aux deux rejetons qu'il est devenu, si je puis m'exprimer ainsi. De plus, les Un-Soi du Protectoire eux-mêmes disent ne rien comprendre aux raisonnements humains qui président à la décision d'abattre un des leurs et avouent, selon leurs propres termes, avoir sous-estimé le danger encouru par la fraction antéUne de la planète au losange.

Noam devenait obscur. Carlingua comprit qu'il devait intervenir.

— De mon côté, j'ai fait mon enquête, et j'ai pu reconstituer le fil des événements dans une certaine mesure. Le tireur a opéré depuis un balcon du Smithsonian Air and Space Museum, situé à deux cent cinquante mètres de la tribune. C'était jour de fermeture pour le musée, mais il a réussi à pénétrer à l'intérieur avec la complicité d'un gardien. Le pauvre n'a pas eu le temps de profiter de son extra.

— Qui est l'assassin?

Isaura avait retrouvé sa voix sèche.

— Un professionnel, habitué des services secrets américains. Le meurtre du leader chicano, à Palm Spring, en 37, c'était lui. On l'a vu aussi agir à Manille, contre Cabral. On l'appelle le Bonze, poursuivit Carlingua. C'est son nom de guerre. On lui a donné le contrat. Il s'est exécuté, a effacé ses traces, est redevenu réserviste. Une cellule du Pentagone a par la suite trafiqué la vidéo de surveillance du musée où on le voyait en train d'abattre le gardien. On a mis mon visage à la place du sien – séquelle de Diego Garcia, sans doute. Cette cellule, dirigée par un certain Wiener, semble fonctionner d'une manière autonome, et je ne sais toujours pas qui est le commanditaire du meurtre. En attendant, je suis devenu le criminel le plus recherché de la planète.

— Tout ça, vous l'avez trouvé dans l'holoviv, confirma Li Mei Fei. Mais alors, pourquoi Nohog et la sonde n'ont-ils rien vu?

Carlingua se passa une main nerveuse sur le front.

— Nous arrivons à la partie la plus délicate. Mon hypothèse est que la décision de l'assassinat a été prise dans un endroit privé, donc invisible dans l'holoviv. Pourtant, la sonde agit. Elle repère le tueur dès son arrivée sur le site, elle voit le fusil pointé sur... la cible.

Carlingua était incapable de prononcer le nom.

— Quand la sonde l'a alerté, Nohog a réagi comme il fallait, en nous prévenant. Mais il l'a fait dans les délais d'un Ventorxe, hélas. Nous avons tous reçu le message.

— Le double message. Son organisme avait déjà entamé la scission, précisa Mizuki.

— Vu son état, l'envoi du message était héroïque, c'est bien ce qu'on vous a dit, Noam?

— Qui ça, on? interrogea Li Mei Fei.

Son esprit était comme du vif-argent. Il y avait du nouveau dans l'air, elle le sentait.

— À qui avez-vous parlé, Noam?

Ce dernier eut un faible sourire.

— Carlingua, dites-leur. Je vous avais dit qu'il ne servait à rien d'attendre.

Le privé se dirigea vers la porte en silence. Il n'allait pas se priver d'une petite mise en scène. Et ils avaient tous besoin de se changer les idées.

Ils le suivirent, intrigués.

Il les entraîna hors de la salle de réunion, plus profondément encore dans la caverne. Dans un premier temps, le groupe emprunta le corridor familier qui conduisait à la loge-relais, mais, arrivé devant l'entrée, Carlingua passa outre et s'enfonça dans un nouveau boyau. On avait donc fait des travaux pendant leur absence? Et importants? Les Contactés suivirent plusieurs corridors, traversèrent une série de salles en enfilade. Seul Noam ne paraissait pas étonné. Et pour cause. C'est lui qui les fit entrer dans une pièce sombre, de vaste dimension. Tout au fond, un cristal lumineux, comme un hublot. Ils s'approchèrent.

À moins d'un mètre, Carlingua immobilisa le groupe, y compris Li Mei Fei qui se dévissait le cou pour voir ce qu'il y avait derrière le fameux hublot. On aurait dit un vaste aquarium, traversé d'une lumière vive. Le privé se tourna vers Noam.

— À vous de faire les présentations.

Noam sortit des rangs et récita.

— Biib I-Ttep, du peuple des Atsch. Il est le nouvel envoyé de la commission d'Observation. Il possède un métabolisme adapté à la pression terrestre et va vivre avec nous, dans la caverne, dans cet espace aquatique aménagé pour lui. Il est opérationnel depuis hier. Xall n'aime pas les interruptions.

Chérif fit un pas, puis deux. De l'autre côté du cristal, la lumière vira au bleu dès qu'il s'approcha. De prime abord, il ne distingua rien d'autre que de l'eau, ou du moins un liquide qui en avait l'apparence. Puis il recula précipitamment. Un être, surgi des profondeurs, venait de s'encadrer dans le hublot. Une paire d'yeux immenses fixait le groupe avec sympathie.

L'étonnement les figea. La tête se réduisait presque à ces deux yeux. De forme ovoïde, le corps possédait quatre appendices latéraux, deux de chaque côté, à mi-chemin entre nageoires et bras. Biib I-Ttep arborait aussi de fines moustaches qui ondulaient au gré de ses mouvements.

Noam avait passé une partie de la nuit à se documenter sur les Atsch et leur mode de communication. Il s'avança, leva les mains à la hauteur du visage et, les paumes tournées vers le hublot, le nez entre les pouces, les doigts écartés, il écarquilla les yeux. Seydou et Léa se regardèrent et faillirent éclater de rire, mais la physionomie de l'Observateur, derrière le cristal, les arrêta. Les moustaches dressées en éventail et les yeux écarquillés étaient un calque de la mimique de Noam.

— GRANDE COURTOISIE.

Le premier message de Biib I-Ttep s'imprima dans le cerveau des Contactés.

— Magnifique créature, murmura Mizuki, sous le charme.

— CONTINUITÉ.

   i)   mode de communication
   ii)   disponibilité de l'Aliment
   iii)   aide, observation, rapports

Isaura nota que le message leur était parvenu découpé et comme ordonné dans le temps. Un troisième message accompagné d'une série de gestes confirma cette impression.

— NOUVEAUTÉ.

   i)   Biib I-Ttep – il fit une révérence

ii) simultanéité – joignit deux de ses appendices
iii) armure de protection individuelle – prit la forme d'un œuf.

Comme éjectés, yeux, moustache et appendices réapparurent devant les Contactés, interdits, qui applaudirent à la démonstration.

Biib I-Ttep, après une dernière révérence, disparut aussi brusquement qu'il avait surgi. Comme entrée en matière, c'était réussi. Tandis que les Contactés réintégraient l'espace plus familier de la caverne, Carlingua précisa.

— Les armures de protection seront invisibles à l'œil nu ainsi qu'à tout appareil de détection. Dorénavant, chacun d'entre vous aura la sienne, qui s'activera dès que vous serez hors de la caverne. L'armure vous accompagnera en balayant votre environnement, proche ou lointain, et interviendra en cas d'agression.

Au diable les armures. Li Mei Fei, qui s'était laissé distancer par le groupe, fut rattrapée par Noam qui fermait la marche.

— C'est donc impossible?

Au diable la tendresse lue dans les yeux de Noam.

— Comme vous me l'aviez demandé, j'ai posé la question à Marevan-Tâ. Les données moléculaires de chaque sujet empruntant le fil de lumière ne sont conservées que le temps de la confirmation de leur intégralité à l'autre bout. La guerre des Doubles a été un tel traumatisme dans la galaxie qu'il n'y a aucune exception à cette règle.

Li Mei Fei hocha la tête. Au diable Xall, elle savait tout cela. Mais l'espoir de revoir Mountain reconstitué avait été le plus fort. Elle accéléra le pas.

— Il sera avec nous jusqu'à la fin, dit encore le vieillard, en la voyant se fondre dans le groupe.

30

Cet idiot de Rusty avait vomi, comme d'habitude. La plaque avait séché sur le tapis. L'air, chargé de miasmes, prenait à la gorge malgré la fenêtre ouverte. Massimo se souvint d'avoir commencé à compter les étoiles avec Sandrine vers deux heures du matin, avant que le temps ne change. Maintenant, le volet ouvert battait au vent, et le bruit l'avait réveillé. Les corps s'empilaient dans la chambre, imbibés d'alcool. Il se mit en chasse de son caleçon, le trouva entortillé entre les doigts de Gemma. Il sortit de la chambre.

Dans la petite cuisine encombrée, il se fit un café très fort qu'il décida d'aller boire sur la plage. Le ciel voilé avait son charme, à condition de savoir l'apprécier, mais alors mieux valait avoir les idées claires. Il enjamba les corps du salon, fit claquer la porte-moustiquaire, libre enfin.

Sur la plage, un pêcheur avait relevé ses filets avant l'aube et, posément, les étendait sur des piquets. Massimo le regarda faire, comme hypnotisé par le calme et la sûreté des gestes. Il eut soudain envie de nager, de sentir la fraîcheur des vagues sur son corps, d'être nettoyé des remugles d'une nuit passée à faire la fête. La dénivellation était douce à cet endroit, chose rare sur la côte pacifique. Massimo s'avança dans l'eau jusqu'à mi-corps et piqua une tête. L'eau était tiède. Ses lèvres avaient un goût de sel. Il voyait sa main fendre l'eau, les doigts réunis, il s'appliquait, se sentait de nouveau coïncider avec lui-même. Oubliés la nuit et ses trous noirs. Il était remis à neuf.

Alors tout se passa très vite. À six cents mètres environ de la plage, comme il relevait la tête, il vit l'onde monstrueuse avancer à sa rencontre, aussi haute qu'un mur. Avant qu'il eût eu le temps de faire le moindre geste, l'onde le souleva, puis le rejeta dans son sillage, des gargouillis plein les tripes, mais vivant. Instinctivement il se laissa dériver, tout en s'étonnant de trouver la mer à ce point apaisée de l'autre côté de l'onde. Il en allait autrement en face, et Massimo vit le bélier liquide s'enfoncer brutalement dans les terres. La plage Zicatela, les bungalows, le camping, en un instant, tout disparut. Massimo continuait de flotter comme un bouchon, et de là-bas les cris du pêcheur lui parvinrent trop faiblement pour qu'il fût sûr de les avoir entendus.

Poursuivant sur sa lancée, l'onde ravagea la basse-ville de Puerto Escondido, noya la lagune, charriant avec elle toutes espèces de débris humains, animaux et végétaux. Désormais quelques palmiers surnageaient là où avait été la plage. Du pêcheur, nulle trace maintenant, et pas davantage de la maison et des corps amis qui se trouvaient dedans. Quand la pluie avait-elle commencé? Massimo n'en savait rien, trop heureux d'être encore en vie et de flotter, fétu dérisoire.

À plusieurs centaines de kilomètres au nord, à Guadalajara, le professeur Herta Kleist toisa le public de spécialistes et de collègues réunis dans l'auditorium de l'université.

— L'actualité des derniers jours, une fois de plus, a donné raison aux conclusions les plus sombres que nous avions formulées lors des rencontres de 2046 et de 2048, et le sommet d'aujourd'hui ne pourra qu'adopter la même perspective. Mais d'abord profitons-en pour apporter quelques précisions sur la récente catastrophe de Puerto Escondido. Elles feront un lien avec notre propos.

«Le raz-de-marée a pris naissance à quatre-vingts kilomètres de la côte mexicaine et à cinq cents mètres de profondeur. Il a été provoqué par un glissement de la pile sédimentaire le long du talus continental. Comme nous l'avons vu pour le tsunami de Floride, la température de l'eau à cette profondeur a franchi le seuil critique, passant de sept degrés Celsius à neuf, ce qui a eu pour effet de déstabiliser les glaces méthaniques.»

Par son silence, l'assistance montra son intérêt.

— Il y a cinq ans, poursuivit l'Allemande, un plongeur français a découvert une épave au large des côtes gabonaises et entrepris de l'explorer. Un jour, il s'est retrouvé dans une mer complètement brouillée, comme si les tréfonds de l'océan avaient été secoués et que les sédiments tardaient à se redéposer au fond. Pour les détails, je vous renvoie à un article paru dans le numéro d'octobre 2046 de *La Recherche*. Le même phénomène a été constaté depuis en Indonésie, au Brésil et dans le golfe du Mexique. Nous savons aussi que, parfois, le méthane que libèrent les fonds marins peut entraîner des différences de pression et provoquer des affaissements du talus continental et, du coup, des raz-de-marée. J'invite maintenant mon collègue climatologue, le professeur Angersen, à prendre la relève pour la suite de l'exposé. Nos propos se rejoignent, comme vous le constaterez.

L'année précédente, Youri Angersen avait reçu le prix Holberg. Mais à partir de maintenant, il se fichait de ce prix si son prestige ne lui servait pas à convaincre collègues et politiques de la conduite à adopter.

Un graphique fut projeté sur l'écran, avec des valeurs de capacité et de durée en abscisse et en ordonnée. Au micro, le professeur Angersen adopta le ton de l'évidence.

— Un mètre cube d'hydrate de méthane libère dans l'atmosphère cent soixante mètres cubes de gaz méthane. À titre d'exemple, on estime à environ cent millions de tonnes les hydrates de méthane libérés lors du tsunami de Floride, probablement moitié moins par celui du Mexique, il y a trois jours. Nous savons aussi que les hydrates enfouis dans la seule bande intertropicale représentent l'équivalent carbone du total des réserves mondiales connues de charbon, de pétrole et de gaz naturel.

Le climatologue marqua une pause et regarda les visages.

— Les modélisations sont formelles : le réchauffement planétaire induit par les activités humaines a été alimenté depuis le début du siècle par les hydrates de méthane du pergélisol arctique. Aujourd'hui, avec les émissions d'hydrates océaniques, le réchauffement est entré dans une phase exponentielle. Nous devons agir vite. Et trouver un moyen pour capturer à grande échelle le carbone atmosphérique, le réinjecter dans les profondeurs du sol et le stabiliser. Les scientifiques du monde entier doivent se mobiliser dans ce but, faute de quoi la vie de tous les mammifères terrestres sera compromise. Ce cycle de Conférences porte le nom d'Horizon 3000, à ce qu'il paraît. Horizon 2100, tel est le nom réaliste à donner à nos rencontres.

Dans la salle, la température descendit de plusieurs degrés.

31

La patronne n'aimait pas être dérangée pour rien, mais puisqu'elle avait accepté d'être dérangée pour ce contrat, c'est donc que ce n'était pas rien. Il n'y a pas à dire, certains jours l'adjoint de Renu Chandaray se consolait à peu de frais de n'être pas admis dans le cercle. Depuis plusieurs années, Christopher d'Arcy dirigeait l'une des branches nord-américaines du Groupe, Mineor Trade, spécialisée dans la prospection minière. Mais il voyait de moins en moins celle qui jadis lui avait accordé sa confiance. La patronne disparaissait régulièrement pendant plusieurs semaines. Que se passait-il au rez-de-chaussée de l'immeuble du chemin des Coudriers? Auréolée de mystère, Renu Chandaray n'en était que plus fascinante. Mais voilà que la perspective de cette fabuleuse transaction le rapprochait d'elle.

Indus Metal, qu'est-ce au juste? avait demandé madame Chandaray dans une note de service. La réponse de l'adjoint n'avait pas tardé. Le siège social se trouve à Seattle, et nous sommes en relations d'affaires depuis plusieurs années. L'entreprise est spécialisée dans les applications industrielles de l'or, comme l'électronique et l'aérospatiale. D'où cette importante commande. Assortie d'une condition : en raison de l'importance du contrat, le client exigeait que madame Chandaray fût présente au moment de la signature. Accepterait-elle de sortir de sa retraite?

Peut-être y aurait-il quelque chose à tirer de la situation? songea Renu. Son expérience de Contactée lui avait appris à faire flèche de tout bois, à saisir les occasions comme à les provoquer.

— J'irai, décida-t-elle. Ducros et Achenbach nous accompagneront pour la paperasse. Bien entendu, monsieur D'Arcy, c'est vous qui mènerez les pourparlers sur place.

Ils prirent le vol de 10 heures 20 pour Seattle. À l'aéroport, le chauffeur d'Indus Metal les attendait et la délégation suisse monta à bord de la fourgonnette de la compagnie. Renu se réjouit de pouvoir encore résister avec élégance aux assauts du décalage horaire. Sans étouffer un seul bâillement ni battre des paupières, elle regarda les nœuds des autoroutes se succéder par la vitre et comprit qu'ils se dirigeaient vers la périphérie. La fourgonnette s'engagea dans une sortie, tourna à droite sur le boulevard, puis encore à droite. Ils étaient arrivés.

La cible est la femme : soixante-douze oreillettes relayèrent l'information du poste de commandement installé dans un camion, non loin. Et ceux qui étaient postés le plus près virent descendre de la fourgonnette une silhouette élégante, qui en imposait.

Indus Metal s'étendait sur plusieurs hectares, avec des pelouses et des plates-bandes soigneusement entretenues entre chaque bâtiment. Les bureaux administratifs étaient situés dans un grand immeuble en verre jaune, construit dans le goût actuel. Quatre hommes les accueillirent à l'entrée, mais aucune trace du P.-D.G. Dewhirst, qui avait si expressément réclamé sa présence.

Renu commençait à se trouver un peu trop bien entourée, mais elle lutta contre une impression qui ne reposait sur rien de tangible, hormis la présence d'impassibles armoires à glace.

Au dernier étage de l'immeuble, Jack Dewhirst assista à l'arrivée de la troupe sur l'écran vidéo de surveillance. Voir sans être vu. La sensation était chaque fois grisante. Dans un instant, il serait maître de la situation. Et tous sauraient alors qu'il n'avait rien d'un crétin de l'Alaska et qu'avec lui les opérations ne foiraient pas. D'accord, Wiener n'avait pas lésiné sur les effectifs, et il n'avait pas voulu se priver de son aide. Mais la ruse, voilà ce qui leur faisait défaut, à Cornish et à lui.

— Vous avez dit Chandaray? s'était-il étonné deux semaines plus tôt, devant Wiener et la sénatrice quand elle avait prononcé son nom. C'est drôle, l'une de mes filiales se fournit justement en or auprès de Mineor Trade et je sais que cette société appartient au Groupe Chandaray. C'est peut-être l'occasion.

Il avait pris une olive et fait mine de ne pas entendre la galopade au-dessus de leurs têtes. Deux enfants, et qui faisaient autant de bruit qu'une colonie de vacances. C'était joyeux, et de bon augure pour leur petite affaire.

— O.K., concéda Wiener, vous l'attirez avec un contrat. Et puis après? Cette fois, pas question que l'oiseau nous file entre les doigts.

Pour la première fois, le militaire avait alors lâché le mot, qui fut accueilli avec dédain.

— Et pourquoi pas des extraterrestres pendant qu'on y est? Wiener, vous devenez dingue! Madame la sénatrice, dites-moi que vous au moins vous ne croyez pas à ces histoires.

— Une intervention surnaturelle est en effet possible, répondit celle-ci à son grand étonnement. Depuis l'évasion de Diego Garcia, la situation est tellement confuse que nous devons envisager toutes les hypothèses, y compris les plus farfelues.

— Les génusiens demeurent la piste la plus vraisemblable, reprit Wiener. Mais alors cela veut dire qu'ils disposeraient de moyens techniques hors du commun. De quoi devenir fou, comme vous dites. Par conséquent, si cette fois on doit bouger, il faut mettre le paquet pour être sûr de réussir. Combien d'hommes voulez-vous? Cinquante? Cent? Tant qu'à faire, donnez aussi congé à vos employés sur place. Mes hommes les remplaceront.

— Et il y a les photos, ajouta Carla Cornish. Elles ont confirmé la piste. Cette femme est la clé de l'énigme.

Le groupe d'étrangers venait d'entrer dans l'ascenseur. Dans un instant, il irait les accueillir. C'est vrai que la dame était bien conservée pour son âge. Et alors? De nos jours, avoir l'air jeune est à la portée du premier milliardaire venu, sans parler des vedettes de cinéma et des politiciens, comme l'avait compris Cornish en faisant son enquête-photos. Futée, la sénatrice. Et tenace : dresser la liste de toutes les personnalités dans le monde qui ont l'air de prendre un bain chaque matin dans du lait d'ânesse, voilà qui n'était pas une mince affaire. Sacrée bonne femme, et bien conservée elle aussi. Ce n'était pas comme lui, qui ne détestait pas ses poches sous les yeux et se fichait bien d'avoir du ventre. Il était de la vieille école : le pouvoir et l'argent rendent beau, point à la ligne. Il sortit sur le palier. Dans les oreillettes, le PC confirma : scanner négatif, aucune arme sur eux. La porte de l'ascenseur s'ouvrit.

Renu hésita une fraction de seconde, et son adjoint, obligeant, se pencha vers elle.

— Quelque chose ne va pas, madame?

Jack Dewhirst les attendait à la porte de son bureau. Tout sourire, il s'avança à leur rencontre. Discrètement, les hommes se redéployèrent vers l'arrière, bloquant l'ascenseur et les sorties de secours.

— Madame Chandaray! Quelle joie vous me faites d'avoir accepté le déplacement!

Les présentations eurent lieu. Outre les Suisses, le secrétaire de Dewhirst se trouvait dans la pièce, ainsi que les quatre types de l'arrivée, qui ne semblaient pas vouloir partir. Des gardes du corps, sans doute. Discrètement, Renu examina les lieux. DANGER.

Elle fixa l'industriel :
i)   immeuble envahi et cerné
ii) armure opérationnelle
iii) évacuation envisagée.

Qui? et pourquoi? L'Observateur ne disait rien d'autre.

Une table en bois d'acajou occupait tout l'avant de la pièce, où ils prirent place. Les contrats étaient étalés, bien en vue. Les palabres se bornèrent à l'essentiel. Les doigts effleurèrent les *e*vis et les stylos paraphèrent. Renu restait calme.

L'homme d'affaires détacha un bouton de sa veste et en fit jaillir la panse.

— Cette transaction est très importante pour nous, madame. Grâce à vous, nous allons pouvoir respecter notre carnet de commandes.

La dame n'avait rien de fragile non plus. Extraterrestre ou non, relookée ou non, le pouvoir, elle devait connaître aussi, ça se voyait à sa façon de toiser les gens.

— Je vous explique, avait ajouté Carla Cornish en griffonnant un schéma à trois flèches à l'intention de ses complices. D'abord, on la retrouve dans l'entourage de ces génusiens et de leur chimère de gouvernement mondial. Nous avons réduit leur porte-parole au silence, mais le groupe mène toujours son travail de sape contre notre pays, notamment grâce au pognon que lui refile l'une des fondations du Groupe Chandaray. Je poursuis alors l'enquête, et – deuxième flèche – j'apprends qu'elle et son Groupe ont pesé de tout leur poids pour que la Suisse intègre l'Europe lors du référendum de 2036.

— Le hic, c'est qu'on ne voit aucun lien entre elle et l'évasion d'Habani à Diego Garcia, avait ajouté Wiener, en levant les yeux au plafond.

Ces gamins! Et leur mère qui leur passait tout! Pas de séance de cinéma aujourd'hui?

— Au contraire, il y a un lien, avait repris la sénatrice en barrant le schéma d'une troisième flèche rageuse. Sur tous ces gens, Habani, Chandaray et même l'Indien, le temps n'a pas de prise. Habani a commencé à tourner dans les années soixante-dix. Vous vous rendez compte? Nous avons kidnappé un vieillard drôlement vert, qui s'est évanoui dans la nature. Et rappelez-vous la photo de l'Indien prise à l'aéroport, il y a plus de quarante ans. Entre ce moment et son activité d'agitateur public, l'homme n'a pas changé. Et son comparse sur la photo, qui apparaît également furtivement sur la vidéo de Diego Garcia, n'a pas pris une ride non plus. Et voici Chandaray, membre du Barreau indien depuis 1976, et fraîche comme une rose. Leur jeunesse, voilà ce qui m'a alertée. Une femme est sensible à ces questions.

— Emparons-nous d'elle, avait conclu Wiener, à la fois admiratif et inquiet de la portée du raisonnement.

Dewhirst fit signe au secrétaire qui rangea les contrats. Il choisit ses mots.

— Puis-je vous voir en tête-à-tête, madame? J'aimerais vous entretenir d'un sujet en particulier.

Nous y voilà. Renu se leva. À tout prendre, mieux valait être seule quand la sondine s'en mêlerait. Un frémissement d'inquiétude parcourut la délégation quand elle se dirigea vers la porte.

— Attendez-moi ici, dit-elle à ses gens, affichant le masque de la politesse.

Dewhirst lui prit le coude avec familiarité. Renu se dégagea aussitôt.

— Je vous en prie, dit-il, sans insister, allons dans la petite salle, juste à côté.

Le corridor était flanqué d'une rangée de fenêtres qui, en ce jour et à cette hauteur, n'offrait rien d'autre à la vue qu'un ciel couvert. Armure opérationnelle? Renu ne décela aucune apparition inusitée qui aurait dû la rassurer. Ils ne croisèrent personne non plus. L'étage était désert. Dewhirst s'effaça pour la laisser entrer dans la pièce.

Dans le camion du PC, au même moment, tous les écrans virèrent au noir, les lumières et les evis s'éteignirent dans l'immeuble, le silence s'installa dans les oreillettes et les ascenseurs arrêtèrent de fonctionner. Dans la pièce, aussitôt, deux hommes se jetèrent sur Renu et l'agrippèrent par le bras. Mal leur en prit. Elle leur glissa littéralement entre les doigts. Au cours de la brève lutte, ils perdirent l'équilibre, se relevèrent, voulurent lui attraper une jambe, le cou, n'importe quoi. En vain. Chaque fois, leurs mains trouvaient une masse glissante, qui fuyait. Renu se retourna. Dewhirst avait refermé la porte. Il y avait donc, derrière : une porte close; devant : deux types cagoulés, habillés de noir. Et deux autres plus loin, qui venaient de faire leur apparition. Apparemment non armés. Mais comment savoir?

Plus jeune, Renu avait fait un peu de karaté. Un bon coup de pied au bon endroit, pensa-t-elle naïvement, en se ravisant bientôt. Comme si cela pouvait suffire.

Ils s'avancèrent. Le plus gros l'empoigna et l'esquive reprit. Il n'avait aucune prise sur elle. Il n'arrivait même pas à vraiment la toucher, car à peine l'avait-il effleurée que son poing dérapait sans raison. À toi, cria son comparse, et un troisième voulut la saisir à bras-le-corps. Renu s'apprêtait à lui flanquer un coup de pied, mais ce ne fut pas nécessaire. Inexplicablement, son agresseur avait basculé sur le côté et s'étalait les quatre fers en l'air. Qu'importe ce qu'elle avait fait, c'était réussi. La garce! hurla le gros. PC! vous m'entendez, PC?

C'était inouï : une nonagénaire assaillie par des mastodontes, et pourtant aussi insaisissable qu'une anguille. L'armure fonctionnait. Maintenant, sortir d'ici.

Renu recula, tâta la poignée. La porte n'était pas verrouillée. Dans le corridor, trois cagoulards, et bien armés cette fois, l'attendaient. Elle banda ses muscles et fonça sur eux comme une boule dans un jeu de quilles, mais ne rencontra aucune résistance. Elle ne put s'empêcher de jeter un coup d'œil dans son dos : l'un gisait, assommé; un autre la regardait, hébété; le troisième avait défoncé le mur et on ne voyait plus qu'une jambe qui pendouillait.

— Par les cheveux! cria le premier assaillant, qui les retrouva.

Renu repartit à la course. Au bout, le corridor bifurquait dans deux directions opposées. Mais à droite comme à gauche, des hommes armés l'attendaient. La peste ou le choléra? Des deux côtés, on commença à tirer.

Instinctivement, elle se plaqua au sol, où un moelleux coussin d'air amortit sa chute. Elle s'étonna de ne ressentir aucun impact. Elle ouvrit les yeux, se retourna. L'un des cagoulés avait repris ses esprits et tentait d'actionner son taser, furieusement éteint. D'un geste du bras, elle l'envoya valser, et le corps décrivit un arc dans l'air avant de retomber brutalement à quelques mètres.

Jetant bas les tasers, les hommes sortirent leurs fusils anesthésiants. Renu aperçut tout un vol de fléchettes lancées dans sa direction.

Elle se tâta. Rien. Mais sur le mur, sur le rebord des fenêtres, dans le pot de la plante verte, des dizaines de projectiles déviés de leur course. Malgré tout, les tireurs ne renonçaient pas, ils continuaient d'avancer vers leur cible, prise en tenaille.

— T'as vu?

Il n'était pas sûr de la chose, mais il était sûr de l'avoir vue, comme un flash, une carapace jetée sur la furie et aussitôt disparue. L'assaillant leva son arme. La capturer vivante serait plus compliqué que prévu, même si les ordres étaient stricts. Il visa les jambes.

Au carrefour, ce fut la mêlée et Renu, faisant demi-tour, tomba nez-à-nez avec Dewhirst, atterré mais toujours résolu.

— Arrêtez, cria-t-il en pointant son arme sur elle.

Un pistolet. Cette fois elle connaissait le truc. Lentement, elle approcha un index du front en sueur. Le gros homme, tétanisé par tant d'audace, ne bougeait pas. Bouh! soufflat-elle. Et Dewhirst s'envola comme une baudruche.

Du coin de l'œil, Renu avisa la porte de l'escalier. Elle avait pigé, pour la panne. La sonde répétait le coup de Diego Garcia. Une fois dans la cage de l'escalier, elle entendit la cavalcade de toute une troupe qui montait, et hésita. Monter? Descendre? À chaque étage, on devait l'attendre de pied ferme.

L'instant d'après, elle courait dans le corridor du vingt-troisième, deux niveaux au-dessous, poursuivie par une escouade de cagoulés mais ragaillardie par le signal d'arrivée de la sondine. À charge pour elle de trouver un endroit propice au transfert, sans personne autour. Plus facile à dire qu'à faire.

— Immeuble 1, beuglait en vain le type du PC, répondez!

C'est drôle comme parfois on ne reconnaît plus sa respiration. On se croit à bout de forces. On ne sait pas que l'on vient de trouver un second souffle, capable de vous entraîner au bout du monde. Dans ce corridor anonyme d'un immeuble à bureaux, Renu courait comme elle n'avait jamais couru, même enfant, même jeune femme, quand tous les sentiers de l'Himachal Pradesh s'offraient à elle et qu'elle les sillonnait le temps d'un week-end. Elle entendait les tirs, les cris de ses poursuivants, leurs pas, elle pouvait presque sentir leur haleine dans son cou. Elle s'immobilisa. Il en venait aussi par-devant. Renu était alors devant une porte. Sans réfléchir, elle l'ouvrit.

Elle vit une vaste pièce meublée de dizaines de bureaux, avec des hommes et des femmes qui allaient et venaient, rendus impatients ou désœuvrés par la panne. Plus rien ne fonctionne dans cette boîte! Et comment on fait, nous?

Il existait donc des gens qui ne lui couraient pas après?

Ne pas attirer l'attention. Se diriger naturellement, et d'un pas lent, vers l'autre porte, au fond. Regarder sa montre comme pour un rendez-vous. Elle sentit leurs regards curieux dans son dos, quand elle atteignit son but. Salle de conférences, disait l'écriteau. Tous les bureaux se ressemblent. Elle avait vu juste. Elle l'ouvrit.

La pièce était vide, pourvue de grandes baies vitrées. Renu s'en approcha. Elle entendait battre son pouls à ses tempes. Elle se tint prête. La sondine réagit.

32

Encore! C'est devenu une habitude, ces réunions à la maison? Rien à faire, Mrs. Wiener avait besoin du sous-sol. L'anniversaire de Cheryl, tu n'as pas oublié tout de même? Le mari se força au calme. Tout plutôt que le Pentagone. Il était à bout de nerfs. Rien ne marchait comme prévu. Qui étaient ces gens? Et la femme anguille! Que faire, sacredieu? Vers qui se tourner? Personne ne comprendrait à Washington. Il était vraiment seul. Wiener hésita, eut un geste las. Au point où on en était, aussi bien s'installer sur la terrasse. Que fais-tu de la piscine? répliqua l'épouse. Il fait beau, les enfants vont vouloir se baigner. Il soupira.

La table fut déplacée sous le paulownia, tandis que Roberta Wiener servait de la limonade sur la terrasse et des pizzas au sous-sol. Joie de la vie en famille. Carla Cornish refusa de se laisser entraîner sur ce terrain, même par sympathie. Dewhirst, encore secoué par ce qu'il appelait une agression, ne disait rien, engoncé dans sa minerve. L'heure n'était pas grave. Elle était sinistre.

Dans la caverne, pour la première fois, Carlingua sut à qui il avait affaire.

33

Température de l'eau en surface : 2,57 degrés à l'échelle panastre; 0,85 degrés, à un demi-esta de profondeur. Dans son préambule, Biib I-Ttep avait ajouté :

    i)   habitat de l'espèce variable entre ces deux points, d'où souplesse du métabolisme

ii) résistance aux pertubations à venir validée par le synchre.

Le technicien de grade dix préposé à la commission de l'Observation parcourut les premières lignes. Il traita les données acheminées avec la célérité habituelle, et l'Un-Soi Anacrotaire put bientôt promener un doigt-détecteur sur le rapport de l'Observateur nouvellement mandaté sur ◊-GVH-18327-Γ.

Du point de vue de Xall, les multiples engouements du Ventorxe pour l'activité humaine avaient souvent été un casse-tête. Aussi est-ce d'abord en raison de sa rassurante neutralité que la créature Atsch avait été désignée à ce poste. Son premier rapport, concis, éclairant, avait confirmé le bien-fondé de la décision. Espèce préantéUne de la planète agitée dans son ensemble et se répartissant en deux camps selon alliances entre catégories nationales, avait précisé Biib I-Ttep dans un alinéa rigoureux. Échanges courtois avec sujets antéUns. Chaque Contacté en position de force dans domaines variés. Observation en cours.

En réalité, sous des dehors scientifiques, Nohog de Ventorx était un émotif, telle était l'opinion de l'Un-Soi Anacrotaire depuis le début. L'Observateur nouveau, lui, œuvrait à distance, pour une efficacité accrue. Était-ce pour cette raison que l'éminent Shoka-Ub s'était récemment manifesté en lui réclamant copie immédiate des rapports de l'Observateur Atsch? Quel intérêt pouvait-il prendre aux péripéties humaines, depuis sa sphère poussive lancée dans l'espace? Du moins, l'Un-Soi Shoka-Ub savait à qui s'adresser, à la Commission, pour obtenir les documents importants. L'Anacrotaire poursuivit sa lecture.

i) Caractéristiques. Terme humain «cachalots» repris par le présent rapport. Territoire parcouru : tout l'océan. Organisation sociale : horde d'une quarantaine de spécimens. Signe particulier : masse cérébrale imposante. Longévité : un tiers de microag.

ii) Antécédents. Espèce carnassière chassée pour sous-produits. Prédateurs : humains. À noter : récente cohabitation raisonnée.

iii) Découverte. Intra-communication numérique par émission de cliquetis. Pour référence sonore, voir autre variété de cliquetis entendus dans océan Atsch. Échantillonnage réalisé et expédié à Exotrad en vue d'un séquençage.

La conclusion était encore plus instructive :
i) espèce pourvue d'un langage structuré et cohérent
ii) preuves d'un savoir transmis
iii) hypothèse basse : disparition de l'espèce humaine mais intelligence relayée à moyen terme. Hypothèse haute absente.

L'Un-Soi Anacrotaire, satisfait, lança la retransmission du rapport.

34

D'abord jaune, puis ocre, le sable avait progressivement viré au rouge. Mais il restait rêche et brûlait les yeux. Et il s'immisçait partout. À ce point, c'était insupportable. Il s'appelait Jaime. La veille, l'homme de l'alcade lui avait donné cinquante dollars pour son âne. C'était un bon prix. Pour l'alcade, pas pour lui. Mais à quoi bon regretter un âne qu'il ne pouvait plus nourrir? Jaime allait maintenant à pied, le sac en bandoulière, léger. Quelques tortillas dans du papier sulfurisé, une gourde d'eau, une chemise de rechange, la photo de ses parents, avant l'incendie.

Le lendemain, il n'y avait plus de tortillas et, après l'âne, il voulut offrir ses bras à l'alcade, mais ce dernier n'en avait pas besoin. Alors Jaime sortit de Barrio Guadalupe sans se retourner et marcha droit vers La Concepción. Il mit trois jours à atteindre la ville, car la chaleur l'obligeait à marcher plus lentement. Des carcasses gisaient dans les fossés, avec des mouches métallisées volant au-dessus. La nuit, il ne laissait jamais mourir le feu et calait son sac sous la tête, à cause des pumas. Enfin, il arriva à La Concepción. C'était jour de marché : quelques tréteaux, des poules, du maïs aux fanes fatiguées, à la barbe jaunie. Les filles ne souriaient pas, les mères encore moins. À l'ombre, les hommes attendaient que tombe le vent du sud.

— Tu as faim?

La femme lui tendit la galette qu'elle venait de retourner sur les flammes. Il ne pouvait pas payer, elle le voyait bien. Mais il y avait cette citerne qui fuyait. En ce moment, ça ne changeait pas grand-chose, mais plus tard, quand la pluie allait tomber, car elle allait tomber, hein? il lui faudrait une citerne en bon état.

— Et ton mari? se renseigna Jaime.

La femme haussa les épaules.

La réparation lui demanda quelques jours, pendant lesquels il mangea à sa faim. Il n'y avait plus de mastic au magasin général, et Jaime dut improviser une potée avec de l'argile et un peu de ciment. La pâte avait l'air de bien tenir. Le matin de son départ, la femme lui prépara un paquet, avec des tortillas, des haricots, deux œufs, quatre épis de maïs. Il remercia pour le festin, salua et repartit vers l'ouest.

Il avait bien réfléchi tout au long de ces derniers jours. Le soir, quand un peu de fraîcheur tombait, il allait sur la place de l'église. Il parlait aux vieux, assis sur un banc, sous les arcades, il parlait aux hommes dans les cantinas, il regardait les enfants maigres. Des uns et des autres, il avait acquis une certitude : il n'y avait plus rien à faire ici.

Avec son père, il n'était jamais allé plus loin que Santo Domingo, à dix kilomètres à l'ouest du rio Escarréa. À l'époque, la famille possédait des vaches, des chevaux, l'âne, bien sûr, et des poules. Il était l'aîné, il le serait toujours, mais les jumeaux n'étaient pas encore nés, et avec le troupeau, tout était encore possible. La grande foire au bétail l'avait ébloui. Il avait souvent repensé aux odeurs, aux mugissements, aux claquements de sabots et de talons sur le sol pierreux, et à son père, qui allait vers chacun en disant : Mon fils. À douze ans, on n'oublie pas.

Santo Domingo le déçut. Ses rues étaient désertes et, sur le bâtiment de la foire, de vieilles affiches achevaient de se défaire au vent.

Il eut envie de la compagnie des autres hommes, mais au café on répondit mollement à ses salutations. Ce jour-là, ils étaient trois. Deux types, dont l'un en uniforme, plus le patron. Dans l'evi allumé, le défilé des gens continuait. Des villages entiers jetés sur les routes. Il commanda une bière.

On le regarda boire sans mot dire. Il prit les devants.

— La route de Gariché, elle mène bien toujours à la frontière? Quelle question.

— Si c'est ce que tu veux savoir, dit le type en uniforme, ils sont partis depuis une semaine. En te grouillant, tu les rejoindras peut-être.

Jaime commanda une autre bière. À y regarder de plus près, le type n'était pas un soldat, ni un policier de la Nacional. Peut-être un douanier ou un gardien de prison. La veste était bleue. C'était tout ce qu'il pouvait en dire. Peu à peu, il leur soutira des bribes de l'histoire, où il reconnut des éléments de la sienne. Elle commençait toujours par du sable, du vent et la pluie qui ne tombait plus. Au début, on puisait dans les provisions, les sources n'étaient pas encore taries, mais depuis peu il fallait aller jusque sur les pentes du volcan pour trouver de l'eau. Les récoltes séchaient sur pied. Pour la première fois cette année, les semences avaient manqué en vue de la saison prochaine. La terre était morte, il n'y avait plus rien à en tirer. Alors les garçons étaient toujours les premiers à vouloir partir. Ils entraînaient les pères, et souvent toute la famille suivait. À la fin, il ne restait plus que les vieux. Dans chaque village aux alentours, l'histoire se répétait, avec des variantes. Eux, par exemple, ne partaient pas.

— Pourquoi? demanda Jaime.

— Pour se retrouver au milieu des *gringos*? On aura gagné quoi? cracha le type en civil.

Ses compagnons approuvèrent.

Jaime marcha d'un bon train pendant trois jours, sans même s'arrêter aux heures les plus chaudes, et le quatrième jour, il aperçut la petite troupe au loin, comme un point qui grossissait sur la route.

Et qui ne cessait de grossir, car il en arrivait d'autres, dépenaillés, affamés et, comme lui, prêts à marcher plutôt qu'à crever sur place. Des femmes, jeunes, vieilles, engrossées ou pubères, des enfants de tous âges, certains encore à la mamelle, et des hommes, des centaines d'hommes, avec au fond des yeux la même flamme grimaçante.

Le soir, au bivouac, il se mettait dans un coin, et il ne restait jamais longtemps seul. Un jour, un grand gaillard s'approcha.

— Panaméen?

— Oui.

— Quel village?

— Barrio Guadalupe. Je veux dire : pas loin.

L'homme devait être plus âgé d'une dizaine d'années. Il hocha la tête.

— Moi, je viens de Cayambe, en Équateur. Je m'appelle Vicente.

— Tu veux dire que t'as marché depuis là-bas?

Même avec l'*evi*, Jaime ne se rendait pas compte de l'ampleur du phénomène. Son étonnement fut une invitation à s'asseoir.

— T'as qu'à leur demander, dit son compagnon, en pointant du menton les amas de couvertures qui se formaient pour la nuit. Tu verras qu'ils viennent de partout. Le grand maigre que tu vois là, par exemple, il est de Florida, en Colombie. Chez lui, la canne à sucre crève, qu'il m'a dit. Ils ont renoncé. C'est devenu trop compliqué. Mais lui, sarcler et couper, c'est tout ce qu'il sait faire. Alors il s'est dit qu'au nord l'herbe était sans doute plus verte. Il a entendu parler des nordistas, et il est parti. Comme la plupart, il a rejoint le gros des troupes en passant par la piste dans la jungle. L'autre, sous l'arbre, c'est un nouveau. Il est arrivé un peu avant toi. Brésilien, qu'il est.

— Les nordistas?

— C'est comme ça qu'ils nous appellent maintenant, ceux qui restent. Nous, on aime bien ce nom. Après tout, c'est vrai qu'on s'en va vers le nord.

Jusqu'ici Jaime n'avait pas envisagé la question de cette façon. Il était seul au monde. Toute sa famille avait péri dans l'incendie le jour où il était allé à Barrio Guadalupe chercher de l'huile pour sa mère et qu'il avait traîné à la cantina jusqu'à la nuit tombée. Il avait eu la vie sauve, mais maintenant il avait faim. Il voulait travailler. Il ne trouvait rien dans les environs. Alors il marchait.

— Et où va-t-on au nord? Ça fait maintenant plus d'un mois qu'on marche. On va bien s'arrêter un jour?

Vicente haussa les épaules. On verrait ça là-haut.

À la hauteur de San Salvador, ils étaient devenus trente ou quarante mille, même si le nombre était difficile à évaluer, car plusieurs choisissaient de marcher la nuit, pour profiter de la fraîcheur. L'Équatorien avait disparu. Jaime crut qu'il avait décidé de s'installer en ville, mais il le retrouva le soir, à l'étape, penché sur une forme allongée. Jaime resta à l'écart et veilla avec lui. Nuit des ombres blanches et des feux follets, du vent dans les arbres et de la peur, car elle rôdait, la mort maligne. À l'aube, lorsque les premiers groupes se mirent en branle, Jaime s'approcha et lui tendit sa gourde. Hagard, l'Équatorien le regardait sans comprendre.

— Je ne boirai pas si elle ne boit pas, dit-il tout bas.

Tandis que le fils écartait les lèvres parcheminées de la vieille femme, Jaime versa un filet d'eau qui alla se perdre sur le menton et dans le cou. Ce jour-là, ils ne reprirent pas la route. Ni le lendemain. L'agonie dura quatre jours et il n'y avait rien d'autre à faire que d'attendre. Jaime pensa que la présence de l'Équatorien tenait à distance la maligne, et qu'à la ferme de Barrio Guadalupe elle avait agi dans son dos. Mais il ne dit rien. Quand tout fut accompli, il repéra un endroit à l'écart de la route, creusa le trou, transporta les cailloux et laissa au fils le soin de nouer les deux branches en forme de croix.

Ils repartirent.

Ainsi, comme une tache d'huile, la foule se défaisait, se reformait, s'agrandissait au gré des rythmes de chacun, des morts et des vivants. Mais invariablement, chaque jour apportait son lot de nouveaux marcheurs. Leur pas faisait rouler les cailloux, soulevait des nuages de poussière et alimentait la rumeur faite de cris et de chants qui les précédait parfois. Sans parler des hélicoptères des Federales, qui volaient au-dessus de leurs têtes, en mission de reconnaissance. C'est ainsi qu'un jour ils se retrouvèrent face à des jeunes gars qui les attendaient. Eux aussi avaient des sacs et des bâtons.

Le chef parla.

— Vous êtes les nordistas?

Il s'adressait aux meneurs des premiers rangs. Ils acquiescèrent.

— Alors venez. Le *supermercado* est tout près. Il n'y aura qu'à se servir. Ils nous laisseront faire si on est assez nombreux.

Jaime regarda Vicente. Il n'avait pas l'air étonné. Dès lors, guidés par les rabatteurs, quelques centaines de nordistas entrèrent dans la banlieue de Veracruz. Les autres attendirent leur retour sur la plage de sable noir.

Ce fut l'affaire d'une heure. Tous les clients se réfugièrent dans le parking avec le personnel, qui connaissait la consigne : ne pas faire d'histoires. Le gérant appela la police, qui se comporta comme d'habitude.

Le *supermercado* avait connu des jours meilleurs, à en juger par ses rayons à moitié dégarnis et les détritus entassés dans les coins. Malgré tout, il était tentant. Une dizaine d'allées s'offrirent à la foule quand elle y pénétra. Après le rationnement des dernières semaines, ces trois mangues et ces bananes trop mûres signifiaient l'abondance. Ils se ruèrent d'abord sur les *galletas*, tout un rayon de sachets en plastique à moitié écrasés, par la suite ils pillèrent le rayon de la farine, puis celui du maïs en boîte, puis celui du jus de papaye. Au rayon des viandes, ils ne trouvèrent que du salami sous cellophane. Ils le prirent. Non loin, du poisson séché. Ils prirent aussi.

Comme la police était déjà au courant, on pouvait crier de joie si on en avait envie. C'est à ce signe qu'on reconnaissait les nouveaux. Les habitués, eux, opéraient dans un silence ému. Fini le ventre creux, finie la honte. L'euphorie ne durait pas, mais elle rendait léger.

Enfin, sans qu'un seul ordre eût été donné, la nuée se déplaça vers la sortie, abandonnant derrière elle des étals éventrés, des fruits écrasés, des rigoles de lait et de bière. Dehors, les policiers s'interposèrent entre les pillards et les clients, obéissant aux ordres. Les deux groupes s'ignorèrent. Pas un mot, pas un cri, pas une insulte ne furent échangés. Deux mondes parallèles, et des flics au milieu.

Bilan de l'opération : de quoi tenir trois jours, et quelques centaines de nouveaux venus.

— On va où maintenant ? ne put s'empêcher de demander Jaime.

C'était idiot.

— Encore manger, dit Vicente qui riait, le doigt enfoncé dans les côtes.

Un mois plus tard, leur nombre s'était tellement accru que Jaime ne distinguait plus les premiers rangs des derniers. Dans cet océan de visages harassés, il trouva une bouée de sauvetage en la personne d'une fille du Honduras qui avait l'air aussi seule que lui. Quand le soleil tapait trop fort, ils s'arrêtaient et se mettaient à l'ombre chétive d'un arbuste pour regarder l'*evi*. La fille était fière du sien, petit, pratique, porté en sautoir autour du cou. Comme elle refusait de lui dire son nom, il l'appela la Chica, et elle en parut satisfaite.

C'est avec la Chica qu'il apprit que leur nombre atteignait maintenant les trois cent mille. Dans l'*evi*, le type prenait un air indigné. Et la communauté internationale qui ne réagit pas ! Où vont tous ces désespérés ? Faut-il les arrêter ? Tenter de les raisonner ? Les dissuader d'aller vers les villes du nord qui ne peuvent rien pour eux. Justement, disait un autre, on pourrait faire quelque chose, et d'abord les ravitailler. Faute de quoi, de graves désordres sont à craindre.

— On parle de nous, dit la Chica.

— On est des gens importants, répondit Jaime.

— Oui, mais en attendant, j'ai faim.

Fallait-il y voir un lien avec les scènes de l'*evi*? Une semaine plus tard, un avion gros-porteur peint en blanc, avec trois lettres en bleu sur les flancs, se posa non loin. Il en sortit du personnel, des tables et des auvents, devant lesquels devait défiler la foule dans le bon ordre.

Ils eurent du mal. À la vue des citernes d'eau et des conteneurs de bioviande, les gens refusèrent de se mettre en rang et la bousculade commença. Les employés de l'ONU discutèrent avec les meneurs, et peu de temps après la distribution put commencer dans un semblant d'ordre.

Une semaine encore passa, et un convoi de camions-citernes vint à leur rencontre. Cette fois, le responsable du convoi ne prit pas la peine de parler aux chefs. Il se contenta d'immobiliser les camions remplis d'eau de mer et d'actionner les pompes. Au bout de chacune était fixé un désalinisateur qui se mit à ronronner aussitôt. Il en sortait une eau douce et délicieusement fraîche. Les premiers arrivés remplirent leurs récipients, mais ils ne purent s'empêcher de boire à grandes lampées au passage. Leurs cris énervèrent ceux restés derrière, les plus nombreux. Qui commença à pousser? Nul ne le sut jamais, mais bientôt la vague impatiente fracassa la ligne formée aux points de ravitaillement, et un premier désalinisateur fut arraché. Un torrent d'eau jaillit, des protestations s'élevèrent. L'eau était salée. On leur avait menti. Les autres appareils connurent le même sort.

Affolés, les gens du convoi fermèrent les valves, abandonnèrent leur équipement et remontèrent à bord des camions. La nouvelle de leur départ parvint aux derniers rangs en même temps que la rumeur qu'il existait encore en ce monde de l'eau douce et fraîche.

Les gouvernements sont décidés à agir, expliqua ce soir-là le type de l'*evi*. Nous avons su faire face à la situation en Afrique et doter le Maghreb, l'Égypte, la Turquie et la Libye des infrastructures nécessaires pour accueillir les réfugiés. Pourquoi resterions-nous impuissants en Amérique latine?

Jaime et la Chica se regardèrent. Ailleurs aussi il y avait des nordistas? Le lendemain, ils étaient devant Laredo. Des barbelés? Personne n'avait vraiment prévu ça. Plus inquiétant encore, tout un bataillon de la garde nationale était en position de l'autre côté du Rio Grande.

35

Anouar Taj Al-Masu'di avait pesé chacun des mots de sa lettre. Il se savait capable de coups de gueule, mais aussi de silences réprobateurs, parfois plus éloquents. Et après quinze années passées dans la boîte, le geste demandait réflexion.

Le boss n'a rien vu venir. Telle est du moins la pensée qui effleura le sous-directeur du groupe PACE quand il se jeta à l'eau dans le grand bureau du vingt-cinquième étage. Perplexe, Seydou Bissiri le fixait. Taj nota les cernes sous les yeux. Manque de sommeil? fatigue? stress lié à la dernière campagne électorale américaine, il est vrai éprouvante?

Justement, venons-en aux faits.

— Ma lettre part d'un constat. PACE a été nul dans la couverture de cette campagne – sans nerf, sans conviction, sans rien.

— Mais enfin, Taj, le directeur d'un grand groupe de presse ne démissionne pas parce qu'il est mécontent du résultat des élections dans un pays.

S'efforçant de rester calme, Taj fit quelques pas vers le tableau au mur. Un pin parasol planté au milieu d'un paysage rocailleux. La dernière fois, c'était autre chose, mais la présence du tableau ne suffit pas à susciter sa curiosité. Il se retourna.

— Je ne reconnais plus le PACE des débuts, et même celui d'après. Du mordant, des convictions, une volonté d'informer les gens autrement, et sur des sujets autres, loin des modes planétaires ou locales. Voilà qui nous distinguait des autres agences, et qui me donnait envie comme journaliste de me lever chaque matin.

— Taj, réfléchissez, bon sang, n'est-ce pas ce que nous faisons encore?

Cette fois, l'éclat de voix s'accompagna d'un geste qui fit valser un flexécran sur la table.

— En servant la soupe à ce taré de Duranson par notre passivité? Alors là j'avoue que je n'y comprends rien. Déjà, en se contentant de relayer les discours nauséabonds des deux candidats, on n'était pas du tout à la hauteur, et soit dit en passant on larguait Ramirez comme une vieille chaussette. Et tout ça pour qui? Pour un crypto-fasciste qui menace de déclarer la guerre au Mexique. Qui s'avance masqué au centre avec son colistier. Ce Gallimore, on se demande bien ce qu'il a à son actif en dehors de ses fameux centres anti-cyclones. Il ne vaut guère mieux que son patron. Et quand on pense que ces deux filous sont à la tête d'un pays qui dit merde au reste du monde. Et que PACE a pris le train de la démagogie dans cette élection. Je suis écœuré.

Que répondre? Ils avaient repris place devant la table basse et Seydou triturait son stylo. Et s'il avait raison? S'ils faisaient fausse route?

— Notre stratégie aux États-Unis est sans doute la meilleure dans les circonstances, articula-t-il avec lenteur.

— Sans doute? hurla Taj. Vous n'en êtes même pas sûr?

Et Taj, soudain très las, se leva, ouvrit la porte. Le secrétaire classait le courrier avec trop d'application pour ne pas montrer qu'il était aux aguets. Quinze années d'une vie, pour en arriver à une impasse. On vieillit. Les idéaux tombent en poussière. À la fin, on est seul.

Il partit en oubliant de claquer la porte.

— Nous disons donc : trois tonnes de sucre, douze tonnes de farine de maïs, cinq tonnes de riz, deux palettes de lait concentré. Quoi d'autre?

— Des couvertures de survie, répondit le jeune homme.

L'employé de Solidarité Sud consulta l'inventaire.

— Vingt mille couvertures Nanocarb, c'est exact. Rien d'autre?

Le garçon regarda derrière lui le camion qu'on déchargeait. Pas mal comme collecte, non? En moins d'un mois et sans quitter le territoire américain. Bien sûr, ses camarades et lui auraient pu battre le rappel de la Fédération, mais ils voulaient d'abord voir ce qu'ils pouvaient faire en tant qu'Américains, et puis ailleurs les autres avaient largement de quoi s'occuper avec les pôles Afrique et Asie.

— Heu… non, bredouilla-t-il.

— Alors signe ici, tu veux?

L'employé regarda le convoyeur avec sympathie. Étudiant, sans doute. Il portait un tee-shirt aux couleurs de Columbia. Lui aussi était passé par l'université. Diplômé en anthropologie il y a trois ans et, depuis six mois, employé de Solidarité Sud. Il se sentait utile, il était content.

— Dis à tes amis de ne pas s'en faire. Tout est redistribué intégralement aux réfugiés. Et en mains propres, ajouta-t-il, en montrant les miradors à cent mètres.

Le jeune homme regarda en direction de la frontière. Tout était si nouveau pour lui. Il y a un an encore, il ne pensait qu'à la musique, un peu à ses livres de sciences, et encore parce qu'il le fallait, pas mal aux filles, beaucoup au cinéma, avec des voitures qui flambent, des poursuites sur les toits, ce genre de films. Et puis un jour, attirée par un titre débile sur l'affiche, la petite bande s'était engouffrée dans l'amphithéâtre de la médiathèque : *Les yeux de l'Unique*. Quatre gars, et pas une fille ce jour-là pour se moquer d'eux. Il en était ressorti transformé. L'étudiant regarda l'employé de Solidarité Sud, qui lui inspira confiance. Une question le taraudait.

— Ils vous laissent passer facilement? demanda-t-il. Dans l'*evi*, ils disent que la frontière est hermétique. Comment faites-vous?

D'un signe de tête, l'employé montra un camion qui reculait.

— Maintenant je n'ai pas le temps de t'expliquer, mais si ça t'intéresse, traîne un peu dans les parages. La livraison est prévue dans deux heures. Il y en a une par jour. Tu pourrais nous filer un coup de main.

Les yeux de l'étudiant brillèrent.

— Maintenant dégage. Je dois en finir avec la réception du fret. Ton nom?

— Liêm.

L'étudiant décida de tuer le temps en explorant l'entrepôt à ciel ouvert. Depuis que les nordistas affluaient le long de la frontière texane, il ne se passait pas une journée sans qu'arrivent de nouveaux camions de vivres et d'eau. Liêm savait que les étudiants de Columbia n'étaient pas les seuls à s'être mobilisés aux États-Unis et qu'un pont aérien avait été établi du Canada vers le Mexique. Mais il savait aussi l'armée sur la défensive, sans parler de l'émeute du mois dernier. Brusquement, des milliers de personnes avaient traversé le fleuve à la nage et pris d'assaut les chevaux de frise. Des coups de feu avaient été tirés, des grenades lancées. Deux cent cinquante morts, dont la moitié noyés, expliquait le soir même le présentateur dans l'*ev*i. Depuis, la marée humaine avait reflué et campait aux portes du pays – à Brownsville, Laredo, El Paso –, où de nouvelles vagues venaient régulièrement la grossir. Il en arrivait maintenant aussi à l'ouest, à Nogales. Liêm cessa de lire le journal, ça le mettait trop en colère. L'action, voilà tout ce qui comptait.

Une femme distribuait ses prospectus sous le regard indulgent des soldats. La mine réservée du jeune homme fut un aiguillon. Elle l'interpella.

— On a déjà nos problèmes, nos pauvres, nos réfugiés, énuméra-t-elle, c'est bien assez. On ne peut pas nourrir la Terre entière. Tiens, lis ça.

Une brune dans la trentaine, presque jolie quand elle ne grimaçait pas. Liêm refusa. La femme y vit du mépris et l'agrippa par le bras.

— Tu te crois supérieur, peut-être?

Il se dégagea brusquement.

— Laisse tomber, tempéra une voix sur la gauche.

Des manifestants en faveur de l'ouverture des frontières. Liêm reconnut les tee-shirts à l'effigie de l'Indien Mountain. Ils devaient être une dizaine, guère plus.

— À des irresponsables comme vous, on devrait retirer le droit de vote, hurla la femme à l'intention des manifestants.

— Pour ce que ça changerait, répliqua l'étudiant. Tous les candidats disent la même chose.

Et il lui tourna le dos. C'était injuste envers l'éternel Marwan Ramirez, mais à quoi bon? Il n'arrivait jamais à obtenir plus de 15 pour cent des suffrages. Liêm était désormais plutôt au fait de ces questions. Et la semaine dernière, pour la première fois, il avait voté à l'élection présidentielle.

La femme lui flanqua un coup sur l'épaule. L'étudiant se retourna et saisit les prospectus, éparpillant les papiers au vent. La femme se remit à hurler. À l'écart, lentement, une fille enclenchait son *ev*i pour filmer la scène : des têtes brûlées criant au fleuve leur haine du Latino. Et qui s'approchaient du garçon.

— Ça suffit, maintenant!

Liêm reconnut la voix. L'employé de Solidarité Sud se tourna vers l'hystérique.

— Helen, va t'installer plus loin. Cette section est à nous, et tu le sais.

Le badge dut jouer en sa faveur, mais aussi la haute stature, le ton ferme. Et s'adressant à Liêm :

— Viens. On a du boulot.

Il le fit monter dans une camionnette qui les conduisit devant un hangar enclavé dans les postes de guet et les barbelés. À l'intérieur, l'étudiant découvrit une vaste surface, où une dizaine de personnes s'affairaient à préparer des colis. L'homme regarda sa montre.

— Treize heures quarante. Vous êtes prêts? s'enquit-il à la ronde.

Les têtes opinèrent.

— Au fait, je m'appelle Ron. Ouvrez la porte, cria-t-il à ceux du fond, avant de revenir à l'étudiant. Alors, que penses-tu de notre cachette?

— Que dit l'armée?

— Que veux-tu qu'elle dise? Tant qu'elle garde les frontières, le gouvernement sauve la face auprès des électeurs. Et à court terme, nous servons de soupape avec nos distributions de nourriture. Mais il est sûr que la situation ne pourra pas s'éterniser.

Deux hommes poussaient les lourds battants. Amarré à une jetée, un radeau attendait. Deux cables d'acier traversaient le fleuve qui devait faire dans les trois cents pieds de large. L'étudiant, fasciné, regarda les files de nordistas qui en face commençaient à s'allonger.

— On forme la chaîne, lança Ron, en lui balançant un carton de farine.

36

Une fois élu, la première décision du président Duranson fut de donner des gages à ceux qui lui avaient fait confiance sur la question sécuritaire en doublant les effectifs à la frontière mexicaine. De nouveaux crédits furent également débloqués pour contrer la diffusion d'idées antipatriotiques sur le territoire. Enfin, la première dame, en accord avec son époux, déclara qu'elle ne changerait rien à la décoration des appartements privés du couple présidentiel. Le précédent locataire avait montré un goût sûr en toutes choses, et en ces temps difficiles, l'État n'allait pas engager des frais injustifiés quand la communauté de vues entre l'ancien et le nouveau régime était si manifeste. Un climat d'austérité s'installa donc pour de bon à la Maison-Blanche et, avec lui, plus que jamais, méfiance et frilosité. L'époque l'exigeait.

Duranson endossa sans efforts les habits de président. Depuis le temps qu'il évoluait au sein du parti républicain, veillant à se rendre indispensable dans les cercles du pouvoir sous Cummins, il savait un peu à quoi s'attendre sur ce chapitre. Certes, bien des journées étaient gaspillées en réunions de toutes sortes et en clientèles à satisfaire, ce qui ne lui laissait guère de loisir pour les longues balades en tout-terrain dans la campagne, son passe-temps favori. Mais il se rattrapait autour de Camp David chaque fois qu'il le pouvait.

Et il y avait le reste. Le tapis rouge déployé pour la délégation américaine lors de ses rares déplacements à l'étranger, la lueur d'ambition dans les yeux de son entourage, l'empressement mis par chacun à satisfaire ses désirs. Il n'était pas assez naïf pour croire les flatteurs, mais il les laissait dire volontiers. Ce n'était pas sa faute si la nature humaine était ce qu'elle était.

Ce soir-là, la première dame regagna ses appartements, fourbue. Elle n'aimait pas du tout l'ambassadeur canadien, ses manières obséquieuses, et sa femme, mal fagotée, trapue.

— Personne ne te demande d'en faire un confident, dit le mari, qui prenait ses aises dans un fauteuil, près de la cheminée, où chaque soir une bonne flambée le réconciliait avec la fonction présidentielle.

C'était son moment préféré de la journée. En peignoir et en pantoufles. Plus de représentation. Dans la salle d'eau, la voix de Madeline Duranson couvrit le fracas de la douche.

— Eh bien, tant mieux! J'en ai soupé, moi, du savoir-faire canadien.

Duranson s'abîma dans les braises qui rougeoyaient. Ce soir, l'alcôve voisine resterait vide. Il n'avait pas envie de parcourir les dossiers emportés à l'appartement. Sur un guéridon l'attendait l'emploi du temps du lendemain, et c'était bien suffisant. Il regarda l'objet du coin de l'œil. Le général Wiener insiste, monsieur. Il dit que c'est de la plus haute importance. Pressé de dire pourquoi, le secrétaire à la Défense n'avait su que répondre. De guerre lasse, un rendez-vous avait été accordé. Que diable Wiener lui voulait-il?

La première dame aimait traîner sous la douche. L'eau chantait, les flammes dansaient, et Duranson sombrait dans une douce torpeur, quand soudain la porte de l'alcôve s'entrebâilla.

— Mais qu'est-ce que tu fais avec cette arme? dit le président en se levant d'un bond.

Le projectile alla se ficher dans l'avant-bras, lui volant la réponse.

La nuit même, la première dame fut interrogée par l'enquêteur du Pentagone. Il était deux heures du matin quand ce dernier fut appelé par le chef de sécurité de la Maison-Blanche, qui prononça cette phrase inouïe : le président a disparu! Madeline Duranson apparut en pantalon et pull, la mine défaite; elle ne s'était pas remaquillée.

L'enquêteur était coriace, et l'interrogatoire fut rude. Qui croire, madame? Le lieutenant Gary Vogt, de faction à votre porte, jure qu'il n'a vu personne entrer ou sortir de la chambre. Pour votre part, vous dites que le président était seul avec vous. Que voulez-vous insinuer? avait répliqué la première dame. Reprenons depuis le début, ordonna posément l'enquêteur, flanqué de deux adjoints silencieux.

Elle soupira, mais, conciliante, se força à n'oublier aucun détail. Le pommeau de la douche gouttait lorsqu'elle avait pris le drap de bain pour se frotter vigoureusement. Elle avait prêté l'oreille. Tiens, il a mis de la musique – aigrelette, du piano, elle n'aimait pas. Choisis autre chose, tu veux? lui avait-elle crié à travers la cloison. À onze heures du soir, quand même.

Ni réponse ni changement de musique. Elle avait enfilé un peignoir et regagné la chambre à coucher.

L'enquêteur regarda ses mains. La première dame portait encore ses bagues : son alliance et un cabochon d'émeraude. Les avait-elle enlevées pour la nuit puis remises?

Personne, poursuivit-elle. Il n'était pas non plus à son bureau dans l'alcôve. Sur le valet de nuit, son pantalon et sa veste, comme il les avait disposés plus tôt, avec la chemise jetée dessus. Qu'est-ce qu'il lui prenait de traîner en peignoir dans les corridors, ce corniaud? Elle avait haussé les épaules, coupé la musique et était retournée à la salle de bain pour manipuler les gris-gris d'usage avant d'aller dormir : brosse à dent, lotion astringente, crème de nuit.

Elle s'était glissée entre les draps, avait éteint la lampe en laissant allumée celle de l'autre table de chevet. Dix minutes plus tard, elle rejetait brusquement les couvertures.

L'enquêteur du Pentagone, qui avait déjà interrogé le lieutenant Vogt, connaissait la suite. Vogt s'était levé en voyant s'ouvrir la porte à toute volée et mis au garde-à-vous. Au moins, les versions concordaient.

— Rebonsoir, Gary. Dites-moi, le président vous a-t-il dit où il allait?

Vogt n'aurait jamais cru qu'un simple «Je n'ai vu personne» pût produire un tel effet. Cela avait été le seul commentaire du garde du corps. Voilà qui ne nous avançait guère. L'enquêteur mit fin à l'interrogatoire pour cette nuit. Il raccompagna la première dame à l'une des chambres d'invités. À son retour, deux membres de l'unité scientifique du FBI l'attendaient devant la porte.

Duranson cligna des yeux deux ou trois fois. La lumière n'avait pourtant rien d'aveuglant. D'abord, il ne vit que des masses floues, puis la mise au point se fit progressivement, et il put procéder à un rapide inventaire des lieux. Un meuble-bibliothèque bien garni, un écran *evi* éteint dans un coin, un sofa en cuir souple, des fauteuils dans le genre ancien, du papier peint à rayures, une grande table, quatre chaises, des fleurs, des bibelots, des cadres au mur, le tout offrant au premier coup d'œil un décor confortable et chaleureux, bien que sans fenêtre. Où était-il? La mémoire lui revint. Il se redressa brusquement, et son peignoir s'ouvrit sur son pyjama. Il était ridicule et, de surcroît, il avait surestimé ses forces. Les jambes flageolantes, il se laissa retomber sur une sorte de divan, délicat et tout en courbes, mais solide. Il prit peur. On voulait l'assassiner, c'était un complot, il était tombé dans un piège. C'est alors qu'il baissa les yeux et aperçut sur la table un feuillet plié, avec son nom écrit dessus. Il le déplia. L'auteur ne s'était guère embarrassé de préambules.

Ta vanité est telle que tu voudras croire ta vie en danger. Détrompe-toi et prépare-toi plutôt à un petit séjour tranquille. Vas-y, explore à fond ta nouvelle demeure. Tu verras qu'il n'y manque rien. On a même pensé aux exercices de musculation, tu vois – Duranson leva les yeux sur les appareils au fond de la pièce. Précision : les repas sont servis trois fois par jour à heures fixes par le passe-plat – il remarqua une ouverture carrée pratiquée dans le mur.

C'était tout. Pas de signature. Ce n'était pas nécessaire.

Dès le lendemain, le Congrès se réunit d'urgence et s'empoigna autour de la procédure à suivre. Il fallait assermenter sur-le-champ le vice-président Gallimore, disaient les uns, comme le prévoyait la constitution, car il ne peut y avoir vacance du pouvoir. Qui nous dit que le président est mort? objectaient les autres. Il allait peut-être réapparaître dans les prochains jours, et alors on se retrouverait avec deux présidents dûment assermentés sur les bras. Mieux valait attendre.

Une semaine se passa dans la tourmente.

Le hasard fit que la cérémonie d'assermentation tomba sur le plus beau jour de février. Un temps sec et frais, un soleil radieux. Était-ce le début d'une nouvelle saison? La foule massée ce jour-là devant le Capitole avait surtout envie de croire à la fin des jours mauvais. Le vice-président était jeune. On le disait déterminé et concevant de grands projets pour l'Amérique. Sur un signe du président de la Cour suprême, Gallimore s'avança. Vêtements de bonne coupe, prestance, regard franc : un murmure d'approbation parcourut l'assemblée.

Au premier rang, le secrétaire d'État, le secrétaire à la Défense, ainsi que les autres membres du gouvernement Duranson affichaient le masque du devoir. Jusqu'au dernier moment, ils avaient refusé de croire à la mort de leur président, mais l'enquête piétinait, les tests auxquels s'étaient soumis de plein gré les gardes du corps et la première dame n'avaient rien donné, nulle rançon n'était réclamée et le Congrès avait fini par admettre l'évidence : après huit jours d'absence inexpliquée, le président Duranson devait être déclaré inapte à remplir ses fonctions.

Assis devant l'*ev*i, les jambes écartées, Duranson avala cul sec son troisième scotch. Il fulminait. Qu'allait-il se passer maintenant? Sur la tribune, Madeline Duranson apparut, vêtue de noir, lequel contrastait avec le tailleur pimpant de Mrs. Gallimore.

— Veuillez maintenant prêter serment, dit le premier magistrat.

Le vice-président posa une main sur la Bible, leva l'autre et, d'une voix claire, se présenta à la nation en bonne et due forme.

— Moi, Archibald Lester Gallimore, commença-t-il.

Une bouffée de fierté envahit Isaura, Seydou et Chérif éclatèrent de rire et Mizuki ne quitta pas son air de sibylle. Mais pour la première fois, tous les Contactés réunis en cet instant dans l'holoviv de Washington eurent vraiment le sentiment d'écrire l'histoire.

37

Le général Wiener passait ses journées prostré dans son bureau. Depuis la disparition du président Duranson – encore une autre disparition! –, les événements se précipitaient et il avait l'impression d'avancer vers un gouffre, le canon d'un fusil pointé entre les reins. Mais qui donc le tenait en joue? Sur son bureau, une copie du rapport des services de sécurité de la Maison-Blanche. Pfft! siffla-t-il, en refermant le document avec un geste de mépris. Wiener ne croyait plus à l'ordre ni à la logique. Il avait perdu sa boussole et avançait à tâtons. C'est-à-dire qu'il n'avançait plus du tout.

La chambre à coucher du couple présidentiel, expliquait le rapport, de même que l'alcôve adjacente et la salle de bain ont fait l'objet d'un démantèlement minutieux qui n'a révélé aucun mécanisme suspect. Les interrogatoires n'ont rien donné non plus. L'auteur du rapport concluait sur un aveu d'ignorance, sans même faire le lien avec la panne opportune du satellite espion qui scannait la région ce jour-là. Ils sont forts, nos services de sécurité, soupira Wiener.

— Le pauvre, on aurait presque envie de lui expliquer, commenta Léa, en voyant sa tête d'enterrement dans l'holoviv.

Carlingua était fier du travail accompli. L'exécution du plan avait été réglée dans ses moindres détails : l'ouverture pratiquée sur le toit par la sondine, le puits de descente, le vice-président Lester traversant en silence, à la verticale, le plafond de l'alcôve présidentielle, la fléchette. De plus, tout avait fonctionné sans anicroche. En homme vigoureux, Lester Gallimore avait prestement chargé le Président inconscient sur ses épaules et regagné l'alcôve. Il connaissait la marche à suivre. S'il faisait vite, il n'aurait pas besoin de s'encombrer aussi de l'épouse, même s'il était paré à cette éventualité.

Il fit vite. Sans un regard pour les lieux nouveaux, il avait repéré l'ouverture pratiquée par la sondine sur le sol, dans le prolongement de celle faite au plafond qui se refermait déjà, puis le kidnappeur et sa proie s'étaient laissé tomber à pic dans la cage dorée. Lester avait été parfait. Il faut dire qu'il rêvait d'action depuis un sacré bout de temps.

Ce matin-là, le nouveau président Gallimore scruta tour à tour les deux visages tournés vers lui et aima ce qu'il y lut. Le gouverneur de l'Idaho était une femme pragmatique. À plusieurs reprises, il avait eu l'occasion de s'entretenir avec elle de la situation au pays et de mesurer sa largeur de vues, car avec Mildred Ferr, les problèmes comme les solutions ne pouvaient être réduits à l'échelon local. À ses côtés, l'architecte Hernando Talbot n'avait fait ni une ni deux quand il avait reçu son coup de fil, la veille, vers minuit. Laissant à ses associés new-yorkais le soin de faire fonctionner le bureau, il avait pris le premier avion de cinq heures trente pour être présent à Washington dès sept heures. Il était comme ça, le nouveau président : les manches retroussées, des idées, de l'enthousiasme. C'était stimulant. Le pays allait peut-être enfin sortir de sa morosité.

Tout en écoutant ses interlocuteurs exposer leurs idées sur l'état de la nation, Lester réfléchissait. Devait-il maintenant abattre son jeu? Le limogeage à venir des deux plus importants secrétaires d'État était chose sérieuse, et leur remplacement par des modérés l'était tout autant. Ferr et Talbot soupçonnaient-ils le motif de leur convocation? Sûrement. Dans ce cas, aussi bien ne pas faire traîner les choses.

Un coup discret à la porte.

Le conseiller adjoint fit son entrée en s'excusant. Trois paires d'yeux le fixèrent avec curiosité. Il nota les tasses de café vide, les miettes de croissant sur la table.

— C'est le général Wiener, monsieur. Il est là, à côté, et refuse de partir. Il dit qu'il avait rendez-vous avec le président depuis un bon moment, que c'était avec Mr. Duranson et qu'il avait bien compris la situation, mais que maintenant il ne peut plus attendre.

Lester demeura impassible.

— Je vais le recevoir. Dites-lui d'attendre encore un peu. De toute façon, nous allions conclure, n'est-ce pas?

Ferr ajouta un mot sur la nécessité du pays de renouer avec la recherche internationale et Talbot rangea ses esquisses, en précisant qu'il les tenait à la disposition du président. Lester leur fit sans ambages sa proposition, assortie d'une invitation à y réfléchir pendant quelques heures et d'un rendez-vous evi à midi. L'annonce du limogeage du premier secrétaire d'État et du secrétaire à la Défense étant prévue à seize heures, dans la salle de presse de la Maison-Blanche, il la voulait complète et définitive, nomination des successeurs y compris.

La porte du bureau ovale s'ouvrit. Wiener se leva et suivit du regard les visiteurs qui s'éloignaient.

— Monsieur le président, dit-il après avoir fait le salut militaire, il est de mon devoir de vous informer d'une situation très préoccupante.

— Aux faits, Wiener, puisque vous semblez si bien les connaître.

Glacial, le président se dressait dans l'embrasure. D'un mouvement large, Wiener montra la secrétaire, le conseiller et les gorilles. Il n'allait tout de même pas déballer l'affaire aux quatre vents.

Le président s'écarta pour le laisser entrer. Mais cela fait, il se tourna vers ses gardes du corps.

— Arrêtez-le.

Dûment formée pour l'intervention rapide, la secrétaire enfonça le bouton d'alerte sans poser de questions et, dans les secondes qui suivirent, tous les membres des services de sécurité assignés à l'étage firent irruption dans la pièce.

— Qu'est-ce qui vous prend? hurla Wiener.

Une clé au bras lui intima le silence. Lester brandit le mandat d'arrêt posé sur son bureau.

— Général Wiener, vous êtes accusé d'avoir planifié l'assassinat du civil Mountain, ressortissant américain.

Le militaire ouvrit des yeux ahuris. Un dangereux agitateur. Un espion. C'est en toute conscience qu'il avait agi. Le président se dirigea vers l'*evi* et activa la ligne directe avec la Sécurité intérieure. Deux autres mandats furent transmis. La sénatrice Carla Cornish n'eut pas le temps d'écraser sa cigarette qu'elle était en état d'arrestation, et de même Jack Dewhirst, cueilli dans son pigeonnier de Seattle. Écroués, tous trois connurent une célébrité aussi soudaine que fâcheuse.

38

L'ambassadeur américain à Moscou reçut le coup de fil qui changea sa vie alors qu'il était occupé à lire la presse du matin. Le moins que l'on puisse dire, c'est que le président Gallimore n'était pas homme à tergiverser. À l'autre bout du fil, son interlocuteur s'identifia avec le code prioritaire. Holender dressa l'oreille. La garde rapprochée du président? Un lundi matin? Que se passe-t-il?

— Le président demande à Son Excellence de l'inscrire comme intervenant à la session ordinaire de l'ONU qui doit s'ouvrir demain. Est-ce possible?

— Tout est possible quand le président des États-Unis le demande, répondit l'ambassadeur Holender avec tact. Quel sujet dois-je annoncer, monsieur?

— Le président ne l'a pas précisé. Est-ce indispensable à la procédure?

Holender s'était levé et, sans interrompre la communication, avait fait signe au premier secrétaire de s'approcher. Il griffonna des instructions sur un bout de papier, tout en répétant posément à voix haute ce que, estomaqué, il apprenait à mesure.

— L'avion présidentiel va amorcer sa descente vers Cheremetievo. Bien. C'est une excellente nouvelle. Toutes les dispositions ont été prises sur le plan de la sécurité, je présume? Ah, je comprends. Bien sûr. J'appelle à l'instant le directeur de l'aéroport. Dites-moi, le président souhaite-t-il aussi ma présence à son arrivée?

Holender décocha un regard furibond au premier secrétaire d'ambassade, qui tardait à se munir de papier. Cinq minutes plus tard, tous deux étaient dans la limousine qui filait à l'aéroport mis en état d'alerte. Pendu à l'evi, le premier secrétaire s'échinait à obtenir la communication avec le secrétariat de l'ONU, et Holender l'entendait répéter sa requête dans un français élégant. Beaucoup de choses avaient changé au sein de l'Organisation depuis la réforme de 2046, et le retour en force des langues d'usage n'était pas la moindre. Toutefois l'adoption d'une devise empruntée à Hippocrate mais vieille comme le monde était certainement la plus lourde de conséquences : Avant tout ne pas nuire. L'ambassadeur se pencha et ordonna au chauffeur d'accélérer. À dessein, ils avaient évité le centre-ville et n'avaient donc pu apercevoir les tours torsadées du nouvel ensemble. Pas si nouveau que cela, en fait, si l'on considère que le choix de Moscou comme siège de l'Organisation remontait à six ans, à l'époque où Cummins avait repris ses billes.

Le premier secrétaire éteignit l'evi avec un regard triomphant.

— Réjouissez-vous, Votre Excellence. Le président Gallimore prendra la parole demain, à dix heures, devant l'Assemblée générale. Ils vont émettre un communiqué en fin de matinée aujourd'hui. Ils m'ont demandé si cela posait un problème. J'ai répondu que nous n'avions pas d'objection.

Le jeune homme quêtait une approbation. Elle prit la forme d'un signe de tête mécanique. L'esprit de Holender était ailleurs. Voilà deux ans qu'il était en poste en Russie, et jamais il n'aurait cru pouvoir assister un jour au retour du président des États-Unis dans l'enceinte de l'ONU. Il fallait que Gallimore fût bien différent de ses deux prédécesseurs pour oser un tel geste, même le temps d'un discours. Car il était impensable, bien sûr, qu'il aille au-delà. D'ailleurs, reconnaîtrait-il seulement l'Organisation réformée? Sous couvert de proportionnelle, les nouvelles règles du jeu faisaient la part belle aux pays émergents. Il n'y avait plus de membres permanents au Conseil de sécurité, où le droit de veto était supprimé. Le président s'en accommoderait-il? Un pays comme les États-Unis pouvait-il sans déchoir accepter d'attendre son tour comme tout le monde? Il faut croire que le président Gallimore avait réfléchi à ces questions et que son arrivée inopinée était la réponse. Pour l'heure, tous les *e*vis de la planète faisaient encore leurs gros titres avec le président disparu. Et si Gallimore venait porter des accusations? À moins que les États-Unis ne veuillent réintégrer l'Organisation? C'était sans doute aller trop loin. Il faut savoir doser ses initiatives. Un peu comme ces génusiens, dont il suivait les progrès depuis ses années londoniennes. Holender soupira. Qu'on soit fixé, et vite.

Le chauffeur immobilisa la voiture dans le parking réservé aux membres du corps diplomatique. Aussitôt, deux Américains en costume-cravate, l'un d'âge mûr, l'autre jeune homme, en sortirent, traversèrent en courant le parc de voitures, ignorèrent les ascenseurs, gravirent quatre à quatre les escaliers menant en surface, zigzaguèrent dans les corridors de l'aire VIP, avant de se retrouver devant les portes d'accueil, qui s'ouvrirent à l'instant.

Nommé par le président Cummins, l'ambassadeur américain à Moscou n'avait pas encore été présenté au nouveau locataire de la Maison-Blanche. Ce fut chose faite. Le président Gallimore lui serra la main en plongeant son regard dans le sien. Holender, en habitué des courses contre la montre, avait rapidement retrouvé son souffle. On ne pouvait en dire autant du premier secrétaire qui haletait dans son dos. Il n'était pas le seul. Autour de la délégation américaine, la police de l'aéroport avait déployé ses effectifs et s'agitait en tous sens, sans que l'arrivée du chef d'État semble devoir calmer le jeu.

— Monsieur le président, soyez le bienvenu à Moscou, dit l'ambassadeur d'un ton affable.

Son esprit continuait de battre la campagne. On dit qu'il y aura d'autres limogeages, qu'il est décidé à faire le ménage dans la maison États-Unis, qu'il est prompt à la décision comme à la colère, brutal même.

— Votre voiture est sûrement garée tout près, répondit Lester. Rentrons ensemble, si vous le voulez bien.

En quittant l'aéroport, Holender avait remarqué la mine déçue du premier secrétaire qui les avait regardés s'éloigner en compagnie des gardes du corps. Quelle tête aurait-il fait maintenant s'il avait été présent? Le président et l'ambassadeur étaient seuls sur la banquette arrière et devisaient comme deux vieilles connaissances. Enfin, n'exagérons rien : le président évoquait sans détours devant l'ambassadeur le discours qu'il prononcerait demain, mais ce qu'il disait, Holender le comprit, appartenait déjà à l'Histoire.

— Le pays traverse une crise alarmante, monsieur l'ambassadeur. Les incertitudes climatiques, l'insécurité à nos frontières, notre isolement volontaire et ses conséquences sur notre balance commerciale, tout ceci rend notre position intenable. Par ailleurs, le peuple américain est partagé. Les mouvements de contestation se radicalisent, les heurts sont nombreux, et la majorité est prise entre deux feux. L'inquiétude augmente. Les plus cyniques tentent de tirer leur épingle du jeu. Notre pays, monsieur l'ambassadeur, est au bord de la guerre civile. Je pèse mes mots.

L'ambassadeur le regarda avec gravité. Aucune trace de langue de bois chez lui. Le président, qui à ce stade ne s'attendait pas à des commentaires, poursuivit.

— Comme on vous l'aura dit, j'ai procédé hier à des remaniements majeurs au sein du gouvernement. Ce n'est qu'un premier pas. Après mûre réflexion, j'en suis venu à la conclusion que les États-Unis doivent réintégrer l'ONU. Malgré ses lourdeurs, l'instance a fait la preuve, par le passé, qu'elle était indispensable sinon à la paix, du moins à la régulation des rapports entre les pays sur cette planète. Pourquoi me regardez-vous ainsi, monsieur l'ambassadeur? Vous estimez sans doute que ce n'est pas le langage habituel d'un conservateur bon teint? Mais pourquoi la conscience planétaire serait-elle l'apanage des seuls esprits progressistes? Ah! et puis laissons tomber ces catégories, voulez-vous. Je me réjouis des réformes entreprises ces dernières années par l'ONU. Si le retrait de notre pays a pu au moins servir à cela, il n'aura pas été vain. Mais le temps passe, et je ressens de plus en plus l'urgence d'agir. Sur le plan intérieur, j'ai observé que les causes de désordre ont presque toutes un lien avec les dérèglements climatiques. Or dans ce domaine la solution exige une concertation à l'échelle mondiale. Pour nous sortir de la crise, il faut donc engager résolument notre pays dans la voie internationale. C'est la seule issue, j'en suis convaincu. Voilà en gros ce que je dirai demain aux délégués de l'ONU.

Le président marqua une pause.

— Alors, qu'en pensez-vous? Même si ma décision est prise, je peux quand même entendre vos arguments. Parlez. Je vous écoute, monsieur l'ambassadeur.

Derrière, la voiture de sécurité suivait à courte distance. Devant, le chauffeur et le garde du corps avaient les yeux rivés sur la route. Une ère nouvelle, se dit l'ambassadeur, sur le coup il n'y a pas de différence, et pourtant tout va changer.

39

S'il était un endroit dans la galaxie où les dernières péripéties humaines n'étaient pas passées inaperçues, c'était bien dans l'habitacle qui, depuis maintenant plus d'une centaine d'années terrestres, ramenait Shoka-Ub sur Xall, sa mission à Concise accomplie. La guérison du Contacté humain ne lui avait offert qu'un sursis, mais ce n'était pas une raison pour se désintéresser du sort de la remuante planète.

Bien installé dans sa cuve, Shoka-Ub rassembla toutes les pièces du dossier. Le geste ne lui demanda qu'un peu de temps et aucun effort, puisque les Observateurs à destination avaient travaillé avec méthode et que les archives de la commission d'Observation étaient à jour. Le visionnement et la relecture lui prirent quelques soleils, mais Shoka-Ub put vérifier une fois de plus le caractère très relatif de la notion de temps. Voilà un moment qu'il avait laissé derrière lui la planète au losange et Xall était encore loin. L'habitacle, étroit, lisse, aurait pu lui paraître une prison, malgré sa mobilité. Il n'en était rien. Les voyages traditionnels étaient bien la seule façon décente de se déplacer sans pour autant cesser de peser sur les décisions de l'Unicité par l'entremise de Zvano-Ub, son successeur inexpérimenté et reconnaissant. Et puis il devait avouer le grand intérêt qu'il prenait à parcourir ces documents, et qu'importent alors les levers et les couchers des soleils de la galaxie.

Ils avaient beaucoup tâtonné, comprenait le Structasensi, mais il semble que ce soit la règle chez les humains. À ainsi remonter le fil de leur histoire, Shoka-Ub comprit aussi que la main qui tirait un totem de l'arbre ou un château de la carrière n'était pas moins ni plus assurée que celle qui dessinait une carte de gisements aurifères ou apposait sa signature au bas d'une charte. L'humain était inconstant et ses progrès infimes.

Il en était là de son bilan, quand eut lieu l'assermentation du Contacté Lester dans sa fonction de président des États-Unis. Plus réjouissante encore se révéla l'action entreprise ensuite par celui-ci. Au passage, le Structasensi nota que le hasard avait joué un rôle prépondérant aussi bien dans le choix du dernier Contacté que dans celui du premier. Shoka-Ub fit pivoter la cuve et admira le soleil 18327 encore bien visible, jadis témoin de la naissance des humains. Tant de formes de vie intelligentes existaient dans la galaxie, mais sa mémoire, sa connaissance des archives et du vivant lui redisaient à quel point cette existence avait à l'origine tenu à peu de chose. C'était chaque fois un pari. Dès lors, se pourrait-il qu'une poignée de Contactés convaincus, dix silhouettes insignifiantes, même à l'échelle locale, puissent maintenant faire la différence? Et qu'en serait-il de toute l'humanité si on lui en donnait les moyens? Tandis que l'antique vaisseau poursuivait sa route dans l'espace, l'Un-Soi entra dans une intense période de réflexion, dont le moment venu Zvano-Ub, son successeur au Protectoire, recueillit l'étonnante conclusion.

Incrédule, Noam resta figé devant l'Observateur.

Biib I-Ttep se tenait à la verticale derrière le cristal. Aucun geste des appendices ne vint appuyer le message.

— ÉVÉNEMENT.
   i)   Interlocuteur. L'Unicité.
   ii)   Convoqués. Les dix Contactés humains.
   iii)   Moment. Maintenant.

Noam assimila la nouvelle. Il entendait son cœur battre dans sa poitrine, coups sourds qui devaient résonner dans toute la caverne. Il revit Mountain sur le petit banc, à Carouge, et qui souriait. Lentement, Noam salua l'Observateur et quitta la pièce comme on sort d'un mauvais rêve.

Les temps d'après

Assis dans un fauteuil aux premiers rangs, Tom ne savait plus s'il devait regarder les visages pétrifiés dans l'assistance ou les silhouettes présentes sur la tribune. Il sentit une main s'emparer de la sienne et la broyer. Il se tourna vers Teresa, qui avait déjà choisi comment réagir : les yeux rivés sur le président Gallimore, elle buvait chacune de ses paroles. Deux mois plus tôt, dans un discours historique, le même avait fait sensation dans le monde entier en demandant à l'ONU la réintégration de son pays. Mais ce n'était rien encore, en comparaison des propos qu'il venait de tenir. Il avait dit : l'Univers a changé de pivot, l'humanité entre maintenant dans l'âge galactique. Il l'avait dit, mais Tom ne comprenait pas.

De chaque côté du président se tenaient Renu Chandaray et Li Mei Fei, mais aussi d'autres figures publiques, que Tom découvrait maintenant sous un jour nouveau, comme le prix Nobel de médecine Imajiro Mizuki ou le cinéaste Chérif Habani – dix en tout ; il ne manquait que l'Indien Mountain, celui par qui tout avait commencé.

Devant eux, cinq mille personnes, admises exceptionnellement dans la salle de conférences de Moscou. Un public trié sur le volet. Tous les chefs d'État, des penseurs, des dirigeants d'entreprises, des créateurs, des journalistes rendus muets. Sans compter les milliards de gens plantés devant leur *evi*. Tous stupéfaits. Sans voix. Et cette chaleur qui augmentait…

Tom ne se reconnaissait pas. Un jour, le sang d'un homme exceptionnel avait coulé sur ses mains, et il était resté maître de lui. Mais là, en ce lieu, en ce moment solennel, il perdait pied. Qu'est-ce que le réel ? Qu'est-ce que la raison ? Ce qui échappe aux sens existe-t-il ? Était-ce la fin ou le début du monde ? Tom ! chuchota Teresa, en le voyant, livide, s'effondrer sur ses genoux.

*

Par grappes, les gens sortirent de leurs maisons peu avant minuit. Les Néo-Zélandais, comme tous les autres habitants du premier fuseau horaire, avaient conscience d'être privilégiés, mais c'était une fierté où entrait aussi de l'appréhension. Qu'allait-il se passer au juste? À Matamata, la ville semblait s'être donné le mot pour se répandre dans les rues. Mais pour la petite bande d'amis, pas question de rester en famille un soir pareil. Ils longèrent Springs Road jusqu'au terrain de golf et squattèrent la butte, côté est.

C'était l'été. Une belle nuit d'été, sans lune ni nuages, un peu fraîche tout au plus, malgré la brise venue du Pacifique. Sans être spécialement calés en astronomie et sans se douter que leurs maigres repères seraient bouleversés à jamais, les jeunes gens reconnurent le ciel familier, avec la Croix du Sud qu'ils savaient au moins distinguer de la fausse.

— Quelle heure est-il? demanda une voix, tandis que les shooters de vodka commençaient à circuler.

— Bientôt minuit.

L'excitation parcourut les rangs et toutes les têtes se levèrent dans l'attente. Vous avez vu? dit soudain Paora. Le firmament était devenu flou, comme si le contour de chaque étoile s'était estompé, ne laissant plus qu'un halo à la place du point scintillant. Puis toute la voûte parut coulisser lentement, et les halos des étoiles, sous cette étrange poussée, se mirent à dessiner des petits cercles sur le fond noir du ciel. Quelle main géante ajustait ainsi l'univers? Quel esprit facétieux faisait naître maintenant des jaillissements de couleur? Génial, tout ça, dit Paora, la terre, le ciel, les autres mondes, ce qui se passe. Fantastique. Et pourtant, il en avait lu des livres, dans le genre. Chut! Dans la pénombre, la voix était impérieuse, Paora se tut comme prenait fin le ballet lumineux.

Au-delà de l'orbite martienne, la sonde continuait de s'activer.

Le ciel s'éteignit. Le black-out étouffa jusqu'aux sons. Le terrain de golf avait disparu, les arbres avaient disparu, les autres avaient disparu, et chacun sombra dans une nuit insolite.

Elle ne dura que quelques secondes.

Alors des trillions de soleils minuscules s'allumèrent en même temps et répandirent sur la Terre une clarté vive.

Sidérés, les jeunes gens, qui se rompaient le cou pour mieux voir, aperçurent une traîne dense et brillante. Jamais la Voie lactée n'avait si bien mérité son nom. Mais d'où sortaient toutes ces étoiles? De quels confins? Ils avaient prêté une oreille trop distraite aux explications des derniers jours claironnés dans tous les *e*vis et n'avaient qu'une vague idée de la réponse. Ça y est, ils ont enlevé le voile-pelta, murmura Paora. Regardez : la masse manquante de l'univers.

Il pontifiait, il avait vingt ans, la vraie vie ne faisait que commencer.

*

L'Ovalque Kou[4] parvint au point de libration. De là se découpait la planète bleue au liseré scintillant.

— Parfait, dit-il au technicien qui l'introduisit dans le module. Où en sont les travaux?

— La captation du carbone a commencé depuis douze soleils. Le niveau de gaz en haute atmosphère est maintenant de 34,5 unités. Voyez le résultat.

Penché sur le magnifieur, l'architecte stellaire examina avec satisfaction l'agglomérat. La tâche à accomplir pour aider les humains était simplissime. S'il l'avait acceptée, c'était non pas pour le défi, mais pour le prestige car, sur Xall comme dans la galaxie, il n'y en avait plus que pour la planète au losange levé.

— La cristallisation ne doit pas déroger au schéma que je vous ai transmis, rappela l'architecte.

Le technicien montra le coopteur en orbite basse, l'agglomérat dans son sillage. La vitesse s'afficha sur le relayeur. L'architecte approuva. Tout se passait comme prévu.

— Dans cinq soleils, précisa-t-il, le nouveau satellite sera visible aux humains.

Le technicien mesura la pierre. Elle avait atteint un milliesta de diamètre. Quand la boule de carbone serait de la grosseur d'un astéroïde, l'architecte lui donnerait sa forme définitive avant de la lancer sur une course dont les paramètres seraient aussi rigoureusement établis qu'invariables. Son orbite suivrait un axe perpendiculaire à celle de la planète des humains. Dès lors, une fois par cycle solaire, les trajectoires de l'agglomérat et de la planète se croiseraient.

— Pourquoi une telle conjonction contraire à la règle de simplicité? s'étonna le technicien.

— C'est délibéré. Sera ainsi marquée périodiquement dans leur firmament la date anniversaire de l'accession des humains au rang antéUn.

La taille en facettes n'était pas nécessaire non plus. Mais les humains apprécieraient, l'architecte Kou[4] en était persuadé. Loin d'être le rappel désagréable d'un état antérieur, le diamant gigantesque serait leur cadeau de bienvenue.

*

La gamine n'en faisait toujours qu'à sa tête. Et maintenant ce voyage insensé et dangereux.

— Mais puisque je te dis qu'il n'y a aucun danger, papa. C'est l'affaire de quelques secondes et alors je serai là-bas et puis j'en reviendrai après avoir fait mon petit tour. Voyager sur un fil de lumière, tu te rends compte? Moi, ça ne me fait pas peur du tout. Et Odani-Prime, tu ne trouves pas que c'est un joli nom pour une planète lointaine?

Tout se déroula sans problèmes. À son retour, la jeune fille se rendit à l'exospace qui venait d'être aménagé au centre-ville, à l'intention des premiers voyageurs humains. Devant le terminal de validation, elle choisit sans hésiter la couleur de l'approbation et ignora les couleurs exprimant les réserves ou le refus, qui n'étaient décidément pas faites pour elle, puisque tout l'enchantait dans le nouveau statut des humains.

Que de nouveautés. Les mondes préantéUns exceptés, toutes les planètes étaient maintenant libres d'accès et les plus aventureux pouvaient même choisir de s'établir sur certaines d'entre elles. Toutefois, le Contact restait marqué de prudence. Les candidats étaient d'abord soumis à un stage de formation sur les déplacements luminiques et faisaient l'objet d'un suivi attentif à leur retour. Mais Anita Pirskanen avait franchi tous les contrôles. Elle s'était désintégrée, puis réintégrée sur une planète située à cent cinquante mille années-lumière de la Terre, elle avait vu ce qu'il y avait à voir, s'était même fait quelques nouveaux amis à l'étonnante fourrure, était revenue saine et sauve. C'était tout simplement prodigieux. Elle pressa le bouton de couleur.

*

Il ne suffisait pas aux Uns d'avoir pris bonne note du nombre important d'appuis pro-Sapiens dans la foulée du revirement structasensi. Le vote au Grand Conseil avait été clair. Mais il fallait aussi recueillir l'avis des premiers concernés sur leur nouveau statut.

La commission de Contact avait à sa tête le Sissian Mûmmrur, pro-Sapien de la première heure.

— Nous serons bientôt fixés, Vos-Soi. Je viens de recevoir les premières couleurs de l'évaluation humaine.

Xall saurait enfin. Fallait-il pousser plus loin les échanges, ou une distance polie s'imposait-elle encore?

— Quels sont les résultats? s'impatienta le Spherit Linavotic, membre pointilleux de la commission, et qui n'avait rien perdu de ses préventions passées.

Des volutes de dépit s'échappèrent au-dessus de l'être quand l'orange de l'approbation teinta l'écran. Les humains avaient choisi leur voie.

*

Avec curiosité, Li Mei Fei s'empara de la liste transmise par la commission de Contact sous le titre : *Premières incursions humaines dans l'holoviv*. Quels rêves de connaissance les gens allaient-ils réaliser enfin? Dans quels recoins de l'histoire allaient-ils fureter, grâce à leur crédit galactique? Pendant tous ces siècles au cours desquels Uns et antéUns avaient pioché dans l'holoviv terrestre, l'éventualité que les humains puissent un jour en toucher les dividendes avait dû paraître improbable. Ce n'était plus le cas, l'heure des comptes avait sonné, et Xall était le premier à applaudir.

Depuis peu, les holocentres se multipliaient aux quatre coins du globe. Récemment, en l'espace d'une nuit, les sondines avaient fait jaillir dix mille cabines de visionnement à Ouagadougou, devant lesquelles les files continuaient de s'allonger. Pour voir quoi au juste? Voilà ce qui l'intriguait.

Li Mei Fei s'étonna de la banalité des réponses. On voulait se revoir la veille en train de prendre un verre à une terrasse ou de sortir de sa maison. On voulait voir sa voisine sur la plage ou l'actrice Juliette Hepburn lors du tournage du dernier *King Kong*. Ou encore, et plus gravement, on voulait revoir ses chers disparus. Plus vertigineux : suivre à la trace ses ancêtres, de la naissance à la mort, jusqu'au point d'arrivée de sa naissance à soi, centre de l'univers, moi, moi, moi. Li Mei Fei était déçue.

Ce n'était là que l'écume des premières requêtes, elle le comprit bientôt, à mettre sur le compte d'une réaction narcissique bien humaine. Après l'étape du miroir venait le plus intéressant. Il défilait maintenant à l'écran.

Une requête portait sur le tombeau de Cléopâtre. Où se trouvait-il ? Jusqu'alors les historiens en ignoraient l'emplacement, et demeuraient tout aussi muets sur le tombeau de César, sujet d'une autre demande holoviv.

La demande suivante portait sur l'œuvre historiographique de Racine, dont il ne subsistait que quelques fragments, sans parler de sa monumentale *Histoire du royaume de Louis XIV*, à l'existence attestée tout au plus. Le Racine historiographe du Roi valait-il l'auteur tragique ?

Le premier concert de Jimmy Hendrix à Soho, sujet de la requête suivante, la changea des tourments raciniens. Une demande pour revoir le match de rugby France-Irlande du 26 mars 2017, au Croke Park Stadium de Dublin. Une autre pour visionner Savinien Cyrano de Bergerac se battant en duel. Autre sujet : la véritable identité de Jack l'Éventreur, la confirmation ou non de l'existence du continent enfoui de l'Atlantide et, le cas échéant, sa localisation. La requête fit sourire Li Mei Fei, car elle lui rappelait sa propre curiosité de jeune Contactée. Une autre demande concernait le tout premier accostage de pêcheurs vikings sur les côtes du futur Labrador et la réaction des autochtones.

D'autre part, un petit malin avait sélectionné trois segments précis qui en disaient long sur ses intentions : la Chaldée au milieu du deuxième millénaire avant Jésus-Christ, la Galilée du début du premier siècle et l'Arabie de la première année de l'hégire. Et pourquoi pas l'arbre sous lequel le Bouddha s'était éveillé, pendant qu'on y était ? Mais Li Mei Fei se montra indulgente. Eux aussi, aux premiers temps de la caverne, avaient voulu ruser avec le Tabou des religions. Cependant, quelles que soient les portes frappées à l'holoviv terrestre pour y assister, aucune ne s'ouvrait et l'origine des religions demeurait inaccessible.

Li Mei Fei passa en revue une dizaine d'entrées encore. Quand elle estima avoir constitué un échantillonnage significatif, elle le transmit à qui de droit, avec ses commentaires.

Son correspondant fut emballé. « Chère Li Mei Fei, écrivit-il peu de temps après, je constate que l'action des génusiens est loin d'être terminée. La lecture de ton enquête provoque en moi un geyser d'idées. Je vois des conférences données par des égyptologues sur les lieux mêmes du tombeau de Cléopâtre. Ou un colloque de génétique textuelle à partir du manuscrit perdu de Racine. Je suis sûr que le public affluerait en masse. Et quel meilleur argument en faveur des bienfaits d'un gouvernement mondial que ces retombées inattendues de la nouvelle solidarité humaine. Qu'en penses-tu? »

Li Mei Fei sourit. Incorrigible Fouad. Au fond, les génusiens avaient de la chance de pouvoir compter sur lui. L'avenir appartenait aux fous, aux rêveurs, aux entrepreneurs, et cet homme était les trois.

*

Le président de séance, Charles Bennacer, compta vingt et une personnes autour de la vieille table en bois de l'auberge. Un nombre impair. Après tout, pourquoi pas? Il avait assisté à plusieurs colloques de sommités dans sa vie de philosophe, mais celui-ci dépassait tous les autres par le thème et la qualité des participants. Du reste, ce n'était pas un colloque, avait-on pris soin de préciser dans l'invitation, mais un groupe de travail, dont les conclusions seraient répercutées au plus haut niveau et aussitôt mises en application.

Presque tout ici avait été tenu secret : le lieu du rendez-vous près du mont Athos, les noms des délégués en provenance de différents horizons, et même la durée des débats. Seul le sujet était précisé au futur participant, mais uniquement lorsqu'il avait accepté l'invitation; de même que l'instance organisatrice : la commission de Contact de l'Unicité.

Charles Bennacer ignorait les motifs qui lui avaient valu d'être nommé président de séance, et pas davantage qui en avait décidé ainsi, au juste. Il enseignait la philosophie constitutionnelle au Dartmouth College depuis vingt-deux ans. Était-ce pour cette raison qu'il avait été choisi, ou, plus précisément, pour ses travaux sur l'évolution des identités nationales dans un contexte planétaire?

Comme chacun ici présent, ce n'est que ce matin qu'il découvrait les visages de ses interlocuteurs. Il en fut soufflé. Du côté religieux, il y avait le Grand Rabbin de Jérusalem, Sa Sainteté le Pape, le Grand Mufti d'Arabie Saoudite, le Patriarche de Constantinople, l'archevêque de Canterbury, Sa Sainteté le dalaï-lama, le Grand Hogon d'Arou, le Grand Ayatollah de Qom et le théologien Tobias Reissner. Du côté laïque, outre lui-même, il y avait l'éthicien Pedro Correa, le généticien Gan Ho Tung, la dramaturge Élisabeth Timotirof, le prix Nobel de littérature Jeno Perkins, la physicienne Angie Costas et l'historien Lee N'Guyen.

Le moins que l'on puisse dire, c'est que ceux qui avaient réuni l'aréopage avaient réussi un coup de maître.

Un coup? L'opération était tout sauf cela, chacun l'avait compris très tôt. Dès que le personnel de l'auberge eut quitté la salle, le président de séance ouvrit le fichier de l'argumentaire qui venait d'arriver sur l'*evi* et lut.

Les visages étaient graves. Une fois la lecture terminée, sans attendre, l'historien Lee N'Guyen annonça ses couleurs.

— Puisque la question se pose, je pense quant à moi que les deux Tabous de l'holoviv doivent être levés. Pour un historien, la multiplication de sources fiables ne peut qu'être une bonne nouvelle et favoriser une approche encore plus raisonnée du passé, tant en matière d'histoire des religions que de celle des mentalités et de la vie quotidienne.

Ses yeux brillaient d'un éclat nouveau. Toutes les portes allaient s'ouvrir.

— C'est aller trop vite en besogne, objecta l'archevêque de Canterbury. Il a fallu des siècles à l'homme pour concevoir que la religion puisse être d'ordre privé et non politique. Et on voudrait maintenant ouvrir ce for intérieur aux quatre vents? C'est le retour assuré des guerres de religions, si vous voulez mon avis.

— L'holoviv est déjà beaucoup trop envahissant, fit remarquer l'éthicien Pedro Correa. Pour quelques meurtres facilement résolus – et encore : provisoirement, car on peut faire confiance aux qualités d'adaptation des criminels –, faut-il vivre en permanence sous cet œil inquisiteur? Les voisins s'espionnent entre eux, les bureaux sont devenus des nids de commères high-tech, les couples ne se laissent rien passer. C'est trop. Cette machine voit tout.

— Justement : elle ne voit pas tout, rétorqua le Grand Rabbin de Jérusalem. Et c'est bien pour cela que nous sommes ici.

— Pour résumer, je dirais que nous avons tendance à faire un usage domestique et étriqué de l'holoviv, commenta Charles Bennacer. Un peu de discipline s'imposerait chez les usagers. Le plus simple serait sans doute de réserver l'holoviv aux chercheurs, aux spécialistes, aux scientifiques, à la rigueur aux fonctionnaires internationaux, mais chaque fois uniquement dans un cadre professionnel. Que dites-vous de cette proposition?

— Vous croyez vraiment que l'Unicité considérera nos conclusions comme exécutoires? le coupa la dramaturge Élisabeth Timotirof. Depuis quand un peuple réputé inférieur dicterait-il ses conditions à une instance supérieure?

— Relisez votre invitation et les précisions thématiques qui ont suivi, rappela le président de séance. L'Éthique Une enjoint l'Unicité de respecter tous les peuples qui sont en rapport avec elle. C'est par respect pour les humains qu'à une certaine époque les Uns ont cru pouvoir dégager ces deux Tabous nous concernant. C'est par respect qu'ils nous invitent maintenant à les redéfinir – ou non. À nous d'en décider.

Un coup discret à la porte et une armada de serveurs entra en poussant des chariots remplis de victuailles et de boissons. Charles Bennacer regarda sa montre et décréta la séance levée le temps de la pause-déjeuner.

Quelques instants plus tard, un sandwich dans une main, un verre de vin dans l'autre, il alla se poster devant l'une des grandes fenêtres cintrées qui couraient le long du mur de pierre. L'endroit était bien choisi, car propice à la réflexion. Tout en bas, les silhouettes minuscules d'un chevrier et de ses bêtes serpentaient entre les oliviers et les broussailles de la falaise. À cette heure du jour, le soleil tapait fort, mais une fraîcheur naturelle demeurait entre les murs épais de la salle de réunion. Cependant, à quelques kilomètres à vol d'oiseau, les rayons tombaient dru sur la façade d'une autre habitation agrippée au roc. D'ici, on ne voyait qu'un carré de pierres blanches et sèches, et tout en haut la silhouette d'un monastère où le temps n'avait pas de prise.

— La foi n'est pas de l'ordre du savoir mais du sentiment, fit remarquer Sa Sainteté le Pape au cours de l'après-midi, et les leaders religieux approuvèrent. Cependant, il est légitime que la religion, qui est l'expression de la foi, soit à la recherche de faits sur lesquels s'appuyer, ajouta-t-il.

— Mais les faits enregistrés par l'holoviv sont de l'ordre du savoir, non du sentiment, renchérit le théologien Tobias Reissner. Leur exposition nue en ce qui concerne l'origine des religions ne ferait que troubler les esprits.

— Et sans doute réduire à néant vos belles constructions, le piqua l'historien.

Chose étonnante, l'aréopage tomba d'emblée d'accord sur la conduite à suivre. Une aussi belle unanimité aurait pu inquiéter en d'autres circonstances. Mais puisque le Tabou semblait si bien fonctionner autour de cette table, la sagesse exigeait de ne pas y toucher, du moins pendant un certain temps. Ainsi en fut-il décidé dès la reprise des discussions le lendemain, et ce temps fut fixé à soixante-quinze années, après quoi on réévaluerait la question.

Restait l'autre Tabou. Deux jours houleux s'écoulèrent. À la fin, même décision, même délai. Les frontières de l'intimité sont aussi malaisées à définir que le visage des dieux, conclurent les sages, et il semble que les Uns, jadis, n'avaient pas trop mal visé.

*

Il s'était mis en route pour la capitale dès qu'il avait su qu'on le recevrait, et avait dissuadé ses camarades de l'exécutif de l'accompagner. Quatre personnes devant le président des États-Unis : la démarche aurait eu l'air d'un assaut. Mieux valait réunir les signatures sur une pastille et lui remettre la liste en mains propres. Quand tout le monde se mettait à l'heure molle des droits universels, il fallait bien rappeler le droit inaliénable qu'avait tout homme, dans ce pays, de posséder une arme pour se défendre.

— Mr. Gherty, Mr. Ken Gherty? interrogea le préposé à l'accueil en vérifiant ses listes à l'écran.

— C'est bien moi.

Engoncé dans son costume neuf, le porte-parole de l'Association se prêta de bonne grâce au contrôle rétinien et suivit le policier jusqu'au petit bureau servant de salon des visiteurs. On le fit entrer.

Le président Duranson était méconnaissable. Il avait perdu sa belle assurance et n'affichait plus le sourire éclatant des campagnes électorales. Sa captivité aurait donc été si pénible? Enfin, c'était de l'histoire ancienne tout ça, il en était revenu sain et sauf et avait repris ses fonctions, puisqu'il le recevait dans ce bureau, même si tout n'était pas rentré dans l'ordre pour autant. Sur cette transition, Gherty se lança. Il n'avait rien contre le nouvel ordre planétaire si ailleurs ça les arrangeait, mais ce pays avait été construit par des hommes fiers et indépendants, habitués à agir seuls face à l'adversité. Et il n'était pas question de sacrifier leurs droits dont le second amendement de la constitution était le garant. Le président Duranson pouvait sûrement les comprendre, eux, ces gardiens de la tradition, ces hommes valeureux et authentiques, vivant près de la Nature et dont on niait l'instinct avec des lois stupides.

Duranson laissa son interlocuteur dévider son fil jusqu'au bout, déposer sa pastille sur la table et la glisser vers lui. Mais il n'esquissa aucun geste pour la recevoir, pas même quand Gherty rappela l'appui reçu dans le passé, en d'autres circonstances, de la part de la puissante organisation qu'il présidait. Duranson encaissa le coup. Il n'oubliait pas que la NRA avait pesé de tout son poids lors de ses précédentes campagnes électorales. Elle revenait chercher son dû. Fallait-il s'étonner de ses prises de position? Dans d'autres pays aussi, les dirigeants politiques s'étaient heurtés à de telles résistances. Gallimore avait peut-être été trop confiant sur cet aspect des choses.

— Combien de signatures? demanda le président.

L'autre hésita.

— La National Rifle Association compte un million et demi de membres à l'heure qu'il est. Ce n'est jamais autant qu'on le voudrait, les temps sont durs pour tout le monde. Mais cinquante mille chasseurs ont également signé la pétition. Ça fait réfléchir, non?

Le président se leva et fit quelques pas en direction de la fenêtre. Qui aurait pensé qu'il regagnerait un jour ce bureau? Et dans cet état d'esprit? Mais comment oublier le geste de Gallimore dans les jours qui avaient suivi sa sortie du sous-sol? Il comptait se retirer, le pouvoir ne l'intéressait pas, lui avait-il dit. Pas à ce niveau, n'avait pu s'empêcher de penser Duranson, sarcastique. Il n'empêche qu'à partir de ce moment plus rien n'avait été pareil.

— Mr. Gherty, les temps ne sont pas durs : ils ont changé, dit-il d'un ton placide. Reprenez votre liste. Elle ne vous servira à rien ici, ni ailleurs. Il faut vous faire une raison. Dans notre pays, la possession et l'usage d'une arme ne sont plus un droit, mais la survivance d'un état archaïque, que j'entends combattre par tous les moyens.

— C'est donc comme ça que vous traitez vos amis d'hier? s'indigna Gherty.

Au fond de la pièce, l'un des gardes du corps se raidit. Gherty commença à penser qu'il s'était fourvoyé en frappant à la porte de la Maison-Blanche. Le président n'était plus le même. Ils devraient se débrouiller autrement. Et voilà qu'il leur faisait la leçon.

— Quant aux chasseurs, ils devraient laisser tomber ce combat d'arrière-garde. L'espèce en voie de disparition maintenant, croyez-moi, ce sont des gens comme eux, Gherty.

Son bon mot lui arracha un rire bref.

L'homme de la NRA n'en croyait pas ses oreilles. Mortifié, il prit congé d'un signe de tête.

*

— Pour ma part, je pense que nous manquons de recul, déclara la responsable éditoriale. Il n'est pas possible de revoir tous les manuels en un laps de temps aussi réduit. D'accord pour réviser les cartes et la nomenclature du ciel, mais résumer l'Éthique Une, c'est une autre paire de manches.

— Il le faudra bien pourtant, les directives du ministère sont claires. Les manuels doivent se conformer aux nouveaux programmes dès la rentrée prochaine. Personne ne veut enseigner aux élèves les erreurs et les approximations du passé. Et en ce qui nous concerne, il est encore moins question de laisser la concurrence s'emparer de ce marché.

Celui-là, quand il s'y mettait. Elle connaissait l'enjeu financier tout autant que lui, mais il y avait des limites à expédier les sujets complexes.

— Monsieur Jankauskas, je vous ai déjà parlé de cet éthicien Un et du centre de recherches qui vient d'être créé autour de son œuvre.

D'une main énervée, l'éditeur lissa une mèche rebelle sur son front.

— Ces noms, je ne m'y ferai jamais, soupira-t-il. Qui ça, dites-vous?

— Banadir. L'un des plus grands penseurs de l'Éthique Une. La connaissance de son œuvre est indispensable pour comprendre la civilisation élaborée autour de Xall, car Banadir en est le terreau. Je pourrais demander une contribution au directeur du centre, disons mille mots.

L'éditeur considéra la proposition deux secondes.

— Non, non, non. Je les connais, ces spécialistes. Il leur faut un an pour formuler une question, des crédits en abondance et trois autres années pour y répondre entre deux articles à des revues savantes. Et pas en mille mots mais en vingt feuillets au moins. Et nous, qu'est-ce qu'on met dans les manuels en attendant?

Vers la même époque, à treize mille cinq cents eperis de distance, et cent cinquante cycles après sa création, la commission de Contact y alla d'une première recommandation aux Un-Soi de l'Unicité, en l'occurrence représentée par l'Un-Soi Osul. Le Contact avait été un succès, le voile-pelta était levé et la volonté humaine allait dans le sens d'une multiplication des échanges. Toutefois, l'abandon du losange devait s'accompagner d'un moratoire sur les visites des Uns sur la planète. Les esprits humains n'étaient pas assez mûrs pour accueillir sans dommages des visiteurs venus de l'espace. Dans un microag, peut-être, ajoutèrent les commissaires, optimistes. Dernier point : par respect pour ses habitants, il convenait de rompre avec la nomenclature Une et de désigner la planète sous son appellation locale.

Le Sissian Mûmmrur, président de la commission de Contact, prévint les objections.

— Il est sûr que la communication s'en trouvera compliquée, puisque nous avons recensé plusieurs centaines de variations lexicales autour de la même notion. Du jamais vu parmi les peuples contactés. Selon l'aire géographique et linguistique en cause, la planète est appelée Terra, Ard, Zemlja, Yer, Gaea, Lok, Earth, Chikyuu. C'est aberrant. Cependant, il ne nous appartient pas de choisir. Nous devons prendre acte de ce foisonnement et nous en accommoder.

Pendant ce temps, la perspective de commander un article à l'unique spécialiste terrien de Banadir n'avait pas l'air d'enchanter l'éditeur.

— Non, non, non, répétait-il. D'abord il va accepter, ensuite il va nous faire lanterner pendant des mois.

Sur Xall aussi il y avait un problème.

— Comment faire pour la traduction? rétorqua l'Un-Soi Osul. Il faudra bien se mettre d'accord sur un terme.

— J'y pense, reprit l'éditeur. Si votre Banadir est aussi important que vous le dites, il doit bien exister quelque part dans la galaxie un centre d'études sur sa pensée. Soyez gentille, contactez ces gens et demandez-leur une petite synthèse vite fait bien fait. Et gratis, en plus. Ce sera tout bénéfice pour nous. Vous n'aurez qu'à clarifier les tournures obscures, et hop! Mieux vaut une demi-page rafistolée que pas de page du tout.

— Du point de vue d'Exotrad, ce n'est pas un obstacle, rétorqua le Sissian Mûmmrur. Toutes les déclinaisons du terme seront intégrées à la base de données. Mieux vaut l'exhaustivité que l'approximation.

C'est à ce genre de dilemmes que l'ère nouvelle se reconnaissait dans certains milieux.

*

Fidèle à son habitude, le Banzii Eliod quitta l'agence Exotrad un soleil avant l'heure prévue pour la séance, et se retrouva dans l'Aire semi-déserte pour savourer l'accalmie d'avant les grands moments. Les représentants Uns commençaient à arriver, les loges se remplissaient, les vectors trottinaient dans les allées, peu à peu la vie reprenait. Encore un peu de temps, et le Grand Clerc de l'Ordrun ferait son entrée.

Eliod regarda en direction de la tribune des dignitaires antéUns. A priori, rien ne distinguait la nouvelle loge de ses voisines, hormis son atmosphère d'oxygène et la température qui régnait à l'intérieur. Depuis le temps, le Banzii avait eu l'occasion de se familiariser avec les particularités humaines ; il n'empêche que 3 °ep continuait de lui paraître affreusement glacial.

Même si la chose n'était pas directement de son ressort, le chef technicien voulut inspecter les lieux à travers le magnifieur. Tout devait être propre, fonctionnel et accueillant pour le nouveau dignitaire. Eliod fut bientôt rassuré sur ce point : dans la loge, chaque appareil paraissait en place. C'est alors que son regard fut attiré par une image colorée, de grandes dimensions, suspendue à la cloison, sous le voyant de parole. Il la grossit pour découvrir un désordre de cavaliers, de lances fracassées et d'armures béantes.

En silence, l'Un-Soi jebase s'était approché.

— *La bataille d'Anghiari*, précisa-t-il derrière lui. C'est le cadeau des Contactés humains à leur représentant sur Xall. Il s'agit d'une réplique du carton réalisé par l'artiste, puisque les couleurs de la fresque n'ont pas tenu, comme vous le savez.

Eliod avait du mal à comprendre, mais à tout hasard il lâcha tout de même un jet d'approbation.

Sur Terre, au même moment, l'ambiance était électrique. Le premier représentant humain à siéger à l'Unicité! Il y avait de quoi pavoiser. Les terminaux holoviv étaient pris d'assaut, la foule se pressait aux visionnements publics organisés au coin des rues. Quelques audacieux – chefs d'État, penseurs et scientifiques – avaient fait le voyage jusqu'à Xall. La petite délégation se trouvait maintenant en compagnie des premiers Contactés, sur la Place du Lien. Et tous ces gens voyaient s'ouvrir les portes de l'Aire à leur arrivée.

Une mer de têtes, de créatures, de loges. Dans quelques minutes, le représentant humain y prendrait la parole. À l'issue d'un long débat à l'ONU, le choix de ce dernier avait été confié aux dix Contactés de la première heure, histoire de rendre hommage à leur sens de l'initiative, à leur discernement. Où se trouvait-il donc?

Les voyageurs humains ouvrirent grand les yeux, à la recherche du seul visage qui leur fût familier : un vieillard vif et droit, là-bas. Il n'était pas seul. Le plus naturellement du monde, il conversait avec une étrange créature, dont la forme et les mimiques étaient celles d'un lapin et les manières, celles d'un diplomate. Tous deux paraissaient en excellents termes. Le représentant minam, souffla Seydou au groupe des premiers Contactés.

Alors les portes se refermèrent, chacun regagna sa place. Le Grand Clerc de l'Ordrun s'avança. L'heure était venue.

*

Mizuki prit l'urne d'une main ferme. Une petite chose couleur anthracite, aux courbes lisses. Venez, dit-elle au groupe.

Marevan-Tâ, les dix Contactés et les génusiens grimpèrent sur la colline à pas lents. De là-haut, ils aperçurent les taches de couleur des maisonnettes de Nespelem et la grande prairie mouchetée de fleurs-de-lune. Un vent se leva, propice. Mizuki retira le couvercle de l'urne, leva les cendres comme pour un dernier salut, puis descendit en courant la pente jusqu'à la rivière aux Saumons. Arrivée en bas, essoufflée, elle se sentit aussi légère que l'urne calée sous son bras. La main en visière, elle se tourna vers la colline hérissée de silhouettes en contre-jour. Et pendant plusieurs secondes, elle regarda en face ce soleil qui avait accepté leur tribut.

OUVRAGE RÉALISÉ PAR
LUC JACQUES, TYPOGRAPHE
ACHEVÉ D'IMPRIMER
EN AOÛT 2008
SUR LES PRESSES
DES IMPRIMERIES TRANSCONTINENTAL
POUR LE COMPTE DE
LEMÉAC ÉDITEUR, MONTRÉAL

DÉPÔT LÉGAL
1re ÉDITION : 3e TRIMESTRE 2008
(ÉD. 01 / IMP. 01)